# LA FILLE
# PRODIGUE

JEFFREY ARCHER

# LA FILLE
# PRODIGUE

FRANCE LOISIRS
123, boulevard de Grenelle, Paris

Le titre original de cet ouvrage est :
THE PRODIGAL DAUGHTER
*(traduit de l'anglais par Vassoula Galangau)*

Edition du Club France Loisirs, Paris,
avec l'autorisation des Presses de la Cité

ISBN 2-7242-1953-8

# PROLOGUE

— Président des Etats-Unis, répondit-elle.

Il ôta ses lunettes aux verres en demi-lune et la regarda par-dessus son journal : « Non, merci ! Je connais des tas de façons plus efficaces pour faire faillite. »

— Tu prends tout à la légère, papa. Le président Roosevelt a déja prouvé qu'il n'existe pas de vocation plus passionnante que la politique.

— Tu parles ! Tout ce que Roosevelt a pu prouver...

Il s'interrompit et se replongea dans son journal, de crainte que sa remarque ne paraisse trop futile à sa fille. Comme si elle devinait les pensées de son père, celle-ci continua :

— Inutile de poursuivre un tel but sans ton appui, je le sais. Etre femme représente déjà un sérieux handicap au départ, sans parler de mes origines.

Le journal qui les séparait fut brusquement écarté :

— Ne dis jamais du mal des Polonais ! Notre peuple a le sens de l'honneur et nous n'avons qu'une parole. L'histoire en est témoin. Mon père, qui était baron...

— Mon grand-père n'est pas là pour m'aider à devenir Président.

— Dommage, soupira-t-il, il avait l'étoffe d'un grand chef.

— Alors pourquoi pas moi ? Je suis sa petite-fille, non ?

— Oui, pourquoi pas ? dit-il et il fixa les yeux gris acier de son unique enfant.

— Tu ne veux pas m'aider, papa ? Sans ton appui financier, je n'ai pas l'ombre d'une chance.

L'homme hésitait à donner une réponse. Il s'accorda le temps de chausser ses lunettes, puis de plier méticuleusement le *Chicago Tribune*.

— Faisons un marché, dit-il enfin, après tout, c'est ça la politique. Si les résultats des primaires dans le New Hampshire se révèlent satisfaisants, tu peux compter sur moi. Sinon, tu laisses tomber.

Elle répliqua du tac au tac :

— Qu'entends-tu au juste par « satisfaisants » ?

Une fois de plus il hésita, puis ayant pesé chaque mot qu'il allait prononcer :

— Si tu gagnes les élections primaires, dit-il, ou si tu obtiens 30 % des votes, je marche dans la combine, quitte à finir mes jours sur une grille d'égout.

Pour la première fois depuis le début de cet entretien, la petite fille parut se détendre.

— Merci, papa. Je n'en espérais pas moins de toi.

— Encore heureux. Maintenant, si tu permets, je vais reprendre ma lecture. Je me demande pourquoi l'équipe des Petits Loups a perdu la septième partie de la série contre les Tigres.

— Comme le score de 9 à 3 l'indique, ils étaient les plus faibles, tout simplement.

— Prenez garde, mademoiselle ! Peut-être avez-vous deux ou trois idées sur la politique, mais question base-ball, vous êtes nulle, dit-il, au moment où sa femme entrait dans la pièce.

Il avança son buste trapu vers la nouvelle arrivante et annonça :

— Notre fille veut devenir président des Etats-Unis, qu'en penses-tu ?

Il y eut un silence pendant lequel la gamine dévora sa mère du regard, guettant sa réponse. Enfin, la mère dit :

— Ce que j'en pense ? Elle devrait être déjà couchée depuis longtemps. Tu as tort de la retenir si tard.

— Bien raisonné, approuva-t-il. Au dodo, mon poussin.

La petite s'approcha de lui et l'embrassa sur la joue en murmurant : « Merci, papa. » Du regard, il suivit sa fille de onze ans, qui sortait de la pièce en serrant le poing droit, signe, chez elle, de colère ou de détermination. « Cette fois-ci, les deux choses sont sans doute réunies », se dit-il.

Il eût été vain d'expliquer à sa femme que leur enfant échappait au commun des mortels. Du reste, depuis un certain temps, il avait abandonné toute tentative de l'associer à ses propres projets. Dieu merci, sa femme n'avait pas assez de cran pour étouffer les ambitions de leur fille.

Il réexamina le cas des Petits Loups et dut admettre que la petite avait vu juste...

Pendant vingt-deux ans, Florentina Rosnovski ne fit pas la moindre allusion à cette conversation. Lorsqu'elle en reparla, elle savait que son père ne se défilerait pas. Après tout, les Polonais sont un peuple qui a le sens de l'honneur et qui n'a qu'une parole !

# LE PASSÉ

## 1934-1968

**1**

L'accouchement avait été difficile. Du reste, à cette époque rien ne réussissait vraiment à Abel et Zaphia Rosnovski et, à leur façon, ils s'y étaient habitués. Abel rêvait d'un garçon, d'un héritier qui prendrait plus tard les rênes du groupe Baron. Peu avant la naissance de l'enfant, Abel croyait dur comme fer que son nom allait faire concurrence à Ritz et à Statler et que les Baron deviendraient un jour la plus grande chaîne hôtelière du monde.

A l'affût du premier cri de l'enfant, le futur père arpentait le couloir gris de l'hôpital Saint-Luc. Au fil des heures, son pas boiteux s'était accentué. De temps à autre, il tirait le lourd bracelet en argent qu'il portait au poignet et regardait le nom gravé sur le métal. Soudain, il aperçut le docteur Dodeck, qui venait à sa rencontre.

— Félicitations, monsieur Rosnovski.

— Merci, répondit-il, au comble de l'angoisse.

— Vous avez une belle petite fille.

— Merci, répéta-t-il machinalement, tout en s'efforçant de dissimuler sa déception.

A l'autre bout du couloir il y avait une petite pièce et, à travers la vitre, on pouvait voir des tas de petits visages ridés. Le médecin lui montra son premier enfant. A la différence des autres, il serrait ses poings minuscules. Abel avait lu dans un magazine que les nouveau-nés ne font ce geste qu'au bout de trois semaines.

Fier, il sourit.

La mère et le bébé séjournèrent à Saint-Luc pendant une semaine. Abel leur rendait visite deux fois par jour : le matin, après que le dernier breakfast fut servi à l'hôtel, et l'après-midi, lorsque les clients du lunch étaient partis.

Le lit de Zaphia débordait de fleurs, de télégrammes et de cartes de vœux, ultime mode et preuve indéniable que les amis se réjouissaient de cette naissance. Le septième jour, la famille Rosnovski au complet rentra à la maison. Le bébé ne portait pas de nom. Abel avait pensé à six noms de garçon. A l'anniversaire de la deuxième semaine de la petite fille, ils l'appelèrent Florentina, comme la sœur d'Abel. L'enfant fut installé dans la nouvelle nursery, au dernier étage, et Abel passait des heures entières à la regarder dormir ou se réveiller et à se dire qu'il allait se tuer au travail pour assurer l'avenir de sa fille.

Il ferait tout pour que Florentina débute mieux que lui dans la vie. Elle ne connaîtrait ni la misère d'une enfance malheureuse ni la honte de l'immigré débarquant sur la côte Est de l'Amérique avec en tout et pour tout, dans son unique bagage, une poignée de roubles sans valeur. Et il se promettait de donner à sa fille l'éducation qui lui avait manqué, à lui — encore qu'il ne devrait pas trop s'en plaindre.

Franklin D. Roosevelt était à la Maison-Blanche et la petite chaîne d'hôtels qu'Abel avait créée semblait vouloir survivre à la crise économique. L'Amérique avait été bénéfique à cet immigrant.

Alors, dans la nursery, sous les toits, Abel se remémorait son passé et rêvait à l'avenir de sa fille.

A son arrivée aux Etats-Unis, Abel avait déniché un job à New York, dans une boucherie minable, au fin fond de l'East Side. Il y avait travaillé pendant deux années interminables, avant d'être embauché au Plaza pour remplacer un serveur. D'emblée, le vieux maître d'hôtel, Sammy, l'avait traité comme un ver de terre. Quatre ans plus tard, le pire des négriers aurait été ébloui par les efforts et les heures supplémentaires que le ver de terre en question avait fournis, dans le seul but d'obtenir le poste enviable de serveur dans l'*Oak Room*.

Abel passait cinq après-midi par semaine à l'université de Columbia à dévorer des livres. Après le dîner, il continuait à étudier tard dans la nuit. Les autres larbins se demandaient quand il trouvait le temps de dormir. Et lui s'interrogeait à quoi ses nouvelles aptitudes allaient le mener.

La question fut résolue par un Texan grassouillet du nom de Davis Leroy. Pendant une semaine entière, celui-ci observa Abel servir les clients. Propriétaire de onze hôtels, Leroy proposa à Abel la place de directeur adjoint chargé des restaurants au Richmond Continental à Chicago.

Les coups de pied de Florentina sur les flancs de son berceau ramenèrent son père au présent. Il tendit un doigt. Le bébé s'en saisit, comme d'un cordage jeté d'un bateau en péril, puis elle commença à le mordiller de ses gencives édentées.

A Chicago, Abel n'avait pas tardé à s'apercevoir que le Richmond Continental était dans une mauvaise passe. Il ne lui avait pas fallu longtemps pour en comprendre la raison. Desmond Pacey, le directeur, truquait les comptes depuis plus de trente ans. Pendant six mois, le nouveau directeur adjoint s'appliqua à rassembler les preuves nécessaires à l'élimination de Pacey. Un beau matin, il présenta à son employeur un dossier contenant tous les détails de l'escroquerie.

Davis Leroy licencia Pacey et le remplaça par son nouveau protégé. Stimulé, Abel se mit à travailler avec acharnement. Il éprouvait une telle confiance en l'avenir du Groupe Richmond que lorsque la vieille sœur Leroy mit en vente le paquet d'actions de la société qu'elle détenait, Abel liquida tout ce qu'il possédait pour se les procurer. Très touché par l'apport personnel de son jeune directeur à la société, Leroy nomma Abel directeur général du groupe.

Très vite, les relations des deux associés se transformèrent en une amitié solide. Abel appréciait beaucoup le fait qu'un Texan considère un Polonais comme son égal. Pour la première fois depuis son arrivée aux Etats-Unis, il se sentit en sécurité. Il découvrit un jour, grâce à la fille Leroy, que l'on n'entre pas facilement dans le clan des Texans. Il était prêt

15

pourtant à oublier cet incident. Mais pourquoi diable Davis ne l'avait-il pas mis au courant des difficultés financières de la société ? Tout le monde avait besoin d'argent pendant la dépression. S'il l'avait fait, ils auraient pu, tous deux, se tirer d'affaire.

A soixante-deux ans, Davis Leroy apprit que la valeur de tous ses hôtels réunis ne comblait plus son découvert. La banque réclamait des garanties, avant de débloquer les salaires du personnel. En réponse à cet ultimatum, Leroy dîna tête à tête avec sa fille, se retira avec deux bouteilles de bourbon dans la suite présidentielle, et sauta par la fenêtre du 17e étage.

Abel n'oublierait jamais ce coin de trottoir de l'avenue Michigan où, à quatre heures du matin, il dut identifier le corps de son associé, reconnaissable à la veste qu'il portait la nuit du drame. Le flic de service avait déclaré :

— C'est le septième suicide à Chicago, aujourd'hui.

Maigre consolation ! Ce flic ne pouvait pas savoir tout ce que le mort avait fait pour Abel et tout ce qu'il allait faire pour lui.

Dans un testament rédigé à la hâte, Davis Leroy léguait 75 % des actions du groupe à son directeur. Il avait laissé une lettre à Abel pour lui expliquer que, même sans aucune valeur, la possession de la totalité des actions du groupe consoliderait sa position face à la banque.

Le bébé ouvrit les yeux et se mit à pleurnicher. Tendrement, Abel le prit dans ses bras et regretta aussitôt son geste car le petit derrière était mouillé. Il changea la couche, sécha l'enfant avec soin, rabattit le triangle de tissu propre en veillant que les grosses épingles ne blessent pas le petit corps. La plus exigeante des nourrices aurait admiré sa dextérité. Florentina referma les yeux et se rendormit sur l'épaule de son père.

— Sale gosse ! murmura-t-il, attendri, et il l'embrassa sur la joue.

Après l'enterrement de Davis Leroy, Abel s'était rendu à Boston, à la banque Kane et Cabot. Il avait négocié avec l'un des directeurs, essayant de le dissuader de mettre en vente les onze hôtels du groupe Richmond. Il s'était battu pour obtenir le soutien de la banque, certain de pouvoir renverser la situation si on lui en donnait le temps. Doucereux, impassible, le banquier qui était assis de l'autre côté de la précieuse table des transactions n'avait pas bronché.

— Je dois agir dans le seul intérêt de la banque, avait été sa seule réponse.

Abel n'était pas prêt d'oublier l'humiliation qu'il avait éprouvée lorsqu'il dut saluer cet homme de son âge, en l'appelant « monsieur », avant de repartir les mains vides. Ce type devait avoir une caisse enregistreuse à la place du cerveau pour ignorer que sa décision allait affecter un grand nombre de personnes.

Il s'était juré de se mesurer un jour avec ce sale snobinard de William Kane. Puis, pensant que, de toute façon, rien de pire ne pouvait lui arriver, Abel était rentré à Chicago dans la nuit. Le Richmond Continental avait brûlé de fond en comble et la police l'accusait d'incendie volontaire.

De fait, le feu avait été allumé avec préméditation par Desmond Pacey, l'ex-directeur de l'hôtel, qui voulait se venger. Arrêté, il était passé aux aveux sans se faire prier, son seul intérêt étant la faillite de son ennemi. Pacey aurait réussi son coup sans le concours de la compagnie d'assurances. Jusqu'à ce moment, Abel avait commencé à se dire qu'il aurait mieux fait de rester dans le camp de travail russe, plutôt que de s'en évader pour se réfugier en Amérique. Mais tout à coup, la chance avait tourné. Un commanditaire anonyme avait acheté le groupe Richmond. Abel subodorait qu'il s'agissait d'un certain David Maxton, car celui-ci lui avait proposé de diriger le Stevens, un hôtel dont il était propriétaire.

Abel se souvenait de la façon dont il avait retrouvé Zaphia, cette fille tellement sûre d'elle-même, qu'il avait rencontrée sur le bateau qui les amenait en Amérique. Auprès d'elle il s'était, alors, senti maladroit, immature. Zaphia travaillait comme serveuse au Stevens. Le destin les avait à nouveau réunis.

Deux ans étaient passés. En 1933, le jeune groupe Baron n'avait pas fait de profit, mais n'avait perdu que trente-trois mille dollars, grâce à l'affluence des touristes à l'Exposition Universelle pour le centenaire de Chicago.

Après l'arrestation de Pacey, convaincu d'incendie volontaire et en attendant l'argent de l'assurance pour reconstruire l'hôtel sinistré, Abel consacra cette période à visiter les dix autres hôtels du groupe Richmond. Tous les directeurs qui, comme Pacey, étaient suspectés de détourner des fonds, furent mis à la porte et remplacés par des chômeurs, très nombreux à cette époque aux Etats-Unis.

Zaphia se plaignait. Abel était toujours par monts et par vaux, sans cesse sur les routes entre Charleston et Mobile, Houston et Memphis, contrôlant les établissements du Sud. Il lui fallait à tout prix se tirer d'affaire vis-à-vis de son commanditaire. Ce n'était pas le moment de devenir casanier, même s'il devait, pour cela, se passer de sa petite fille adorée. Dix ans pour rembourser la banque, se disait-il. Après quoi, une clause du contrat l'autorisait à racheter 60 % des actions restantes, pour trois millions de dollars.

Zaphia n'en demandait pas tant et implorait son mari de se reposer. Mais rien au monde ne pouvait plus arrêter Abel.

— Le dîner est servi ! hurla-t-elle.

Il fit la sourde oreille et continua à contempler sa fille qui dormait à poings fermés.

— Tu es sourd, ou quoi ? Le dîner est prêt !

— Excuse-moi, chérie. J'arrive tout de suite.

A contrecœur, il se leva pour rejoindre sa femme, ramassa au passage l'édredon rouge de Florentina, tombé à côté du berceau, et le posa délicatement par-dessus les couvertures. Pour rien au monde il n'aurait voulu que le bébé prenne froid.

Florentina souriait dans son sommeil. Etait-elle en train de rêver ? Abel se le demanda en éteignant la lumière.

## 2

Tout le monde se souvenait du baptême de Florentina, excepté l'intéressée, qui avait dormi tout le long de la cérémonie. Le baptême avait eu lieu dans le North Wabash, à l'église de la Sainte-Trinité. Ensuite, les invités s'étaient acheminés vers le Stevens.

Abel avait réservé un salon, dans lequel il put réunir plus d'une centaine de personnes. Son meilleur ami, Georges Novak, un Polonais qu'il avait rencontré dans le rafiot qui les avait ramenés d'Europe, était le parrain. Janina, une cousine de Zaphia, faisait office de marraine.

On servit aux convives un repas traditionnel de dix plats, sans oublier les *pierogi* et les *bigos*. Après le festin, Abel s'installa en tête de table, pour recevoir les cadeaux de sa fille.

Il y avait un hochet en argent, un livret d'Epargne, un *Huckleberry Finn* illustré et, le plus beau d'entre tous, envoyé par le mystérieux commanditaire d'Abel, une magnifique bague ancienne en émeraude. L'heureux père souhaita que son bienfaiteur ait eu le même plaisir à offrir, que sa fille éprouverait plus tard à recevoir. Enfin, clou de la soirée, il présenta à l'assemblée le bébé, affublé d'un gros ourson aux yeux rubiconds.

— Tiens ! Tiens ! dit Georges, en montrant l'ourson à l'assistance, on dirait qu'il a la bouille de Franklin Roosevelt. Ça, mes amis, ça mérite un deuxième baptême.

Abel leva son verre :

— A monsieur le Président, lança-t-il en guise de toast, donnant à l'ourson un nom dont il ne devait plus jamais se défaire.

La fête se termina à trois heures du matin. Abel réquisitionna un chariot de linge sale de l'hôtel, pour ramener les cadeaux chez lui. George l'accompagna à la porte, puis le regarda qui traversait la North Michigan Avenue, en poussant le chariot.

Abel sifflotait une rengaine en pensant à cette mémorable soirée. Lorsque, pour la troisième fois, monsieur le Président chuta sur le macadam, Abel s'aperçut qu'il zigzaguait sur la corniche du lac. Il ramassa l'ourson, le déposa au milieu des autres présents et s'apprêtait à repartir d'un pas plus affirmé, quand une main s'abattit sur son épaule. Il bondit, prêt à défendre de sa vie les premiers trésors de Florentina, et se trouva nez à nez avec un jeune policier.

— Dites donc, qu'est-ce que vous faites à cette heure-ci, sur la voie publique, avec un chariot du Stevens ?

— Je rentre chez moi, monsieur l'agent, répliqua Abel.

— Ah oui ? Faites voir un peu ce qu'il y a dans ces paquets.

— Je vous jure qu'il n'y a pas Franklin Roosevelt, monsieur l'agent.

Abel fut arrêté pour vol.

La propriétaire des cadeaux souriait aux anges sous son édredon rouge, pendant que son père se retournait sur un matelas bourré de noyaux de pêche, à la prison locale. Le lendemain matin à la première heure, Georges Novak se présenta au tribunal pour disculper son ami. Un jour plus tard, Abel fit l'acquisition d'une Buick prune à quatre portes, chez Peter Sosnokwski, marchand de voitures d'occasion du quartier polonais.

Depuis un certain temps, l'idée de quitter Chicago attristait Abel. Il craignait que, pendant son absence, Florentina dise son premier mot ou fasse son premier pas. Depuis la naissance de sa fille, il avait pris l'habitude de superviser tout ce qui la concernait et interdisait qu'on parle polonais devant elle. Il s'acharnait à effacer toute trace d'accent étranger qui, plus tard, aurait pu gêner Florentina en société.

Et il attendait le premier mot de l'enfant avec impatience, espérant secrètement que ce serait « papa ». Zaphia tremblait que la petite prononce un mot polonais car, lorsqu'elles étaient seules, elle ne lui parlait pas en anglais.

— Notre fille est américaine, expliqua un jour Abel, elle doit parler l'anglais. La plupart des Polonais parlent leur langue entre eux. Résultat, leurs gosses sont condamnés à une vie de chien dans le nord-ouest de Chicago où on les traite de métèques et de polacs.

— Sauf nos paysans, qui restent fidèles à l'Empire, se défendit Zaphia.

— L'Empire ! Dans quel siècle vis-tu, ma pauvre ?

— Le vingtième, cria-t-elle.

— Oui, avec Dick Tracy, bandes dessinées et compagnie.

— Etrange attitude de la part de quelqu'un qui prétendait vouloir retourner un jour à Varsovie comme le premier ambassadeur américain d'origine polonaise.

— Ne parle plus jamais de ça, Zaphia ! Plus jamais !

L'anglais de Zaphia était resté plutôt rudimentaire. Elle ne répondit rien, mais alla pleurer chez ses cousins et en tout cas, elle continua bel et bien à parler polonais quand son mari était absent. Le fait que le chiffre d'affaires de la General Motors dépassait le budget de la Pologne ne lui faisait ni chaud ni froid.

En 1935, Abel pensait que l'Amérique avait tourné une page de son histoire et que la crise économique appartenait au passé. « Il est grand temps, décida-t-il, de faire construire un hôtel Baron sur l'emplacement de l'ancien Richmond. »

Un architecte fut engagé, Abel cessa de voyager et se fixa dans la « cité des vents ». Il était persuadé que son hôtel deviendrait le plus chic du Midwest.

Terminé en mai 1936, le Baron de Chicago fut inauguré par Edward Kelly, le maire démocrate de la ville et quant aux deux sénateurs de l'Illinois, conscients du pouvoir naissant d'Abel, ils s'empressèrent d'y assister.

— Cela a dû vous coûter une fortune, observa Hamilton Lewis, le plus ancien des sénateurs.

— Effectivement, admit Abel.

Il ne se lassait pas d'admirer les salles somptueusement moquettées, les hauts plafonds de stucs, les décorations en délicates nuances vert d'eau. Touche finale, un B vert foncé en relief était imprimé partout, depuis les serviettes de bain jusqu'au drapeau flottant au sommet des quarante-deux étages.

Hamilton Lewis prit la parole devant deux mille invités :

— Cet hôtel porte déjà la marque du succès, déclara-t-il, car c'est l'homme et non le bâtiment que l'on appelle le Baron de Chicago.

Sous les éclats de rire et les applaudissements, Abel rayonnait de joie. Cette dernière phrase avait été ajoutée au discours du sénateur en début de semaine, par l'attaché de presse du Baron. A présent, Abel commençait à se sentir comme un poisson dans l'eau parmi les grands hommes d'affaires et les politiciens.

Ce soir-là, Zaphia, qui ne s'était jamais habituée à la nouvelle situation de son mari, força sur le champagne. Juste avant de passer à table, elle dut s'éclipser en titubant, sous le fallacieux prétexte d'aller voir « si Florentina dormait ». Abel raccompagna sa femme jusqu'à la sortie, dans un silence irrité. Non seulement Zaphia se désintéressait de l'ascension sociale de son mari, mais encore elle boudait son nouveau milieu. Consciente de lui avoir déplu, elle murmura avant de s'engouffrer dans un taxi :

— Ne te crois pas obligé de rentrer tôt.

— Sûrement pas, bougonna-t-il et, revenu à l'hôtel, il poussa la porte-tambour avec une telle fureur, que les battants continuèrent à tournoyer pendant un bon moment.

De retour dans la salle de réception, il tomba sur Henry Osborne, le conseiller municipal, qui lui dit :

— Ce soir, c'est l'apogée de votre vie.

— L'apogée ? Je viens juste d'avoir trente ans, mon cher.

Le flash d'un photographe le saisit, un bras autour de l'épaule de cet homme politique séduisant mais inquiétant.

Abel sourit à l'objectif, savourant le plaisir d'être une vedette, puis déclara assez haut pour que les reporters puissent entendre :

— Je vais construire des Baron dans le monde entier. Je voudrais devenir pour l'Amérique, ce que César Ritz a été pour l'Europe. Restez avec moi, Henry, le jeu en vaut la chandelle.

Ils traversèrent la pièce bras dessus bras dessous et, à l'écart des autres invités, Abel lança :

— Auriez-vous le temps de déjeuner avec moi demain ?

— Avec joie, Abel. Un simple conseiller municipal doit toujours être disponible pour le Baron de Chicago.

Ils éclatèrent de rire, et pourtant aucun d'entre eux n'avait trouvé cette remarque particulièrement drôle.

La soirée prit fin très tard. De retour chez lui, Abel se retira dans la chambre d'amis afin de ne pas déranger sa femme ; c'est du moins ce qu'il prétendit le lendemain.

Abel entra dans la cuisine. Assise sur une haute chaise, Florentina se barbouillait allégrement la figure avec sa crème de céréales et mordait tout ce qu'elle pouvait atteindre, comestible ou non. Son père l'embrassa sur le sommet du crâne, le seul endroit qui avait échappé au barbouillage et s'assit en silence devant une assiette de gaufres au sucre d'érable. Lorsqu'il eut terminé, il se leva et annonça à sa femme qu'il allait déjeuner avec Henry Osborne.

— Je n'aime pas cet homme, dit-elle.

— Moi non plus. Mais il est trop bien placé à la mairie pour qu'on puisse l'ignorer. Il pourrait nous rendre pas mal de services.

— Ou nous créer des tas d'ennuis.

— N'y pense plus. Laisse-moi faire, dit-il en lui effleurant la joue d'un baiser.

— Plésidon, fit une voix.

Tous deux se retournèrent. Florentina gesticulait en direction de Franklin, qui gisait sur le sol, le nez contre le carrelage. Abel ramassa l'ourson et le rendit en riant à sa fille.

— Pré-si-dent, articula-t-il avec douceur.

— Plésidon !

Il éclata de rire et tapota la tête poilue de Franklin. Ce sacré F.D.R. ! Après avoir créé le New Deal, il suscitait le premier sentiment politique de Florentina...

Le chauffeur attendait Abel près de la nouvelle voiture, une Cadillac. Au fur et à mesure que les marques de ses voitures s'amélioraient, sa conduite empirait. Lorsqu'il acheta la Cadillac, Georges lui procura un chauffeur.

Près de la Gold Coast, Abel demanda au conducteur de ralentir, afin de mieux contempler la masse miroitante du Baron de Chicago. Dans aucun autre pays au monde on ne pouvait accomplir un tel miracle aussi vite. L'idée le fascinait. Dix générations de Chinois seraient folles de joie d'obtenir ce que lui, Abel, avait acquis en moins de quinze ans.

Sans donner au chauffeur le temps de lui ouvrir la portière, il quitta la voiture et entra dans l'hôtel d'un pas alerte. Son ascenseur personnel le déposa au cœur du 42e étage. Abel consacra toute la matinée à la direction du nouvel hôtel. Un des ascenseurs fonctionnait mal. Deux serveurs s'étaient battus à coups de couteau dans les cuisines et avaient été renvoyés par Georges. La liste des dégâts paraissait anormalement élevée. Il passa chaque objet mentionné au peigne fin, vérifiant si un vol n'avait pas été déguisé en bagarre par les deux larrons.

Abel ne laissait rien au hasard, dans aucun de ses établissements. Il passait tout au crible, le nom du client qui avait réservé la suite présidentielle, comme le prix des huit cents croissants par semaine nécessaires au chef cuisinier.

Il ne vit pas le temps passer jusqu'à l'arrivée d'Henry Osborne, qui fut introduit dans le bureau par la secrétaire.

— Bonjour, cher baron, lança Henry sur un ton condescendant, faisant allusion au titre de noblesse des Rosnovski.

Jadis, lorsque Abel n'était qu'un simple serveur au Plaza, on se moquait de son titre. Au Richmond, où il avait été sous-directeur, on riait sous cape, derrière son dos. A présent, on lui servait du « Monsieur le baron », avec respect.

— Bonjour monsieur le conseiller, répondit-il. Un coup

d'œil à la pendulette de son bureau lui apprit qu'il était 13 h 5. Allons déjeuner, mon cher.

Les deux hommes passèrent dans la pièce voisine, aménagée en salle à manger. Pour un observateur, Henry Osborne ne ressemblait en rien à Abel. Diplômé de Choate — Abel ne pouvait s'empêcher d'y penser —, le politicien avait traversé la guerre mondiale avec le grade de lieutenant de marine. Elégant, élancé, arborant une abondante chevelure brune à peine striée de gris, il paraissait beaucoup plus jeune que son âge.

Abel et lui s'étaient rencontrés le lendemain de l'incendie qui avait ravagé le vieux Richmond Continental. A cette époque, Henry était agent d'assurances de la Great Western, la compagnie qui avait assuré le Richmond. Il avait alors suggéré que certaines petites sommes payées cash pourraient donner un coup de pouce aux rouages administratifs de la compagnie. Abel n'avait pas un sou en poche, mais Henry semblait croire en son avenir et l'assurance avait fini par payer l'indemnité. Ce fut donc Henry qui avait appris à Abel que les hommes se laissent facilement acheter.

L'agent d'assurances devint par la suite conseiller municipal. Entre-temps, Abel était en mesure de dépenser ces fameuses « petites sommes cash » et le permis de construire du nouveau Baron avait été délivré par l'hôtel de ville, comme par enchantement.

Lorsque Henry manifesta plus tard le désir de devenir député de l'Illinois, Abel figurait parmi les premiers supporters qui financèrent la campagne électorale.

Tout en se méfiant de la personnalité de son nouvel ami, Abel se disait que celui-là, en tant qu'homme politique, pourrait être d'un grand secours au groupe Baron. A toutes fins utiles, il avait fait disparaître de ses registres toute trace des « petites sommes », car il se refusait à les appeler pots-de-vin. A présent, il se sentait de taille à mener à bien cette sorte d'arrangements.

La même délicate nuance vert d'eau prédominait dans la salle à manger privée, comme dans le reste de l'édifice, mais on ne voyait nulle part le « B » en relief. Une fois la porte fermée, le mobilier XIXᵉ siècle en chêne massif et les peintures de la même période, presque toutes importées, créaient l'illusion d'un autre monde, loin du bruit et de l'agitation d'un hôtel moderne. Sur la table surchargée d'ornements, autour de laquelle pouvaient facilement s'asseoir huit convives, il n'y avait, ce jour-là, que deux couverts. Abel prit place.

— Cette pièce dégage un parfum de bonne vieille Angleterre, commenta son invité, s'asseyant à son tour.

— Sans parler de la Pologne, répondit-il.

Un serveur en livrée servit du saumon fumé, pendant qu'un autre remplissait les verres d'un excellent chablis.

Henry regarda son assiette :

— Je vois que vous avez pris du poids, mon cher baron.

Son hôte se renfrogna et changea de sujet.

— Allez-vous suivre demain l'équipe des Petits Loups ?

— Pour quoi faire ? Leurs performances à domicile sont encore plus désastreuses que celles des républicains. En tout cas, mon absence n'empêchera pas le *Tribune* de décrire le match comme un combat serré, sans bien sûr mentionner le score, et de prétendre que, en d'autres circonstances, nos Petits Loups auraient remporté une victoire éclatante.

Abel se mit à rire et Henry poursuivit :

— Bah ! Vous ne verrez jamais une nocturne à Wrigley. Cette abomination qui consiste à courir derrière la balle sous les projecteurs ne prendra pas à Chicago.

— Vous disiez la même chose pour les canettes de bière.

L'invité se renfrogna à son tour.

— Vous ne m'avez sûrement pas convié ici pour écouter mon point de vue sur le base-ball ou la bière, Abel. A quoi puis-je vous être utile cette fois ?

— Donnez-moi un conseil : que dois-je faire au sujet de William Kane ?

Henry commença à tousser, à tel point qu'Abel crut qu'il était en train de s'étrangler avec une arête. Pourtant, il ne devait pas y avoir d'arêtes dans le saumon fumé. Il se promit d'en toucher un mot au chef.

— Henry, reprit-il, vous m'avez déjà raconté dans le détail

ce qui vous est arrivé lorsque votre chemin croisa celui de M. Kane et comment cet homme vous a ruiné. Il m'a fait pire ! Pendant la Dépression, sa banque a mis le grappin sur Davis Leroy, mon ami et associé, l'acculant au suicide. Pour arranger le tout, cette ordure a refusé catégoriquement de me soutenir, quand j'essayais de reprendre en main la situation, pour rendre les hôtels productifs.

— Et qui vous a aidé, en définitive ?

— La Continental Trust et un investisseur anonyme. Le directeur de la banque ne m'a jamais dévoilé son nom, mais j'ai de bonnes raisons de croire qu'il s'agissait de David Maxton.

— Le propriétaire du Stevens ?

— Lui-même.

— Mais qu'est-ce qui vous a mis la puce à l'oreille ?

— Les frais de mon mariage et du baptême de ma fille ont été réglés par cet homme.

— Cela ne prouve rien.

— Je sais bien. Et pourtant, je mettrais ma main au feu que c'est Maxton. A la même époque, il m'avait demandé de diriger le Stevens et c'est alors que je lui ai dit que je cherchais plutôt un commanditaire pour le groupe Richmond. Dans la semaine qui a suivi, son banquier m'a convoqué et m'a remis la somme demandée, tout en prétextant que le nom de l'acheteur ne pouvait être révélé, sous peine de le mettre en conflit avec ses propres intérêts.

— Voilà qui est plus convaincant, dit Henry, qui jouait avec son verre vide ; dites-moi maintenant ce que je dois faire à propos de William Kane.

— Quelque chose qui ne prendra pas trop de temps et qui vous rapportera des satisfactions aussi bien financières que personnelles, étant donné la haute estime que vous portez à cet individu.

— Je vous écoute, dit le conseiller, sans lever le regard.

— J'ai envie de mettre la main sur un important nombre d'actions de la banque de Kane, à Boston.

— Ça ne va pas être facile. Presque toutes les parts appar-

27

tiennent à la famille et ne peuvent être cédées sans l'autorisation de notre ami.

— Vous avez l'air parfaitement au courant.

— Bah ! Tout le monde le sait.

Abel n'en crut pas un mot.

— Commençons par découvrir le nom de tous les porteurs de parts de la Kane et Cabot, proposa-t-il ; certains d'entre eux aimeraient peut-être se débarrasser de leurs actions pour un prix très supérieur au pair.

Les yeux d'Henry s'allumèrent, alors qu'il calculait rapidement combien cette transaction pourrait lui rapporter, s'il concluait un marché avec les deux parties.

— Si Kane découvre le pot aux roses, il peut se montrer implacable.

— Il n'y verra que du feu. Et même s'il soupçonnait quelque chose, nous aurions pris d'ici là une sacrée avance sur lui. Alors ? Vous sentez-vous de taille à effectuer ce travail ?

— Je peux toujours essayer. De quoi s'agit-il au juste ?

Abel comprit que son interlocuteur s'efforçait de deviner le montant exact de sa récompense, mais il n'avait pas encore terminé.

— Tous les premiers du mois, dit-il, je veux un rapport écrit concernant les actions de Kane dans toutes les sociétés, ainsi que tous les détails possibles sur ses affaires et sur sa vie privée. Je veux tout, absolument tout, même les faits les plus insignifiants.

— Ça ne va pas être un travail de tout repos.

— Mille dollars par mois rendraient-ils la tâche plus aisée ?

— Mille cinq cents, sûrement.

— Disons mille pendant les six premiers mois. Prouvez votre efficacité et j'augmenterai vos honoraires à mille cinq cents.

— Marché conclu !

— Parfait.

Abel extirpa un carnet de chèques de la poche intérieure de son veston et détacha un chèque déjà libellé pour mille dollars.

Henry le regarda.

— Vous étiez sûr que j'allais marcher dans la combine, n'est-ce pas ?

— Pas tout à fait, répondit Abel en lui montrant un deuxième chèque, de mille cinq cents dollars. Allez ! Apportez-moi quelques numéros gagnants dès le premier mois et vous n'aurez perdu que trois cents dollars. (Et là ils éclatèrent de rire.) Parlons maintenant de choses plus plaisantes. Allons-nous gagner ?

— Le match de base-ball ?

— Non, les élections.

— Certainement. Laudon préconise un appel aux troupes. Quant au Tournesol du Kansas, il n'a aucune chance de battre F.D.R. Comme le Président nous l'a fait remarquer, cette fleur est jaune, avec un cœur noir, sert de nourriture aux perroquets et disparaît avant novembre.

— Et pour vous ? demanda Abel en riant.

— Aucun problème. Le siège appartient de tout temps aux démocrates. Le plus dur, c'est de dégoter la nomination.

— Je souhaite sincèrement que vous soyez député, Henry.

— Merci, Abel. Pour ma part, j'espère continuer à vous rendre service, comme à tous mes lecteurs.

— Mieux même, riposta Abel, avec un regard moqueur.

Les serveurs placèrent devant eux des steaks si énormes qu'ils débordaient des plats et remplirent les verres d'un côte-de-beaune 1929. Pendant le repas, la discussion porta sur l'affaire Gaby Hartnett, les quatre médailles d'or de Jesse Owens aux Jeux olympiques de Berlin et le danger qu'Hitler envahisse la Pologne.

— Il n'osera pas ! déclara Henry, avant de se lancer dans le panégyrique des troupes polonaises à Mons, pendant la Grande Guerre.

Aucun détachement polonais n'avait participé à cette bataille, mais Abel s'abstint de contredire son invité...

A 14 h 37, de nouveau à sa table de travail, Abel se replongea dans les questions de la suite présidentielle et des huit cents croissants.

Il rentra chez lui à 9 heures du soir. Florentina dormait.

29

Mais dès que son père entra dans la nurserie, elle ouvrit les yeux et lui sourit :

— Plésidon, plésidon, plésidon.

Abel lui sourit également.

— Non, ma chérie, pas moi. Toi, peut-être, mais pas moi.

Il prit sa fille dans ses bras, l'embrassa sur la joue et se mit à la bercer, tandis qu'elle répétait inlassablement l'unique mot de son vocabulaire.

## 3

En novembre 1936, Henry Osborne fut élu à la Chambre des Représentants. L'électorat du nouveau député de l'Illinois avait légèrement baissé par rapport à son prédécesseur. Cela ne pouvait être imputé qu'à sa paresse. Par ailleurs, Roosevelt remportait la majorité des suffrages dans tous les Etats, sauf dans le Vermont et le Maine. Les républicains obtinrent au Congrès : 70 sénateurs et 103 députés.

Seul le fait que son homme occupât un siège à la Chambre intéressait Abel, qui s'empressa de lui offrir la présidence du comité de planification du groupe Baron. Henry accepta, avec reconnaissance.

Le nouveau député semblait être la personne idéale pour dénicher des permis de construire, et Abel dépensait toute son énergie à bâtir ses hôtels. Il payait ces services avec des coupures usagées. Mais qu'est-ce qu'Henry pouvait bien faire de tout cet argent ? Probablement, une partie des sommes versées tombait dans de bonnes mains, pensait-il. Pour le reste, il n'avait aucune envie d'entrer dans les détails.

Ses rapports avec Zaphia n'avaient pas cessé de se détériorer. Pourtant, Abel rêvait d'un fils. A son désespoir, sa femme ne tombait pas enceinte. Il commença par la blâmer. Zaphia désirait également un deuxième enfant et finit par persuader son mari de consulter un spécialiste.

Ainsi, il apprit, avec humiliation, que son sperme était appauvri, à cause des privations subies dans son enfance. Plus jamais il ne pourrait devenir père. Dès cet instant, Abel considéra le sujet clos et reporta son affection et toutes ses espérances sur Florentina.

La petite grandissait. Et le groupe Baron grandissait encore plus vite. Un nouvel hôtel fut construit dans le Nord, un autre dans le Sud. Abel veillait à moderniser ceux qui existaient déjà.

Lorsque Florentina eut quatre ans, on l'envoya à l'école maternelle. Le premier jour, elle fit des pieds et des mains pour qu'Abel et Franklin l'accompagnent. Pour la plupart, les autres petites filles étaient chaperonnées par des femmes et pas toujours leurs mères, mais des nourrices, des gouvernantes, comme on le fit observer à Abel.

Le même soir, celui-ci annonça à Zaphia qu'il allait charger une personne qualifiée de l'éducation de Florentina.

— Pour quoi faire ? dit sa femme d'un ton hargneux.

— Personne dans cette école ne doit commencer avec un avantage sur ma fille.

— Tu jettes l'argent par les fenêtres ! Qu'est-ce que cette femme pourrait faire de plus que moi ?

Il ne répondit pas et, dès le lendemain, il fit passer des annonces dans le *Chicago Tribune*, le *New York Times* et même le *Times* de Londres, offrant un poste de gouvernante et énonçant clairement les termes du contrat.

Il reçut des centaines de réponses des quatre coins d'Amérique, des lettres de femmes hautement qualifiées qui ambitionnaient de travailler pour le P.-D.G. du groupe Baron. Il en venait de partout, de l'université de Radcliffe, de Vassar ou de Smith. Il reçut même une missive en provenance d'une maison de correction pour femmes, en Virginie occidentale.

Ce fut toutefois la réponse d'une dame qui, manifestement ignorait tout du Baron de Chicago, qui retint son attention.

L'Ancien Presbytère
Much Hadham
Hertfordshire

Le 12 septembre 1928

*Monsieur,*
*Suite à l'annonce que vous avez insérée dans la rubrique des offres d'emploi du* Times, *je voudrais me proposer pour le poste de gouvernante de votre fille.*

*J'ai trente-deux ans et je suis la sixième fille du révérend L.H. Tredgold. Je suis célibataire et je vis à la paroisse de Much Hadham, dans le Hertfordshire. Actuellement, j'enseigne la grammaire à l'école locale et assiste mon père qui est doyen rural.*

*J'ai fait mes études à l'institution pour jeunes filles de Cheltenham, où j'ai étudié le latin, le grec, le français et l'anglais, en vue de l'examen d'entrée à l'Université. J'ai ensuite bénéficié d'une bourse de faveur pour le Collège Newnham à Cambridge. J'ai passé l'examen pour le grade de licenciée ès lettres avec « mention très bien », section langues modernes. Je ne possède, néanmoins, aucun diplôme, étant donné que les statuts de l'Université excluent les femmes de ces études.*

*Je reste à votre disposition pour de plus amples renseignements. J'aimerais énormément venir travailler dans le Nouveau Monde.*

*Veuillez agréer, monsieur, mes salutations distinguées.*

W. Tredgold.

Abel avait de la peine à croire qu'il pouvait exister une institution pour jeunes filles de Cheltenham, ou même un endroit comme Much Hadham. Il se méfiait de cet examen final passé haut la main, sans licence à l'appui.

Il pria sa secrétaire d'appeler un numéro à Washington. Lorsqu'il eut son interlocuteur au bout du fil, il lut la lettre

33

à voix haute. La voix dans l'écouteur confirma tous les détails. Il n'y avait aucune raison de douter de la crédibilité de l'auteur de cette lettre.

— Et il existe bien une institution pour jeunes filles à Cheltenham ? insista-t-il.

— Certainement, monsieur Rosnovski. C'est là que j'ai fait mes études, répondit la secrétaire particulière de l'ambassadeur de Grande-Bretagne.

Le même soir, Abel lut la lettre à Zaphia.

— Qu'en penses-tu ? demanda-t-il, bien qu'il eût déjà pris sa décision.

— Le ton est détestable, répliqua Zaphia, sans lever le regard de son magazine. Puisque nous devons prendre quelqu'un pour la petite, pourquoi pas une Américaine ?

— Pense un peu aux avantages que Florentina pourrait tirer, avec une institutrice anglaise. (Il ajouta après une pause.) Tu y trouverais toi aussi une compagne.

Zaphia le regarda :

— Pourquoi ? Tu espères qu'elle m'apprendra les bonnes manières ?

Abel préféra garder le silence.

Dès le lendemain matin, il envoya un télégramme à Much Hadham, offrant à Miss Tredgold le poste de gouvernante. Trois semaines plus tard, il se rendit rue La Salle, à l'arrivée de l'express « Vingtième Siècle », pour accueillir son employée.

Elle était déjà là, seule, sur le quai, entourée de trois valises disparates et, dès qu'il la vit, il sut qu'il ne s'était pas trompé. Oui, ça ne pouvait être que miss Tredgold. Grande, maigre, arborant un air d'impératrice outragée et dépassant son employeur de deux têtes, à cause de son chignon.

Zaphia traita la nouvelle arrivante comme une intruse, qui venait lui ôter ses droits de mère. Néanmoins, elle l'accompagna à la chambre de Florentina. Pour le moment, la petite fille était invisible. Néanmoins, une paire d'yeux dessous le lit examinait miss Tredgold avec suspicion. La gouvernante tomba à genoux.

— Mon enfant, fit-elle, je ne vous serai d'aucune utilité

si vous restez cachée. Je suis trop grande pour vivre sous un lit.

Florentina émergea de son repaire et rampa jusqu'à la gouvernante.

— Vous avez un drôle d'accent, dit-elle, d'où venez-vous ?

— D'Angleterre, répondit miss Tredgold, en s'asseyant sur le bord du lit.

— Où est-ce ?

— A une semaine d'ici.

— D'accord, mais à combien de kilomètres ?

— Cela dépend de la façon dont on voyage. A votre avis, combien de moyens de transport existe-t-il pour traverser une aussi longue distance ? Pouvez-vous m'en citer trois ?

Florentina s'abîma dans une profonde réflexion :

— De la maison, je prends une bicyclette et quand je suis arrivée au bout de l'Amérique...

Zaphia avait quitté la pièce depuis un moment, mais ni miss Tredgold ni l'enfant ne l'avaient remarqué.


Quelques jours plus tard, la fillette confiait à sa gouvernante :

— Vous savez, je n'aurai jamais de petit frère ou de petite sœur.

Florentina passait des heures pendue aux lèvres de sa nouvelle amie. Abel était fier de cette vieille fille anglaise. Vieille fille !

Une femme de trente-deux ans, le même âge que lui-même, et qui enseignait à sa fille une flopée de sujets, qu'il aurait aimé mieux connaître. Un matin, il mit Georges au défi de lui nommer les six épouses d'Henri VIII. Ils avaient tous deux sacrément besoin d'une miss Tredgold personnelle, s'ils ne voulaient pas avoir l'air inculte devant Florentina. Quant à Zaphia, non seulement elle se fichait éperdument d'Henri VIII et de ses femmes, mais elle continuait à prôner la simplicité des traditions polonaises. Ensuite, elle s'inventa des tas d'occupations, afin d'éviter la gouvernante pendant la plus grande partie de la journée.

Le programme journalier de miss Tredgold tenait à la fois de la discipline de la garde anglaise et des enseignements de Maria Montessori. Levée tous les matins à sept heures sonnantes, assise très droite sur sa chaise, Florentina était initiée au savoir-vivre de la table, durant le petit déjeuner. Entre sept heures et demie et sept heures quarante-cinq, miss Tredgold lisait et discutait avec son élève une ou deux rubriques du *Chicago Tribune* et une heure plus tard, Florentina était à nouveau interrogée sur ces sujets.

La petite fille manifesta aussitôt un immense intérêt pour le chef de l'Etat, probablement parce qu'il portait le nom de son ourson. La gouvernante anglaise fut ainsi forcée de consacrer son temps libre à l'étude de l'étrange système constitutionnel des Etats-Unis, afin de pouvoir répondre aux questions de son élève.

De neuf heures à midi, Florentina et Franklin se rendaient à l'école maternelle. La petite fille y reprenait goût aux jeux des enfants de son âge. En fin de matinée, sa gouvernante venait la rechercher. Du premier coup d'œil, miss Tredgold pouvait deviner si, ce jour-là, sa protégée avait joué avec de l'argile, de la pâte à modeler, ou si elle avait préféré la peinture à l'eau. Ramenée à la maison, Florentina prenait son bain parmi des « tut ! tut ! » et des « je ne veux pas le savoir ».

L'après-midi, institutrice et élève partaient en expédition, soigneusement mise au point par miss Tredgold à l'insu de Florentina, bien que celle-ci ait toujours essayé de découvrir à l'avance les projets de sa gouvernante. Alors, elle demandait :

— Qu'allons-nous faire aujourd'hui ? ou bien : Où allons-nous ?

— Patience, mon enfant.

— Irons-nous, s'il pleut ?

— Tu verras bien, en temps et en heure. Si toutefois nous étions empêchées de sortir, j'ai un plan d'urgence.

— Et c'est quoi un plan « d'urgence » ? demanda la petite, impressionnée.

— Quelque chose dont on a besoin lorsque tous les autres projets tombent à l'eau.

Parmi ces expéditions de l'après-midi, figuraient des promenades au parc, des visites au zoo et des voyages sur l'impériale d'un trolley, considérés comme une grande faveur par Florentina. Miss Tredgold commença, peu à peu, à initier son élève au français. A son ravissement, Florentina montra très vite une disposition naturelle pour les langues étrangères.

En fin d'après-midi, Florentina passait une demi-heure avec « maman », avant de prendre le thé, inexorablement suivi par un deuxième bain, avant le coucher, à sept heures et demie tapantes. Miss Tredgold lui lisait quelques lignes de la Bible ou de Mark Twain, encore que les Américains semblaient en ignorer la différence, avait-elle dit une fois, en se permettant une observation frivole. Après la lecture, elle éteignait la lumière et attendait, dans le noir, que Florentina et Franklin s'endorment.

Cette routine d'esclave n'était rompue qu'en de rares occasions, anniversaires ou fêtes nationales. En ce cas, miss Tredgold emmenait Florentina au cinéma, après avoir bien étudié, bien sûr, si le sujet du film convenait à son élève. Walt Disney bénéficia de l'approbation inconditionnelle de miss Tredgold, ainsi que Laurence Olivier dans le rôle de Heathcliff traqué par Merle Oberon. Elle vit *Les hauts de Hurlevent* trois fois de suite, sacrifiant son après-midi de congé, pour le prix de 20 cents la séance. Après tout, c'était un classique qui valait bien 60 cents.

Miss Tredgold n'empêchait jamais Florentina de poser toutes sortes de questions, sur les nazis, le New Deal, etc., même si, visiblement, la fillette ne comprenait pas la plupart des réponses. Très vite, Florentina s'aperçut que sa mère n'était pas toujours capable de satisfaire sa curiosité. Quant à miss Tredgold, plus d'une fois elle disparut dans sa chambre pour consulter l'*Encyclopedia Britannica*.

A cinq ans, Florentina fut admise au jardin d'enfants de l'Ecole Latine des filles, à Chicago. Au bout d'une semaine, on la changea de classe car elle était trop en avance sur ses camarades. La petite fille vivait dans un univers qui lui semblait parfait. Elle avait maman, papa, miss Tredgold, Franklin Roosevelt, et aussi loin que son regard pouvait se porter, rien ne paraissait inaccessible.

Abel disait que les « meilleures familles » de Chicago envoyaient leurs enfants à l'Ecole Latine. Un jour, miss Tredgold invita quelques amies de Florentina à prendre le thé. A son étonnement, les parents déclinèrent poliment l'invitation. C'en était choquant ! Certes, les deux meilleures amies de Florentina, Mary Gill et Susie Jacobson, venaient la voir régulièrement. Mais les autres ? Leurs parents refusaient toutes les invitations, sous des prétextes fallacieux.

Il ne fallut pas à miss Tredgold plus de temps pour comprendre que tout Baron de Chicago qu'il était, et malgré sa fortune, son employeur serait toujours méprisé par la haute société. Zaphia n'aidait en rien. Mme Rosnovski n'essayait pas de connaître les autres parents et ne s'intéressait ni aux fêtes de charité, ni au club, ni au conseil des parents d'élèves.

En revanche, miss Tredgold déployait tous ses efforts, mais en vain. Aux yeux des parents, elle n'était qu'une simple employée.

Il ne lui restait plus qu'à implorer le ciel pour que son élève ne s'aperçût pas de ces préjudices de caste. Hélas, son vœu ne fut pas exaucé.

Florentina passa la première année d'école sans aucune difficulté et seule sa taille rappelait qu'elle était plus jeune que ses camarades. Abel était, à ce moment, trop occupé à bâtir son empire, pour songer au statut social de sa petite fille ou aux difficultés que rencontrait miss Tredgold. Le groupe Baron était devenu si prospère que, dès 1938, Abel put rembourser son commanditaire. Le programme de nouvelles constructions mis à part, il prévoyait un bénéfice de 250 000 dollars par an.

Mais son véritable souci se trouvait ailleurs, à plus de cinq mille kilomètres de distance. Ses pires craintes ne tardèrent pas à se réaliser. Le 1er septembre 1939, Hitler envahissait la Pologne. Deux jours plus tard, l'Angleterre déclarait la guerre à l'Allemagne.

A l'annonce de la guerre, Abel songea sérieusement à laisser la direction du groupe à Georges, son homme de confiance, partir à Londres rejoindre l'armée polonaise en exil. Georges et Zaphia poussèrent les hauts cris. Abel se résigna, mais plutôt que d'envoyer des sommes pharamineuses à la Croix-Rouge britannique, il intrigua à la Chambre dans le but de pousser les démocrates à déclarer la guerre, aux côtés de l'Angleterre.

Florentina l'entendit déclarer un matin :

— F.D.R. a besoin de tous ses amis.

A la fin de l'année 1939, grâce à un emprunt à la First City Bank, Abel devint propriétaire de toutes les actions du groupe Baron. Le bilan annuel prévoyait, pour l'année suivante, plus d'un demi-million de bénéfices.

Franklin Roosevelt, l'ourson aux yeux rubis et à la fourrure brune, ne quittait jamais Florentina. Lorsque celle-ci passa en deuxième année d'école, miss Tredgold pensa que le temps était peut-être venu de laisser Franklin à la maison. Et elle aurait dû insister. Florentina aurait versé quelques larmes et l'affaire aurait été classée. Or, à l'encontre de son premier jugement, miss Tredgold laissa l'enfant agir à sa guise. Par la suite, elle le regretta amèrement.

Tous les lundis, les garçons de l'Ecole Latine rejoignaient la classe des filles pour la leçon de français, donnée par Mlle Mettinet. C'était une pénible initiation pour tous, sauf pour Florentina. La classe était en train de chantonner « boucher, boulanger et épicier », après la maîtresse, lorsque Florentina, qui s'ennuyait, se lança dans une grande conversation en français, avec Franklin. Son voisin, un ignoble paresseux nommé Edward Winchester, qui ne faisait pas encore la différence entre « le » et « la », se tourna vers la petite fille : « Ça va, n'en jette plus. »

Rouge comme une pivoine, Florentina répondit :

— J'expliquais à F.D.R. la différence entre le masculin et le féminin.

— Sans blague ! Je vais te la montrer, moi, la différence, espèce de « grosse tête ».

Sur ces mots, Edward tira sur F.D.R. de toutes ses forces et lui arracha un bras. Florentina resta assise, comme pétrifiée. Edward saisit alors son encrier et le renversa sur la tête de l'ourson.

Mlle Mettinet n'avait jamais vu d'un bon œil ces classes mixtes. Elle se rua sur les lieux de l'incident. Trop tard ! Franklin était déjà tout bleu et gisait à terre, au milieu d'un petit tas de bourre, qui s'était échappée de son bras amputé. En larmes, Florentina ramassa son jouet préféré. Mlle Mettinet se saisit du coupable et le conduisit chez le directeur de l'école, après avoir ordonné aux élèves de l'attendre dans le calme.

Florentina était accroupie et essayait de remettre la bourre dans le pauvre corps de F.D.R. Ce fut alors qu'une blondinette, une gamine plutôt antipathique, se redressa en criant :

— Bien fait, sale métèque !

La classe entière éclata de rire. Certains enfants se mirent à scander :

— Métèque ! Polac ! Métèque ! Polac !

Florentina serra F.D.R. dans ses bras tout en priant pour que l'institutrice revienne très vite. Les quelques minutes qui s'écoulèrent lui parurent une éternité. Enfin, Mlle Mettinet réapparut, suivie d'un Edward confus. Le slogan cessa aussitôt. Florentina n'eut pas la force de lever le regard. Dans un silence à couper au couteau, Edward présenta ses excuses, d'une voix fausse et haut perchée. Ensuite, il retourna à sa place, en souriant bêtement.

Le même après-midi, miss Tredgold, fidèle au poste, attendait sa protégée à la porte de l'école. Comment ne pas remarquer le petit visage rougi et boursouflé à force de pleurs, la démarche de l'enfant, qui avançait tête baissée, en trimballant par son unique bras un Franklin tout taché d'encre ?

Avant même d'arriver à la maison, miss Tredgold savait tout. Elle fit souper l'enfant de son menu préféré, hamburger et glace, et permit même que Florentina se serve une deuxième fois, ce qui en temps normal eût été impensable. Après quoi, elle la mit au lit en espérant que le sommeil viendrait vite.

Pendant plus d'une heure, miss Tredgold s'évertua à nettoyer Franklin avec du savon et une brosse à ongles, mais il resta indélébilement taché. La gouvernante s'avoua vaincue. Comme elle remettait l'ourson mouillé auprès de Florentina, une toute petite voix jaillit dans le noir :

— Merci, miss Tredgold, F.D.R. a besoin de tous ses amis.

Abel arriva après dix heures. Il rentrait de plus en plus tard. Miss Tredgold lui demanda une entrevue. Intrigué par cette requête, il s'enferma avec la gouvernante dans son étude.

Depuis dix-huit mois qu'elle était à son service, miss Tredgold l'avait toujours tenu au courant des progrès de sa fille. Ces rapports hebdomadaires avaient lieu le dimanche matin entre dix heures et dix heures et demie, pendant que Florentina et sa mère étaient à la messe. Miss Tredgold exposait les choses d'une façon claire et précise. Tout au plus avait-elle tendance à sous-estimer les exploits de l'enfant.

— Que se passe-t-il, miss Tredgold ? demanda Abel en s'efforçant de paraître calme.

Cette exception à la routine lui faisait redouter la démission de la gouvernante. Celle-ci lui apprit en peu de mots l'histoire qui s'était déroulée le matin même à l'école. Le visage d'Abel devenait de plus en plus rouge, au fur et à mesure que le récit avançait et il était écarlate lorsque miss Tredgold se tut enfin. Son premier mot fut :

— C'est intolérable ! Florentina doit changer d'école immédiatement. Je rendrai visite personnellement à Mme Allen et je ne me gênerai pas pour lui dire tout ce que je pense d'elle et de son école. Est-ce que vous êtes d'accord avec moi ?

— Non, monsieur ! dit-elle d'une voix exceptionnellement pointue.

— Pardon ?

— Je crois que les parents d'Edward Winchester ne sont pas plus coupables que vous !

— Moi ? Mais pourquoi ?

— Vous auriez dû depuis longtemps enseigner à votre fille ce que cela signifie d'être polonais, et l'armer contre les pro-

41

blèmes qui peuvent en résulter. Elle devrait déjà connaître les préjugés des Américains contre les Polonais, préjugés qui, à mon avis, sont aussi criminels que l'attitude des Anglais vis-à-vis des Irlandais, aussi barbares que le comportement des nazis à l'égard des juifs.

Abel en resta bouche bée. Il y avait très longtemps que personne n'avait osé lui dire qu'il avait tort.

— Avez-vous quelque chose à ajouter ? dit-il, après avoir retrouvé son sang-froid.

— Oui, monsieur. Si vous faites partir Florentina de l'Ecole Latine, je vous présente ma démission. Si chaque fois que cette enfant affronte un problème vous choisissez la fuite, comment voulez-vous que je lui apprenne à faire face à la vie ? Mon propre pays est en guerre, parce que nous avons tous voulu croire qu'Hitler était un homme raisonnable, tout au plus mal conseillé. Quel manque de jugement ! Mais je ne supporterais jamais de donner à Florentina une fausse interprétation des événements. La quitter me briserait le cœur, car je l'aime davantage que si elle était ma fille, mais je désapprouve vos façons de déguiser la réalité, sous prétexte que vous avez suffisamment d'argent pour continuer à lui cacher la vérité pendant encore quelques années. Excusez-moi, monsieur, pour ma franchise, j'ai certainement trop parlé. Mais je ne peux condamner les préjugés des autres et pardonner les vôtres !

Abel se laissa choir sur son siège :

— Vous auriez dû embrasser la carrière diplomatique, mademoiselle. Vous avez raison, que dois-je faire ?

La gouvernante resta debout. Elle n'aurait jamais osé s'asseoir en présence de son employeur, sauf si elle était accompagnée par Florentina. Après une hésitation, elle répondit :

— Tous les jours, l'enfant pourrait se lever une demi-heure plus tôt pour apprendre l'histoire de la Pologne. Elle doit savoir pourquoi les Polonais sont une grande nation et pourquoi ils affrontent seuls la puissance allemande, sans l'espoir d'une victoire.

Abel la regarda :

— Enfin je comprends pourquoi Bernard Shaw prétend

que, si on n'a pas connu une gouvernante anglaise, on ne peut saisir la grandeur de l'Angleterre.

Ils éclatèrent de rire.

— Je m'étonne que vous n'ayez pas voulu réussir mieux votre vie, miss Tredgold, dit Abel, soudain conscient que ces paroles pourraient offenser son interlocutrice.

Elle n'en laissa rien paraître.

— Mon père a eu six filles. Il espérait un garçon mais il n'est jamais venu.

— Que font vos cinq sœurs ?

— Toutes mariées, dit-elle sans l'ombre d'une amertume.

— Et vous ?

— Une fois, mon père m'a dit que j'étais née institutrice et que le Seigneur a un projet pour chacun de nous. Peut-être dois-je enseigner à une personne qui aura un vrai destin.

— Espérons-le, miss Tredgold.

Abel aurait voulu appeler la gouvernante par son prénom. Il se rendit compte qu'il ne le connaissait pas. Elle signait toujours W. Tredgold et son attitude ne permettait pas d'en savoir plus. Il lui sourit.

— Puis-je vous offrir un drink, miss Tredgold ?

— Un verre de sherry me ferait grand plaisir, monsieur Rosnovski. Abel lui offrit un sherry sec et se versa une bonne rasade de whisky.

— Comment se porte notre Franklin ?

— Estropié à vie, hélas, ce qui le rendra plus sympathique encore aux yeux de Florentina. Dans l'avenir, Franklin doit rester à la maison. Il ne se déplacera qu'en ma présence.

— Vous commencez à ressembler de plus en plus à Eleanor Roosevelt, lorsqu'elle parle du Président.

Miss Tredgold sourit et but une gorgée de son sherry.

— Puis-je formuler encore une suggestion en ce qui concerne Florentina ?

— Naturellement, dit-il, prêt à écouter tous les conseils de la gouvernante.

Entre-temps, ils avaient terminé leur deuxième verre. Abel encouragea miss Tredgold d'un signe de tête.

— Parfait, fit-elle, maintenant, avec votre permission, j'aimerais m'occuper de cette affaire dès que possible.

— Bien sûr... bien sûr... marmonna Abel, si cela coïncide avec les réunions du conseil... vous savez, il ne serait pas très pratique pour moi de me libérer tout un mois. (Elle ouvrit la bouche pour répondre, mais il ajouta :) Il y a notamment certains rendez-vous que je ne puis remettre, je suis sûr que vous comprenez...

— Faites ce que bon vous semble, monsieur. Et si vous pensez que vos affaires sont plus importantes que l'avenir de votre fille, je suis sûre qu'elle comprendra.

Abel était vaincu et il le savait.

Il annula pour un mois tous ses rendez-vous en dehors de Chicago. Tous les matins, il se levait une demi-heure plus tôt. Même Zaphia approuva le plan de miss Tredgold.

Le premier jour, Abel raconta à sa fille comment il était né dans une forêt polonaise, puis avait été adopté par une famille de trappeurs et comment, plus tard, un grand baron s'était pris d'amitié pour lui, au point de l'emmener dans son château de Slonim, sur la frontière russo-polonaise.

— Il m'a traité comme son propre fils, conclut-il.

Les jours suivants, le récit d'Abel révéla la suite : sa sœur Florentina était venue le rejoindre au château. Un jour, il découvrit que le baron était son véritable père.

— Je sais ! Je sais comment tu l'as deviné ! cria l'enfant.

— Qu'est-ce que tu en sais, petite ?

— Je parie que lui aussi avait un seul sein, dit Florentina, j'en suis sûre ! Je t'ai vu dans le bain. Tu as un sein, donc tu dois être son fils ! A l'école, tous les garçons en ont deux...

Et l'enfant poursuivit, devant Abel et miss Tredgold, qui la regardaient, incrédules :

— Mais alors, puisque je suis ta fille, pourquoi ai-je deux seins ?

— Parce que cette particularité se transmet de père en fils. Cela ne s'est jamais vu chez les filles.

— Ce n'est pas juste ! J'en voudrais un seul.

— Si un jour tu as un fils, il aura peut-être un seul téton, dit Abel en riant.

Miss Tredgold coupa court à la conversation :

— Va te coiffer et te préparer pour aller à l'école.

— Zut ! Juste au moment où je commençais à m'amuser.

— Fais ce qu'on te dit, mon enfant.

Florentina se rendit dans la salle de bains, à contrecœur. Sur le chemin de l'école, elle demanda :

— A votre avis, qu'est-ce qu'il va me raconter demain, miss Tredgold ?

— Aucune idée, mon enfant, mais comme M. Asquith l'a si bien dit : attends et tu verras.

— Qui est M. Asquith ? Etait-il avec papa au château ?

Les jours s'écoulaient et Abel expliquait à quoi pouvait ressembler la vie dans les camps de travail russes. Il raconta à sa fille pourquoi il boitait et, aussi, toutes les vieilles histoires que le baron lui avait apprises, vingt années auparavant. Passionnée, Florentina écoutait les légendes de Tadéus Kosciuszko, le grand héros polonais, tandis que miss Tredgold pointait tous les endroits dont il était question sur une carte de l'Europe suspendue sur le mur de la chambre à coucher.

Enfin, Abel en vint à dire comment il était entré en possession du bracelet d'argent dont il ne se séparait jamais. La petite fille contempla les caractères effilés, gravés sur le métal :

— Qu'est-ce qu'il y a écrit dessus ? questionna-t-elle.

— Essaie de lire, mon poussin, dit Abel.

— Bar-ron Ab-el Ros-nov-ski, épela-t-elle. Mais c'est ton nom !

— C'était aussi celui de mon père.

Quelques jours plus tard, Florentina était capable de répondre à toutes les questions d'Abel. Le contraire ne fut pas toujours possible...

A l'école, la petite fille attendait de pied ferme une nouvelle attaque d'Edward Winchester, mais celui-ci paraissait avoir oublié l'incident. Un jour, il lui proposa même un morceau de la pomme qu'il était en train de manger. Cependant, tous les élèves n'avaient pas oublié cette histoire. Une grosse fille, par exemple, n'arrêtait pas de chantonner « polac, imbécile » derrière le dos de Florentina.

La riposte ne fut pas immédiate. Florentina attendit quelques semaines et après un examen d'histoire qu'elle réussit brillamment, alors que son ennemie avait obtenu la plus mauvaise note, elle déclara :

— Tout compte fait, je ne suis pas si métèque que ça.

Edward se renfrogna. Quelques autres gloussèrent. Florentina attendit que le silence revînt.

— Vous autres, vous n'êtes ni métèques ni polacs, déclarat-elle, vous êtes des Américains de la troisième génération. Vous avez tout juste cent ans d'histoire. Moi, j'en ai des milliers d'années. Voilà pourquoi vous êtes nuls dans ce domaine, et pourquoi, moi, je suis un crack !

Personne dans la classe ne fit jamais plus allusion à ce sujet. Miss Tredgold sourit, lorsqu'elle apprit la nouvelle.

— Allons-nous le dire à papa, ce soir ? demanda Florentina.

— Non, mon chou. L'orgueil ne sera jamais une vertu. Mieux vaut passer sous silence certaines circonstances.

La fillette de six ans opina, d'un air grave.

— Pensez-vous qu'un Polonais puisse jamais devenir président des Etats-Unis ? demanda-t-elle.

— Pourquoi pas ? A condition que les Américains se débarrassent de leurs préjugés.

— Et un catholique ?

— Je ne vivrai pas assez longtemps pour voir chose pareille.

— Et une femme ?

— Oh ! Cela prendra encore plus de temps, mon enfant.

Le soir même, la gouvernante rapportait à M. Rosnovski les résultats de ses leçons. Il demanda :

— Quand entamerez-vous la deuxième partie de votre plan ?

— Demain, répondit-elle en souriant.

A quinze heures trente précises, le lendemain, miss Tredgold, fidèle au poste, attendait Florentina devant l'école. La petite fille arriva en courant. Toutes deux avaient déjà dépassé un groupe d'immeubles, lorsque l'enfant remarqua qu'elles n'avaient pas pris le chemin habituel.

— Où allons-nous, miss Tredgold ?

— Patience, mon enfant, et tu verras.

Florentina se mit à raconter avec enthousiasme sa réussite à un examen d'anglais. Miss Tredgold l'écoutait en souriant, alors qu'elles s'engageaient dans la rue Menomonee. A partir de ce moment, la gouvernante parut plus préoccupée par les numéros de la rue que par les exploits réels ou imaginaires de Florentina.

Enfin, elles arrivèrent devant le numéro 280, une porte fraîchement peinte en rouge. De sa main gantée, miss Tredgold frappa deux fois. Silencieuse pour la première fois depuis qu'elle était sortie de l'école, Florentina attendit à côté de sa gouvernante et, peu après, le battant s'ouvrit sur un homme vêtu d'un chandail gris et d'un blue-jean.

— Nous venons au sujet de votre annonce dans le *Sun Times*, annonça miss Tredgold, sans lui donner la possibilité de répondre.

— Ah oui, dit-il, entrez donc.

Miss Tredgold pénétra dans la maison, suivie d'une Florentina médusée. A la suite de l'homme, elles traversèrent un étroit vestibule tapissé de photos et de cocardes multicolores et débouchèrent dans une cour.

C'est alors que Florentina les aperçut. Ils étaient au fond de la cour, une demi-douzaine de bébés labradors au poil jaune, blottis contre leur mère dans un panier. Elle s'élança vers eux et l'un des chiens, quittant la douce chaleur maternelle, sauta du panier et se mit à boitiller dans sa direction.

— Il boite, observa-t-elle en prenant le chiot dans ses bras pour examiner sa patte.

— Oui, malheureusement, admit l'éleveur. Mais vous pouvez choisir parmi les cinq autres.

— Et qu'adviendra-t-il de celui-ci si personne n'en veut ?

— Eh bien, dit l'éleveur, après une courte hésitation, nous serons obligés de le faire piquer.

Florentina lança un regard désespéré à miss Tredgold tout en serrant sur son cœur le petit animal, qui lui léchait le visage.

— C'est celui-là que je veux, déclara-t-elle sans l'ombre d'une hésitation, tout en craignant secrètement la réaction de la gouvernante.

— Combien ? demanda miss Tredgold en ouvrant son sac.

— Rien, madame. Je suis heureux de savoir que cette petite chienne a trouvé un foyer.

— Merci, merci, dit Florentina.

Durant tout le trajet du retour, la petite chienne ne cessa de remuer la queue. A l'étonnement de miss Tredgold, Florentina resta muette et ne lâcha la bête que lorsqu'elles furent à la maison, en sécurité dans la cuisine.

Zaphia et miss Tredgold regardèrent le chiot, qui boitilla en direction d'un bol de lait chaud.

— Il ressemble à papa, dit Florentina.

— Ne sois pas impertinente, mon enfant, répondit miss Tredgold.

Zaphia réprima un sourire.

— Dis-moi, Flo, quel nom lui as-tu donné ?

— Eleanor.

## 4

Florentina se présenta à la présidence pour la première fois en 1940. Elle venait d'avoir six ans.

L'idée de ce jeu électoral revenait à Mlle Evans, la maîtresse d'école. Les garçons étaient invités à se joindre au combat. Edward Winchester, à qui Florentina n'avait jamais réellement pardonné d'avoir versé un encrier sur la tête de son ourson, avait été choisi pour jouer le rôle du suppléant, Wendell Willkie. Naturellement, Florentina se présenta comme F.D.R.

Suivant les règles du jeu, chaque candidat disposait de cinq minutes pour adresser un discours aux vingt-sept élèves des deux classes réunies. Miss Tredgold écouta Florentina répéter son discours trente et une fois, peut-être même trente-deux, mais se garda bien de l'influencer. La veille du grand jour, toutefois, l'élection fit l'objet du rapport dominical de la gouvernante.

Florentina avait lu à haute voix, devant miss Tredgold, toutes les rubriques politiques du *Chicago Tribune*, à l'affût de la moindre information qui pourrait étoffer son discours. Partout, Kate Smith semblait entonner « Dieu bénisse l'Amérique » et l'index des cours de la Bourse avait monté pour la première fois de plus de 150 points.

Tout semblait favoriser la jeune candidate en herbe. Florentina était au courant de l'évolution de la guerre en Europe et de la mise à l'eau du *Washington*, un bâtiment de guerre de 36 000 tonnes, le premier que l'Amérique ait construit en quatre-vingt-dix ans.

— A quoi servent de tels navires ? Le Président a promis que l'Amérique n'entrerait pas en guerre.

— Pour des raisons de défense, j'imagine, suggéra miss Tredgold, tout en tricotant avec acharnement des chaussettes, pour les soldats de son pays, au cas où les Allemands nous attaqueraient...

— Ils n'oseront pas ! affirma Florentina.

Le jour où Trotski fut assassiné avec un pic à glace, à Mexico, miss Tredgold cacha le journal. Une autre fois, elle se montra incapable d'expliquer à Florentina la composition du nylon, ni la raison pour laquelle les premières 72 000 paires de bas avaient été vendues en huit heures, alors que les magasins avaient limité la vente à deux paires par cliente.

Miss Tredgold, qui portait des bas en fil d'Ecosse beige, baptisés du nom optimiste d'Allure, étudia l'article d'un air sombre. « Jamais je ne mettrai des bas en nylon », déclara-t-elle et elle tint parole.

Le jour de l'élection arriva.

Florentina se rendit à l'école, la tête bourrée de faits et de chiffres, dont elle ne comprenait pas tout, mais qui lui donnaient confiance. Quel dommage qu'Edward Winchester fût plus grand qu'elle ! Florentina se figurait que la taille des candidats jouait un rôle certain, car elle avait lu que vingt-sept présidents des Etats-Unis sur trente-deux étaient plus grands que leurs rivaux.

L'ordre des discours fut décidé à pile ou face. Florentina, ayant gagné, opta pour passer en premier — une erreur qu'elle n'allait plus jamais commettre de sa vie. Petite figure frêle, elle s'avança devant ses camarades, tout en se remémorant les derniers conseils de sa gouvernante : « La tête haute, mon enfant, tiens-toi droite, pas en point d'interrogation. » Elle grimpa sur l'estrade en bois, érigée pour la circonstance devant la chaire de Mlle Evans, et attendit le signal du départ.

Etranglées, les premières phrases franchirent ses lèvres alors qu'elle exposait son programme politique. Les finances resteraient stables. Les Etats-Unis ne feraient pas la guerre. Elle poursuivit, avec une phrase de Roosevelt qu'elle avait apprise par cœur :

— Les Américains n'iront pas se faire tuer, sous prétexte que les pays de l'Europe sont incapables de vivre en paix !

Mary Gill se mit à applaudir mais Florentina continua son discours. Sous la table, elle repoussait nerveusement sa jupe. Enfin, ayant terminé, elle regagna sa place précipitamment, au milieu des applaudissements et des sourires.

A son tour, Edward Winchester se leva. Comme il se dirigeait vers le tableau noir, un groupe de garçons de sa classe l'acclama. Brusquement, Florentina réalisa que certains votes avaient été décidés avant, bien avant les discours ; elle put seulement espérer que sa classe allait la soutenir.

Edward déclara que gagner un match de football ou des élections revenait exactement au même. Et d'abord, Willkie représentait-il, oui ou non, l'espoir de leurs parents ? Allaient-ils voter contre les croyances de leurs pères et mères ? Allaient-ils tout perdre en donnant leur préférence à Franklin D. Roosevelt ?

La phrase fut approuvée par force applaudissements et il la répéta. A la fin de son exposé, Edward retourna à sa place, lui aussi au milieu des applaudissements et des sourires. Florentina s'efforçait de se convaincre que l'ovation réservée à son adversaire n'était, après tout, ni plus bruyante ni plus importante que celle qui l'avait saluée.

Mlle Evans félicita les deux candidats, puis demanda aux vingt-sept électeurs d'arracher une page de leur cahier et d'y inscrire le nom de leur choix. On arracha les feuilles, on trempa les plumes dans les encriers, on gratta frénétiquement le papier. Séchés au buvard, les bulletins de vote furent pliés et remis à la maîtresse.

Cette dernière commença à déplier les petits carrés de papier blanc et à les placer en deux piles séparées, devant elle. Pendant le dépouillement du scrutin, qui parut interminable, les enfants restèrent totalement silencieux, ce qui constituait déjà un événement inhabituel.

Le dépliage terminé, Mlle Evans compta lentement, avec

soin, les vingt-sept bulletins et les vérifia une dernière fois. Florentina retint son souffle.

— Résultats du jeu électoral pour la présidence des Etats-Unis, annonça-t-elle. Edward Winchester : treize voix.

Florentina souffla : elle avait gagné !

— Et douze voix pour Florentina Rosnovski. Deux électeurs ont voté blanc, et cela s'appelle aussi abstention.

Florentina n'en croyait pas ses oreilles.

— En conséquence, je déclare Edward Winchester, ou plutôt Wendel Willkie, nouveau président.

Ce fut la seule élection que F.D.R. perdit cette année-là. Incapable de contenir sa déception, Florentina s'enferma dans le vestiaire des filles, où elle donna libre cours à ses larmes. En sortant, elle rencontra Mary Gill et Susie Jacobson.

— Cela m'est égal, fit-elle, faisant bonne figure, au moins je sais que vous avez voté pour moi, toutes les deux.

— Mais non. On n'a pas pu.

— Pas pu ? Et pourquoi ? interrogea-t-elle, étonnée.

— On ne sait pas écrire ton nom. Et on ne voulait pas que Mlle Evans s'en rende compte, répondit Mary.

Sur le chemin de la maison, après avoir entendu sept fois le récit des événements, miss Tredgold prit la liberté de demander à son élève quelle leçon elle avait tiré de cet exercice.

— Une seule, répliqua Florentina avec emphase. J'épouserai un homme avec un nom très simple !

Abel s'amusa bien quand il apprit cette histoire. Au dîner, il la répéta à Henry Osborne.

— Surveillez-la, cher Henry. Dans quelques années, elle revendiquera votre siège de député.

— Il me reste quinze bonnes années avant qu'elle puisse voter. D'ici là, je serai prêt à lui confier ma circonscription.

— A propos ? Que faites-vous pour pousser la Commission des relations internationales à participer à cette guerre ?

— F.D.R. ne fera rien avant les résultats des élections. Tout le monde le sait, même Hitler.

— Alors il ne me reste plus qu'à prier pour que les Anglais tiennent bon jusqu'en novembre.

Toute l'année durant, les architectes d'Abel travaillèrent au projet de construction de deux nouveaux hôtels, à Washington et à San Francisco. Ils avaient, aussi, mis en route un projet pour le Canada, le Baron de Montréal. Abel pensait constamment à la réussite de ses affaires. Pourtant, quelque chose d'autre le tourmentait... Il désirait se rendre en Europe, mais pas pour bâtir des hôtels...

A la fin du trimestre d'automne, Florentina reçut sa première punition. Pendant toute sa vie future, elle associa cet événement à la neige. Ses camarades avaient décidé de fabriquer un bonhonne de neige. Chaque élève fut chargé d'apporter un accessoire.

Le bonhomme de neige était prêt. Il avait des yeux en raisin, une carotte à la place du nez et des oreilles en pomme de terre. Il avait aussi une vieille paire de gants de jardinage. Florentina avait apporté un cigare et le chapeau.

Pour la clôture du trimestre, les parents furent invités à admirer le bonhomme de neige. Plusieurs d'entre eux s'extasièrent sur le chapeau. Florentina rayonnait de fierté, jusqu'à l'arrivée de ses parents.

Zaphia éclata de rire. Abel s'assombrit : la vue de son haut-de-forme sur la tête de cet épouvantail grimaçant ne l'amusa pas. Conduite à l'étude de son père, Florentina dut subir un long sermon sur l'irresponsabilité. Prendre des objets qui ne lui appartenaient pas était un acte irresponsable. Pour finir, son père la coucha sur ses genoux et lui administra trois fessées avec une brosse.

Jamais Florentina n'oublierait cette soirée de samedi. Et l'Amérique se souviendrait toujours du matin suivant...

Ce dimanche-là, le soleil se leva sur Pearl Harbor et, dans le même temps, les escadres aériennes ennemies attaquaient la flotte de guerre des Etats-Unis, détruisant leur base et tuant 2 403 soldats américains. L'Amérique déclara la guerre au Japon dès le lendemain et à l'Allemagne trois jours plus tard.

Aussitôt, Abel convoqua Georges et l'informa de son intention de rejoindre les forces américaines avant leur départ pour l'Europe. Georges protesta, Zaphia argumenta,

Florentina pleura. Seule miss Tredgold ne risqua aucune opinion.

Avant de quitter l'Amérique, Abel décida de régler une affaire urgente. Il fit venir Henry.

— Avez-vous vu l'annonce dans le *Wall Street Journal* ? demanda-t-il, j'ai failli manquer l'article, à cause des nouvelles de Pearl Harbor.

— Vous voulez sans douter parler de la fusion de la banque Lester avec la Kane et Cabot ? Le mois dernier, je l'avais prédit dans mon rapport. Tous les détails sont là, ajouta Henry en remettant un dossier à Abel, j'avais deviné la raison de votre convocation.

L'article en question, souligné à l'encre rouge par Henry, figurait dans le dossier. Abel le lut deux fois, puis se mit à tapoter la table de ses doigts.

— La première erreur de Kane, dit-il.

— Je crois que vous avez raison, approuva Henry.

— Vous méritez vos 1 500 dollars par mois.

— A votre place, j'irais jusqu'à 2 000.

— Pour quelle raison ?

— A cause de l'article 7 des nouveaux statuts des deux banques.

— Pourquoi diable a-t-il inséré cette clause dans le règlement ?

— Pour se protéger. Manifestement, l'idée que quelqu'un s'acharne à le détruire n'a pas encore effleuré M. Kane. Quoi qu'il en soit, en acceptant d'échanger ses actions de la Kane et Cabot avec un nombre équivalent de parts de la Lester, il perd le contrôle d'une banque sans pour autant gagner celui de l'autre, les parts de la Lester étant beaucoup plus nombreuses. Puisqu'il détient seulement 8 % des actions dans la nouvelle affaire, il se réserve le droit, grâce à cette clause, de pouvoir stopper toutes les transactions pendant trois mois, y compris le salaire du nouveau P.-D.G.

— Il ne nous reste qu'à obtenir 8 % d'actions de la Lester, et sa propre clause se retournera contre lui. Je sais, ça ne va pas être facile, ajouta Abel après une pause.

— Voilà pourquoi j'ai demandé une augmentation.

Etre apte pour le service, dans les forces armées américaines, était beaucoup plus difficile qu'Abel ne l'avait imaginé. L'armée ne se montra pas tendre avec son poids, sa mauvaise vue, son cœur et sa condition physique en général. Après maints efforts, il réussit à se glisser au poste d'officier chargé des vitres et des fournitures, dans la 5e Armée, qui attendait son départ pour l'Afrique, sous le commandement du général Marc Clark.

Abel sauta sur l'occasion pour se faire enrôler et suivit l'entraînement des officiers. Jusqu'à ce qu'il quitte Rigg Street, miss Tredgold n'avait pas réalisé combien il allait manquer à sa fille. La gouvernante essaya de convaincre l'enfant que la guerre ne devrait pas durer longtemps, sans trop y croire elle-même. Elle connaissait trop bien l'histoire.

Abel sortit de l'école d'entraînement rajeuni, amaigri, avec le grade de major. Florentina détestait l'uniforme porté par son père. Tous ceux qui étaient partis loin de Chicago en portant le même uniforme n'étaient jamais revenus. En février, Abel embrassa sa femme et sa fille et partit à New York, où il s'embarqua sur le *S.S. Borinquen*. Pour Florentina, qui n'avait encore que sept ans, au revoir signifiait adieu. Sa mère fit tout pour la rassurer mais, tout comme miss Tredgold, Zaphia ne croyait pas à ses propres paroles et, cette fois-ci, Florentina perdit tout espoir.

A l'école, dans sa nouvelle classe, la petite fille avait été désignée pour être secrétaire et elle écrivait, chaque semaine, de longs rapports sur les réunions d'élèves. Ensuite, elle lisait ses notes devant ses camarades endormis, qui n'avaient que faire de ces gribouillages. Seul Abel, dans la chaleur poussiéreuse de l'Algérie, riant et pleurant à la fois, dévorait les rapports de sa fille, comme on lit un best-seller.

La dernière lubie de Florentina, du reste approuvée par miss Tredgold, étaient les « jeannettes ». Cela lui permettait de porter comme son père un uniforme, élégant costume brun, dont elle se mit à couvrir les manches de toutes sortes d'insignes colorés, correspondant à des travaux variés.

Florentina gagna tant d'insignes, et si vite, que miss Tredgold passait le plus clair de son temps à coudre et à découdre et à essayer de trouver une place pour chacun. Badges de cuisine, de gymnastique, de soins aux animaux, de travaux manuels, de footing, se succédèrent à une vitesse vertigineuse.

— Tu aurais dû être un poulpe, disait la gouvernante.

Miss Tredgold eut quand même le dernier mot lorsque Florentina gagna le badge de la broderie, un petit triangle en tissu jaune, et dut le coudre elle-même sur une manche de son uniforme.

Ensuite, Florentina entra en classe mixte. Edward Winchester était président de la classe, principalement grâce à ses exploits sportifs. Malgré ses notes, les plus élevées de toute la classe, Florentina fut reléguée au poste de secrétaire. Son seul point faible était la géométrie, où elle fut classée deuxième, et les travaux artistiques.

La mine réjouie, miss Tredgold lisait et relisait les cahiers de notes de sa protégée en se délectant, tout particulièrement, du rapport du professeur de dessin.

« Si Florentina jetait plus de peinture sur le papier que sur tout le reste, elle aurait une chance de devenir une artiste au lieu d'une plâtrière ou d'une décoratrice. »

Le mot que miss Tredgold citait le plus volontiers, à propos des exploits scolaires de Florentina, appartenait à son professeur de travaux pratiques : « Cette élève ne devrait pas se mettre à pleurer quand elle est deuxième. »

Et les mois passaient. Florentina s'aperçut que la plupart des pères de ses camarades étaient partis à la guerre. Ainsi, son foyer n'était pas le seul à souffrir de la séparation. Afin d'occuper tout son temps libre, miss Tredgold l'inscrivit à des cours de piano et de danse. Elle permit même que l'enfant emmène Eleanor à la Croix-Rouge en tant que bête utile. Mais la chienne fut renvoyée à la maison à cause de sa claudication. Florentina aurait aimé qu'il en soit de même pour son père.

Miss Tredgold profita des vacances d'été pour faire visiter à son élève, avec la permission de Zaphia, d'autres villes, New York et Washington, malgré les transports réduits, imposés par la guerre. Pendant les absences de sa fille, Zaphia participait à des réunions de charité et d'entraide aux soldats polonais qui revenaient du front.

New York fit grande impression sur Florentina, avec ses gratte-ciel, ses immenses supermarchés, et avec Central Park et ses rues fourmillantes d'une foule de gens inconnus. En dépit de son excitation, c'était Washington que la petite fille désirait visiter avant tout.

A cette occasion, elle prit l'avion pour la première fois, ainsi que miss Tredgold. Pendant que l'appareil survolait le fleuve Potomac pour aller se poser sur l'aéroport international de Washington, Florentina, respectueuse, contemplait à travers le hublot la Maison-Blanche, le Monument de Washington, le Lincoln Memorial et la tour Jefferson, encore inachevée. Elle se demanda si cette construction allait devenir un mémorial ou un monument et posa la question à sa gouvernante. Prise de court, miss Tredgold proposa de consulter le Webster dès leur retour à Chicago, car elle n'était pas certaine qu'il existait une différence entre les deux mots. Pour la première fois, Florentina réalisa que sa gouvernante ne savait pas tout.

Elle observa le Capitole par la fenêtre du petit avion.

— C'est exactement comme sur les photos, dit-elle.

— A quoi t'attendais-tu ? dit miss Tredgold.

Henry Osborne avait organisé une visite à la Maison-Blanche, avec possibilité, par la suite, d'assister à une session du Sénat et de la Chambre des Représentants. Florentina parut littéralement hypnotisée par chaque orateur. A la fin des débats, sa gouvernante dut la traîner dehors, comme on arrache un garçon à un match de football, et même alors, elle continua à presser Henry Osborne de questions. Celui-ci s'étonna sur les connaissances de cette fillette de neuf ans, quand bien même il s'agissait de la progéniture du Baron de Chicago.

Florentina et miss Tredgold passèrent la nuit à l'hôtel Willard.

Abel n'avait pas encore construit de Baron à Washington, malgré les promesses de son ami député, qui affirmait que le projet suivait son cours et que le site avait déjà été fixé.

— Cela veut dire quoi « fixé », monsieur Osborne ?

N'ayant pas reçu de réponse vraiment satisfaisante, pas plus du député que de sa gouvernante, l'enfant se résolut de vérifier également ce mot dans le dictionnaire.

La nuit venue, miss Tredgold se retira dans sa chambre, laissant Florentina dans la sienne, couchée sur le grand lit. La gouvernante supposait qu'après une journée aussi épuisante, la petite fille s'endormirait aussitôt. Cependant, quelques minutes plus tard, Florentina ralluma la lampe de chevet et tira de sous l'oreiller le guide de la Maison-Blanche. Sur la couverture, vêtu de son pardessus noir, Franklin Roosevelt semblait la regarder. On pouvait lire sous son nom une devise en relief : « Il n'existe pas de vocation plus passionnante que la politique. »

Florentina lut à deux reprises le livret. La dernière page exerçait sur elle une véritable fascination. La petite fille commença à la mémoriser, mais elle s'endormit d'un seul coup, laissant la lumière allumée.

Durant le voyage de retour, Florentina ne cessa d'étudier la dernière page du livret. Miss Tredgold, le nez dans le *Washington Times Herald*, s'informait pendant ce temps de l'évolution de la guerre. L'Italie avait pratiquement capitulé, mais les Allemands croyaient encore à la victoire du Reich.

Entre Washington et Chicago, Florentina ne leva pas une seule fois le regard de sa lecture. Miss Tredgold mit le calme de l'enfant au compte de la fatigue. Une fois à la maison, la gouvernante permit à Florentina de se coucher tôt, mais pas avant d'avoir écrit un mot de remerciement à M. Osborne. Quand miss Tredgold vint éteindre la lumière, Florentina était encore plongée dans la lecture du guide de la Maison-Blanche.

Dans la nuit — il était exactement 10 h 30 —, miss Tredgold se rendit à la cuisine, dans l'intention de se confectionner un bon chocolat chaud, avant de retourner dans son lit. En allant vers sa chambre, elle entendit quelque chose comme une incantation. Sur la pointe des pieds, elle se glissa vers la porte de Florentina où elle se figea, anxieuse, alors que de l'autre côté du battant, les mots se succédaient :

— Un, Washington, deux, Adams, trois, Jefferson, quatre, Madison...

Et ainsi de suite, sans erreur...

— Trente et un, Hoover, trente-deux, Franklin Roosevelt, trente-trois, inconnu, trente-quatre, inconnu, trente-cinq, trente-six, trente-sept, trente-huit, trente-neuf, quarante et quarante et un, inconnus !

Il y eut un moment de silence. Ensuite, l'incantation reprit :

— Un, Washington, deux, Adams, trois, Jefferson...

Miss Tredgold rentra dans sa chambre sans bruit et resta allongée les yeux au plafond, pendant un long moment. Son chocolat finissait de refroidir dans la tasse. Les paroles de son père surgirent dans sa mémoire : « Tu es née institutrice. Les voies du Seigneur sont impénétrables. Peut-être te sera-t-il donné d'enseigner à une personne qui a un destin. »

« Florentina Rosnovski chef d'Etat ? Non, non, se dit la gouvernante, elle devra vraiment épouser quelqu'un qui a un nom simple. »

Le lendemain, au lever, Florentina gratifia sa gouvernante d'un chaleureux bonjour, avant de disparaître dans la salle de bains. Après avoir nourri Eleanor, qui mangeait comme quatre, la petite fille se plongea dans la lecture du *Chicago Tribune*. Il était question de la consultation entre Franklin D. Roosevelt et Churchill, à propos de la reddition inconditionnelle de l'Italie. D'une voix joyeuse, Florentina annonça à Zaphia que son père allait revenir bientôt.

Zaphia répondit à sa fille qu'elle avait sans doute raison,

puis se tournant vers miss Tredgold, elle la complimenta sur la bonne mine de Florentina.

— Tu as apprécié ton voyage à Washington, ma chérie ?

— Oui, maman, énormément. Un jour j'irai vivre là-bas.

— Mais pourquoi ? Que ferais-tu dans cette ville ?

Le regard de la petite fille croisa celui de miss Tredgold. Après une brève hésitation, elle répondit à sa mère :

— Je n'en sais rien. C'est une très belle ville. Voulez-vous me passer la confiture, miss Tredgold ?

## 5

Florentina écrivait à son père une fois par semaine. Mais combien de lettres parvenaient jusqu'à lui ? Le courrier s'accumulait dans un dépôt de New York pour contrôle, avant d'être acheminé dans la région où se trouvait le major Rosnovski.

Les réponses d'Abel arrivaient irrégulièrement, parfois plusieurs lettres dans la même semaine ou pas un mot pendant trois mois. Après un mois de silence, Florentina imaginait son père mort au champ d'honneur. Miss Tredgold affirmait que si cela était vrai, l'armée aurait envoyé un télégramme annonçant le décès ou la disparition du major.

Tous les matins, Florentina ouvrait la boîte aux lettres, recherchant parmi le courrier une enveloppe portant l'écriture de son père, ou alors, le télégramme fatal. Enfin, la lettre arrivait. Souvent, des mots avaient été effacés à l'encre noire et Florentina tenait en vain la feuille face à la lumière, par-dessus la table de la cuisine, elle ne pouvait les déchiffrer. Miss Tredgold prétendait que la censure était nécessaire. L'auteur de la lettre aurait pu, par exemple, écrire une information utile à l'ennemi si, par hasard, la missive tombait dans de mauvaises mains.

— Mais les Allemands se fichent pas mal que je sois seconde en géométrie, non ?

Ignorant la question, la gouvernante demanda à Florentina si elle avait encore faim.

— Ma foi, je prendrai bien un brin de...

— On dit « un peu », mon enfant. Laisse les brins aux ruminants.

Tous les six mois, miss Tredgold hissait sa protégée sur un tabouret, flanquait la chienne dans une boîte à son côté et les prenait en photo, afin que le major Rosnovski puisse constater que sa fille et le labrador grandissaient.

Derrière chaque photo, d'une écriture ferme, Florentina inscrivait son âge, ainsi que l'âge d'Eleanor en années-chien. Et elle ajoutait mille détails. Ses progrès scolaires, sa passion pour le tennis et la natation en été, ou le base-ball en hiver. Maintenant, racontait-elle, les rayons de la bibliothèque débordaient de vieilles boîtes de cigares pleines de papillons qu'elle avait attrapés avec un magnifique filet, cadeau de maman pour Noël. Miss Tredgold avait chlorophormé les papillons avant de les épingler et les identifier de leur nom latin. Maman s'était rendue à une fête de charité et s'intéressait à la Ligue des femmes polonaises. Florentina avait fait pousser des légumes dans le potager. Eleanor et elle-même souffraient du manque de viande. Florentina aimait le pudding au beurre, Eleanor raffolait de biscuits croustillants. Et les lettres se terminaient toujours de la même façon : « Je t'en supplie, reviens demain ! »

En 1944, la guerre se poursuivait. Florentina suivait les progrès militaires des Alliés dans le *Chicago Tribune* ou par les bulletins radiophoniques de Londres, lus par Edward Murrow. Eisenhower devint son idole. Secrètement, elle portait aux nues le général Patton, parce qu'il ressemblait un peu à son père. Le 6 juin, les Alliés envahirent l'Europe occidentale.

Avec les yeux de l'imagination, Florentina voyait son père en première ligne, tout en se demandant s'il survivrait aux combats. Elle suivit pas à pas la marche des Alliés sur Paris, d'après la carte géographique qui avait servi pour les leçons d'histoire polonaise, que miss Tredgold avait punaisée sur le mur de la salle de jeux.

Oui, oui, la guerre allait bientôt se terminer et Abel reviendrait à la maison, c'était sûr. Alors, Florentina allait s'asseoir sur le perron, avec la chienne, et fixait des heures durant le coin de Rigg Street. Les heures, les jours, les semaines passaient...

Les seuls événements qui sortirent la petite fille de son attente furent les deux conventions présidentielles tenues à Chicago pendant l'été, qui lui permirent de voir son idole en chair et en os.

En juin, Thomas E. Dewey était le candidat républicain. Au mois de juillet, les démocrates reconduisirent Roosevelt à la tête du parti. Osborne emmena Florentina à l'amphithéâtre où le président prononça son allocution d'acceptation.

Etonnée, la petite fille remarqua que chaque fois qu'elle voyait le député, celui-ci était accompagné d'une femme différente. Elle se promit d'en parler à miss Tredgold qui, sans aucun doute, saurait éclaicir ce mystère.

Après le discours du Président, Florentina fit la queue pour lui serrer la main. Elle était si émue qu'elle n'osa lever les yeux lorsque son idole se pencha vers elle. A la fin de cette passionnante journée, la plus excitante de sa vie, alors qu'Osborne la raccompagnait, elle lui confia ses projets politiques. Henry s'abstint de répondre que, en dépit de la guerre, il n'y avait pas une seule femme au Sénat et que deux femmes seulement siégeaient au Congrès.

En novembre, Florentina écrivit à son père pour lui annoncer la grande nouvelle : Franklin Roosevelt avait été réélu Président. Elle attendit la réponse pendant des mois.

Puis le télégramme arriva.

C'était une petite enveloppe jaune. Avant que miss Tredgold ne la sépare du courrier, Florentina l'avait déjà repérée. La gouvernante porta le télégramme à Mme Rosnovski, au salon. Florentina suivait, tremblante comme une feuille, et Eleanor fermait le cortège. Avec des gestes nerveux, Zaphia déchira l'enveloppe. Après avoir lu le contenu, elle éclata en sanglots.

— Non ! Non ! s'écria Florentina, ce n'est pas vrai, maman ! Dis-moi qu'il est seulement porté disparu.

Elle arrachà le télégramme des mains de Zaphia, qui avait perdu l'usage de la parole. Il disait :

« La guerre est finie, à très bientôt, baisers, Abel. »

Avec un cri de joie, Florentina sauta au cou de miss Tredgold, qui se laissa choir sur un fauteuil où, en temps normal, elle n'aurait jamais osé s'asseoir. Excitée par la rupture du train-train habituel, Eléanor grimpa aussi sur le fauteuil, pendant que Zaphia éclatait d'un rire hystérique.

« A très bientôt. » Cela pouvait dire des semaines et des mois. Le système militaire rigide décidait de l'ordre des retours, donnant priorité aux mutilés ou aux plus anciens combattants. Malgré tout, Florentina restait optimiste. Et les semaines s'écoulaient lentement.

Un soir, Florentina rentra à la maison en brandissant son nouvel insigne de « jeannette », un badge de secourisme. Une lumière filtrait à travers une petite fenêtre, qui était restée éteinte pendant plus de trois ans... Oubliant tout, badge et secourisme, Florentina traversa la rue en courant et se mit à cogner sur la porte, jusqu'à ce que miss Tredgold vînt ouvrir. La petite fille grimpa les marches quatre à quatre et fit irruption dans l'étude de son père.

Il était là ! Il était assis, en grande discussion avec Zaphia. Florentina tomba dans les bras de son père et le serra très fort. Il s'en dégagea pour mieux la regarder.

— Tu es plus belle que sur les photos, affirma-t-il.

— Oh, papa ! Tu es revenu.

— Et je ne repartirai plus.

— En tout cas pas sans moi, dit-elle et, à nouveau, elle l'enlaça.

Les jours suivants, elle ne cessa de réclamer des histoires de guerre. Avait-il rencontré Eisenhower ? Pas une seule fois. Et le général Patton ? Oui, dix minutes. Et Bradley ? Celui-là, oui. Avait-il vu des Allemands ? Non, mais à Remagen, il avait eu l'occasion de secourir des soldats blessés par l'ennemi.

— Que s'est-il passé ? Raconte !

— Assez, mademoiselle ! Vous êtes pire qu'un sergent sur le champ de manœuvres !

Excitée par le retour de son père, Florentina se coucha, ce soir-là, une bonne heure plus tard que d'habitude. Et même alors, elle ne put s'endormir. Miss Tredgold avait dit que Florentina avait de la chance, car son père aurait pu revenir mutilé ou défiguré, comme tant de parents d'enfants de sa classe. Le père d'Edward Winchester avait perdu un bras dans un bled nommé Bastogne. Quand Florentina l'apprit, elle présenta ses regrets à Edward.

Très vite, Abel retomba dans la routine. Au Baron, personne ne l'avait reconnu. Il paraissait si maigre que le gardien lui avait même demandé son nom. Il commença par commander chez les Brooks Brothers cinq nouveaux costumes, car il nageait dans ses vêtements d'avant-guerre. Georges Novak avait pu maintenir la stabilité financière du groupe, même s'il n'avait pas dû faire de très grands efforts. Par le même Georges, il apprit la réélection d'Henry Osborne au Congrès. Abel demanda à sa secrétaire d'appeler Washington.

— Félicitations, Henry. Vous pouvez vous considérer comme réélu au conseil du Baron.

— Merci, Abel. Sans doute serez-vous ravi d'apprendre que, pendant que vous confectionniez de succulents dîners pour les grosses légumes de l'armée, moi j'ai pu acquérir six pour cent de la Lester.

— Bien joué, Henry. Pourrons-nous réunir les huit pour cent magiques ?

— Il y a des chances ! Peter Parfitt, qui s'attendait à devenir P.-D.G. de la Lester, avant l'entrée de Kane sur scène, et qui a été éjecté, éprouve pour notre ami à peu près autant d'affection qu'une mangouste pour un cobra. Parfitt est d'accord pour nous vendre ses 2 %.

— Alors, qu'est-ce qu'on attend ?

— Il demande un million. Le brave homme doit penser que seul son pourcentage vous aidera à renverser Kane et que les autres actionnaires ne veulent pas vendre. Or, un million représente 10 % au-dessus de la valeur des actions en cours.

Abel considéra les chiffres qu'Henry avait laissés à son intention, sur le bureau.

— Offrez-lui 750 000, dit-il.

Pendant ce temps, Georges se morfondait pour des sommes bien inférieures. Il en parla à Abel :

— Pendant ton absence, j'ai accordé un prêt à Henry et il n'a pas encore remboursé.

— Un prêt ? Quel prêt ?

— La définition est de lui.

— Trêve de plaisanterie. Combien ?

— Cinq mille dollars. Je suis désolé, Abel !

— Oublie donc cette histoire, Georges. Si tu n'as commis que cette erreur pendant les trois dernières années, je m'estime heureux. A ton avis, que fait-il de son argent ?

— Femmes, vins et chansons. Notre ami député n'est pas un grand original. Des bruits courent qu'il a commencé à jouer gros.

— C'est tout ce que je veux savoir en ce qui concerne le nouveau membre du Conseil. Surveille-le et tiens-moi au courant si jamais sa situation empirait.

Georges acquiesça.

— Maintenant, parlons expansion. Avec Washington qui pompe trois cents millions par jour, nous devons nous préparer à une période de prospérité que l'Amérique n'a encore jamais connue. Nous devrions songer, également, à construire des Baron en Europe, pendant que le terrain est bon marché. Commençons par Londres.

— Bonté divine ! Cette ville est à présent plus plate qu'une crêpe.

— Idéal, pour construire, mon cher.


— Miss Tredgold, dit Zaphia, cet après-midi je vais aller à un défilé de mode, organisé au profit de l'orchestre symphonique de Chicago. Je ne serai pas rentrée avant le coucher de Florentina.

— Très bien, madame Rosnovski.

— J'aimerais y aller aussi, intervint Florentina.

Les deux femmes la regardèrent, étonnées. Anticipant la désapprobation de Miss Tredgold, Zaphia lança :

66

— Mais nous sommes à peine à deux jours de tes examens. Qu'aviez-vous prévu au programme d'aujourd'hui ?

— Histoire médiévale, répliqua la gouvernante sans hésiter, Charlemagne et le concile de Trente.

Zaphia regrettait que l'on ne permît pas à sa fille de s'intéresser à des sujets féminins. A son avis, on l'élevait comme un substitut de garçon destiné à combler le vide que ressentait son mari de n'avoir pas eu de fils.

Zaphia aurait voulu faire acte d'autorité, mais n'osait pas, craignant la réaction d'Abel. Quelle ne fut pas sa surprise lorsque miss Tredgold déclara :

— Je ne suis pas tout à fait d'accord avec vous, madame Rosnovski. L'occasion me paraît idéale pour familiariser cette enfant avec le monde de la mode et avec la société. (Puis, se tournant vers Florentina, elle ajouta :) Un répit de quelques jours avant l'examen ne lui fera pas de mal.

Zaphia considéra la gouvernante avec un respect nouveau.

— Voudriez-vous venir avec nous ? proposa-t-elle.

C'était la première fois qu'elle voyait miss Tredgold rougir.

— Oh non, merci, je n'ai pas le temps, bredouilla-t-elle. J'ai un tas de courrier qui m'attend et je profiterai de l'après-midi pour le mettre à jour.

Le même après-midi, ce fut Zaphia qui attendait Florentina à la sortie de l'école, à la place de miss Tredgold. Florentina trouva sa mère très élégante dans son tailleur fuchsia, en comparaison de l'éternel uniforme bleu marine porté par la gouvernante.

Elle réprima l'envie folle de courir jusqu'à la salle où avait lieu le défilé de mode.

Lorsque enfin elle s'y trouva, elle eut grand-peine à rester assise. De sa place, au premier rang, Florentina pouvait presque toucher les mannequins, qui se déplaçaient avec grâce sur la passerelle brillamment éclairée. Des jupes plissées, tourbillonnantes, virevoltaient, alors que des jaquettes ajustées glissaient sur des épaules élégamment dénudées. Le cortège de ces dames sophistiquées, drapées dans des nuages de pâle organdi et coiffées de soyeuses capelines, cheminait sans bruit vers une destination inconnue et disparaissait derrière un rideau de velours grenat. Florentina en fut enchantée.

Lorsque le dernier modèle exécuta un cercle parfait signifiant la fin du défilé, un reporter demanda à Zaphia la permission de la prendre en photo. Alors qu'il ajustait son appareil, Florentina s'écria, avec empressement :

— Maman, tu devrais porter ton chapeau plus en avant, si tu veux avoir l'air chic.

Pour la première fois, la mère obéit à sa fille.

Ce soir-là, miss Tredgold conduisit Florentina au lit et lui demanda si cette nouvelle expérience lui avait plu.

— Oh ! oui ! répliqua-t-elle, jamais je n'aurais imaginé que les vêtements puissent rendre les gens si beaux.

La gouvernante répondit par un sourire de regret.

— Figurez-vous, poursuivit Florentina, qu'ils ont ramassé plus de huit mille dollars. Papa lui-même en resterait bouche bée.

— Je comprends, admit miss Tredgold. Un jour viendra où tu seras obligée de décider comment utiliser ta fortune. Ce n'est pas toujours facile de naître riche.

Le lendemain, la gouvernante montra à Florentina une photo de sa mère, parue dans le *Women's Wear Daily*, sous la légende : « La baronne Rosnovski entre sur la scène de la mode à Chicago. »

— Quand pourrai-je aller à un autre défilé de mode ? demanda Florentina.

— Pas avant d'en avoir fini avec Charlemagne et le concile de Trente.

— Je me demande comment il était habillé à son couronnement, murmura Florentina.

Le même soir, calfeutrée dans sa chambre, elle défit l'ourlet de sa jupe d'écolière à la lueur de la lampe de poche, puis la rétrécit de deux centimètres à la taille.

Florentina était arrivée en classe terminale de l'école primaire. Abel espérait que sa fille allait décrocher une bourse pour entrer à l'école supérieure. Florentina savait que, même sans la bourse, son père était prêt à payer les frais de ses études. Mais elle avait ses plans, concernant l'argent qu'il économiserait chaque année, si elle était admise gratuitement au lycée. Elle avait travaillé dur toute l'année, mais comment savoir combien elle avait obtenu de points au concours final ? Cent vingt-deux enfants de l'Illinois y avaient participé, se disputant quatre bourses.

Au dire de miss Tredgold, il fallait attendre au moins un mois pour connaître les résultats. « La patience est une vertu », avait-elle même ajouté. Ensuite, en prenant une mine faussement épouvantée, elle avait déclaré que si son élève n'était pas classée parmi les trois premiers, elle n'aurait plus qu'à repartir en Angleterre par le premier bateau.

— Ne soyez pas bête, je serai première, répondit Florentina sur un ton de confidence. Les jours passant, elle commença à regretter cette bravade et au cours d'une longue promenade, elle se confia à Eleanor. Elle avait écrit « cosinus » à la place de « sinus » dans le problème de géométrie et avait créé, ainsi, un triangle impossible.

— Je serai peut-être deuxième, hasarda-t-elle au petit déjeuner, le lendemain.

— En ce cas, j'irai chercher du travail chez les parents du lauréat, répondit l'imperturbable miss Tredgold.

Abel délaissa un instant la lecture de son journal :

— Si tu obtiens une bourse, dit-il en souriant, tu me feras économiser mille dollars par an. Deux mille, si tu es lauréate.

— Je le sais et j'ai mes projets.

— Qu'avez-vous en tête, jeune fille ?

— Si j'ai la bourse, tu pourrais investir l'argent que tu économiserais dans des parts du groupe Baron, jusqu'à ma majorité. Et si je suis lauréate, je voudrais que tu en fasses autant pour le compte de miss Tredgold.

— Seigneur Dieu, non ! s'exclama la gouvernante, en se redressant, ce serait injuste. Monsieur Rosnovski, veuillez pardonner l'audace de Florentina.

— Ce n'est pas de l'audace, papa. Si je suis première au concours, la moitié de la récompense revient de droit à miss Tredgold.

— Sinon plus, dit Abel. Je suis d'accord avec ta requête, à une seule condition.

Et sur ces mots, il plia méticuleusement son journal.

— Laquelle ? demanda sa fille.

— De combien disposes-tu sur ton livret d'épargne, jeune dame ?

— Trois cent douze dollars, lui fut-il répondu aussitôt.

— Parfait. En cas d'échec, tu me les remettras, afin de participer aux frais de ta scolarité.

Pendant que Florentina réfléchissait, miss Tredgold s'abstint de tout commentaire.

— J'accepte ! dit-elle enfin.

— Je n'ai jamais parié de ma vie, dit la gouvernante et j'ose espérer que mon pauvre père n'est plus de ce monde pour l'apprendre.

— Vous n'êtes pas concernée, miss Tredgold.

— Oh, si ! monsieur. Si cette enfant est prête à jouer ses malheureux 312 dollars sur ce que je lui ai appris, alors, en cas d'échec, je devrais la rembourser et même vous offrir cette somme pour son éducation.

— Bravo ! hurla Florentina en enlaçant sa gouvernante.

— Les fous perdent leur argent très vite, déclara miss Tredgold.

— Tout à fait d'accord, dit Abel, car j'ai perdu.

— Qu'est-ce que ça veut dire, papa ?

Il déplia le journal, révélant un titre en caractères gras, qu'il lut tout haut : « La fille du Baron de Chicago, lauréate. »

— Oh, monsieur ! Vous le saviez pendant tout ce temps !

— Exact, miss Tredgold. Entre nous tous, vous auriez fait un malheur au poker.

Ravie du résultat, Florentina passa les derniers jours de l'école primaire comme l'héroïne de sa classe. Elle fut félicitée même par Edward Winchester, qui déclara :

— Ça s'arrose ! Allons boire un pot.

— Je n'ai jamais bu de pot.

— Mieux vaut tard que jamais.

Edward conduisit Florentina à l'autre extrémité du bâtiment, dans la classe des garçons, dont il ferma la porte à clé en prétextant qu'il ne voulait pas être dérangé. Incrédule et admirative, elle le regarda ouvrir son pupitre, d'où il extirpa une bouteille de bière qu'il décapsula avec un ouvre-bouteilles en nickel. Il versa ensuite le breuvage brunâtre dans deux verres sales également extraits du même pupitre et en offrit un à Florentina.

— Cul sec ! dit-il.

— Qu'est-ce que cela veut dire ?

— Tout boire d'un seul coup, expliqua-t-il.

Florentina regarda Edward boire la première gorgée, avant de trouver le courage de tremper ses lèvres dans son verre. Le garçon fouilla dans ses poches, d'où il tira un paquet tout fripé de Lucky Strike. Florentina n'en croyait pas ses yeux. Toutes ses connaissances sur les cigarettes, elle les tenait d'une publicité radiophonique, qui disait : « Lucky Strike, quel bon tabac, oh ! oui ! », et qui rendait furieuse miss Tredgold.

Sans un mot, Edward prit une cigarette du paquet et, après l'avoir glissée entre ses lèvres, l'alluma et se mit à souffler avec aplomb la fumée vers le plafond. Peu après, il plaça une deuxième cigarette entre les lèvres de Florentina, qui semblait fascinée.

Edward frotta une autre allumette contre la boîte et approcha la flamme de la cigarette. Florentina n'osait bouger, de peur que ses cheveux prissent feu.

— Aspire, idiote !

Elle obéit, aspira rapidement deux ou trois bouffées et commença à tousser.

— Et puis tu peux enlever la cigarette de ta bouche.

Elle éloigna la cigarette, du même geste que Jean Harlow dans *Saratoga*.

— Chouette, non ? dit Edward en avalant une bonne rasade de bière.

— Chouette ! répéta Florentina, en l'imitant.

Pendant quelques minutes, elle suivit la même cadence qu'Edward, et tous deux fumèrent tout en buvant de grandes gorgées de bière.

— Extra, non ? dit Edward.

— Extra ! répondit Florentina.

— Tu ne veux pas une autre sèche ?

— N-non, merci, répondit-elle en toussant.

— Moi, je bois et je fume depuis quelques semaines déjà.

— Cela se voit.

Une cloche sonna. Rapide comme l'éclair, Edward enfouit bière, cigarettes et mégots dans le pupitre, avant d'aller déverrouiller la porte. Florentina retourna d'un pas lent dans sa classe. Elle se laissa choir à sa place, saisie de vertiges. Son état empira lorsque, une heure plus tard, elle rentra à la maison, ignorant qu'elle puait à deux lieues la cigarette.

Miss Tredgold la mit au lit, sans aucun commentaire.

Le lendemain matin, Florentina était malade comme un chien. Son visage et sa poitrine étaient couverts de boutons. En se voyant dans le miroir, elle fondit en larmes.

— Varicelle ! déclara miss Tredgold à Zaphia.

— Varicelle ! confirma le médecin.

Après le départ du médecin, Abel et miss Tredgold revinrent dans la chambre de Florentina. Inquiète, celle-ci demanda :

— Qu'est-ce que j'ai ?

— C'est un mystère, mentit son père, on dirait une des plaies de l'ancienne Egypte. Qu'en pensez-vous, miss Tredgold ?

— J'ai déjà vu ces symptômes, il y a longtemps. C'était un paroissien de mon père, mais il avait fumé, lui, donc cela ne peut pas être le même cas.

Abel embrassa sa fille et quitta la chambre en compagnie de la gouvernante. Arrivés à son étude, il questionna :

— L'avons-nous suffisamment découragée ?

— Je veux bien parier un dollar, monsieur Rosnovski, que Florentina ne fumera plus jamais de sa vie.

Il sortit son portefeuille de la poche de sa veste, en tira un billet d'un dollar, puis, réflexion faite, il le remit à sa place.

— Oh non ! soupira-t-il, je ne parie plus avec vous !

Le professeur d'histoire de Florentina avait dit une fois que certains faits historiques sont si marquants, que tout un chacun peut se souvenir de l'endroit où il se trouvait exactement, au moment où ces événements ont eu lieu.

Le 12 avril 1945 à 16 h 47, Abel était en train de discuter avec un représentant de Pepsi-Cola, qui essayait de le persuader de passer commande. Zaphia faisait ses emplettes chez Marshall et miss Tredgold sortait du Paramount où elle venait de voir, pour la troisième fois, Humphrey Bogart dans *Casablanca*. Florentina cherchait dans le dictionnaire le mot *teenager*. A la même heure, Franklin D. Roosevelt s'éteignait à Warm Springs, en Géorgie.

De tous les hommages au Président défunt, Florentina garda en mémoire jusqu'à la fin de ses jours, celui du *New York Post*.

Il disait simplement :

« Washington, le 19 avril. Voici les noms des dernières victimes des forces armées, suivis du membre de la famille le plus proche.

ARMÉE DE TERRE - MARINE, un mort.

Roosevelt Franklin, D., commandant en chef. Son épouse, Mme Anne Eleanor Roosevelt, Maison-Blanche. »

# 6

Son entrée au Lycée Latin, établissement pour jeunes filles, valut à Florentina un deuxième voyage à New York. Les uniformes officiels du lycée se trouvaient uniquement chez Marshall Fields à Chicago, mais on ne pouvait acheter les chaussures qu'à New York, chez Abercrombie & Fitch.

Abel s'était borné à grogner que tout cela lui paraissait horriblement snob, mais comme lui-même s'apprêtait à se rendre à New York pour visiter le dernier-né des Barons, il accepta d'accompagner sa fille et miss Tredgold dans leurs pérégrinations sur la Madison Avenue.

Abel estimait depuis longtemps que New York était la seule grande ville au monde sans un hôtel de premier ordre. Bien sûr, il admirait le Plaza, le Pierre ou le Carlyle, mais aucun d'eux ne pouvait égaler le Claridge de Londres, le George V de Paris ou le Danieli de Venise, autant de modèles dont s'inspiraient les architectes des Baron.

Florentina voyait bien que son père passait presque tout son temps loin de la maison. Elle avait constaté avec tristesse que ses parents ne s'aimaient plus. Leurs disputes étaient devenues si fréquentes, que la petite fille avait fini par accepter leur éloignement.

Miss Tredgold avait d'abord commencé par faire les achats chez Marshall Fields, conformément à une liste établie à l'avance :

« Trois chandails et trois jupes bleu foncé, trois jupes blanches, trois pantalons bleu foncé, six paires de socquettes grises, une robe en soie bleu marine rehaussée d'un col et de poignets blancs. »

Ensuite, elle organisa le voyage à New York.

Florentina et sa gouvernante prirent le train à la gare principale de Chicago et, arrivées à destination, elles se rendirent directement chez Abercrombie & Fitch où elles firent l'acquisition de deux paires d'Oxford marron.

— Ce sont des chaussures extraordinaires, proclama miss Tredgold. Avec des Abercrombie aux pieds, on n'a pas peur de faire des kilomètres.

Ensuite, toutes les deux se promenèrent dans la Cinquième Avenue. Au bout d'un moment, miss Tredgold s'aperçut qu'elle était en train d'avancer seule, se retourna, aperçut son élève le nez collé à la vitrine d'Elisabeth Arden et revint rapidement sur ses pas. « Dix nuances de rouge à lèvres pour la femme sophistiquée », lut-elle sur un panneau publicitaire.

— Rose-rouge est ma couleur préférée, soupira Florentina, vibrante d'espoir.

— Le règlement du lycée est très clair, rétorqua la gouvernante du haut de son autorité, pas de rouge à lèvres ou de vernis à ongles, aucun bijou, sauf une bague et une montre.

Frustrée, la petite fille quitta la vitrine et emboîta le pas à son chaperon, qui traversait la Cinquième Avenue.

Abel leur avait donné rendez-vous au Plaza, pour prendre le thé au Palm Court. Il n'avait pas su résister à la tentation de retourner sur les lieux où il avait commencé son apprentissage de la vie comme simple serveur. Il ne reconnaissait plus personne, excepté le vieux Sammy, le maître d'hôtel, pourtant, tout le monde semblait savoir qui il était.

Il commanda des macarons et une glace pour Florentina, du café pour lui-même. Quant à miss Tredgold, elle opta pour un thé au citron et se laissa tenter par un sandwich au cresson.

Abel retourna ensuite à son travail. Après un dernier coup d'œil sur le programme de la journée, miss Tredgold emmena son élève visiter l'Empire State Building. Lorsque l'ascenseur atteignit le 102e étage, les oreilles de Florentina se mirent à bourdonner. Hélas, l'épais brouillard qui était tombé sur la rive est empêchait de voir plus loin que la tour Chrysler. Les deux visiteuses éclatèrent de rire, après quoi miss Tredgold consulta une nouvelle fois son fameux programme et opta pour le Metropolitan Museum. Justement, le musée venait de faire l'acquisition d'une grande toile de Picasso.

Le tableau en question représentait une créature bicéphale dont l'unique sein surgissait de l'épaule.

— Qu'en pensez-vous ? demanda Florentina.

— Oh ! Pas grand-chose. En tout cas, lorsque Picasso était encore à l'école, cela m'étonnerait qu'il ait eu de meilleures notes que toi en dessin.

Florentina adorait séjourner dans les hôtels de son père lorsqu'elle était en voyage. Elle s'y promenait, dans le plus total ravissement, essayant de relever ici et là des erreurs ou des imperfections.

— Après tout, dit-elle à sa gouvernante, il y va de notre investissement !

Au dîner, dans le grill-room, Florentina avoua à son père que les boutiques de l'hôtel ne lui plaisaient pas.

— Pourquoi ? demanda Abel, qu'est-ce que tu leur reproches ?

Il avait formulé cette question sans s'intéresser réellement à la réponse de sa fille.

— Rien de particulier, répondit celle-ci, hormis que si on les compare aux magasins de la Cinquième Avenue, elles ne paient pas de mine. Je dirais même qu'elles sont moches !

Abel griffonna derrière son menu « boutiques, moches », et l'entoura d'un cercle, avant de déclarer :

— Je ne rentrerai pas à Chicago avec toi demain, Flo.

Pour une fois, Florentina ne trouva rien à redire.

— Je dois régler certains problèmes et reprendre le personnel en main, ajouta son père d'un ton plutôt étudié.

La petite fille saisit la main d'Abel :

— Tâche de revenir après-demain. Tu me manques et à Eleanor aussi.

Dès leur retour à Chicago, miss Tredgold commença à préparer son élève à entrer au lycée. Tous les jours, pendant deux heures, elles étudiaient ensemble un sujet différent. Florentina était libre de choisir son horaire, matin ou après-midi. Seul le jeudi était une exception à la règle : la leçon avait lieu d'office dans la matinée, l'après-midi étant le jour de congé de miss Tredgold.

Ainsi, tous les jeudis, la gouvernante quittait la maison à quatorze heures précises et ne rentrait pas avant sept heures du soir. Jamais elle ne révéla ce qu'elle faisait et Florentina ne trouva pas le courage de le lui demander. Et cependant, d'un jeudi à l'autre, la curiosité de Florentina augmentait. Un jour, elle décida de le découvrir par elle-même.

Ce jeudi-là, après une leçon de latin et une légère collation, miss Tredgold salua son élève et se retira dans sa chambre. A deux heures sonnantes, elle poussa la porte de la maison et sortit dans la rue, emportant avec elle un énorme sac de toile.

Postée à la fenêtre de la chambre, Florentina guettait la gouvernante. Dès que celle-ci tourna le coin de la rue, la petite fille s'élança au-dehors et se mit à courir le long du pâté de maisons. Tout à coup, en regardant alentour, elle aperçut sa gouvernante à la station d'autobus, quelques mètres plus loin. Son cœur battait la chamade, à l'idée de ne pouvoir poursuivre son investigation. Florentina était sur le point de rebrousser chemin, lorsqu'elle vit Miss Tredgold monter à l'impériale. Sans plus réfléchir, la petite fille sauta sur la plate-forme arrière, puis se fraya rapidement un chemin jusqu'à l'avant du véhicule.

Le contrôleur lui demanda où elle allait et elle réalisa soudain qu'elle n'en savait rien.

— Quel est le terminus ? demanda-t-elle.

— Le Loop, fit-il, l'air suspicieux.

— Alors, un aller pour le Loop.

— Quinze cents, s'il vous plaît.

Au fond de la poche de sa veste, Florentina découvrit dix cents.

— Jusqu'où peut-on aller avec dix cents ?

— Rylands-Ecole, fut la réponse.

Elle paya tout en implorant le Ciel pour que Miss Tredgold descende de l'autobus avant cette station fatidique.

Florentina se cala dans son siège et commença à surveiller les passagers qui descendaient à chaque arrêt. Douze stations plus tard, miss Tredgold n'avait toujours pas réapparu. A présent, l'autobus longeait le lac, devant l'université.

A l'arrêt de la 71e Rue, Florentina s'avoua vaincue. Désespérée, elle descendit sur la chaussée, songeant à la longue marche à pied qui l'attendait et se jurant de recommencer la semaine suivante, avec assez d'argent cette fois pour faire l'aller-retour.

Après avoir parcouru quelques centaines de mètres, l'autobus s'arrêta en bas de la rue. Une silhouette en descendit, une silhouette qui ne pouvait appartenir qu'à miss Tredgold, qui s'engagea dans une des rues latérales. Florentina prit son élan et courut à toutes jambes. Au coin de la rue en question, elle s'arrêta, essoufflée. Aucune trace de miss Tredgold ! Etait-elle entrée dans l'une des maisons ? Avait-elle emprunté une autre rue ? Si Florentina n'arrivait pas à repérer son « gibier », il ne lui restait plus qu'à faire demi-tour. Elle se mit à descendre la rue, tout en se demandant où pouvait bien être sa gouvernante.

Elle déboucha sur une place, face à une grille en fer forgé sur laquelle se détachait en lettres d'or l'inscription :

« Rive sud, Country Club. »

Sans penser un seul instant que miss Tredgold y était entrée, Florentina laissa errer son regard à travers les barreaux du portail, par pure curiosité. Un gardien en uniforme, qui se tenait de l'autre côté de la grille demanda :

— Qu'est-ce que tu veux ?

— Je cherche ma gouvernante, répondit la petite fille d'une voix faible.

— Comment s'appelle-t-elle ?

— Miss Tredgold, fit-elle sans broncher.

— Elle vient juste d'arriver, informa le gardien, en indiquant d'un geste un bâtiment de style victorien bordé d'arbres, qui s'élevait sur une pente raide, à environ un demi-kilomètre de là.

Florentina reprit courageusement sa marche, sans un mot de plus. Elle prit soin de rester toujours sur le sentier à cause des innombrables petits panneaux avertissant les visiteurs de « ne pas marcher sur les pelouses », mais gardait les yeux fixés sur le bâtiment. Soudain, miss Tredgold réapparut à la porte d'entrée et Florentina eut juste le temps de se cacher derrière un arbre.

Elle reconnut à peine la dame vêtue d'un pantalon à carreaux rouges et jaunes, d'un lourd chandail à chevrons et chaussée de chaussures de golf. Un sac de clubs pendait négligemment à son épaule.

Suffoquée, Florentina fixa sa gouvernante.

Miss Tredgold se dirigea vers le premier tee, posa son sac et tira une balle qu'elle déposa à ses pieds, avant de choisir un club dans son sac. Après quelques mouvements d'échauffement, elle se campa solidement sur ses jambes, visa la balle et, d'un coup sec, l'envoya au beau milieu du fairway. Florentina écarquilla les yeux. Elle aurait voulu applaudir, mais dut se cacher derrière un autre arbre, car miss Tredgold se mit à traverser le parcours.

Au deuxième coup, la balle de la gouvernante atterrit à une vingtaine de mètres seulement de la limite du green. Florentina courut se cacher sous un bosquet qui bordait le terrain et observa sa gouvernante. Celle-ci attaqua la balle par en dessous et réussit à faire le trou en deux coups. Nul doute que miss Tredgold devait pratiquer ce sport depuis un certain temps.

Elle sortit une petite carte blanche de sa poche et y inscrivit quelque chose avant d'avancer vers le départ du n° 2. Elle marchait, les yeux tournés vers son objectif, légèrement à gauche de la cachette de Florentina.

Une nouvelle fois, miss Tredgold se campa sur ses jambes, visa la balle et frappa. Cette fois, elle avait dû taper trop fort, car la balle tomba à dix mètres seulement de Florentina. Affolée, celle-ci examina les arbres. Trop lisses pour y grimper, à moins d'être un chat. Retenant son souffle, elle se dissimula derrière le plus gros tronc, mais au bout d'un moment, ne put s'empêcher d'épier miss Tredgold, qui semblait étudier la position de sa balle. La gouvernante marmonna quelque chose d'inintelligible puis choisit un autre club. Le coup expédia la balle au beau milieu du fairway. Florentina souffla et regarda la joueuse de golf remettre le club dans son sac en disant :

— J'aurais dû garder le bras bien raide dès le premier coup. Ainsi, nous ne nous serions pas rencontrées.

Présumant que la gouvernante se morigénait, Florentina resta cachée.

— Viens ici, mon enfant.

Obéissante, la petite fille sortit de sa cachette, sans dire un mot.

La gouvernante prit une autre balle dans la poche intérieure de son sac et la plaça sur le sol, devant elle. Ensuite, elle sélectionna un club, qu'elle tendit à son élève :

— Essaie de l'envoyer dans cette direction, dit-elle tout en désignant un petit drapeau à une centaine de mètres de là.

Florentina s'empara du club et donna plusieurs coups maladroits à la balle, soulevant à chaque fois une petite motte de gazon, que miss Tredgold appela « divot ». Enfin, rayonnante de satisfaction, elle réussit à envoyer la balle vingt mètres plus loin sur le fairway.

— Nous en avons pour tout l'après-midi, constata miss Tredgold d'un ton résigné.

— Je suis navrée, murmura Florentina, pourrez-vous jamais me pardonner ?

— De m'avoir suivie, oui. Mais pour ta façon de jouer au golf, certainement pas. Nous allons commencer par les rudiments. Autrement dit, je n'aurai plus mes jeudis après-midi pour moi toute seule, puisque tu viens de découvrir l'unique péché de mon pauvre père.

Miss Tredgold enseigna le golf à Florentina avec la même énergie et la même application que le grec ou le latin. Vers la fin de l'été, le jeudi après-midi était devenu le jour préféré de Florentina.

Le lycée ne ressemblait en rien à l'école primaire. D'abord, il y avait un professeur pour chaque sujet et cela changeait de l'instituteur qui enseignait tout sauf la gymnastique.

Ensuite, les élèves changeaient de salle pour suivre les leçons. Enfin, pour nombre d'activités, les classes étaient mixtes.

Les cours préférés de Florentina étaient le latin, le français et l'anglais. Mais le cours de biologie l'attirait également car, deux fois par semaine, elle pouvait admirer au microscope toute une collection de « punaises ».

— On dit « insectes », mon enfant, rectifia miss Tredgold, c'est ainsi que l'on appelle ces minuscules créatures.

— Maintenant, nous disons « nématodes ».

Florentina n'en continuait pas moins de s'intéresser à la mode. Les robes courtes, instituées par les restrictions de la guerre, semblaient déjà surannées. A nouveau, les jupes touchaient presque le sol. Bien sûr, Florentina n'avait aucun moyen d'expérimenter la mode. Les uniformes d'écolière étaient les mêmes en toute saison et le rayon enfants de chez Marshall Fields ne s'inspirait pas de *Vogue*. Toutefois, Florentina étudiait tous les magazines qu'elle pouvait trouver à la bibliothèque et elle persuada sa mère de l'emmener à d'autres défilés de mode.

Pour miss Tredgold, qui n'avait jamais admis qu'un homme puisse apercevoir ses genoux, même pendant les privations du prêt-bail, la nouvelle mode prouvait seulement qu'elle avait été dans le vrai depuis toujours.

Vers la fin de la première année de lycée de Florentina, le professeur de langues vivantes décida de monter en français la *Sainte Jeanne,* de Bernard Shaw. Florentina, la seule élève qui connaissait à fond cette langue, fut choisie pour jouer la pucelle d'Orléans et répéta des heures dans l'ancienne nurserie. Miss Tredgold faisait tous les autres rôles, y compris celui du souffleur et du metteur en scène. Même lorsque Florentina connut son rôle par cœur, la gouvernante continua d'assister loyalement à ces « one woman shows » quotidiens.

Elles étaient en pleine « représentation » lorsque le téléphone sonna.

— C'est pour toi, Flo.

Florentina adorait recevoir des coups de fil, bien que sa gouvernante n'encourageât pas ce genre de pratique.

— Allô ! C'est Edward. J'ai besoin de toi.

— Pour t'aider à appprendre à lire ?

— Non, idiote ! Je dois jouer le rôle du Dauphin et je n'arrive pas à prononcer tous les mots de mon texte.

Florentina réprima un sourire.

— Tu n'as qu'à venir à la maison à cinq heures et demie, te joindre à la répétition. Mais je te préviens, jusqu'à présent, miss Tredgold a été un Dauphin irréprochable.

Edward prit l'habitude de venir tous les après-midi. Miss Tredgold avait encore quelques haut-le-corps quand son accent américain reprenait le dessus, mais Edward était pratiquement prêt, le jour de la « couturière ».

Le soir de la générale, miss Tredgold donna ses dernières recommandations aux deux enfants. Sous aucun prétexte, dit-elle, ils ne devaient regarder le public dans l'espoir de repérer leurs parents, sinon les autres spectateurs ne croiraient pas à leurs personnages. A titre d'exemple, la gouvernante cita le cas célèbre de Noël Coward, qui était sorti en pleine représentation de *Roméo et Juliette,* parce que John Gielgud l'avait dévisagé pendant un monologue.

Florentina prit un air convaincu, bien que n'ayant jamais entendu parler ni de M. Coward ni de M. Gielgud.

Le rideau se leva. Florentina ne regarda pas une seule fois au-delà des feux de la rampe. Miss Tredgold considéra que les efforts de son élève étaient dignes d'éloges. Pendant l'entracte, se référant à la scène où la Pucelle se trouve seule sur le plateau, en proie à ses « voix », elle commenta à l'adresse de Zaphia :

— Emouvante ! Indiscutablement émouvante !

A la fin de la pièce, Florentina reçut une formidable ovation, même de la part de ceux qui n'avaient pas pu suivre le texte en français. Derrière elle, Edward saluait tout en se réjouissant d'avoir pu surmonter cette épreuve, sans trop d'erreurs.

Rayonnante et excitée, Florentina alla se démaquiller (cela avait été sa première expérience de rouge à lèvres et de poudre), remit son uniforme d'écolière et rejoignit sa mère et miss Tredgold dans la salle de réception où, avec les autres parents, elles buvaient des rafraîchissements. Plusieurs personnes la félicitèrent pour son jeu, y compris le directeur du lycée de garçons.

— Quelle remarquable performance pour une fille de son âge, dit celui-ci à Mme Rosnovski. En y pensant, elle a deux ans de moins seulement que Jeanne d'Arc, lorsqu'elle défiait la noblesse française tout entière.

— Oui, mais Jeanne d'Arc n'était pas obligée d'apprendre par cœur son rôle dans une langue étrangère, rétorqua Zaphia, fière de sa trouvaille.

Florentina n'entendit pas les paroles de sa mère. Son regard fouillait la foule des invités.

— Où est papa ? demanda-t-elle.

— Il n'a pas pu venir.

— Mais il avait promis ! Promis !

Des larmes jaillirent de ses yeux et soudain, elle comprit pour quelle raison miss Tredgold lui avait conseillé de ne jamais regarder le public.

— Sache, mon enfant, que ton père est un monsieur très occupé. Il a un petit empire à diriger.

— Jeanne d'Arc en avait un aussi !

Le même soir, lorsque Florentina se coucha et que miss Tredgold vint éteindre la lumière :

— Papa n'aime plus maman, n'est-ce pas ? murmura-t-elle.

Prise de court, la gouvernante mit quelques instants à répondre :

— Je sais seulement que tous deux t'aiment beaucoup.

— Alors pourquoi papa ne rentre plus à la maison ?

— Je ne sais pas. Quelles que soient ses raisons, nous devons nous montrer compréhensives et adultes, répondit miss Tredgold tout en repoussant une mèche de cheveux qui glissait sur le front de Florentina.

Au contraire, celle-ci se sentait très enfantine et elle se demanda si en perdant sa chère France, Jeanne d'Arc avait été aussi malheureuse qu'elle. Miss Tredgold sortit et Florentina plongea une main sous le lit, à la recherche du museau humide et rassurant d'Eleanor.

— Au moins, toi, je t'aurai toujours, murmura-t-elle.

La petite chienne surgit de sa cachette, grimpa sur le lit et se coucha près de Florentina, face à la porte et prête à battre en retraite vers son panier dans la cuisine, si miss Tredgold réapparaissait.

Durant toutes les vacances d'été, le père de Florentina resta absent. La petite fille avait cessé de croire que l'expansion de ses affaires retenait Abel loin de Chicago. Et quand elle le mentionnait, les réponses de Zaphia étaient souvent amères.

Florentina découvrit également que sa mère consultait des avocats par téléphone.

Tous les jours, Florentina promenait Eleanor le long de Michigan Avenue, dans l'espoir d'y apercevoir la voiture de son père. Un mercredi, décidant de rompre cette routine, elle poussa un peu plus loin, afin d'étudier les nouveaux magasins qui donnaient le ton de la mode dans la Cité des Vents. Eleanor semblait apprécier les magnifiques lampadaires plantés tous les quinze mètres en bordure de l'avenue. Florentina avait déjà repéré une robe de mariée, un costume de bal, et elle s'abîmait dans de savants calculs au sujet d'une ravissante robe de soirée de 500 dollars — son argent de poche étant de cinq dollars par semaine —, quand à travers la vitre, elle capta le reflet de son père.

Folle de joie, elle se retourna et l'aperçut sortant de chez Spauldings, sur le trottoir d'en face. Sans plus réfléchir, elle s'élança vers lui en l'appelant.

Un taxi jaune freina dans un affreux crissement de pneus et fit un violent écart. Le conducteur aperçut une jupe bleue, puis sentit un choc mat contre la carrosserie. Ensuite, il vit un gros homme bien habillé courir au milieu de la chaussée, suivi d'un agent de police. Un instant plus tard, Abel et le chauffeur de taxi contemplaient le petit corps inanimé.

— Il n'y a plus rien à faire, dit l'agent de police en hochant la tête et en sortant un carnet de sa poche.

Tremblant comme une feuille, Abel tomba à genoux.

— Tout est de ma faute, gémit-il.

— Non, papa, c'est ma faute, coupa Florentina. Je n'aurais pas dû traverser la rue sans faire attention. J'ai tué Eleanor par négligence.

Le chauffeur de taxi se répandit en explications : il n'avait pas le choix. C'était le chien ou la petite fille. Abel acquiesça, prit Florentina dans ses bras et l'emporta sur le trottoir en l'empêchant de se retourner pour regarder le corps disloqué du labrador. Il installa sa fille à l'arrière de sa voiture, puis, se tournant vers l'agent de police :

— Mon nom est Abel Rosnov...

— Je sais qui vous êtes, monsieur, coupa l'autre.

— Puis-je compter sur vous pour vous occuper de cette affaire ?

— Certainement, monsieur ! répondit l'agent, sans lever le nez de son carnet.

Abel demanda à son chauffeur de les conduire au Baron. Dans le hall noir de monde, il prit la main de sa fille et l'entraîna vers l'ascenseur privé. Au 42e étage, sur le palier, ils rencontrèrent Georges. Ce dernier s'apprêtait à saluer sa filleule par un mot en polonais, lorsqu'il vit l'expression de son visage.

— Demande à miss Tredgold de venir tout de suite, Georges.

— Oui, bien sûr, souffla Georges, avant de disparaître dans son bureau.

Abel s'assit en face de sa fille et écouta, sans l'interrompre, quelques histoires sur Eleanor. Il commanda du thé et des sandwichs, mais Florentina se contenta d'un bol de lait. Soudain, sans préambule, elle changea de sujet :

— Dis, papa, pourquoi ne viens-tu plus jamais à la maison ?

Abel s'octroya une tasse de thé supplémentaire et renversa quelques gouttes dans la soucoupe.

— J'y ai pensé plusieurs fois et je regrette d'avoir manqué *Jeanne d'Arc*. Ta mère et moi allons divorcer.

— Oh, non ! Ce n'est pas vrai !

— Je suis le seul coupable, petite fille. Je n'ai pas su être un bon mari et...

Florentina passa ses bras autour du cou de son père :

86

— Cela veut dire que nous ne nous reverrons plus ?

— Pas du tout. Je me suis arrangé avec ta mère. Tu resteras à Chicago pendant l'année scolaire et tu passeras tes vacances avec moi, à New York. Bien sûr, tu peux toujours m'appeler, quand tu en as envie.

Florentina resta silencieuse, alors que son père lui caressait gentiment les cheveux. Un peu plus tard, on frappa à la porte et miss Tredgold entra, sa longue robe balayant le tapis comme elle s'approchait à pas rapides de Florentina.

— Pouvez-vous la ramener à la maison, miss Tredgold ?

— Oui, bien sûr, monsieur Rosnovski. (Et comme Florentina fondait en larmes :) Viens mon enfant. (Puis se baissant, elle ajouta dans un murmure :) Tâche de cacher tes sentiments.

La petite fille de douze ans embrassa son père sur le front, prit la main de miss Tredgold et quitta la pièce. Quand la porte se referma sur elles, désolé de ne pas avoir été emmené, lui aussi, par miss Tredgold, Abel s'assit seul, et se mit à pleurer.

## 7

Au début de sa deuxième année de lycée, Florentina remarqua Pete Welling. Il était assis dans le salon de musique et jouait au piano *Almost like being in love,* le dernier succès de Broadway. Il détonnait légèrement, mais Florentina se dit que le piano était désaccordé.

Pete ne parut pas la remarquer, quand elle passa tout près de lui. Elle revint sur ses pas et fit chou blanc une seconde fois. D'un geste nonchalant, le pianiste balaya ses mèches blondes et ondulées, tout en continuant à jouer. Alors, Florentina sortit du salon en feignant de ne pas l'avoir vu.

Le lendemain, dès le déjeuner, elle savait tout de lui : Pete était en seconde, faisait office de vice-capitaine de l'équipe de football du lycée et était président de sa classe. Il avait presque dix-sept ans. Susie Jacobson, l'amie de Florentina, la mit en garde :

— Attention ! D'autres ont jeté leur dévolu sur lui, sans aucun succès.

— Oui, mais moi, j'ai quelque chose à lui proposer qui est irrésistible, répondit Florentina.

L'après-midi même, après mûre réflexion, elle composa à l'encre violette sa première lettre d'amour.

*Cher Pete,*

*Dès que je t'ai vu, j'ai compris que tu jouerais un rôle important dans ma vie. Tu es un merveilleux pianiste, à mon avis. Veux-tu venir chez moi un de ces jours, écouter des disques ?*

*Sincèrement à toi*
*Florentina (Rosnovski).*

Elle attendit la récréation, puis se glissa dans le couloir, à la recherche du placard de Pete Welling. Lorsqu'elle le découvrit, dans les vestiaires des garçons, elle vérifia le nom sur le battant, l'ouvrit, et déposa sa lettre sur un gros bouquin de mathématiques. « Il la trouvera sûrement », pensat-elle, et retourna dans sa classe, les mains moites.

Toutes les heures, elle courait ouvrir son placard personnel, dans l'espoir d'une réponse, mais rien n'arrivait. Une semaine plus tard, elle commençait à désespérer, quand elle aperçut Pete assis sur le perron de la chapelle de l'école, en train de se coiffer. Elle se dit qu'elle tenait sa seule chance de savoir si oui ou non il avait reçu son invitation.

Florentina s'avança courageusement vers lui, mais s'arrêta à un mètre du perron, aussi à l'aise qu'un lapin sous le regard d'un python. En vérité, elle ne trouvait rien à dire, mais le garçon sauva la situation en disant :

— Salut !

— S-salut ! bredouilla-t-elle, as-tu trouvé ma lettre ?

— Quelle lettre ?

— Je t'ai écrit un mot lundi dernier, pour t'inviter à écouter des disques. J'ai *Silent Night* et presque tous les tubes de Bing Crosby. Tu l'as déjà entendu chanter *White Christmas* ? ajouta-t-elle en jouant son meilleur atout.

— Ah ! C'est toi qui as écrit cette lettre, fit-il.

— Oui ! Et il y a une semaine, je t'ai vu jouer contre l'équipe de Francis Parker. Vraiment, tu as été sensationnel. Contre qui allez-vous jouer la prochaine fois ?

— Tu n'as qu'à regarder le calendrier de l'école, c'est affiché, dit-il en remettant son peigne dans sa poche et en regardant par-dessus l'épaule de Florentina.

— Je serai dans les gradins.

— Naturellement...

Une élève de première, grande et blonde, s'approcha. Elle

portait de fines socquettes blanches, lesquelles, Florentina en était sûre, ne faisaient pas partie de l'uniforme officiel. La blonde se précipita vers Pete en lui demandant s'il l'avait attendue longtemps.

— Non, à peine deux minutes, répondit-il en l'enlaçant par la taille, puis se tournant vers Florentina : Il va falloir patienter, lança-t-il, tu es en fin de liste, ma petite. Mais, qui sait ? Ton tour viendra peut-être, ajouta-t-il en riant. En tout cas, à côté de Bix Beiderbecke, ton Crosby est un tocard !

Il s'éloigna avec la blonde et Florentina l'entendit dire :

— C'est la fille qui m'a envoyé la lettre.

La blonde se retourna en éclatant de rire et Pete ajouta :

— Elle doit être encore vierge.

Florentina alla s'enfermer dans le vestiaire des filles et resta cachée là jusqu'à ce que tous les élèves aient quitté l'école, redoutant les railleries de ses camarades, quand cette histoire aurait fait le tour des classes. Elle ne ferma pas l'œil de la nuit et, dès le lendemain, elle se mit à étudier les visages de ses amies, sans toutefois découvrir le moindre regard ironique. Enfin, elle décida de confier à Susie Jacobson la délicate mission de mener l'enquête pour savoir si la nouvelle s'était propagée.

Lorsque Florentina termina son récit, Susie éclata de rire.

— Toi aussi ? dit-elle.

Florentina se sentit mieux, après que son amie lui eut confié qu'elle se sentait, actuellement, terriblement déprimée elle aussi. Cela lui donna le courage de demander à Susie la signification du mot « vierge ».

— Je n'en suis pas sûre. Pourquoi me le demandes-tu ?

— Pete a dit que j'en étais probablement une.

— Alors, moi aussi, certainement. Une fois, j'ai entendu Marie Alice Beckman dire : « Quand un garçon vous fait l'amour, neuf mois plus tard on a un bébé. » Miss Horton nous en a déjà parlé à propos des éléphants, mais eux mettent deux ans pour naître.

— Je me demande à quoi cela ressemble.

— Ça doit être merveilleux, d'après les magazines que Marie Alice garde dans son placard.

— Tu connais une fille qui a essayé, toi ?

— Margie McCormick. Elle s'en est assez vantée.

— Oui, mais elle n'a pas eu de bébé.

— Parce qu'elle a pris des « précautions », paraît-il.

— Tu sais, si ça ressemble à quelque chose comme avoir ses règles, je ne crois pas que ça vaut la peine d'essayer, dit Florentina.

— Tout à fait d'accord. J'ai eu les miennes hier. Tu crois que les hommes ont le même problème ?

— Penses-tu ! Ils s'en sortent toujours avec la meilleure part, déclara Florentina. A nous les règles et les bébés, à eux le rasage de barbe et le service militaire. Mais je poserai la question à miss Tredgold.

— Ce n'est pas évident qu'elle le sache, observa Susie.

— Miss Tredgold sait tout, répondit Florentina d'un ton assuré.

Le même soir, miss Tredgold expliqua sans hésitation, et par A plus B, le processus de la grossesse à une Florentina médusée, tout en la mettant en garde contre les dangers d'un désir d'expérimentation irréfléchi. Lorsqu'elle eut terminé, Florentina demanda :

— Pourquoi fait-on tant de bruit autour de cette chose ?

— La société moderne et ses mœurs douteuses exigent beaucoup des femmes. Rappelle-toi toujours que chacune de nous a le droit de décider de ce que les autres doivent penser d'elle et, surtout, de ce que nous devons penser de nous-mêmes.

Le lendemain, Florentina dit à Suzie, avec une grande autorité :

— Elle savait tout sur la grossesse et les bébés.

— Alors, tu vas rester vierge ? demanda Susie.

— Oui, sûrement. Miss Tredgold l'est encore.

— Et qu'a-t-elle dit au sujet de ces fameuses « précautions » ?

— On n'en a pas besoin quand on est vierge, déclara Florentina, du haut de son nouveau savoir.

Le deuxième événement important de cette année fut la confirmation de Florentina. Le père O'Reilly, jeune prêtre à la Sainte-Trinité, instruisit officiellement la novice, mais miss Tredgold, faisant fi des principes de l'Eglise anglicane qui avaient bercé sa jeunesse, étudia les ordres de confirmation de l'Eglise catholique romaine et prépara assidûment son élève, sans lui laisser aucun doute sur ses devoirs envers le Seigneur.

L'archevêque de Chicago assista le père O'Reilly pendant la cérémonie. Abel et Zaphia étaient présents. Leur divorce ayant été prononcé, ils avaient pris place sur des bancs éloignés.

Florentina portait une simple robe blanche ras du cou, qui s'arrêtait sous le genou. Elle l'avait cousue elle-même, en partie seulement, car pendant qu'elle dormait, miss Tredgold avait continué l'ouvrage. Le modèle avait été copié sur une robe portée par la princesse Elisabeth, dont la photo avait paru dans *Elle*.

Pendant plus d'une heure, miss Tredgold avait brossé les longs cheveux bruns de Florentina, pour les rendre souples et brillants. Elle avait même consenti à les laisser flotter.

A treize ans, Florentina était ravissante.

— Ma filleule est très belle, chuchota Georges, assis à côté d'Abel.

— Je le sais, répondit celui-ci.

— Je parle sérieusement. Bientôt, il y aura une file de prétendants devant l'entrée principale du Baron.

— Elle épousera qui elle veut, pourvu qu'elle soit heureuse.

Après la cérémonie, toute la famille se réunit dans les appartements d'Abel au Baron, pour célébrer l'événement. Florentina reçut plusieurs cadeaux, dont une magnifique Bible de Douai reliée en cuir, offerte par miss Tredgold. Le présent qui lui fit le plus grand plaisir fut celui que son père avait précieusement gardé jusqu'à ce qu'elle soit en âge de l'apprécier. Il s'agissait de la bague ancienne envoyée le jour de son baptême par l'homme qui avait aidé son père à fonder le groupe Baron.

— Je voudrais lui écrire un mot de remerciement, dit-elle.

— Impossible, ma chérie. Je ne le connais pas. Je lui

ai remboursé ma dette depuis longtemps et maintenant, il y a peu de chance que l'on découvre sa véritable identité.

Elle fit glisser la bague sur l'annulaire de sa main gauche et, pendant le reste de la journée, son regard ne quitta pas les étincelantes petites émeraudes.

## 8

— Madame, pour qui allez-vous voter aux élections présidentielles ? interrogea l'élégant jeune homme.

— Je ne vote pas, répliqua miss Tredgold tout en continuant son chemin.

Il fut obligé de courir pour la rattraper :

— Dois-je vous compter parmi les abstentionnistes ?

— Certainement pas ! Je n'ai rien dit de tel.

— Alors, dois-je comprendre que vous ne voulez pas dévoiler vos préférences ?

— Non plus, jeune homme. Il se trouve que je suis anglaise, originaire de Much Hadham. Il serait malhonnête de ma part de vouloir influencer M. Truman ou M. Dewey.

L'enquêteur battit en retraite et Florentina le regarda s'éloigner. Elle avait lu dans un journal que ces sondages d'opinion étaient pris très au sérieux par tous les leaders politiques. En 1948, une nouvelle campagne électorale se déroulait en Amérique. A l'instar des Jeux olympiques, la course à la Maison-Blanche avait lieu tous les quatre ans, en temps de paix comme en temps de guerre. Florentina restait fidèle aux démocrates, sans espérer, toutefois, que Truman se maintînt au pouvoir après deux ans d'une présidence aussi impopulaire. Selon les derniers sondages Thomas Dewey, le candidat républicain, menait avec une confortable avance et semblait devoir remporter la victoire.

Florentina, qui avait suivi toute la campagne de près, fut enchantée lorsque Margaret Chase Smith obtint l'investiture du parti républicain, contre trois hommes, devenant le candidat officiel du Maine en vue des élections pour le Sénat.

Pour la première fois, les Américains purent suivre les élections à la télévision. Abel avait installé un appareil R.C.A. dans la maison de Rigg Street, bien avant son départ. Pendant tout le trimestre, miss Tredgold permit à Florentina de regarder « cette machine diabolique », mais pas plus d'une heure par jour.

— Jamais le mot écrit ne pourra être remplacé, avait déclaré la gouvernante. Et sur ce point, je suis d'accord avec le professeur Dawes de Harvard. Trop de décisions hâtives sont prises devant les caméras et par la suite on le regrette.

Sans souscrire totalement aux opinions de sa gouvernante, Florentina sélectionna avec la plus grande attention « son heure ». Elle choisit régulièrement les actualités du soir, pendant lesquelles Douglas Edwards donnait un compte rendu de la campagne, plutôt que l'émission de variétés, plus populaire, d'Ed Sullivan.

Pendant tout l'été, Florentina passa le plus clair de son temps au quartier général du député Osborne.

Avec d'autres volontaires de tous âges et de toutes conditions, elle glissait dans une enveloppe un message de « votre député » et une superbe affichette imprimée en relief : « Réélisez Osborne ». Ensuite, en compagnie d'un pâle jeune homme, qui n'ouvrait jamais la bouche pour parler politique, Florentina léchait le bord de l'enveloppe, la fermait et la posait sur le sommet d'une pile correspondant à la région dans laquelle elle serait distribuée par un autre volontaire. Tous les soirs, elle rentrait chez elle morte de soif et malade, à cause de la colle dont elle gardait le goût à la bouche.

Un mercredi, la réceptionniste demanda à Florentina de la remplacer pendant l'heure du déjeuner.

— Certainement, répondit Florentina, vibrante d'excitation et se dépêchant de grimper sur le siège vacant, sans laisser à son pâle compagnon le temps de réagir.

— Il n'y aura pas de problème, dit la réceptionniste, tu n'as qu'à dire « Ici le bureau du député Osborne » et si tu n'es pas sûre de quelque chose, regarde dans le livret, tout y est.

Et ce disant, elle montra du doigt un épais catalogue posé près du téléphone.

— Ça ira, dit Florentina.

Assise sur la chaise surélevée, elle fixa le téléphone en souhaitant de toutes ses forces qu'il se mette à sonner. Son vœu fut vite exaucé. Son premier correspondant était un électeur qui voulait connaître où il devait voter. « Quelle question bizarre ! » pensa-t-elle.

— Aux urnes, répondit-elle, légèrement ironique.

— Je le sais, pauvre conne, mais dans quel bureau de vote ?

Pendant quelques instants, Florentina resta muette, puis demanda très poliment à son interlocuteur le lieu où il résidait.

— Dans le 7ᵉ district.

Elle consulta le livret :

— Vous votez à l'église de Saint-Jean-Chrysostome, dans Dearbon Street.

— Où ça ?

Elle examina la carte :

— L'église est à cinq blocs de la corniche et quinze au nord du Loop.

Elle raccrocha et le téléphone resonna immédiatement.

— Le bureau d'Osborne ?

— Oui, monsieur.

— Dites à ce salaud que je n'aurais pas voté pour lui, même s'il était le seul candidat vivant.

La communication s'interrompit et la sonnerie retentit une nouvelle fois. Florentina se sentait encore plus écœurée que quand elle léchait les enveloppes. Cette fois-ci, elle laissa le téléphone sonner trois fois avant de trouver le courage de répondre :

— Allô ? fit-elle, nerveuse, ici le quartier général de M. Osborne, Mlle Rosnovski à l'appareil.

— Bonjour, ma chère. Je m'appelle Daisy Bishop et j'aurais besoin d'une voiture pour emmener mon mari voter. Il a perdu ses deux jambes à la dernière guerre.

— Oh ! J'en suis navrée...

— Ne vous inquiétez pas, mon chou. Nous n'allions tout de même pas laisser tomber ce bon vieux Roosevelt !

— Mais Roosevelt... oui, bien sûr ! Voulez-vous me donner votre adresse et votre numéro de téléphone ?

— M. et Mme Bishop, 653, West Buena Street, MA 44816.

— Nous vous appellerons le jour de l'élection pour vous préciser à quelle heure on passera vous chercher. Merci pour votre soutien au parti démocrate, madame Bishop.

— Nous ne lui avons jamais fait faux bond, mon chou.

— Au revoir, madame.

Florentina respira profondément et se sentit un peu mieux. Après avoir ajouté le chiffre 2 entre parenthèses à côté du nom des Bishop, elle plaça la petite fiche sur la pile intitulée « transport-électeurs ». Puis, elle attendit un nouvel appel. Il arriva quelques minutes plus tard, mais entre-temps, la jeune standardiste avait retrouvé sa confiance.

— Bonjour ! Suis-je bien au bureau de M. Osborne ?

— Oui, monsieur.

— Melvin Crudick à l'appareil. J'aimerais connaître l'opinion de notre député sur le plan Marshall, s'il vous plaît.

— Comment dites-vous ?

— Le plan Mar-shall, énonça la voix, sur un ton autoritaire.

Florentina se rabattit frénétiquement sur le livret électoral, censé fournir une réponse à tout.

— Vous êtes toujours vivante ? aboya la voix.

— Un instant, je vous prie. Je cherche une réponse détaillée à votre question.

Elle découvrit enfin un paragraphe traitant du plan Marshall et parcourut rapidement le point de vue du député sur le sujet.

— Allô, monsieur ?

— Oui, fit la voix.

Florentina lut tout haut : « Le député Osborne approuve le plan Marshall. »

Il y eut un long silence, puis :

— Ça je le savais, dit son interlocuteur à l'autre bout de la ligne.

Florentina se sentit défaillir :

— Eh bien voilà, répéta-t-elle, le député approuve le plan.

— Et pour quelle raison ? grinça l'autre.

— P-parce que chaque citoyen de la circonscription en bénéficiera, répondit-elle, pas trop mécontente de sa repartie.

— Alors expliquez-moi par quel miracle les 6 milliards de dollars que nous allons donner aux Européens profiteront à l'Illinois. (Une sueur tenace perlait sur le front de Florentina.) Vous pouvez dire à votre patron, mademoiselle, qu'il vient de perdre un électeur, grâce à votre incompétence.

Elle remit le téléphone à sa place et commençait à se demander si elle ne ferait pas mieux de prendre ses jambes à son cou, lorsque la réceptionniste entra. Florentina ne sut quoi dire.

— Des appels intéressants ? demanda la jeune femme en regagnant sa place.

— R-rien de spécial, bredouilla sa remplaçante, sauf que je crois avoir fait perdre au parti le vote d'un certain M. Crudick.

— Encore ce cinglé du téléphone ? C'était pour quoi cette fois ? Les activités antiaméricaines, le plan Marshall ou les bidonvilles ?

Florentina retrouva ses enveloppes avec joie.

Le jour de l'élection, Florentina arriva au quartier général à huit heures précises et, pendant toute la matinée, elle passa des coups de fil aux électeurs déclarés du parti, pour s'assurer qu'ils étaient bien allés voter. Dans son dernier discours à l'adresse du groupe des volontaires, le député avait déclaré :

— N'oubliez jamais que personne n'est arrivé à la Maison-Blanche sans avoir conquis au préalable l'Illinois.

Forte de sa contribution à l'élection d'un futur Président, Florentina se tua au travail et ne prit même pas le temps de déjeuner. A huit heures du soir, miss Tredgold vint la chercher. Florentina s'était démenée douze heures durant, sans répit. Pourtant, elle ne cessa de bavarder pendant le trajet, jusqu'à la maison.

— Pensez-vous que Truman va gagner ? finit-elle par demander.

— Seulement s'il réunit au moins 50 % des voix, répondit la gouvernante.

— Erreur ! Pour devenir président des Etats-Unis, on n'a pas besoin d'avoir la majorité absolue. Il suffit de bénéficier d'un nombre de grands électeurs plus important que son adversaire.

Là-dessus, elle se lança dans un cours sur le système électoral américain.

— Jamais l'on n'aurait vu une telle monstruosité, si seulement ce bon George III avait su de quel côté du globe se trouvait l'Amérique, s'exclama la gouvernante. En tout cas, mon enfant, jour après jour je m'aperçois que bientôt tu n'auras plus besoin de moi.

Pour la première fois, Florentina prit conscience que miss Tredgold ne resterait pas toute sa vie auprès d'elle. A la maison, elle s'installa sur l'ancienne chaise de son père et essaya de regarder les premiers résultats à la télévision. Vaincue par la fatigue, elle s'assoupit près de la cheminée, puis elle monta se coucher, avec la conviction, comme la plupart des Américains, que Thomas Dewey serait l'heureux gagnant.

Dès son réveil, le lendemain matin, elle dévala l'escalier à la recherche du *Tribune*. La manchette confirma ses craintes : « Truman battu par Dewey ». Il fallut une bonne demi-heure de bulletins radiophoniques et la confirmation de sa mère pour que Florentina parvienne à croire, enfin, que Truman avait été reconduit à la Maison-Blanche. Une décision hâtive, sur le coup de onze heures du soir, avait poussé le rédacteur en chef du *Tribune* à composer ce titre, lequel le poursuivrait jusqu'à la fin de ses jours. Du moins, il avait vu juste en ce qui concernait Henry Osborne. Celui-ci fut réélu au Congrès pour un nouveau mandat.

Le lendemain, au Lycée Latin, le professeur de travaux pratiques convoqua Florentina dans son bureau et lui fit des remontrances. Les élections terminées, il était grand temps de se consacrer au travail scolaire. Miss Tredgold approuva et Florentina commença à préparer ses examens, avec le même enthousiasme qu'elle avait montré pour la campagne électorale. Durant l'année, elle s'inscrivit à l'équipe de hockey de l'école, dans laquelle elle joua sans se distinguer, et réussit à s'introduire dans l'équipe de tennis.

Vers la fin du dernier trimestre, tous les lycéens reçurent une circulaire de la direction leur signifiant que ceux qui désiraient faire partie du Conseil d'élèves devaient envoyer leur nom au directeur du lycée de garçons, avant le premier lundi de la rentrée scolaire.

Le Conseil était constitué de six représentants, élus par les deux écoles et, de mémoire de lycéen, ils provenaient tous de la première. Néanmoins, plusieurs camarades de Florentina lui suggérèrent de participer à ces élections. Même Edward Winchester, qui avait renoncé depuis longtemps à dépasser Florentina dans différentes matières, sauf à la lutte, se proposa de l'aider.

— Quiconque veut m'apporter son appui doit être beau, plein de charme et de talent, railla-t-elle.

— Pour une fois je suis d'accord avec toi, répondit Edward, car le pauvre devra faire oublier que son candidat est stupide, moche, lourd et prétentieux.

— En ce cas, il serait plus sage d'attendre l'année prochaine.

— Jamais de la vie, s'écria Edward. Il n'y a aucun espoir d'amélioration en si peu de temps. Je veux que tu entres au Conseil cette année.

— Pourquoi ?

— Parce que si tu étais la seule élève de seconde à en faire partie, tu aurais toutes les chances de devenir président l'année prochaine.

— Tu as déjà pensé à tout, n'est-ce pas ?

— Je parie mon argent de poche que tu as pensé aussi.

— Peut-être... dit-elle, calmement.

— C'est-à-dire ?

— Peut-être que je me présenterai aux élections du Conseil d'élèves un an plus tôt.

Florentina passa ses vacances d'été à New York, en compagnie de son père. Elle avait remarqué que la plupart des grands magasins disposaient maintenant d'articles de mode et s'était demandée pourquoi il n'y avait plus de boutiques spécialisées uniquement dans le prêt-à-porter. Elle passa des heures entières chez Best, Saks et chez Bonwit Tellers, où elle fit faire sa première robe décolletée, après avoir observé les différentes clientes et comparé leurs goûts par rapport à la clientèle de Bloomingdale, d'Altman ou de Macy. Le même soir, au dîner, elle éblouit son père en évoquant ce sujet.

Abel était tellement impressionné par la rapidité avec laquelle sa fille assimilait toutes les nouvelles données, qu'il se mit à lui expliquer comment fonctionnait le groupe Baron. A la fin de son séjour, Florentina connaissait par cœur tout ce qui touchait au contrôle des stocks, au cash-flow, aux réservations, à la loi sur l'emploi de 1940 et même au coût des huit cents croissants frais. Abel paraissait enchanté et prévint Georges que, dans un proche avenir, son poste serait en danger.

— Je ne crois pas qu'elle veuille ma place, commenta Georges.

— Non ?

— Non, Abel, c'est la tienne qu'elle convoite.

Le dernier jour, Abel conduisit sa fille à l'aéroport et lui offrit un appareil-photo à développement instantané.

— Quel magnifique cadeau ! s'exclama-t-elle, je vais devenir l'élève la plus chic de l'école.

— C'est un pot-de-vin, expliqua Abel.

— Un pot-de-vin ?

— Oui ! Georges prétend que tu veux devenir président du groupe Baron.

— Je pense commencer par le Conseil d'élèves.

— C'est ça, fais ta place au Conseil avant, s'exclama-t-il en riant.

Il l'embrassa sur la joue et esquissa un signe d'adieu alors qu'elle grimpait les marches et pénétrait dans l'avion.

— J'ai décidé de proposer ma candidature.

— Parfait, fit Edward. J'ai déjà compulsé la liste des noms de tous les élèves des deux écoles. Tu vas mettre un point à côté de ceux dont tu es sûre du soutien, une croix près de ceux qui de toute façon ne voteront pas pour toi. Ainsi, je pourrai travailler les « sans opinion » et accroître le nombre de tes supporters.

— Tu es très professionnel. Combien de candidats serons-nous en tout ?

— Quinze, pour six sièges. Il y a quatre concurrents que tu ne peux espérer battre, mais les autres, ça va être plus serré. A propos, ça peut t'intéresser : Pete Welling se présente également.

— Cette ordure ?

— Je me suis laissé dire que tu étais désespérément amoureuse de lui.

— Ne sois pas ridicule ! Ce Pete n'est qu'une pauvre andouille ! Continuons plutôt à étudier la liste des élèves.

L'élection avait lieu à la fin de la deuxième semaine de la nouvelle année scolaire. Les candidats avaient dix jours devant eux pour glaner des voix. Plusieurs amis de Florentina lui rendirent visite à Rigg Street, afin de l'assurer de leur soutien. D'autres, des camarades de classe dont elle était pourtant sûre, annoncèrent à Edward qu'ils ne voteraient jamais pour elle. Surprise, Florentina en parla à miss Tredgold, qui lui apprit que lorsqu'on convoite une place censée apporter privilèges et profits, vos contemporains vous mettent toujours des bâtons dans les roues. Les plus vieux ou les plus jeunes ne ressentent pas la même rivalité.

Chaque candidat devait prononcer une petite allocution, en expliquant les raisons pour lesquelles il voulait entrer au Conseil. Abel lut celle de Florentina et se refusa d'ajouter ou de couper quoi que ce soit. Miss Tredgold la lut également et se contenta de quelques commentaires sur la syntaxe.

Le scrutin eut lieu pendant la journée du vendredi, à la fin de la deuxième semaine. Le résultat serait annoncé le lundi suivant, après délibération, par le directeur en personne.

Ce fut un week-end terrible pour Florentina. Miss Tredgold ne cessa de répéter « Calme-toi, mon enfant » et Edward, qui joua au tennis avec elle le dimanche après-midi, n'eut aucune peine à gagner 6-0 les deux sets.

— Pas besoin d'être Jack Kramer pour te dire que tu n'es pas concentrée, « mon enfant », se moqua-t-il.

— Sois tranquille, mon cher ! Je me fiche éperdument d'être élue ou pas.

Le lundi, levée à cinq heures du matin, Florentina était habillée et prête à prendre son petit déjeuner à six heures. Elle lut trois fois le journal d'un bout à l'autre. Miss Tredgold ne souffla mot, jusqu'au moment où Florentina allait partir pour l'école.

— Ma chérie, n'oublie pas ! Lincoln a perdu plus d'élections qu'il n'en a gagné et cela ne l'a pas empêché de devenir Président.

— Je sais, mais j'aimerais commencer par un succès.

A neuf heures, la salle des réunions était bondée. Les prières du matin et les annonces des professeurs semblaient interminables. Les yeux de Florentina restaient fixés sur le sol. Enfin, le directeur déclara :

— Et maintenant, je vais vous lire les résultats des élections pour le Conseil d'élèves. Il y avait quinze candidats. Six d'entre eux ont été élus dans l'ordre suivant :

1er, Jason Morton, président, 109 voix ;
2e, Cathy Long, 87 voix ;
3e, Roger Dingle, 85 voix ;
4e, Eddie Bell, 81 voix ;
5e, Jonathan Lloyd, 79 voix.

Le directeur se mit à tousser, mais la salle demeura silencieuse.

— 6e, Florentina Rosnovski, avec 76 voix. Le grand battu est Pete Welling, avec 75 voix. La première réunion du Conseil aura lieu dans mon bureau ce matin à 10 h 30. La réunion est terminée.

Au comble de la joie, Florentina enlaça Edward.

— N'oublie pas, dit-il, l'année prochaine, président.

Dans la même matinée, à la première réunion du Conseil, Florentina, qui était le plus jeune membre, se vit confier le poste de secrétaire.

— Ça t'apprendra à être la dernière, ricana le nouveau président, Jason Morton.

« Me voici condamnée à prendre des notes et à rédiger des rapports qui n'intéresseront personne, pensa-t-elle, mais au moins je pourrai les dactylographier et, de toute façon, l'année prochaine je serai président. »

Tout en réfléchissant, elle fixait le garçon qui, avec son visage fin et sensible et des manières apparemment timides, avait réussi à remporter tant de voix.

— Et maintenant, parlons des privilèges, reprit-il vivement, inconscient du regard de Florentina. Le président est autorisé à conduire. Les filles ont le droit de porter des jupes colorées et les garçons des mocassins à la place de chaussures à lacets. Tous les membres du Conseil peuvent quitter la salle d'étude pour s'occuper de leurs responsabilités, ou pour adresser des blâmes aux élèves qui transgressent le règlement de l'école.

« Voilà pourquoi je me suis battue si fort, se dit Florentina, pour avoir le droit de porter des jupes de couleur et d'adresser des blâmes. »

Le même soir, elle conta à miss Tredgold chaque détail de la journée et elle rayonnait de fierté en répétant les résultats des élections et ses nouvelles responsabilités.

— Et qui est cet infortuné Pete Welling qui a failli être élu à une voix près ? s'enquit la gouvernante.

— C'est bien fait pour lui ! Savez-vous ce que j'ai dit à cette crapule, en la croisant dans le couloir ?

— Non, je ne le sais pas, dit miss Tredgold, d'un ton plein d'appréhension.

— Maintenant, c'est toi qui es en fin de liste, mais peut-être ton tour viendra-t-il, lança Florentina en riant.

— C'était indigne de toi, Florentina, et de moi aussi ! s'indigna la gouvernante. Ne dis plus jamais pareille chose, de toute ta vie. Le triomphe n'autorise personne à abaisser ses rivaux, c'est plutôt l'occasion de se montrer magnanime.

Ce disant, miss Tredgold se leva et se retira dans sa chambre.

Le lendemain, à la cantine, Jason Morton alla s'asseoir près de Florentina.

— Nous nous verrons souvent, puisque tu as été élue au Conseil, dit-il avec un sourire.

Florentina resta sans expression. Parmi les élèves du lycée, Jason jouissait de la même réputation que Pete Welling, et elle était déterminée à ne pas devenir la risée d'un garçon une deuxième fois.

Après le déjeuner, ils discutèrent des problèmes de l'orchestre de l'école, qui devait aller à Boston, puis des mesures à prendre contre les garçons surpris en train de fumer. Les punitions étaient très limitées. L'obligation de rester en salle d'étude le samedi matin était de loin la plus terrifiante. Jason prétendit que s'ils allaient jusqu'à dénoncer les fumeurs à la direction, ceux-ci risqueraient l'expulsion de l'école. Un grave dilemme se posa aux membres du Conseil. La salle d'étude ne faisait vraiment peur à personne, mais aucun d'eux n'avait envie de dénoncer les fumeurs au directeur.

— Si nous fermons les yeux, argua Jason, nous perdrons très vite toute autorité. Nous devons nous résoudre à adopter une position ferme dès le début.

Florentina lui donna raison.

— Tu veux jouer au tennis avec moi samedi après-midi ?

Pendant quelques instants, elle resta muette de surprise.

— Pourquoi pas ? répondit-elle en s'efforçant de paraître décontractée. Elle savait que Jason était capitaine de l'équipe de tennis et qu'elle avait un service des plus médiocres.

— Bon, je viendrai te chercher à trois heures, d'accord ?

— Parfait, lança-t-elle, en s'efforçant d'afficher un air blasé.

— Cette jupe de tennis est beaucoup trop courte, affirma miss Tredgold.

— Je le sais, mais elle date de l'année dernière et depuis j'ai grandi, répondit Florentina.

— Avec qui vas-tu jouer ?

— Jason Morton.

— Tu ne vas pas jouer au tennis dans cette tenue, avec un jeune homme.

— C'est ça ou j'y vais toute nue ?

— Ne sois pas insolente, mon enfant. Je veux bien te laisser mettre ce vêtement pour cette fois, mais dès lundi, tu auras une nouvelle jupe.

La sonnette vibra. « Il est là », dit miss Tredgold.

Florentina ramassa sa raquette et s'élança vers la porte.

— Doucement, mon enfant. Laissons ce garçon attendre un peu. Nous ne voulons pas qu'il connaisse tes sentiments pour lui, n'est-ce pas ?

Florentina devint écarlate. Elle attacha ses longs cheveux noirs avec un ruban et s'avança lentement vers la porte.

— Salut ! fit-elle, à nouveau décontractée, veux-tu entrer un moment ?

107

Vêtu d'un élégant ensemble de tennis flambant neuf, Jason ne pouvait détacher son regard de Florentina.

— Cette robe ! hasarda-t-il.

Il allait en dire davantage quand il aperçut miss Tredgold qui quittait la pièce. Jusqu'alors, il n'avait pas réalisé combien Florentina était jolie. Dès l'instant où il vit la gouvernante, il comprit pourquoi.

— J'ai cette jupe depuis l'année dernière, expliqua Florentina en regardant ses jambes minces. Elle est affreuse, n'est-ce pas ?

— Oh, non ! Elle est très belle. Allez, viens. J'ai réservé le court pour trois heures et demie. Si nous sommes en retard, à tous les coups quelqu'un prendra notre place.

— Doux Jésus ! s'exclama Florentina en refermant la porte d'entrée, elle est à toi ?

— Oui, fantastique, hein ?

— Puisque tu veux connaître mon opinion, je dirai qu'elle a dû vivre des jours meilleurs.

— Vraiment ? dit Jason. Et moi qui la croyais plutôt bath !

— J'aurais sans doute été d'accord avec toi si je connaissais ce mot, railla-t-elle. Dois-je m'installer dans cet engin ou me préparer à pousser ?

— C'est une authentique Packard d'avant-guerre.

— Elle mérite de figurer dans un musée, commenta-t-elle en s'installant à l'avant et en réalisant tout à coup combien sa jupe était courte. Est-ce qu'on t'a déjà montré comment conduire ce tas de ferraille ? interrogea-t-elle suavement.

— Pas exactement, répondit le jeune homme.

— Quoi ? s'écria-t-elle, incrédule.

— Pour conduire, il suffit d'avoir un peu de bon sens.

Florentina poussa la portière et s'apprêtait à descendre, quand Jason posa une main sur sa cuisse :

— Ne fais pas l'idiote, Tina, mon père m'a donné des leçons de conduite et je circule en voiture depuis près d'un an.

Elle rougit, referma la porte et dut admettre qu'il conduisait plutôt bien pendant qu'ils se rendaient au club de tennis, même si la voiture gémissait et bondissait à cause des nids-de-poule.

Le match se solda par un désastre pour Florentina. En vain elle essaya de gagner un point, alors que de son côté, Jason faisait tout son possible pour en perdre autant. Il réussit à gagner seulement par 6-2, 6-1.

— J'ai besoin d'un Coca, souffla-t-il à la fin de la partie.

— Et moi d'un prof de tennis, répondit-elle.

Il éclata de rire. En quittant le court, il lui prit la main et elle se sentit toute molle et chaude. Jason garda la main de Florentina dans la sienne, jusqu'à ce qu'ils atteignent le bar, derrière le court. Il acheta une bouteille de Coca-Cola qu'ils burent à l'aide de deux pailles, assis au coin de la pièce.

Ensuite, il la raccompagna chez elle. Arrivé dans Rigg Street, il arrêta la voiture, se pencha vers elle et l'embrassa sur les lèvres. Florentina n'osa répondre à son baiser, trop émue pour le faire. Il proposa :

— Tu viens au cinéma avec moi ce soir ? On passe *On the Town* au Paramount.

— Eh bien, normalement... oui, j'aimerais bien, répondit Florentina.

— Bon, alors je viens te chercher à sept heures.

Florentina suivit du regard la vieille guimbarde qui s'éloignait en haletant et s'efforça d'inventer une raison valable, pour persuader sa mère de la laisser sortir. A la cuisine, elle aperçut miss Tredgold préparant le thé.

— La partie a-t-elle été bonne, mon enfant ?

— Pas pour lui ! A propos, ce soir il veut m'emmener au... (elle hésita) à l'Orchestra Hall pour un concert. Je ne dîne donc pas ici.

— Comme c'est gentil de sa part, dit miss Tredgold, mais il faudra rentrer vers onze heures, sinon ta mère va s'inquiéter.

Florentina monta dans sa chambre, s'assit sur le coin du lit et commença à réfléchir. Quelle robe pourrait-elle porter pour la soirée ? Ses cheveux lui déplaisaient et elle se demanda si elle ne ferait pas mieux de voler un peu de fond de teint à sa mère. Puis, elle s'examina dans le miroir en cherchant un subterfuge pour faire paraître sa poitrine plus développée, sans être obligée de retenir son souffle.

A sept heures précises, Jason refit son apparition, vêtu d'un pull-over rouge très ample et d'un pantalon kaki. Miss Tredgold lui ouvrit la porte.

— Bonsoir, jeune homme.

— Bonsoir, madame, dit Jason.

— Voulez-vous vous asseoir au salon ?

— Merci.

— Quel est déjà ce concert auquel vous emmenez Florentina ?

— Le concert ?

— Oui, j'étais en train de me demander qui jouait. J'ai lu une bonne critique sur la Troisième symphonie de Beethoven, dans le journal de ce matin.

— Ah oui, la Troisième de Beethoven, balbutia Jason.

A ce moment, Florentina apparut au faîte de l'escalier et Jason et miss Tredgold en furent saisis, l'un approuvant ce que l'autre désapprouvait. La robe verte de Florentina s'arrêtait juste sous le genou, révélant de fins bas nylon à coutures. Elle descendait les marches lentement, peu habituée aux chaussures à haut talon qu'elle avait mises ; ses petits seins semblaient plus gonflés que d'habitude et ses longs cheveux brillants flottaient sur ses épaules, à la mode de Jennifer Jones, la faisant paraître plus âgée que ses quinze ans. Pour miss Tredgold, le seul accessoire qui pouvait être acceptable était la montre qu'elle-même avait offerte à son élève, pour son treizième anniversaire

— Allons-y, Jason ! Nous sommes en retard, dit Florentina, voulant éviter toute conversation avec sa gouvernante.

— D'accord, d'accord, dit le jeune homme.

Sa compagne ne se retourna pas une seule fois, de peur d'être changée en statue de sel.

— Jeune homme, Florentina doit être de retour avant onze heures, recommanda miss Tredgold.

— D'accord, d'accord, répéta Jason en refermant la porte d'entrée. Dis donc, d'où sort-elle ?

— Qui ? Miss Tredgold ?

110

— Oui, elle a l'air d'un personnage de l'époque victorienne. (Il l'imita, tout en ouvrant la portière de la voiture.) Elle doit être de retour avant onze heures, jeune homme !

— Ne sois pas aussi dur, dit Florentina en souriant avec coquetterie.

Une longue queue s'étirait devant le guichet du cinéma. Florentina se tenait au côté de Jason, le visage tourné vers le mur, craignant d'être reconnue. Dans la salle, Jason la conduisit au dernier rang, avec l'air d'un habitué des lieux. Elle se laissa tomber sur un fauteuil et lorsque les lumières s'éteignirent, elle commença à se détendre. Pas pour longtemps...

Soudain, Jason se pencha, enlaça d'une main les épaules de sa compagne et se mit à l'embrasser. Elle tressaillit quand il lui força les lèvres et que leurs langues se touchèrent pour la première fois. Ensuite il la relâcha et ils regardèrent quelques séquences sur l'écran. Florentina adorait Gene Kelly, mais, une nouvelle fois, Jason s'approcha d'elle et colla sa bouche contre la sienne. Elle entrouvrit les lèvres et presque immédiatement, elle sentit une main sur son sein gauche. Elle se débattit pour lui faire lâcher prise, mais une fois de plus, il était trop fort pour elle. Quelques secondes plus tard, elle put respirer et jeta un rapide coup d'œil sur l'écran où se profilait la statue de la Liberté et aussitôt, l'autre main du garçon emprisonna son sein droit. Cette fois, elle réussit à le repousser. Agacé, Jason tira un paquet de Camel de sa poche et en alluma une. Florentina n'en croyait pas ses yeux. Après quelques bouffées, il écrasa la cigarette dans le cendrier et glissa une main entre les cuisses de Florentina. Affolée, elle mit fin à ses avances en serrant les jambes.

— Allons bon, fit-il, ne sois pas prude, sinon tu finiras comme miss Tredgold. (Et il voulut l'embrasser encore.)

— Pour l'amour du ciel, Jason, laisse-moi regarder le film.

— Tu es idiote, ou quoi ? Personne ne vient au cinéma pour le film (et là, remettant la main sur sa jambe), ne me dis pas que tu ne l'as encore jamais fait. Diable ! Tu as presque seize ans. Qu'espères-tu ? Devenir la plus vieille pucelle de Chicago ?

Florentina bondit et se fraya un chemin vers l'allée, écrasant au passage plusieurs paires de pieds. Sans même rabaisser sa robe, elle sortit du cinéma aussi vite qu'elle le put. Dehors, elle essaya de courir, mais ce n'était guère facile, à cause des chaussures de sa mère. Elle les enleva et reprit sa course. Devant le perron de la maison, elle se composa un visage calme, implorant le ciel pour qu'elle puisse monter dans sa chambre sans tomber sur Miss Tredgold. Sa prière ne fut pas exaucée. La porte de la gouvernante était entrouverte et, comme Florentina s'avançait vers sa chambre sur la pointe des pieds, elle entendit :

— Le concert est déjà terminé ?

— Oui ! C'est-à-dire non ! Je ne me sentais pas très bien, bredouilla-t-elle, et elle disparut dans sa chambre sans donner à miss Tredgold le temps de lui poser d'autres questions.

Tremblant des pieds à la tête, elle s'enfouit sous les draps. Le lendemain, elle s'éveilla tôt. Elle était encore furieuse après Jason, mais se mit à rire en repensant aux événements de la veille et se promit de retourner seule voir le film. Elle avait toujours admiré Gene Kelly, mais c'était la première fois qu'elle le voyait réellement sur un écran. Comme il paraissait maigre et vulnérable !

Au Conseil d'élèves, Florentina n'osa regarder Jason, qui pérorait d'une voix calme et ferme, rapportant que certains garçons parmi les grands se permettaient des libertés avec l'uniforme du lycée. Il ajouta que le prochain élève pris avec une cigarette au bec serait dénoncé au directeur, sinon sa réputation en tant que président en serait amoindrie. Tous sauf Florentina exprimèrent leur accord.

— Bon ! Je vais punaiser une annonce sur le panneau d'affichage !

A la fin de la réunion, Florentina se glissa hors de la classe, avant que l'un des membres du Conseil lui adresse la parole. Ce jour-là, elle révisa ses cours assez tard et ne quitta la salle d'étude qu'après six heures. Sur le perron de l'école, elle se rendit compte qu'il pleuvait et dut rester un bon moment à l'abri de la marquise en espérant que l'orage s'apaiserait. Comme elle se tenait là, elle aperçut Jason en compagnie d'une fille de première et les regarda grimper dans la voiture en se mordant les lèvres. La pluie continuait à tomber à verse et Florentina décida de regagner sa classe et de taper à la machine les notes de la réunion du Conseil.

Sur son chemin, elle vit un groupe d'élèves devant le panneau d'affichage lisant l'avertissement du conseil à propos des tenues débraillées et des cigarettes.

Elle mit une heure environ pour mettre au propre ses notes, car son esprit voguait vers Jason. La pluie cessa pendant qu'elle finissait de dactylographier son rapport et elle le rangea dans le premier tiroir du bureau. Comme elle retraversait le corridor, elle entendit du bruit en provenance du vestiaire des garçons. Hormis les membres du Conseil, personne n'avait le droit de rester à l'école après sept heures du soir, sans autorisation spéciale. Florentina rebroussa chemin. Le rai de lumière qui filtrait sous la porte disparut brusquement. Elle poussa le battant et ralluma, puis avisa une silhouette, debout dans un coin, essayant de cacher une cigarette derrière son dos.

— Pete ! dit-elle, étonnée.

— Eh bien, mademoiselle le conseiller, vous m'avez pris en flagrant délit une fois pour toutes. Deux offenses majeures dans la même journée : rester dans les locaux après l'heure permise et fumer, c'est trop. Adieu, mes espérances d'entrer à Harvard, répondit Pete Welling en écrasant sa cigarette sur le carrelage.

Elle eut la vision du président du Conseil des élèves tirant sur sa cigarette, la veille au soir, dans une salle de cinéma obscure.

— Jason Morton espère aussi faire des études à Harvard, n'est-ce pas ?

— Oui, mais quel rapport ? dit Pete. Rien ne peut l'empêcher de jouer les intellectuels snobs.

— Je viens de me souvenir que les filles ne sont pas autorisées à pénétrer dans le vestiaire des garçons.

— Mais tu es membre du...
— Bonne nuit, Pete !

Florentina appréciait de plus en plus sa nouvelle autorité et avait à ce point pris à cœur ses devoirs et ses responsabilités au sein du Conseil que, l'année passant, miss Tredgold commença à craindre que ses études n'en souffrent. Elle n'en fit pas mention à M. Rosnovski, considérant qu'il était de son seul devoir de trouver une solution. La gouvernante espérait que l'attitude de Florentina correspondait à une phase d'adolescence à l'enthousiasme mal placé.

En dépit d'une certaine expérience de ces problèmes, miss Tredgold était peinée de constater combien Florentina avait changé depuis qu'elle s'était vu attribuer ce petit pouvoir. Au milieu du deuxième trimestre, miss Tredgold se rendit compte que le problème avait pris de l'ampleur. Bientôt, il deviendrait impossible à contrôler. Florentina se prenait trop au sérieux, au lieu de se consacrer à ses études. Les notes du trimestre, beaucoup plus basses que leur niveau habituel, en témoignaient. Son professeur de travaux pratiques ne cessait de se plaindre : Florentina se montrait trop dédaigneuse à l'égard de certains de ses camarades et distribuait des blâmes à tour de bras.

Miss Tredgold avait remarqué que Florentina était moins souvent invitée à des soirées que l'année précédente. Ses propres amis ne venaient plus lui rendre visite aussi fréquemment, hormis le fidèle Edward Winchester... Miss Tredgold aimait bien ce garçon.

Pendant le dernier trimestre, la situation se détériora. Lorsque miss Tredgold évoquait le sujet des devoirs scolaires non terminés, Florentina répondait évasivement. Quant à Zaphia, elle avait compensé l'échec de son mariage en prenant dix kilos et ne se montrait guère coopérative.

— Mais non, je n'ai rien remarqué, répondait-elle invariablement à la gouvernante.

Miss Tredgold se mordait la lèvre et commençait à désespérer. Un matin, au petit déjeuner, Florentina se montra très dure avec elle. La gouvernante lui demanda quels étaient ses projets pour le week-end.

— Je vous l'aurais dit si cela vous concernait, répondit la jeune fille sans lever le regard de son magazine de mode.

Mme Rosnovski n'ayant montré aucun signe de compréhension, miss Tredgold se confina dans un silence pesant. Elle pensait que tôt ou tard, l'enfant se casserait le nez sur un obstacle.

L'obstacle vint assez tôt.

## 9

— Tu n'as aucune raison d'avoir une telle confiance, déclara Edward.

— Pourquoi ? Qui pourra me battre ? J'ai été membre du Conseil pendant près d'un an, rétorqua Florentina en se renversant sur un des fauteuils en tissu de crin réservés aux membres du Conseil d'élèves.

Edward resta debout :

— Oui, je sais, mais tu n'es pas aimée !

— Qu'est-ce que tu veux dire ?

— Des tas d'élèves pensent que depuis ton élection, tu te prends pour une vedette.

— J'espère que tu n'en fais pas partie, Edward.

— Non, mais je suis inquiet car si tu ne daignes pas fréquenter un peu plus les élèves des petites classes, tu risques d'être battue.

— Ne sois pas stupide ! Pourquoi devrais-je faire un effort pour contacter ceux qui me connaissent déjà ? demanda l'adolescente tout en ramassant les feuilles de papier qui se trouvaient sur le bras du fauteuil.

— Qu'est-ce qui t'arrive, Flo ? murmura Edward, les yeux baissés, tu n'étais pas comme ça l'année dernière.

— Si la façon dont je m'occupe des responsabilités te déplaît, tu n'as qu'à voter pour quelqu'un d'autre !

— Cela n'a rien à voir avec le Conseil, tout le monde est d'accord là-dessus. Tu as été la meilleure secrétaire qu'ils ont

117

jamais eue. Mais il faut avoir d'autres qualités pour devenir président.

— Merci pour le conseil, Edward, mais je peux vivre sans ton avis.

— Alors, tu ne veux pas que je t'aide, cette année ?

— Mon pauvre ami, tu n'as rien compris. Ce n'est pas que je ne veuille pas. Je n'ai pas besoin de toi, un point c'est tout !

— Bonne chance, Florentina ! J'espère me tromper.

— Je n'ai pas besoin de tes vœux non plus. Certaines choses, dans la vie, dépendent uniquement des aptitudes personnelles !

Florentina se garda bien de rapporter cette conversation à miss Tredgold.

La fin de l'année scolaire réservait une surprise à Florentina. Elle était toujours première en latin et en français, mais dans toutes les autres matières, elle avait été reléguée à la troisième place. Miss Tredgold lut avec attention son livret scolaire, qui du reste confirmait ses craintes. Néanmoins, elle s'abstint de tout commentaire désagréable, ayant compris, depuis longtemps que ses conseils n'avaient plus aucun effet sur l'enfant, sauf lorsqu'ils étayaient ses propres opinions.

Une fois de plus, Florentina passa ses vacances à New York, chez son père. Celui-ci l'autorisa à travailler comme assistante dans une des boutiques de l'hôtel Baron.

Tous les matins, Florentina se levait tôt, et enfilait l'uniforme vert pâle du personnel de l'hôtel. Elle avait consacré toute son énergie à l'apprentissage de la gestion d'une petite boutique de mode. Très vite elle commença à faire des suggestions à miss Parker, la directrice. Celle-ci en fut impressionnée et pas seulement parce que Florentina était la fille du patron.

Un vendredi, miss Parker se trouvait dans son bureau, occupée à contrôler la petite caisse du matin. Jessie Kovats, une des jeunes vendeuses, arriva avec dix minutes de retard. Florentina l'attendait devant la porte.

— Vous êtes encore en retard, remarqua-t-elle, mais Jessie ne daigna pas répondre. M'entendez-vous, mademoiselle Kovats ?

— Mais oui, fit Jessie en accrochant son imperméable au portemanteau.

— Quelle excuse avez-vous inventée cette fois ?

— Pour vous, je n'ai pas besoin d'excuse.

— Nous allons voir ça tout de suite, lança Florentina tout en se dirigeant vers le bureau de la directrice.

— Ne te fatigue pas, grosse tête, de toute façon, j'en ai ma claque de toi ! cria Jessie, qui entra dans le bureau en refermant la porte derrière elle.

En attendant le retour de la vendeuse, Florentina feignit de mettre de l'ordre dans les rayons. Quelques minutes plus tard, Jessie émergea du bureau, remit son manteau et quitta le magasin sans un mot. Florentina était ravie des résultats de son sermon. A son tour, miss Parker apparut :

— Jessie vient de démissionner à cause de vous, dit-elle.

— Mademoiselle Kovats n'est pas une grande perte, rétorqua Florentina, elle a dû surestimer son importance.

— Là n'est pas le problème, Florentina. Mais je devrai continuer à diriger cette boutique, quand vous retournerez à l'école.

— Espérons que, d'ici là, nous réussirons à éliminer toutes les Jessie Kovats qui font perdre à mon père son temps et son argent.

— Mademoiselle Rosnovski, nous formons une équipe. Tout le monde ne peut pas être intelligent, brillant ou même consciencieux, mais chacun fait de son mieux et il n'y a eu aucune plainte dans le passé.

— Sans doute parce que mon père est trop occupé pour vous surveiller, miss Parker.

Le visage de la directrice s'empourpra, alors qu'elle se réfugiait derrière le comptoir.

— Je crois qu'il est temps pour vous d'aller travailler dans une autre boutique de votre père. J'ai vingt ans de service et jamais il ne s'est permis de me parler sur ce ton.

— Peut-être est-il grand temps que *vous* changiez de lieu

de travail, miss Parker, et de préférence en évitant les boutiques de mon père !

Florentina quitta le magasin par la porte principale, se dirigea d'un pas assuré vers l'ascenseur privé et appuya sur le bouton du 42e étage. Arrivée à destination, elle informa la secrétaire de son père du besoin urgent qu'elle avait de lui parler.

— Il est en conférence, mademoiselle Rosnovski.

— Interrompez la conférence et dites-lui que je voudrais le voir.

Après une courte hésitation, la secrétaire finit par appeler Abel.

— Je vous ai dit de ne pas me déranger !

— Je vous demande pardon, monsieur, mais votre fille est là et insiste pour vous voir.

— Bien, envoyez-la-moi, fit-il après une pause.

— Je suis désolée, papa, mais cela ne pouvait pas attendre, commença Florentina en entrant.

A la vue des huit hommes, qui se levèrent de leur siège, elle se sentit moins sûre d'elle-même. Abel la conduisit à côté, dans son bureau.

— Qu'est-ce qui ne pouvait pas attendre, ma chérie ?

— C'est au sujet de miss Parker. Cette femme est brouillon, incompétente et bornée.

Florentina raconta à son père sa version des faits. Abel écouta le récit d'un bout à l'autre, en tambourinant sur son bureau. Lorsqu'elle eut terminé, il appuya sur le bouton de l'interphone.

— Veuillez appeler le magasin de mode et dire à miss Parker de monter immédiatement.

— Merci, papa !

— Florentina, veux-tu m'attendre dans la pièce à côté, pendant que je discute avec miss Parker ?

— Bien sûr, papa.

Miss Parker apparut peu après, toujours écarlate. Abel lui demanda ce qui s'était passé. Elle lui donna un résumé clair de la situation, l'assurant que, malgré ses compétences, Florentina était la seule et unique raison du départ de

120

Mlle Kovats, un des plus anciens membres du personnel. Si Florentina persistait dans son attitude, ajouta-t-elle, d'autres vendeuses risquaient de partir.

Abel écoutait, contenant difficilement sa colère. Ensuite il donna son opinion à miss Parker et affirma qu'elle allait recevoir la confirmation de sa décision par écrit.

— Comme vous voulez, monsieur, murmura miss Parker avant de quitter la pièce.

Abel sonna sa secrétaire :

— Mlle Deneroff, pouvez-vous s'il vous plaît demander à ma fille de venir dans mon bureau ?

Florentina entra aussitôt après :

— Tu as dit à miss Parker ce que tu pensais d'elle, papa ?

— Certainement.

— Ce sera plutôt dur, à son âge, de trouver un autre job.

— Elle n'en aura pas besoin.

— C'est-à-dire ?

— C'est-à-dire que je l'ai augmentée et que j'ai prolongé son contrat, lança-t-il en se penchant et en appuyant fermement ses deux paumes sur le bureau. Si jamais tu oses traiter de la même façon un seul membre de mon personnel, tu vas recevoir une de ces fessées dont tu te souviendras jusqu'à la fin de tes jours, et ça ne va pas être une gentille fessée avec une brosse ! Jessie Kovats a démissionné à cause de ton attitude intolérable et, visiblement, tout le monde te déteste dans ce magasin.

Eberluée, Florentina regarda son père, avant de fondre en larmes.

— Ah non ! Garde tes larmes pour une autre occasion ! continua Abel d'une voix dure, tu ne m'attendriras pas. Je ne devrais pourtant pas être obligé de te rappeler que je dois gérer une société ! Encore une semaine avec toi, et je me trouverais devant une révolution. Maintenant tu vas me faire le plaisir de descendre et de présenter à miss Parker tes excuses pour ton ignoble comportement. Et tu ne remettras plus les pieds dans mes magasins, jusqu'à ce que tu sois prête à y travailler à nouveau. Et ne t'avise pas d'interrompre une nouvelle fois une de mes conférences, as-tu compris ?

— Mais papa...

— Il n'y a pas de « Mais ». Va présenter tes excuses à miss Parker. Tout de suite.

Florentina sortit du bureau de son père en pleurant et retourna dans sa chambre. Elle boucla ses valises, laissa l'uniforme vert pâle tomber sur le plancher et prit un taxi pour l'aéroport. Une demi-heure plus tard, elle était à Chicago. Ayant appris le départ de sa fille, Abel téléphona à miss Tredgold, qui écouta le récit des faits avec consternation, mais sans surprise.

Lorsque Florentina arriva à la maison, sa mère était absente. Zaphia s'était rendue dans un institut de beauté, dans l'espoir de perdre quelques kilos. Seule miss Tredgold était présente pour l'accueillir.

— Tu reviens une semaine plus tôt, si je ne me trompe.

— Oui, je m'ennuyais à New York.

— Ne mens pas, mon enfant.

— Ah non ! Vous n'allez pas vous y mettre vous aussi ! s'écria Florentina.

Après quoi, elle s'enferma dans sa chambre pendant tout le week-end et n'apparut qu'aux heures des repas. Miss Tredgold n'essaya pas de la voir.

Dès le premier jour de la rentrée scolaire, Florentina mit une élégante jupe aux couleurs chatoyantes et un corsage au col rabattu, dernier cri de la mode, acheté chez Bergdorf Goodman. Elle avait l'intention de susciter la jalousie de toutes les filles du lycée. Oui, elle allait leur montrer comment doit se comporter le futur président du Conseil des élèves. L'élection n'avait pas lieu avant deux semaines et Florentina changea de jupe tous les jours, s'appropriant d'office les responsabilités du président. Elle alla même jusqu'à penser à la marque de voiture que son père lui achèterait, lorsqu'elle aurait remporté l'élection. Pendant tout ce temps, elle évita Edward Winchester, lui aussi candidat au Conseil et ricana ouvertement à chaque commentaire concernant la popularité de son ami. Le lundi suivant, elle se présenta à l'assemblée, convaincue qu'elle allait être triomphalement élue présidente.

Quand miss Allen, la directrice, donna lecture des résultats, Florentina n'en crut pas ses oreilles : son nom ne figurait même pas parmi les six élus. Elle était tout juste « le candidat malheureux ». Edward Winchester, lui, avait été élu président.

Florentina quitta la salle. Personne ne lui ayant témoigné la moindre sympathie, elle passa toute la journée dans un mutisme proche de la consternation, seule, au fond de la classe. De retour à la maison, elle alla cogner doucement à la porte de la chambre de miss Tredgold.

— Entrez !

Florentina poussa le battant, qui s'ouvrit sur miss Tredgold lisant à sa table.

— Je ne suis pas président, annonça-t-elle d'une voix calme, en fait, je ne suis même pas membre du Conseil.

— Je m'en doutais, répondit la gouvernante en refermant sa Bible.

— Pour quelle raison ?

— Parce que moi-même je n'aurais pas voté pour toi ! (Après une pause elle ajouta :) C'est un chapitre qui se termine, mon enfant !

Florentina s'élança à travers la pièce et se jeta dans les bras de miss Tredgold. Celle-ci la tint étroitement enlacée.

— Bien ! dit-elle. Maintenant, nous allons reconstruire sur les ruines. Sèche tes larmes, ma chérie, nous allons commencer tout de suite, il n'y a pas une minute à perdre. Vite, du papier et un crayon.

Florentina nota la liste dictée par miss Tredgold, sans discussion. Cette même nuit, elle écrivit de longues lettres à son père, à miss Parker (en y joignant un mot à Jessie Kovats), à Edward Winchester et même à miss Tredgold elle-même, bien que la gouvernante ne fît pas partie de la liste. Dès le lendemain elle alla se confesser au père O'Reilly. A l'école, elle mit au courant de tout la nouvelle secrétaire du Conseil en lui expliquant le système qu'elle avait trouvé le plus satisfaisant. Elle souhaita bonne chance au nouveau président et promit de l'aider, ainsi que le Conseil si c'était nécessaire. Et pendant la semaine qui suivit, elle répondit à toutes les questions émanant des membres du Conseil, mais sans jamais les susciter.

Quelques jours plus tard, en la croisant dans le couloir, Edward lui annonça que le Conseil avait voté unanimement pour que Florentina garde tous ses privilèges. Miss Tredgold lui conseilla d'accepter l'offre avec courtoisie, mais de ne jamais en profiter. Florentina rangea toutes ses jupes new-yorkaises dans le tiroir du bas de sa commode et tourna la clé dans la serrure.

Une semaine plus tard, la directrice du lycée convoqua Florentina dans son bureau. Elle s'y rendit en craignant d'avoir perdu son estime et prête à se battre pour la regagner. La petite femme, impeccable dans son uniforme immaculé, lui adressa un sourire amical :

— Vous devez être déçue par le résultat de l'élection.

— Oui, miss Allen, répondit Florentina, prête à recevoir une volée de bois vert.

— Je suis sûre que, malgré toutes les leçons que vous avez pu tirer de cette expérience, vous êtes prête à vous lancer vers de nouveaux exploits.

— Trop tard, miss Allen. Je quitte l'école à la fin de l'année et je ne deviendrai jamais président du Conseil.

— C'est ma foi vrai ! Nous devons chercher d'autres buts à atteindre. Je prends ma retraite à la fin de l'année, après avoir été directrice de ce lycée pendant vingt-cinq ans, en considérant, je l'avoue, mon œuvre inachevée. Les garçons et les filles du Lycée Latin ont toujours obtenu d'excellentes notes à l'examen d'entrée à Harvard, Yale, Radcliffe et Smith. Nous avons toujours été la meilleure école de l'Illinois, et nous faisons concurrence aux écoles de la côte Est. Cependant un exploit nous a échappé.

— Lequel, miss Allen ?

— Les garçons ont déjà réussi à décrocher des bourses dans toutes les Universités prestigieuses de l'Est. Mais une de ces bourses est restée inaccessible aux filles pendant un quart de siècle. Il s'agit du prix de Lettres classiques James Adams Woolson, organisé par l'université de Radcliffe. J'aimerais vous inscrire au concours. Gagnez le prix et ma coupe sera pleine.

— Je veux bien essayer. Hélas, mes notes dernièrement...

— En effet. Mais comme disait Mme Churchill à son mari, surpris d'avoir été battu aux élections : « C'est peut-être un bienfait déguisé. »

Elles sourirent toutes les deux. Le soir même, Florentina commença à étudier le formulaire du prix Woolson. Le concours était ouvert à toutes les jeunes filles d'Amérique âgées de seize à dix-huit ans, le 1er juillet de chaque année. Il comportait trois épreuves : latin, grec et histoire contemporaine.

Dans les semaines qui suivirent, au petit déjeuner, Florentina ne parla plus qu'en grec ou en latin à miss Tredgold. A la fin de chaque semaine, miss Allen lui donnait trois sujets d'ordre général qu'elle devait traiter avant le lundi matin. La date du concours approchant, Florentina se rendit compte que l'école entière avait placé ses espoirs en elle. Tous les soirs elle veillait en compagnie de Cicéron, Virgile, Platon et Aristote. Et tous les matins, après le petit déjeuner, elle résumait en cinq cents mots un sujet des plus variés, comme par exemple le 22e amendement, ou la signification du pouvoir de Truman sur le Congrès pendant la guerre de Corée ou encore l'impact de la télévision, répandue à présent à travers tout le pays.

Tous les soirs, miss Tredgold contrôlait le travail de Florentina, ajoutant notes et commentaires en marge. Ensuite, épuisées, toutes les deux allaient se coucher pour être debout le lendemain à six heures et demie et poursuivre leur travail ou étudier des copies d'anciens examens du Woolson.

Loin d'avoir confiance en elle, Florentina confia à sa gouvernante que chaque jour écoulé l'angoissait davantage.

Le concours était fixé pour le début de mars, à Radcliffe. La veille du jour fatidique, la jeune fille déverrouilla le tiroir du bas de sa commode et en extirpa son corsage préféré. Miss Tredgold l'accompagna à la gare. Le peu de mots qu'elles échangèrent furent en grec et ensuite miss Tredgold donna l'ultime recommandation :

— Ne perds pas de temps avec la question la plus facile !

Sur le quai un bras enlaça la taille de Florentina et une rose apparut dans son champ de vision.

— Oh ! Edward ! Tu es fou !

— En voilà des façons de s'adresser au président du Conseil des élèves ! N'hésite pas à revenir si tu échoues au Woolson, ajouta-t-il en l'embrassant sur la joue.

Aucun d'eux ne remarqua le visage de miss Tredgold, illuminé d'un sourire.

Florentina s'installa dans un compartiment vide. De ce voyage, elle ne devait pas retenir grand-chose, car elle s'abîma dans la lecture de l'*Orestie*. A Boston, un bus emmena Florentina, ainsi que quatre autres jeunes filles qui avaient dû prendre le même train, au Radcliffe Yard. Le trajet se déroula dans un silence tendu entrecoupé de brefs échanges d'opinions et de quelques mots de politesse. Toutes les passagères descendirent au 55, Garden Street, devant une maison résidentielle.

Seule dans sa chambre, Florentina espéra pouvoir cacher sa nervosité. A six heures, les jeunes filles se réunirent dans la salle Longfellow. La doyenne, Mme Wilma Kirby-Miller, expliqua le déroulement de l'examen.

— Mesdemoiselles, bonjour ! Demain, entre neuf heures et midi, vous passerez l'épreuve de latin, entre quinze et dix-huit heures celle de grec. L'examen s'achèvera après-demain matin, avec une dissertation d'ordre général. Il serait stupide de ma part de vous souhaiter à toutes de réussir, puisque seulement l'une de vous gagnera le prix. Tout ce que je peux vous souhaiter, c'est, une fois l'examen terminé, de vous dire que vous avez fait pour le mieux.

Florentina retourna à Garden Street, consciente de ses lacunes et se sentant terriblement seule. Elle descendit au rez-de-chaussée et appela sa mère et miss Tredgold de la cabine publique. A trois heures du matin, elle se réveilla et lut quelques pages de la *Politique* d'Aristote, mais rien ne s'imprimait plus dans son esprit. A sept heures, elle descendit dans la cour et fit plusieurs fois le tour de l'université avant d'aller prendre son petit déjeuner.

Deux télégrammes l'attendaient. Le premier, envoyé par son père, lui souhaitait bonne chance. Le deuxième, signé par miss Tredgold, disait : « On ne doit avoir peur que de la peur elle-même. »

Après le petit déjeuner, elle traversa une nouvelle fois la cour, cette fois avec d'autres jeunes concurrentes toutes silencieuses. Il y avait deux cent quarante-trois jeunes filles dans la salle Longfellow. Quand la pendule sonna neuf coups, le censeur les autorisa à ouvrir les petites enveloppes brunes placées sur les pupitres.

Florentina jeta un rapide coup d'œil aux questions de latin puis les relut attentivement avant de porter son choix sur celles auxquelles elle pouvait répondre. A midi, la pendule sonna à nouveau et elle dut rendre sa copie.

Dans l'après-midi, elle traita trois questions de grec. A six heures, elle modifiait encore son texte, quand on vint chercher sa copie.

Florentina retrouva sa petite chambre, éreintée, se jeta sur le lit étroit et ne bougea plus jusqu'au dîner. Plus tard, elle entendit les mêmes conversations, avec des accents différents, accent de Philadelphie ou de Houston, de Detroit ou d'Atlanta. C'était réconfortant pour elle de découvrir que toutes les filles se sentaient aussi nerveuses qu'elle quant à l'issue de l'examen. Toutes les candidates au concours avaient automatiquement une place à l'université. Vingt-deux personnes recevraient une bourse. Mais une seule gagnerait le prix Woolson.

Le deuxième jour, craignant le pire, Florentina ouvrit non sans appréhension la petite enveloppe brune contenant le sujet de la dissertation. Elle le lut et se détendit un peu : « Quels changements auraient pu survenir en Amérique, si le 22e amendement avait été voté avant que Roosevelt ne fût Président ? »

A Chicago, miss Tredgold l'attendait sur le quai de la gare.

— Je ne te demande pas si tu penses obtenir un prix, ma chérie. Seulement si tu as été à la hauteur de tes espérances.

— Oui, répondit Florentina après réflexion, j'ai fait ce que j'ai pu. Si je n'ai pas le prix, ce sera parce que je n'aurai pas été assez bonne.

— Tu ne peux rien demander de plus et moi non plus, mon enfant. Le temps est venu maintenant de t'annoncer qu'en juillet prochain je vais repartir en Angleterre.

— Mais pourquoi ? s'écria Florentina, consternée.

— Je ne te serai plus d'aucune utilité puisque tu vas entrer à l'université. On m'a proposé la direction de la section des Lettres classiques dans un lycée de filles près de Canterbury et j'ai accepté.

— « Vous ne m'abandonneriez pas si vous saviez combien je vous aime ! »

La citation fit sourire miss Tredgold, qui répondit par la réplique suivante :

— « C'est parce que je vous adore que je dois maintenant vous quitter, Perdano ! »

Florentina saisit la main de sa gouvernante et celle-ci sourit à la belle jeune fille sur laquelle, déjà, les hommes se retournaient.

Les trois dernières semaines du lycée ne furent pas faciles pour Florentina, qui attendait impatiemment les résultats du concours. Elle disait à Edward que lui, au moins, était sûr d'être admis à Harvard.

— Ils ont plus de terrains de sport que de salles de lecture, le taquinait-elle, alors, tu ne peux pas échouer !

Bien sûr qu'il pouvait échouer. Il le savait. Chaque jour écoulé transformait en crainte l'espoir des deux amis. Les résultats du Woolson seraient annoncés le 14 avril. Le matin de ce jour, la directrice fit venir Florentina dans son bureau et appela la direction de Radcliffe. Le standard devait être déjà saturé d'appels, mais finalement, après maints efforts, le secrétariat répondit.

— Auriez-vous la gentillesse de me dire si Mlle Florentina

Rosnovski a remporté une bourse pour Radcliffe, demanda miss Allen.

Il y eut un long silence, puis :

— Voulez-vous épeler, s'il vous plaît ?

— R-o-s-n-o-v-s-k-i.

Nouveau silence, Florentina serra les poings. Enfin la voix, audible à toutes deux, revint sur la ligne.

— Désolé, miss Rosnovski ne figure pas sur la liste des boursières, mais plus de 75 % des concurrentes seront reçues à l'université et seront à nouveau entendues dans les jours qui suivront.

Ni Florentina ni miss Allen ne purent cacher leur déception. Florentina sortit du bureau et tomba sur Edward, qui la serra dans ses bras en criant comme un fou :

— Ça y est ! Je suis reçu à Harvard. Et toi ? As-tu eu le Woolson ? (Puis, ayant lu subitement la réponse sur son visage :) Suis-je bête !

Il la serra contre lui, alors qu'elle sanglotait. Un groupe d'élèves des petites classes gloussa en passant près d'eux. Edward raccompagna Florentina chez elle. Miss Tredgold, Zaphia et elle-même dînèrent dans le plus grand silence.

Deux semaines plus tard, à l'occasion de la Fête des parents, Florentina recevait des mains même de miss Allen le prix de lettres classiques du lycée. C'était une maigre consolation. Sa mère et miss Tredgold applaudirent poliment. Florentina avait demandé à son père de ne pas venir à Chicago, car il n'y avait rien à célébrer.

Après la distribution des prix, miss Allen tapa sur son pupitre avant de prendre la parole, d'une voix claire et haute :

— Pendant toutes mes années de service dans cette école, ce ne fut un secret pour personne que j'aurais voulu voir une de mes élèves obtenir le prix James Adams Woolson, de l'université de Radcliffe.

Florentina baissa les yeux sur le plancher.

— Cette année, poursuivit la directrice, j'étais convaincue d'avoir sous la main la meilleure élève depuis vingt-cinq ans et je pensais que mon rêve allait enfin se réaliser. Il y a quelques semaines, j'ai téléphoné à Radcliffe, où l'on m'a répondu que notre concurrente n'avait pas gagné de bourse Aujourd'hui, j'ai reçu un télégramme... mais je ferais mieux de vous le lire.

Florentina se crispa, espérant que son père n'avait pas envoyé un embarrassant message de félicitations.

Miss Allen chaussa ses lunettes :

— Le nom de Florentina Rosnovski ne figurait pas parmi les boursières car nous sommes heureux de vous annoncer qu'elle a gagné le grand prix James Adams Woolson. Prière d'accuser réception.

La pièce croula sous les applaudissements des élèves et des parents. La directrice leva une main pour imposer le silence.

— Tout de même, dit-elle, après vingt-cinq ans, j'aurais dû me souvenir que le nom du récipiendaire du Woolson est toujours annoncé séparément, à une date ultérieure. Je l'avais oublié... les ans en sont la cause !

Il y eut quelques rires condescendants, avant que l'oratrice ne reprenne :

— Nous sommes plusieurs à croire fermement que Florentina continuera à faire honneur à son école et à son pays. Je n'ai plus qu'un seul souhait : vivre assez longtemps pour en témoigner.

Florentina se redressa et regarda sa mère. De grosses larmes coulaient sur ses joues. Nul ne pouvait se douter que la dame assise près de Zaphia, regardant droit devant elle, se réjouissait de ce triomphe.


Bonheur et tristesse avaient assailli Florentina en cette fin d'année scolaire. Mais rien n'était comparable à la peine qu'elle ressentit lorsqu'elle dut dire adieu à miss Tredgold. Dans l'express de New York, elle s'efforça, tout le long du trajet, d'exprimer son affection et sa gratitude, puis glissa une enveloppe dans la main de la gouvernante.

— Qu'est-ce, mon enfant ?

— Les quatre mille parts du Groupe Baron, que nous avons gagnées, il y a quatre ans.

— Mais elles sont autant à toi qu'à moi, ma chérie.

— Non, répondit Florentina, mon entraînement pour le Woolson n'entrait pas, alors, en ligne de compte.

Miss Tredgold ne trouva rien à redire.

Une heure plus tard, sur le quai du port de New York, la gouvernante attendait de monter dans le bateau qui la ramènerait en Angleterre, laissant son élève entrer dans sa vie d'adulte.

— Je penserai souvent à toi, mon enfant, dit-elle. J'espère que mon père avait vu juste à propos de la destinée...

Florentina embrassa miss Tredgold sur les deux joues et la regarda gravir la passerelle. Sur le pont, la gouvernante se retourna et agita sa main gantée, puis un porteur prit les bagages de cette dame à l'air sévère pour les déposer dans sa cabine. Elle ne se retourna plus pour regarder Florentina, qui, figée comme une statue, refoulait ses larmes car elle savait que sa gouvernante ne les approuverait pas.

Arrivée dans sa cabine, miss Tredgold donna un pourboire de cinquante cents au porteur et ferma la porte à clé. Ensuite, Winifred Tredgold se laissa tomber sur le coin de la couchette et pleura sans aucune retenue.

## 10

Depuis sa première année de lycée, Florentina n'avait jamais été aussi anxieuse sur son avenir. Elle passa ses vacances en Europe avec son père et, à son retour, elle trouva une épaisse enveloppe en papier bulle sur sa table de travail. L'enveloppe contenait force détails sur Radcliffe, sur l'uniforme des étudiantes, ainsi qu'un catalogue des différents cours et un « livret rouge » expliquant le règlement de l'université.

Assise sur son lit, Florentina étudia page après page toutes ces informations. La règle 11 stipulait : « Si vous invitez dans votre chambre un jeune homme pour prendre le thé, votre porte doit rester ouverte et vos pieds toujours toucher le sol. »

A l'idée qu'elle serait peut-être obligée de faire l'amour pour la première fois debout, derrière un battant ouvert, une tasse de thé à la main, elle éclata de rire.

A mesure que le moment de quitter Chicago s'approchait, Florentina se rendait compte combien elle avait été dépendante de miss Tredgold. Elle empaqueta ses affaires dans trois grosses valises et y ajouta sa nouvelle garde-robe achetée en Europe. Sa mère, très élégante dans un tailleur Chanel, l'accompagna à la gare. Dans le train, la jeune fille s'aperçut qu'elle entreprenait le premier voyage de sa vie sans être attendue à sa destination par quelqu'un qu'elle connaissait.

A Boston, elle découvrit la Nouvelle-Angleterre dans un joli contraste automnal vert et fauve. Un antique bus jaune attendait les étudiantes pour les transporter au campus. Le véhicule traversa le fleuve et Florentina contempla, à travers la vitre arrière, le dôme de la préfecture étincelant au soleil. Quelques voiles s'éparpillaient à fleur d'eau et huit étudiants enthousiastes poussaient leur aviron sous les ordres d'un homme plus âgé, juché sur une bicyclette et muni d'un porte-voix, qui pédalait le long du halage.

Le bus s'arrêta à Radcliffe. Une femme d'âge mûr, habillée d'une robe stricte, conduisit les étudiantes de première année à la salle Longfellow, à l'endroit même où Florentina avait passé l'examen pour le prix Woolson. Les nouvelles venues furent informées de la partie de l'université dans laquelle elles allaient vivre et des chambres leur furent distribuées. Celle de Florentina portait le numéro 7 et se trouvait dans le pavillon Whitman.

Une étudiante de deuxième année l'aida à transporter ses valises. La chambre sentait la peinture fraîche. A en juger par les trois lits, flanqués de trois commodes, les trois tables de travail munies de trois chaises, les trois lampes, les trois oreillers et les trois dessus-de-lit, Florentina devait partager cette chambre avec deux autres filles. Pour le moment, il n'y avait aucune trace de ses camarades. Florentina choisit le lit près de la fenêtre et se mit à défaire ses bagages. Elle en était au dernier, quand la porte s'ouvrit en grand et une énorme malle atterrit au milieu de la pièce.

— Salut ! lança une voix qui semblait appartenir plutôt à un déménageur qu'à une étudiante de Radcliffe, je m'appelle Belle Hellaman et j'arrive de San Francisco.

Belle serra la main de Florentina, au risque de la broyer et celle-ci sourit à cette géante de plus d'un mètre quatre-vingts qui ne devait pas peser loin de deux cents livres. Belle ressemblait à une armoire normande et possédait une voix de stentor. Elle commença par jauger la pièce.

— Je le savais que le lit allait être trop petit pour moi, maugréa-t-elle, ma directrice d'école m'avait bien dit que j'aurais mieux fait de m'inscrire dans une université pour hommes. (Et comme Florentina éclatait de rire :) Ce soir, tu t'amuseras nettement moins, ma jolie, gronda-t-elle, je me retourne tellement dans mon sommeil que tu te croiras sur un bateau. (Ce disant, elle ouvrit la fenêtre, laissant pénétrer l'air froid de Boston.) A quelle heure on mange, dans ce bled ? Je n'ai pas avalé un repas honnête depuis que j'ai quitté la Californie.

— Je n'en sais rien. Cela doit être marqué dans le livret rouge, répondit Florentina.

Elle saisit le livret et se mit à feuilleter. Il s'avéra que le premier service était prévu à six heures et demie, le second à sept heures et demie.

— Alors j'irai au premier, commenta Belle. Sais-tu où se trouve le gymnase ?

— Honnêtement, non, répondit Florentina en lui souriant. Cela ne faisait pas partie de ma liste de priorités, ce matin.

On frappa à la porte et Belle hurla :

— Entrez !

Florentina comprit beaucoup plus tard que le hurlement était le ton ordinaire de sa camarade.

Une blonde fragile, impeccablement coiffée et moulée dans un ensemble bleu nuit, entra dans la pièce. Elle esquissa un sourire, dévoilant deux rangées de petites dents parfaites et Belle répondit à son sourire, comme si son dîner venait d'arriver.

— Je suis Wendy Brinklow. Je dois partager la même chambre que vous, je crois.

Il n'y avait aucun moyen d'avertir la nouvelle arrivante de la force herculéenne de Belle. Florentina ne put que regarder Wendy grimacer, alors que la géante lui serrait la main.

— Tu dormiras là ! déclara Belle en indiquant d'autorité le lit restant. Est-ce que tu sais par hasard où est le gymnase ?

— Je ne savais même pas qu'il y en avait un, répondit Wendy, alors que Belle l'aidait à transporter ses valises.

Les deux filles commencèrent à défaire leurs bagages pendant que Florentina rangeait ses livres. Belle sortait de sa malle des objets dignes de curiosité : deux jambières de goal, un plastron, deux paires de tasseaux, un masque de protection que Florentina essaya, deux crosses et une paire de gants de hockey.

Wendy avait déjà empilé ses affaires dans son tiroir, par

135

petits paquets, que Belle cherchait encore une place pour ses crosses de hockey, qu'elle finit par jeter sous le lit.

Les trois jeunes filles se rendirent ensuite à la salle à manger. Belle fut la première servie. Elle avait chargé son plateau d'une telle quantité de viande et de légumes qu'elle dut faire contrepoids avec la paume de sa main pour arriver à le transporter. Florentina se servit normalement et quant à Wendy, elle se contenta de deux cuillerées de salade. Florentina ne put s'empêcher de se dire que toutes les trois ressemblaient aux trois ours de *Boucles d'or*.

Florentina et Wendy passèrent la nuit blanche promise par Belle et il fallut plusieurs semaines pour qu'elles puissent enfin dormir huit heures sans interruption. Bien des années plus tard, Florentina attribua le fait de pouvoir dormir n'importe où à cette première année d'université passée avec Belle.

La Californienne était la première étudiante de premier cycle à se faire admettre comme goal dans l'équipe de hockey de Radcliffe, et elle passa toute l'année à terroriser allégrement celles qui osaient essayer de lui marquer un but. Elle serrait immanquablement la main, de sa poigne de fer, à celles qui y parvenaient.

De son côté, Wendy passait son temps à se faire pourchasser par les hommes qui visitaient le campus et à se laisser attraper le plus souvent. Et elle consacra plus d'heures à la lecture du rapport Kinsey qu'à ses cours.

— Mes chéries ! s'exclamait-elle en écarquillant les yeux, il s'agit d'un ouvrage sérieux, écrit par un éminent professeur.

— Oui, le premier a être vendu à plus d'un million d'exemplaires, commenta Belle, qui sortit après avoir ramassé ses crosses de hockey.

Wendy s'assit devant le miroir et commença à se mettre du rouge à lèvres.

— Avec qui sors-tu aujourd'hui ? demanda Florentina.

— Personne en particulier. Mais j'ai appris que l'équipe de tennis de Darmouth va rencontrer celle de Harvard et je n'ai rien de mieux à faire dans l'après-midi. Tu viens avec moi ?

— Non, merci ! En tout cas, je suis curieuse de savoir comment tu fais pour dénicher tous ces hommes, répondit Florentina tout en s'évaluant dans le miroir. Moi, je n'arrive même pas à me rappeler le dernier qui m'a demandé de sortir avec lui, en dehors d'Edward.

— Ce n'est pas sorcier, dit Wendy, tu dois les repousser.

— Comment ça ? interrogea Florentina en se tournant vers sa camarade.

Wendy posa son rouge à lèvres et prit un peigne :

— Tu es trop brillante, trop intelligente. Peu d'hommes sont capables de le supporter. Tu leur fais peur, quoi, tu ne soignes par leur vanité. (Florentina rit.) Non, sans blague ! Combien d'hommes ont osé approcher ta vénérée miss Tredgold pour la peloter ?

— Alors ? Que faire ?

— Tu n'es vraiment pas mal et tu as un goût exquis. Sois belle et tais-toi. Ménage l'orgueil de ces messieurs et laisse-les croire que tu as besoin de leur protection. Ça marche toujours pour moi.

— Et comment les arrêtes-tu quand après t'avoir offert un hamburger, ils se mettent en tête de coucher avec toi ?

— D'habitude, je ne leur permets aucun espoir avant au moins trois hamburgers. Après, suivant le cas, je dis oui ou non.

— Et comment as-tu réagi la toute première fois ?

— Mon Dieu, c'est tellement loin que je ne m'en souviens plus. (Et comme Florentina riait à nouveau.) Allez ! viens avec moi voir le match de tennis. Après tout, il y aura cinq autres membres de l'équipe de Darmouth, sans compter les six de Harvard.

— Je ne peux pas, répondit Florentina, non sans regret, je dois terminer un exposé sur *Œdipe Roi,* avant six heures.

— Bah ! Nous savons toutes comment il a fini, celui-là, dit Windy en souriant.

Malgré des intérêts très différents, les trois jeunes filles devinrent vite inséparables. Florentina et Wendy passaient tous les samedis après-midi à regarder Belle jouer au hockey. Wendy apprit même à hurler du haut des gradins : « Vas-y !

Défonce-les ! » sans toutefois paraître très convaincante. C'était une première année universitaire fort agitée, et Florentina ne manquait pas d'amuser son père avec des tas d'histoires sur Belle et sur Wendy.

Elle dut travailler très dur. Son maître d'études, miss Rose, disait que l'on attribuait tous les ans un prix Woolson et que l'on avait vite fait d'oublier la gagnante de l'année précédente si celle-ci ne maintenait pas sa réputation.

A la fin du deuxième semestre, ses résultats étaient très satisfaisants et elle participa, en tant que représentant du premier cycle, au club démocrate de l'université.

Pendant les vacances de 1952, Florentina passa seulement deux semaines à New York, chez son père, car elle essayait d'obtenir une place d'hôtesse à la convention du parti démocrate, qui allait se dérouler à Chicago.

De retour chez sa mère, Florentina se jeta corps et âme dans la politique. La convention du parti républicain s'était déroulée deux semaines plus tôt que prévue. Le « bon vieux parti » avait donné son investiture à Dwight Eisenhower et à Richard Nixon. Florentina doutait fort que les candidats démocrates puissent battre Eisenhower, le plus grand héros national depuis Théodore Roosevelt. Des autocollants « J'aime Ike » fleurissaient partout.

La convention démocrate ouvrit ses portes le 21 juillet. Le travail de Florentina consistait à conduire les invités de marque à leur place, sur l'estrade réservée à la présidence. Pendant ces quatre jours, elle apprit deux choses importantes : 1°) L'importance des relations, 2°) la vanité des hommes politiques.

Par deux fois elle s'était trompée de siège et avait attribué aux invités des places erronées. Eh bien, ces sénateurs avaient poussé plus de plaintes que si on les avait obligés à s'asseoir sur la chaise électrique. Le meilleur moment de la semaine fut pour Florentina sa rencontre avec un séduisant député du Massachusetts, qui lui demanda dans quelle université elle poursuivait ses études.

— Quand j'étais étudiant à Harvard, dit-il, je passais tout mon temps à Radcliffe. On me dit que maintenant, c'est le contraire.

Florentina aurait voulu répondre une phrase percutante, dont il se souviendrait, mais aucun mot ne put franchir ses lèvres. Des années passèrent avant qu'elle ne revît John Kennedy.

L'apogée de la convention fut le choix d'Adlai Stevenson par les délégués comme porte-drapeau du parti. Florentina admirait beaucoup cet homme, depuis qu'il avait été nommé gouverneur de l'Illinois. Mais elle doutait qu'un politicien aussi conservateur puisse battre Eisenhower aux élections. Et en dépit des acclamations et de l'hymne du parti, plusieurs autres personnes dans la salle semblaient de son avis.

A la clôture de la convention, Florentina retourna au quartier général d'Henry Osborne, pour l'aider à conserver son siège au Congrès. Elle se vit confier le standard d'informations, sans grand plaisir. Depuis un certain temps, Osborne ne jouissait plus de l'estime des membres de son parti et avait été plus ou moins abandonné par son électorat. Sa réputation d'ivrogne et son deuxième divorce l'avaient rendu suspect aux yeux des classes moyennes de sa circonscription.

Florentina le trouva également superficiel et indigne de la confiance que ses électeurs avaient placée en lui et commença à comprendre pourquoi les gens avaient perdu foi en leurs représentants. Cette foi fut ébranlée davantage lorsque Nixon, le vice-président choisi par Eisenhower, dut s'adresser à la nation, le 23 septembre, pour justifier l'existence d'une caisse noire constituée pour lui par un groupe de millionnaires sous l'intitulé « dépenses politiques indispensables » et dans le but, prétendit-il, « de dénoncer les communistes ».

Le jour des élections, Florentina et ses camarades ne croyaient plus qu'à moitié à la réussite de leurs deux candidats. Ce sentiment fut justifié par le scrutin. Eisenhower remporta les élections, avec la plus grande participation populaire de l'histoire américaine. Parmi les victimes de la débâcle figurait le député Henry Osborne.

Déçue par la politique, Florentina retourna à Radcliffe pour sa deuxième année universitaire et reporta toute son énergie sur ses études. Belle avait été élue capitaine de l'équipe de hockey, honneur jamais attribué auparavant à une étudiante de deuxième année. Wendy clamait être follement amoureuse d'un beau joueur de tennis de Darmouth, appelé Roger. Après avoir sollicité les conseils vestimentaires de Florentina, elle se consacra à l'étude des robes de mariée, dans *Vogue*.

A présent, les trois amies bénéficiaient chacune d'une chambre individuelle, mais elles continuaient à se voir régulièrement. Florentina ne manquait jamais un match de hockey, malgré le mauvais temps qui sévissait cette année-là, sur la ville de Cambridge. Wendy la présenta à quelques jeunes garçons, qui pour elle ne méritaient sans doute pas un troisième hamburger.

Vers le milieu du printemps, Florentina rentra dans sa chambre pour trouver Wendy assise par terre en larmes.

— Que se passe-t-il ? s'enquit-elle, tu as raté tes examens semestriels ?

— Pire que ça !

— Qu'est-ce qui peut être pire ?

— Je suis enceinte.

— Comment ? s'écria Florentina en s'agenouillant près de son amie et en l'enlaçant, en es-tu sûre ?

— Je n'ai pas eu mes règles depuis deux mois.

— Cela ne veut rien dire. De toute façon, ne t'inquiète pas. Roger ne demande pas mieux que de t'épouser.

— Il n'est peut-être pas le père de l'enfant !

— Seigneur ! Qui est-ce, alors ?

— Probablement Bob, ce joueur de football de Princeton. Tu l'as déjà rencontré, t'en souviens-tu ?

Florentina ne s'en souvenait pas. Wendy lui avait présenté une quantité de garçons pendant l'année. Mais que faire, si Wendy n'était même pas certaine de l'identité du père de son enfant ?

Les trois amies eurent une longue discussion qui se prolongea tard dans la nuit, et pendant laquelle Belle fit preuve d'une compréhension et d'une gentillesse qui étonnèrent Florentina. Finalement elles décidèrent d'attendre le mois suivant. Si Wendy n'avait toujours pas ses règles, elle devrait consulter le docteur Mac Leod, le gynécologue attitré de l'université.

Le mois suivant, Wendy demanda à ses amies de l'accompagner chez le docteur Mac Leod, à son cabinet médical de Brattle Street. Le médecin informa le doyen de l'université de la grossesse de Wendy et personne ne fut surpris par sa décision. Dès le lendemain, le père de Wendy débarquait au campus, remerciait les deux camarades de sa fille, et ramenait cette dernière à Nashville. Tout s'était passé si vite qu'aucune des deux jeunes filles n'arrivait à croire qu'elles ne reverraient plus Wendy. Florentina se sentit impuissante devant les événements et se demanda si elle n'aurait pas pu faire plus.

A la fin de sa deuxième année, Florentina commença à espérer qu'elle pourrait faire partie du *Phi Beta Kappa*, le cercle le plus fermé de l'université de Radcliffe. Elle avait perdu tout intérêt pour la politique. La combinaison McCarthy-Nixon ne l'inspirait guère et un incident survenu vers la fin des vacances d'été acheva de lui faire perdre ses illusions.

Florentina était retournée à New York, où elle travaillait pour son père. Elle avait beaucoup appris depuis la démission de Jessie Kovats. A présent, Abel la laissait volontiers s'occuper des diverses boutiques du Baron, quand les directeurs étaient en vacances.

Ce jour-là — il était l'heure du déjeuner —, Florentina essaya en vain d'éviter un élégant quinquagénaire, qui traversait le vestibule dans sa direction.

— Bonjour, Florentina, s'écria-t-il.

— Bonjour, Henry, répondit-elle sans enthousiasme.

L'ex-député l'attrapa par les épaules, avant de l'embrasser sur les joues.

— Aujourd'hui est votre jour de chance ! annonça-t-il.

— Pourquoi ? demanda-t-elle, sincèrement étonnée.

— La personne avec qui j'avais rendez-vous ce soir a eu un empêchement et je vais vous donner l'occasion de la remplacer.

« Va au diable ! » aurait-elle dit, si Henry Osborne ne faisait pas partie de la direction du groupe Baron. Elle était en train de chercher une excuse acceptable, quand il ajouta :

— J'ai deux places pour *Can Can*.

Depuis son arrivée à New York, Florentina souhaitait voir le dernier succès de Broadway. Le théâtre affichait complet pour les huit semaines suivantes et d'ici là, elle devrait retourner à Radcliffe. Après une courte hésitation, elle répondit :

— Merci, Henry.

Ils se rencontrèrent chez Sardi où ils prirent un apéritif, avant de se rendre au théâtre Schubert. La revue était à la hauteur des espérances de Florentina. La moindre des politesses exigeait d'accepter l'invitation à souper d'Henry, après le spectacle. Il l'emmena à l'Arc-en-Ciel et ce fut là que tout commença.

Henry avait déjà avalé trois scotchs bien tassés avant la première approche. Bien qu'il ne fût pas le premier homme à poser une main sur le genou de Florentina, il était tout de même le seul à être un ami de son père. A la fin du repas, il était si saoul, qu'il pouvait à peine aligner deux phrases cohérentes.

Dans le taxi qui les ramenait au Baron, il jeta sa cigarette et voulut l'embrasser. Elle se réfugia dans un coin de la voiture, mais cela n'eut pas l'air de le décourager. Florentina ne savait pas comment se comporter avec un ivrogne, ni jusqu'à quel point il pouvait aller. Au Baron, Henry insista pour l'accompagner jusqu'à sa porte et elle n'osa refuser, craignant un scandale public, qui ne manquerait pas d'éclabousser son père. Dans l'ascenseur privé, il essaya une nouvelle fois de l'embrasser et lorsqu'ils descendirent, au

41ᵉ étage, il s'introduisit de force dans son appartement dès qu'elle eut ouvert sa porte.

Henry se dirigea vers le bar et se servit une bonne rasade de whisky. Florentina regretta l'absence de son père — Abel était en France, et quant à Georges, il avait dû quitter l'hôtel depuis longtemps, pour rentrer chez lui. Elle ne savait plus quoi faire pour se débarrasser de cet homme.

— Il est temps de vous en aller, Henry, implora-t-elle.

— Quoi ? hoqueta-t-il, avant de faire la fête ? (Il se dirigea vers elle en titubant.) Une fille doit toujours montrer sa reconnaissance à l'homme qui l'a emmenée voir le meilleur spectacle de la ville et qui lui offert un souper de première classe.

— Je vous en suis reconnaissante, Henry, mais je tombe de fatigue. J'aimerais aller me coucher, maintenant.

— Oui, c'est ça ! Couchons-nous !

Le dégoût la submergea, tandis qu'il se jetait sur elle, plaquant ses mains sur son dos, puis sur ses fesses.

— Henry, vous feriez mieux d'arrêter ce jeu, avant de le regretter, dit-elle, consciente de l'absurdité de ses paroles.

— Je ne regretterai rien et toi non plus, d'ailleurs, lui répondit-il en tirant sur la fermeture Eclair de sa robe.

Florentina essaya de le repousser, mais il était beaucoup trop fort. Elle se mit à le frapper sur les bras.

— Inutile de te défendre avec autant d'acharnement, ma chérie, haleta-t-il, je sais que tu en meurs d'envie et je vais t'apprendre un ou deux trucs que tes petites camarades ne connaissent pas.

Les genoux de Florentina cédèrent et elle s'effondra sur la moquette, Henri au-dessus d'elle. Son pied heurta le téléphone, qui tomba sur le sol.

— J'aime mieux ça, fit-il, oui, j'aime les filles qui ont du caractère.

Il s'abattit sur elle une nouvelle fois, emprisonnant d'une main ses bras, par-dessus sa tête. Son autre main se mit à explorer une cuisse. Florentina rassembla toutes ses forces pour libérer un de ses bras et gifla à toute volée son agresseur, mais celui-ci l'empoigna par les cheveux et releva sa robe. Il y eut un bruit de tissu déchiré et l'ex-député éclata d'un rire mauvais.

— Tu me simplifierais la vie si tu enlevais ce truc-là, souffla-t-il en continuant à déchirer le tissu.

Affolée, Florentina regarda autour d'elle et aperçut un lourd vase de cristal contenant quelques roses, sur la table du téléphone. Elle enlaça son agresseur avec son bras libre et se mit à l'embrasser passionnément sur le visage et dans le cou.

— Te voilà enfin raisonnable, marmonna-t-il en libérant son autre bras.

Lentement, elle tendit le bras vers le vase et lorsqu'elle l'eut bien dans la main, elle l'abattit sur le crâne d'Henry. Le choc lui fit tomber la tête en avant et il fallut à Florentina toutes ses forces pour pousser l'homme loin d'elle. Le sang jaillissait du cuir chevelu d'Henry. Florentina eut peur de l'avoir tué. A cet instant, on frappa à la porte

Florentina se redressa péniblement. Ses jambes flageolaient. On cogna à nouveau à la porte, mais cette fois le bruit était accompagné d'une voix, qui ne pouvait appartenir qu'à une seule personne au monde. Florentina tira la porte et elle s'ouvrit sur Belle, dont la carrure remplissait le chambranle.

— Qu'est-ce qui t'arrive ? Tu as une mine affreuse.

— Je me sens mal, murmura Florentina, en regardant les lambeaux de sa robe de chez Balenciaga.

— Qui t'a fait ça ?

Florentina recula et montra le corps inanimé d'Henry Osborne.

— Je comprends pourquoi ton téléphone sonnait toujours occupé, commenta Belle en observant le corps. Il a eu ce qu'il méritait.

— Est-il mort ?

Belle s'agenouilla près d'Henry et lui tâta le pouls.

— Non malheureusement, répondit-elle. Il n'a qu'une blessure superficielle. Il serait mort si c'était moi qui l'avais cogné. Demain matin il aura une bosse sur le crâne et c'est peu pour une ordure de ce genre. J'ai envie de le jeter par la fenêtre, tiens ! ajouta-t-elle en attrapant Henry

144

et en le jetant sur son épaule, comme un sac de pommes de terre.

— Oh non, Belle ! Nous sommes au 41e étage.

— Il ne s'en apercevra pas.

— Non ! cria Florentina.

Belle sourit et rebroussa chemin.

— Bon, je veux bien me montrer généreuse pour cette fois. Je vais le fourguer dans le monte-charge.

Florentina ne répondit pas et Belle sortit en transportant Osborne sur son épaule. Quelques minutes plus tard, elle était de retour, aussi rayonnante que si elle avait détourné un pénalty contre l'équipe de Vassar.

— Je l'ai envoyé au sous-sol, déclara-t-elle, avec une délectation indicible.

Florentina s'était assise par terre, un verre de cognac à la main.

— Dis, Belle, penses-tu qu'on essaiera un jour de me séduire d'une manière plus romantique ?

— Je ne suis pas qualifiée pour te répondre. Moi, personne n'a jamais tenté de me violer, sans parler de romantisme.

Florentina éclata de rire et tomba dans les bras de son amie.

— Dieu merci tu es arrivée à point. Quel bon vent t'amène ? Et ne crois surtout pas que je m'en plains.

— La petite demoiselle oublie que je dois rester ce soir dans cet hôtel, pour jouer demain au hockey à New York. Les Diables contre les Anges.

— Mais ce sont des équipes masculines !

— C'est ce qu'ils croient, mais tu verras plus tard. Ce soir, quand je suis arrivée, il n'y avait aucune réservation à mon nom. Le réceptionniste a dit que l'hôtel était complet. Alors, je suis montée pour me plaindre à la direction. Donne-moi un oreiller, va, je vais dormir dans la baignoire.

Florentina enfouit son visage dans ses mains.

— Allons bon ! Pourquoi pleures-tu ?

— Je ne pleure pas, je ris ! Belle, tu mérites un lit de roi et tu l'auras.

Elle reposa le combiné sur son bureau et appela la réception.

— Oui, mademoiselle Rosnovski ?

— La suite présidentielle est-elle libre, ce soir ?

— Oui, mademoiselle.

— Enregistrez-là au nom de miss Belle Hellaman, s'il vous plaît, et mettez sa note sur mon compte. Elle descendra dans une minute pour confirmation.

— Entendu, mademoiselle. Comment reconnaîtrai-je mademoiselle Hellaman ?


Le lendemain matin, Henry téléphona à Florentina pour la supplier de ne rien dire à son père de ce qui s'était passé la veille. Il plaida l'ivresse et ajouta plaintivement qu'il ne survivrait pas s'il perdait sa place au conseil. Florentina acquiesça en fixant avec répugnance la tache rouge sur la moquette.

11

A son retour de Paris, Abel apprit avec consternation qu'un de ses directeurs avait été découvert ivre mort dans le monte-charge et qu'on avait dû lui coudre dix-sept points de suture sur le crâne.

— Henry prétend qu'il a trébuché sur un monte-plats, dit-il, puis il ouvrit son tiroir personnel, toujours fermé à clé, en extirpa un dossier qui ne portait aucune mention et y ajouta une note.

— Il a dû plutôt trébucher sur une blonde, se moqua Georges, qu'est-ce que tu comptes faire de lui ?

— Rien pour l'instant. Il continue à être utile, tant qu'il a des relations à Washington. Je suis submergé par les constructions d'hôtels à Londres et à Paris et je dois envisager la possibilité d'en construire à Amsterdam, à Genève, à Cannes et à Edimbourg. Par-dessus le marché, Zaphia menace de me traîner en justice si je n'augmente pas sa pension alimentaire.

— Pourquoi ne pas mettre Henry à la retraite ? suggéra Georges.

— Le moment n'est pas encore venu, répondit Abel. J'ai encore besoin de lui pour une raison bien précise.

Georges ne voyait pas laquelle.


— On va les défoncer ! déclara Belle.
Son initiative de provoquer l'équipe de hockey sur glace

de Harvard sur un terrain normal n'avait surpris personne, hormis l'équipe concernée qui avait décliné poliment l'invitation, sans aucun autre commentaire. Belle agita une page découpée dans le *Harvard Crimson*, dont le titre indiquait : « Les athlètes de Harvard se défilent devant le défi lancé par Radcliffe. »

L'éditeur du *Crimson*, ayant lu l'article avant la mise sous presse du magazine, avait décidé d'interviewer Belle. Une photo de cette dernière, munie de son masque, de ses guêtres et brandissant une crosse de hockey, s'étalait sur la couverture accompagnée de la légende : « Elle est plus effrayante sans masque. » Belle en était ravie.

Dans la semaine, Harvard proposa d'envoyer à Radcliffe son équipe n° 3. Belle s'y refusa et exigea l'équipe première. Un compromis fut arrêté : Harvard constituerait une équipe comportant quatre joueurs de l'équipe junior, quatre de l'équipe de réserve et trois de l'équipe n° 3. Une fois la date convenue, on s'attela aux préparatifs.

Un vent de chauvinisme soufflait sur Radcliffe et Belle n'avait pas tardé à devenir l'idole du campus. La tactique qu'elle déploya pour obtenir la victoire fut décrite plus tard par le *Harvard Crimson* comme un subterfuge diabolique...

A peine descendue du bus, l'équipe de Harvard se trouva entourée de onze amazones, la crosse en bandoulière, qui entraînèrent les jeunes gens à la cafétéria. Les joueurs de hockey de Harvard ne buvaient jamais avant un match. Mais comme les filles commandèrent toutes des bières, ils se crurent obligés de suivre le mouvement Ainsi, la plupart d'entre eux avalèrent quatre canettes avant le déjeuner et firent honneur à l'excellent vin qui accompagnait le repas. Aucun d'eux ne s'interrogea sur les motivations profondes de cette générosité, ni sur le fait qu'ils transgressaient les règles de l'université. Les vingt-deux joyeux convives terminèrent le repas par une coupe de champagne pour souhaiter bonne chance aux deux équipes.

Les onze jeunes damoiseaux de Harvard furent ensuite escortés à leur vestiaire, où un magnum de champagne avait été apporté à leur intention. Les onze gentes dames se retirèrent sous prétexte de s'habiller pour le match.

Lorsque le capitaine de l'équipe de Harvard conduisit ses joueurs sur le terrain de hockey, la pelouse était envahie par cinq cents spectateurs entourant un groupe de onze guerrières qu'il n'avait jamais vues de sa vie. Onze autres jeunes filles, celles-ci, bien connues du capitaine, somnolaient sur les gradins.

A la mi-temps, Harvard était mené 3 à 0 et les représentants du sexe fort purent s'estimer heureux que le match se terminât sur un score de 7 à 0 en faveur de Radcliffe. Le *Crimson* eut beau crier à l'escroquerie, le *Boston Club* n'en décrivit pas moins Belle comme un éminent stratège en jupons.

Le capitaine de l'équipe de Harvard riposta en défiant Belle de disputer un match contre l'équipe première au grand complet.

— Exactement ce que je voulais ! jubila-t-elle et elle répondit par un télégramme laconique : « Où ? »

L'université de Radcliffe dut louer plusieurs cars pour transporter ses supporters, d'autant que les étudiants de Harvard avaient décidé d'organiser un bal après la partie. Florentina conduisit Belle et trois autres membres de son équipe sur l'autre rive du fleuve dans sa nouvelle Oldsmobile 1952, dont le coffre avait été bourré de jambières, de crosses et de genouillères. Sur place, elles ne rencontrèrent aucun de leurs adversaires avant d'entrer sur le terrain.

Cette fois-ci, elles furent acclamées par une foule de trois mille spectateurs, parmi lesquels se trouvaient les présidents de Harvard et de Radcliffe.

Une nouvelle fois Belle utilisa une tactique plutôt douteuse. Ses consignes à son équipe étaient claires : « Attaquer l'homme plutôt que de se concentrer sur la balle. » D'impitoyables raclées et autres coups de pied sur les tibias de leurs adversaires permirent aux compagnes de Belle de terminer la première mi-temps sans encaisser un but.

Dès le début de la deuxième mi-temps, l'équipe de Radcliffe faillit marquer un but. Stimulées, les hockeyeuses se mirent à jouer mieux qu'à leur habitude. La partie semblait vouloir se terminer par un match nul, lorsque l'avant-centre de Harvard, un gaillard à peine moins costaud que Belle, effectua une percée et se rua vers le but adverse. Belle bondit alors de sa cage et l'étendit raide d'un seul coup d'épaule. Ce fut, du reste, le dernier souvenir de l'infortuné. Trente secondes plus tard, il quittait le terrain sur un brancard.

Les deux arbitres sifflèrent en même temps et accordèrent un penalty à Harvard, alors qu'il restait une minute à jouer. On choisit l'ailier gauche pour effectuer le coup de réparation, un petit maigrelet, qui attendit que les deux équipes se mettent en ligne. Prestement, le maigrichon passa la balle à l'inter droit, qui la propulsa directement sur le plastron de Belle. D'un coup de pied, celle-ci réexpédia la balle vers la droite et elle atterrit devant le minuscule ailier gauche. La gardienne de but se rua contre la silhouette fragile. Les spectateurs émotifs fermèrent les yeux, mais cette fois la géante avait trouvé son maître.

D'un bond adroit sur le côté, le petit joueur évita Belle, laissa le capitaine de Radcliffe les quatre fers en l'air et trouva amplement le temps de marquer un but. Le sifflet vibra. Radcliffe avait perdu par 1 à 0.

Ce fut la première fois que Florentina vit Belle pleurer, malgré l'immense ovation que le public lui réserva quand elle et son équipe quittèrent le terrain. Même vaincue, Belle reçut deux récompenses : l'équipe nationale féminine de hockey la sélectionna pour une tournée à l'étranger et elle avait fait la connaissance de son futur mari.

Lors de la réception qui eut lieu après le match, Florentina fut présentée à Claude Lamont. Dans son blazer bleu marine et son pantalon de flanelle grise, l'ailier gauche de l'équipe de Harvard avait l'air encore plus minuscule que sur le terrain.

— N'est-ce pas qu'il est mignon ? dit Belle en lui tapotant le haut du crâne. Quel but étonnant, tout de même.

A la surprise de Florentina, Claude ne fit aucune objection mais lança seulement en regardant Belle :

— N'est-ce pas une joueuse de première classe ?

150

Belle et Florentina retournèrent à Radcliffe et se changèrent pour la soirée dansante. Claude les accompagna à la salle de bal, que Belle compara à une foire aux bestiaux, tandis que tous les hommes présents se pressaient autour de Florentina pour l'inviter à danser le jitterbug. Claude fut chargé de réunir vivres et boissons, de quoi nourrir une armée, et Belle dévora tout en regardant Florentina qui évoluait sur la piste dans un tourbillon de soie.

Florentina l'aperçut la première. Il était assis à une table et bavardait avec une fille. Il était grand et avait des cheveux blonds bouclés. D'après le hâle de son teint, il ne devait pas passer ses vacances à Cambridge.

Il se tourna vers la piste et leurs regards se rencontrèrent. Celui de Florentina se détourna. Elle s'efforça d'écouter le discours de son cavalier, qui parlait de l'ère des ordinateurs en se voulant dans le vent. La danse se termina et le cavalier bavard raccompagna Florentina à sa place, près de Belle. Soudain, l'inconnu se trouva devant elle.

— Avez-vous mangé ? demanda-t-il.

— Non, mentit-elle.

— Voulez-vous venir à ma table ?

— Volontiers.

Florentina laissa Belle et Claude discuter des mérites des passes transversales et comparer hockey sur gazon et hockey sur glace.

Pendant quelques instants, aucun d'eux ne parla. L'inconnu rapporta des sandwichs du buffet puis tous les deux se mirent à parler en même temps. Il s'appelait Scott Forbes et préparait une licence d'histoire à Harvard. Florentina avait déjà lu dans le *Société de Boston*, un article sur la famille Forbes et son héritier, l'un des jeunes les plus huppés d'Amérique.

« Le nom importe peu », se dit-elle en lui disant le sien. Il ne parut pas l'entendre mais dit quand même :

— Joli nom pour une jolie femme. Dommage que nous ne nous soyons rencontrés plus tôt. (Florentina sourit et il ajouta :) J'étais à Radcliffe il y a quelques semaines. Je participais à ce match infâme que nous avons perdu 7-0.

— Vraiment ? Je ne vous ai pas remarqué.

— Rien d'étonnant ! J'ai passé mon temps étalé par terre, malade comme un chien. Belle Hellaman est déjà impressionnante à jeun, mais quand on est ivre comme je l'étais, elle m'a fait l'effet d'un char d'assaut.

Florentina éclata de rire et écouta, dans le ravissement le plus total, Scott raconter des histoires, des anecdotes sur Harvard, sur sa famille ou sa vie à Boston. Pendant toute la soirée elle dansa avec lui. Après le bal, il la raccompagna à Radcliffe.

— On se voit demain ? demanda-t-il.

— Oui, bien sûr.

— Pourquoi n'irions-nous pas faire un tour à la campagne ?

— Avec joie.

Pendant la plus grande partie de la nuit, Belle et Florentina parlèrent de leur cavalier respectif.

— Crois-tu important qu'il fasse partie de la haute société ? demanda Florentina.

— Moi, non. Espérons qu'il n'y accorde pas d'importance, répondit Belle, trop consciente du fondement des craintes de son amie. (Elle ajouta :) Je n'ai aucune idée des origines sociales de Claude.

Le lendemain matin, Scott Forbes conduisit Florentina à la campagne dans une vieille M.G. De sa vie, elle ne s'était sentie aussi heureuse. Ils déjeunèrent dans un petit restaurant à Dedham, plein de gens que Scott semblait connaître. Il présenta à Florentina un Lowell, un Winthrop, un Cabot et un autre Forbes — enfin, Florentina crut reconnaître, elle aussi, quelqu'un. Quelle ne fut pas sa surprise, lorsqu'elle vit qu'il s'agissait d'Edward Winchester, accompagné d'une ravissante brunette. Edward rayonnait de joie, alors qu'il présentait sa fiancée.

— Je suis sûr que vous vous entendrez à merveille, déclara-t-il.

— Et pourquoi ? demanda Florentina en souriant à la jeune fille.

— Danielle est française. Je lui ai déjà raconté comment, grâce à toi, j'ai pu jouer le rôle du Dauphin. Tu te souviens, quand tu m'apprenais à prononcer le mot « sorcière » ?

Florentina acquiesça et regarda le couple s'éloigner la main dans la main. Scott lança alors calmement, dans un français parfait :

— Jamais je n'aurais pensé que je tomberais amoureux d'une sorcière.

Florentina commanda une sole et approuva le choix de son compagnon qui demanda un muscadet. Sa connaissance des mets et des vins l'enchantait. Etonnée, elle découvrit vers quatre heures de l'après-midi qu'ils étaient les seuls clients restants dans la salle de restaurant. Déjà, le maître d'hôtel s'avançait vers leur table et annonçait que l'heure était venue de préparer la salle pour le dîner.

De retour à Radcliffe, Scott embrassa gentiment Florentina sur la joue et lui promit de l'appeler.

Il lui téléphona le lendemain à l'heure du déjeuner, pour lui demander si elle voulait bien assister à un match de hockey sur glace auquel il participait le samedi suivant contre les étudiants du Penn, et lui proposa de dîner ensemble après.

Florentina accepta, dissimulant son enchantement et son impatience de le revoir. Ce fut la semaine la plus longue de toute son existence.

Le matin du samedi en question, elle prit une importante décision à propos de son week-end avec Scott. Elle rassembla quelques effets, puis se rendit à la patinoire. Assise sur les gradins, elle attendit l'apparition de Scott. Pendant un moment, elle fut assaillie par la peur que le jeune homme pourrait se sentir différent en la rencontrant pour la troisième fois. Ses craintes s'évanouirent lorsqu'il vint la saluer, en glissant sur la glace.

— Belle m'a interdit de rentrer si tu perds, fit-elle.

— Et qui sait ? Peut-être ne voudrais-je pas que tu rentres, répliqua-t-il en repartant sur la patinoire.

Tremblante de froid, elle regarda le match. Scott ne toucha pratiquement pas le palet de l'après-midi, ce qui ne l'empêcha pas de se faire coincer systématiquement contre les balustrades. Elle pensa qu'il s'agissait d'un jeu stupide mais décida de n'en rien dire à Scott. Après le match, elle l'attendit dans sa voiture. Il fallait assister encore à une réception, puis ils seraient libres. Il l'emmena dîner au Locke-Ober, le meilleur restaurant de Boston, où, une nouvelle fois, il salua tout le monde. Florentina, cette fois, ne reconnut personne, hormis quelques visages qu'elle avait déjà vus dans les magazines de mode. Il ne parut pas remarquer son embarras et elle finit par se détendre. Ils furent encore les derniers à partir du restaurant. Scott la raccompagna à sa voiture et l'embrassa tendrement sur les lèvres.

— Tu viens déjeuner à Radcliffe avec moi demain ? demanda-t-elle.

— Je ne peux pas. Je dois terminer une dissertation dans la matinée et je ne suis pas sûr d'en avoir fini avant deux heures. Mais tu pourrais me rejoindre pour le thé, si cela te fait plaisir.

— Mais oui, idiot !

— C'est bête ! Si j'avais su, j'aurais réservé pour toi une chambre au quartier des invités.

— Oui, dommage, dit Florentina.

Elle pensait à la petite valise fermée, dans le coffre de la voiture.


Il vint la chercher le lendemain peu après trois heures et l'emmena chez lui prendre le thé. Quand il ferma la porte de sa chambre, Florentina sourit en pensant au règlement de Radcliffe.

La chambre de Scott était plus spacieuse que la sienne. Sur sa table de travail trônait la photo d'une dame au visage aristocratique et sévère, qui ne pouvait être que sa mère.

Aucun des meubles de la chambre n'appartenait à l'université. En buvant le thé, ils écoutèrent des disques d'Elvis Presley, la nouvelle idole de l'Amérique. Ensuite, Scott mit sur le tourne-disque le *South of the Border* chanté par Sinatra et ils se mirent à danser. Chacun se demandait ce que l'autre avait en tête.

Ils allèrent s'asseoir sur le sofa et là il l'embrassa doucement d'abord, avec passion ensuite. Il semblait hésiter à aller plus loin et Florentina était trop timide et trop inexpérimentée pour l'encourager. Soudain, il posa une main sur le sein de la jeune fille, guettant sa réaction. Enfin, sa main remonta et il défit le premier bouton de son corsage. Florentina ne tenta pas de l'arrêter et il défit le deuxième bouton. A présent, il l'embrassait sur les épaules, puis sur les seins. Elle éprouvait un tel désir pour lui qu'elle eut presque l'initiative du stade suivant.

Brusquement, Scott se remit debout et ôta sa chemise. En réponse, Florentina laissa tomber sa robe à terre et se débarrassa de ses chaussures. Ils s'avancèrent vers le lit tout en ôtant maladroitement le reste de leurs vêtements.

Ils se regardèrent un instant, avant de se jeter sur le lit. A la grande surprise de Florentina, tout fut terminé en quelques secondes.

— Désolée, j'ai été maladroite, s'excusa-t-elle.

— Non, c'est ma faute. Autant l'admettre tout de suite, c'était pour moi la première fois.

— Pour toi aussi ? s'exclama-t-elle, et ils éclatèrent de rire.

Ils se rallongèrent, enlacés, pour le reste de la soirée et refirent l'amour deux fois encore, chaque fois avec plus de plaisir et de confiance.

Le lendemain matin, Florentina se réveilla plutôt fatiguée mais heureuse. Son instinct l'avertissait qu'ils étaient faits l'un pour l'autre. Pendant tout le trimestre, ils se rencontrèrent tous les week-ends et parfois même au milieu de la semaine.

Aux vacances de Pâques, ils se retrouvèrent secrètement à New York, où Florentina passa les trois plus beaux jours de sa vie. Ils firent des orgies de cinéma, voyant *Sur les quais* de Kazan, *Limelight* de Chaplin, et passèrent de longues heures au club 21 et dans l'*Oak Room* du Plaza. Dans la journée ils faisaient les magasins, visitaient les musées, se promenaient dans Central Park. Le soir, elle rentrait chargée de cadeaux, qui s'empilaient jusqu'au bord du lit.

Le trimestre suivant fut idyllique. Ils ne se quittaient plus. A l'approche des vacances d'été, Scott l'invita à passer un week-end dans le Maryland, chez ses parents, afin de faire leur connaissance.

— Ils vont t'adorer, j'en suis sûr, affirma-t-il, en l'accompagnant à la gare où elle devait prendre le train pour Chicago.

— Je l'espère, répondit-elle.

Florentina ne cessait de raconter à sa mère combien Scott était merveilleux et combien elle était amoureuse de lui. Ravie de voir sa fille si heureuse, Zaphia attendait sincèrement le moment de rencontrer les parents du jeune homme. Elle priait le ciel pour que Florentina ait trouvé l'homme de sa vie, espérant qu'il ne s'agissait pas d'une décision hâtive qu'elle aurait à regretter par la suite.

Florentina acheta des mètres de soie de couleurs différentes chez Marshall Fields et passa des soirées à coudre une robe censée conquérir le cœur de Mme Forbes mère.

La lettre arriva avec le courrier du lundi. Florentina reconnut immédiatement l'écriture de Scott et déchira l'enveloppe, au comble de l'impatience. Elle y trouva une courte note l'informant qu'à la suite d'un changement de projets de la famille Forbes, elle devait annuler son voyage à Marblehead.

Florentina lut et relut la lettre, cherchant en vain un message caché. Se souvenant qu'ils s'étaient quittés unis et heureux, elle décida de téléphoner à Scott.

— Résidence Forbes, répondit une voix semblable à la voix neutre de tous les majordomes.

— Puis-je parler à monsieur Scott Forbes ? demanda-t-elle d'une voix tremblante.

— De la part de qui ?

— Florentina Rosnovski.

— Ne quittez pas, mademoiselle. Je vais voir s'il est là.

Les mains crispées sur l'écouteur, elle attendit impatiemment d'entendre la voix rassurante de Scott.

— Il n'est pas là pour le moment, mademoiselle, mais je

lui laisserai un message pour l'informer que vous l'avez appelé.

Elle n'en crut pas un mot et rappela une heure plus tard.

— M. Scott n'est pas encore rentré, répondit la même voix.

Elle rappela une nouvelle fois à huit heures et demie. La voix annonça que M. Scott Forbes était en train de dîner.

— Pouvez-vous lui dire que je voudrais lui parler, s'il vous plaît ?

— Ne quittez pas, mademoiselle.

Quelques minutes plus tard, la voix, un rien moins polie, déclara que M. Scott ne voulait pas être dérangé.

— Je ne vous crois pas ! Vous ne lui avez pas dit qui l'appelait !

— Mais mademoiselle, je vous assure...

Une deuxième voix répondit sur la ligne, une voix féminine et autoritaire :

— Qui est à l'appareil ?

— Je m'appelle Florentina Rosnovski et je voudrais parler à Scott...

— Mademoiselle Rosnovski, Scott dîne en ce moment avec sa fiancée et ne désire pas être dérangé.

— Sa fiancée ? murmura Florentina en s'enfonçant les ongles dans la paume de la main.

— Parfaitement, mademoiselle !

On avait raccroché. Il fallut plusieurs minutes à Florentina pour comprendre ce qu'on lui avait appris, puis elle dit tout haut : « Mon Dieu ! Je vais mourir », et tomba évanouie.

Elle reprit conscience dans son lit et vit sa mère assise à son chevet.

— Pourquoi ? fut son premier mot.

— Parce qu'il était indigne de toi ! Un homme qui se respecte ne permet pas à sa mère de choisir une épouse à sa place.

Florentina retourna à l'université, mais les choses ne s'améliorèrent pas. Incapable de se concentrer sur un travail sérieux, elle passait des heures au lit, à pleurer. Tout ce que Belle pouvait dire ou faire ne servait à rien. Pourtant, il n'y avait meilleure devise que celle de la géante : traiter cet homme par le mépris.

— Voilà un type dont je ne voudrais pas dans mon équipe, avait-elle déclaré.

D'autre jeunes gens donnèrent rendez-vous à Florentina. Elle les refusa tous. Ses parents en devinrent si inquiets qu'ils parlèrent entre eux de ce problème.

Florentina faillit rater ses examens. Miss Rose l'avisa qu'il lui faudrait travailler dur si elle tenait à faire partie du *Phi Beta Kappa*. En vain ! Pendant les vacances, elle resta à la maison de Chicago, refusant toutes les invitations à dîner ou à participer à des surprise-parties. Elle aida sa mère à choisir de nouvelles robes mais n'en acheta aucune pour elle-même. Elle lut tous les détails sur « le mariage de l'année » — c'est ainsi que le *Boston Globe* qualifia le mariage de Scott Forbes avec Cynthia Knowles — et elle pleura à nouveau. L'invitation d'Edward Winchester à son propre mariage n'arrangea rien.

Peu après, elle tenta d'oublier Scott en se rendant à New York où elle travailla sans répit au Baron. A la fin des vacances, elle se surprit à redouter son retour à Radcliffe pour la dernière année de ses études. Ni les conseils de son père ni la sympathie de sa mère ne pouvaient la consoler. Tous deux commencèrent à désespérer devant l'apathie que Florentina affichait pour les préparatifs de son vingt et unième anniversaire.

Quelques jours avant de repartir à Radcliffe, Florentina rencontra Edward au bord du lac. Il avait l'air aussi malheureux qu'elle-même. Elle lui fit un signe en souriant. Il répondit sans l'ombre d'un sourire. Ils se regardèrent, puis Edward traversa la rue.

— Comment va Danielle ? s'enquit-elle.

Edward la regarda :

— Tu ne sais pas ?

— Quoi donc ?

Il continua de la dévisager, comme s'il cherchait ses mots

— Elle est morte !

A son tour, elle le regarda, stupéfaite.

— Elle conduisait trop vite, dit-il. Nous inaugurions ma nouvelle Austin-Healey. La voiture s'est retournée. J'ai survécu mais Danielle est morte.

— Mon Dieu ! s'écria-t-elle en serrant Edward dans ses bras, ce que j'ai pu être égoïste !

— Tu avais tes propres soucis.

— Rien de comparable aux tiens. Retournes-tu à Harvard ?

— Je le dois. Le père de Danielle a tellement insisté... il a dit qu'il ne me pardonnerait jamais si je ne terminais pas mes études. Au moins, maintenant j'aurai un but. Ne pleure pas, Flo ! Quand je commence quelque chose je vais jusqu'au bout.

Elle frissonna et répéta : « Mon Dieu, ce que j'ai pu être égoïste ! »

— Viens me voir à Harvard. Nous jouerons au tennis et tu m'aideras à réviser les verbes français. Ce sera comme au bon vieux temps.

— Tu crois ? dit-elle amèrement. Je me le demande.

## 12

Un épais catalogue de deux cents pages attendait Florentina à son retour de Radcliffe. Il lui fallut trois soirées pour le digérer. Elle était censée y choisir une sous-dominante en dehors des matières principales. Miss Rose lui suggéra de choisir quelque chose de nouveau, que Florentina n'aurait plus le loisir d'étudier à fond par la suite.

Comme toutes les étudiantes, Florentina avait entendu parler du professeur Luigi Ferpozzi. Ce dernier allait effectuer pendant une année un cycle de conférences à Harvard et diriger un séminaire d'une semaine. Depuis qu'il avait reçu le prix Nobel de la Paix, il avait parcouru le monde recevant force accolades. Après qu'Oxford l'eut couronné d'un titre honorifique, on le décrivait comme l'unique personnalité, après Dieu, qui pouvait s'enorgueillir de l'approbation à la fois du pape et du président des Etats-Unis. Cette sommité de l'architecture italienne avait choisi comme sujet d'étude le baroque romain, un cours intitulé « La Cité de l'œil et de l'esprit ».

Le résumé publié dans le catalogue était tentant : Gian Lorenzo Bernini, artiste aristocrate et Francesco Borromini, fils de simple tailleur de pierre, font de la cité éternelle des Césars et des Papes la capitale la plus reconnaissable du monde. *Indispensable :* connaissance du latin et de l'italien, connaissance recommandée de l'allemand et du français. Limité à trente étudiants.

Miss Rose ne semblait pas très optimiste quant aux chances de Florentina de faire partie de ces heureux élus.

— On fait déjà la queue depuis la bibliothèque Widener jusqu'à Boston pour le voir, sans parler qu'il s'agit d'un célèbre misogyne.

— Jules César l'était aussi.

— A cela près qu'hier soir, à la salle des professeurs, Ferpozzi ne m'a pas vraiment traitée comme une Cléopâtre. En tout cas, j'admire ce qu'il a fait pendant la guerre. Grâce à lui, la moitié des églises italiennes ont pu être sauvées.

— J'aimerais bien qu'il me choisisse pour disciple, dit Florentina.

— Vraiment ? répondit sèchement miss Rose, puis elle ajouta en riant tout en griffonnant un mot à l'intention du célèbre professeur : Si vous échouez, vous pourrez toujours vous rabattre sur un de ces cours de science dans lesquels il n'y a pas de limite d'inscription.

— Des perles pour des cochons, fit Florentina, l'air peu flatteur. Je vais séduire le professeur Ferpozzi.

Le lendemain matin, dès 8 h 30, une heure entière avant que le professeur ne reçoive les étudiants, Florentina grimpait déjà les marches de marbre de la bibliothèque Widener. Dans le hall, elle emprunta l'ascenseur, petite cage pouvant à peine contenir un étudiant et un livre, et se rendit sous les combles, où les professeurs les plus vénérables avaient leurs bureaux. On sentait que cette génération avait voulu s'éloigner le plus possible des étudiants zélés, en leur opposant d'innombrables marches et un ascenseur toujours occupé.

Florentina se retrouva au dernier étage, devant une porte aux vitres opaques, sur laquelle le nom du professeur avait été inscrit à la peinture noire. Ferpozzi était tout de même l'homme qui, de concert avec le président Conant, avait décidé à Munich du sort de l'architecture allemande : ce qui devait être démoli et ce qui devait être préservé. Soudain, elle réalisa qu'elle ne pouvait le déranger avant une bonne heure et fit demi-tour. Mais l'ascenseur étant déjà parti vers les étages inférieurs, Florentina frappa courageusement contre la porte. Un bruit de vaisselle brisée s'ensuivit, puis une voix furibonde lança, avec un fort accent italien :

— Par la madonna, fichez le camp ! A cause de vous, je viens de casser ma théière préférée.

Réprimant une folle envie de prendre la fuite, Florentina tourna lentement la poignée de la porte et passa la tête dans une pièce dont les cloisons disparaissaient derrière des montagnes de livres et de revues. Au milieu du désordre se tenait le professeur, un homme de haute stature qui pouvait avoir aussi bien quarante que soixante-dix ans. Son costume, composé d'une vieille veste en tweed et d'un pantalon en flanelle grise, avait l'air de sortir du marché aux puces ou d'un héritage de son grand-père.

Le professeur tenait encore une anse en porcelaine de Chine brune, laquelle, quelques instants auparavant, s'attachait au reste de la théière, dont les débris jonchaient le sol.

— Je possède cette théière depuis trente ans, mademoiselle. Je lui préférais seulement la Pietà. Comment pensez-vous la remplacer ?

— Michel-Ange ne pouvant plus sculpter, j'irai en acheter une au supermarché.

Malgré lui, le professeur Ferpozzi sourit et ramassa, parmi les débris, un sachet de thé.

— Que voulez-vous ? demanda-t-il.

— Suivre vos cours.

— Je n'accepte pas les femmes en temps normal, dit-il sans la regarder, et encore moins quand elles brisent mes théières avant le petit déjeuner. Avez-vous un nom ?

— Rosnovski.

Il la fixa un court instant, s'assit à son bureau, jeta le sachet de thé dans un cendrier, puis griffonna quelque chose sur un carnet.

— Rosnovski, vous êtes la trentième.

— Mais vous ignorez mes qualifications.

— Rassurez-vous, je les connais parfaitement, répondit le professeur d'un ton sinistre. Pour la première séance, vous allez préparer un exposé sur... (il hésita), sur une des premières œuvres de Borromini, San Carlo alle Quatro Fontane.

Au revoir, ajouta-t-il, alors que la jeune fille notait frénétiquement le sujet sur son calepin.

Le professeur se pencha sur les restes de sa théière sans une parole de plus.

Florentina referma la porte sans bruit et descendit les marches lentement, en essayant de rassembler ses pensées. Pourquoi le professeur l'avait-il acceptée aussi vite ? Que pouvait-il savoir sur elle ?

Elle passa presque toute la semaine dans les cryptes du musée Fogg, s'absorba dans l'étude de doctes documents, prit les diapositives sur les reproductions des plans que Borromini avait dessinés pour l'église de San Carlo, compulsa même la liste interminable des dépenses afin de connaître le prix de ce chef-d'œuvre. Ensuite, elle prit le temps de visiter le rayon des porcelaines chez Shreve, Crumpet et Lowe.

Son étude achevée, elle répéta à voix haute son exposé et se sentit en confiance... une confiance qui s'évanouit dès l'instant où elle arriva au séminaire du professeur Ferpozzi.

La salle était déjà remplie d'étudiants, tous des garçons. D'après la liste des noms, Florentina découvrit avec horreur qu'elle était la seule non licenciée, la seule qui ne venait pas de la section des Beaux-Arts. Un appareil de projection trônait sur la chaire professorale.

— Le vandale est de retour, soupira le professeur, pendant que Florentina prenait place au premier rang, sur la seule chaise libre.

— Avis aux intéressés, n'invitez pas Mlle Rosnovski à prendre le thé chez vous, annonça le professeur, amusé par sa propre remarque. Puis il heurta le coin de la table avec sa pipe, signe que le cours allait commencer.

— Mlle Rosnovski, reprit-il avec assurance, va nous parler de l'Oratorio di San Filippo Neri, de Borromini.

Le cœur de Florentina cessa de battre : « Euh... non... »

Il sourit une deuxième fois :

— Oh ? pardon ! je me trompais. Il s'agissait, si je me souviens bien, de l'église de San Carlo...

Pendant vingt minutes, Florentina fit son exposé, montrant les diapos et répondant aux questions. Ferpozzi ne desserra les dents que pour corriger la prononciation de certains noms romains du XVIIe siècle.

Enfin, elle se rassit. Ferpozzi hocha la tête et d'un air pensif déclara : « Jolie présentation d'un génie. » Florentina se détendit et le professeur se redressa avec vivacité :

— Maintenant, j'ai le pénible devoir de vous montrer le contraste, annonça-t-il, et je voudrais que vous en preniez note, afin de préparer la discussion de la semaine prochaine.

Il plaça, ce disant, la première diapositive dans le projecteur. Consternée, Florentina vit apparaître sur l'écran une photo du Baron de Chicago, prise une dizaine d'années plus tôt, surplombant un pâté d'élégants petits immeubles de la Michigan Avenue. Un étrange silence s'abattit dans la pièce et un ou deux étudiants se penchèrent pour voir comment Florentina allait réagir.

— Barbare, n'est-ce pas ? dit Ferpozzi avec un sourire, et je ne me réfère pas seulement au bâtiment, ce symbole méprisable de l'autosatisfaction ploutocratique, mais aussi à l'effet d'ensemble que cet édifice produit sur son environnement urbain. Notez la façon dont cette tour brise le sens de la symétrie et de l'équilibre, dans le seul but d'attirer à elle le regard.

Il passa la diapositive suivante. Le Baron de San Francisco apparut sur l'écran.

— Légère amélioration, commenta-t-il, fixant l'assistance attentive dans la pénombre, due uniquement aux décrets de 1906, lesquels, à la suite du tremblement de terre, interdisaient plus de vingt étages. Et maintenant, jetons un coup d'œil à l'étranger, ajouta-t-il, en se tournant à nouveau vers l'écran sur lequel figurait à présent le Baron du Caire, dont les fenêtres miroitantes reflétaient l'image chaotique et misérable des bas quartiers qui s'étiraient à perte de vue.

— Qui peut en vouloir aux autochtones de fomenter des révolutions, lorsqu'on construit chez eux des monuments diaboliques comme celui-là, pendant qu'ils s'efforcent de survivre dans des taudis et ne disposent même pas de l'électricité ?

165

Inexorablement, des vues des Baron de Londres, de Johannesburg, de Paris, défilèrent sur l'écran.

— J'attends vos critiques sur toutes ces monstruosités, dès la semaine prochaine, conclut-il. Ont-elles une valeur architecturale ? Peuvent-elles être justifiées au niveau financier et vont-elles jamais être vues par vos petits-enfants ? Et si oui, pourquoi ? Bonne journée !

Tous les étudiants quittèrent la pièce à l'exception de Florentina, qui avait défait le paquet-cadeau qu'elle avait apporté.

— Je vous ai apporté un cadeau d'adieu, dit-elle en se redressant, une théière en terre cuite entre les mains.

Au moment où Ferpozzi s'apprêtait à la recevoir, elle la laissa tomber et la théière se brisa en mille morceaux.

— Je ne méritais pas moins, commenta Ferpozzi en souriant.

— Ce discours était indigne d'un homme de votre réputation, rétorqua-t-elle avec détermination.

— Je vous l'accorde, mais je voulais découvrir si vous aviez du courage. Si peu de femmes en possèdent.

— Imaginez-vous que votre position vous autorise ?...

Ferpozzi ébaucha un geste conciliant :

— La semaine prochaine je lirai avec intérêt votre plaidoirie sur l'empire de votre père, mademoiselle. Et je serais heureux de perdre mon pari.

— Parce que vous vous figurez que je reviendrai ?

— J'en suis convaincu, mademoiselle Rosnovski. Si vous valez la moitié de cette jeune personne dont mes collègues chantent les louanges, je devrai livrer bataille la semaine prochaine.

Florentina sortit en s'empêchant de claquer la porte derrière elle. Pendant une semaine, elle discuta avec des professeurs d'architecture, des urbanistes de Boston et des partisans de la défense du milieu urbain. Elle parla longuement au téléphone avec son père, sa mère et Georges Novak. Enfin, malgré les arguments qui lui avaient été avancés, elle conclut malgré elle que le professeur Ferpozzi n'avait pas exagéré.

166

Elle retourna au dernier étage de la bibliothèque et prit place au fond de la salle, inquiète à l'avance de ce qu'allaient dire ses camarades. Le professeur la regarda, avant de vider sa pipe dans un cendrier et de s'adresser à la classe :

— Vous laisserez vos rédactions sur mon bureau à la fin de la séance. Aujourd'hui, nous allons discuter de l'influence de Borromini sur les églises européennes, un siècle après sa mort.

Sur ce, il se lança dans un brillant exposé. A la fin du cours, il sélectionna un blondinet assis au premier rang et le chargea de préparer l'exposé suivant, relatant la première rencontre entre Borromini et Bernini.

Une nouvelle fois, Florentina demeura seule dans la salle vide. Elle donna au professeur un paquet enveloppé de papier kraft. Il le défit et mit au jour une théière en porcelaine anglaise datée de 1912.

— Magnifique ! s'exclama-t-il. Elle ne me quittera plus, jusqu'à ce que quelqu'un la brise. (Ils éclatèrent de rire.) Merci, mademoiselle.

— C'est moi qui vous remercie, de m'avoir épargné une nouvelle humiliation.

— Votre admirable sang-froid, inaccoutumé chez les femmes, en est la cause. Ce n'était pas nécessaire. J'espère que vous me pardonnerez, mais j'aurais été inexcusable de n'avoir pas essayé d'influencer celle qui un jour, règnera sur le plus vaste empire hôtelier du monde.

Jamais auparavant une telle idée n'avait traversé l'esprit de Florentina.

— Je vous prie d'assurer votre père que je descends toujours dans un Baron, quand je voyage. Les chambres, la nourriture et le service sont les plus acceptables parmi les grandes chaînes et une fois *dans* l'hôtel, on ne peut se plaindre de rien. J'espère que vous connaîtrez aussi bien le fils du tailleur de pierres que moi le bâtisseur d'empire de Slonim. Etre émigrants est quelque chose que nous avons en commun, votre père et moi, et dont nous sommes fiers. Au revoir, mademoiselle !

Florentina quitta le bureau sous les combles, consciente du

peu de connaissances qu'elle avait sur les travaux de son père. Durant l'année, elle travailla durement les langues modernes. Mais tous les mercredis après-midi, elle buvait les paroles du professeur Ferpozzi. Ce fut le président Conant qui observa au dîner, un soir, que malheureusement, son éminent collègue semblait entretenir avec Florentina le genre d'amitié qu'il aurait dû avoir trente ans plus tôt.

A Radcliffe, le jour de la distribution des diplômes ressemblait à une fête. Fiers et élégants, les parents côtoyaient les professeurs drapés dans leurs toges écarlates, pourpres ou multicolores, suivant leur échelon hiérarchique. Les professeurs se promenaient, tel un concile d'évêques, informant les visiteurs des exploits de leur progéniture, parfois avec une légère exagération. Dans le cas de Florentina, il n'y avait nul besoin d'exagérer, car elle avait obtenu son diplôme avec mention « très bien » et un peu plus tôt, dans l'année, elle avait été admise au *Phi Beta Kappa*.

C'était donc un jour de célébration et de tristesse à la fois pour Florentina et son amie Belle, qui allaient vivre dorénavant à deux endroits opposés de l'Amérique, l'une à New York et l'autre à San Francisco.

Belle et Claude s'étaient fiancés le 28 février, la même année de leur rencontre, pour « éviter l'année bissextile », disait Belle. Ils s'étaient mariés durant les vacances de Pâques, à la chapelle de Harvard. Claude avait insisté sur les mots amour, bonheur et obéissance et Belle avait dû acquiescer. Florentina avait compris combien ils étaient heureux lorsque, à l'occasion de la réception qui suivit le mariage, Claude lui lança : « Regarde ma femme, comme elle est jolie. »

Florentina avait souri et s'était retournée vers Belle, qui disait combien il était navrant que Wendy n'ait pas pu venir. « Paresseuse comme elle est ! » avait-elle ajouté en souriant jusqu'aux oreilles.

Personne n'avait travaillé autant que Florentina pendant

cette dernière année, aussi ses exploits n'avaient étonné personne, selon le mot de miss Rose.

— Je suis sûr qu'elle vous doit beaucoup, répondit Abel.

— Non, non, se défendit miss Rose. En tout cas, j'espérais persuader votre fille de retourner à Cambridge et d'entreprendre un doctorat d'université, mais elle semble avoir d'autres plans.

— Oui, confirma Abel. Florentina va travailler dans le groupe Baron comme directrice des boutiques dans les hôtels. Elles ont proliféré ces dernières années et je crains d'en avoir négligé la gestion.

— Tu ne m'avais pas dit ça, s'écria Belle, je croyais, au contraire...

— Chut ! coupa Florentina, un doigt sur les lèvres.

— Que se passe-t-il, mademoiselle ? Auriez-vous des secrets pour votre vieux père ?

— Papa, ce n'est ni l'endroit ni le moment.

— Allons, ne nous laisse pas dans l'angoisse, intervint Edward, est-ce que les Nations unies ou la General Motors t'ont fait savoir que, sans toi, elles ne pourraient survivre ?

— Je dois avouer, plaida miss Rose, que je meurs de curiosité de connaître comment vous comptez utiliser vos qualifications universitaires.

— En démarrant comme une fusée, plaisanta Edward.

— Ça, c'est la moindre des choses, répliqua Florentina. Tout le monde rit, sauf sa mère.

— Eh bien, proposa Belle, si tu ne trouves pas de job à New York, tu pourras toujours tenter ta chance à San Francisco.

— J'y songerai, répliqua Florentina sur un ton léger.

A son grand soulagement, la cérémonie de la distribution des diplômes mit fin à cette discussion. Georges Kenna, ancien ambassadeur en Russie, s'adressa au public et son discours fut accueilli avec enthousiasme. Florentina apprécia tout particulièrement la citation de Bismarck utilisée par l'orateur pour clore son discours : « Laissons à nos enfants quelques tâches à accomplir. »

— Un jour tu prononceras peut-être un discours de ce

genre, lança Edward, alors qu'ils traversaient la salle du Tricentenaire.

— Et quel en sera le thème, à ton avis ?

— Comment devenir la première femme Président.

Elle se mit à rire :

— Tu y penses toujours ?

— Et toi aussi, même si je dois te le rappeler.

Edward et Florentina avaient été aperçus très souvent ensemble pendant l'année. Les proches espéraient l'annonce de leurs fiançailles, mais Edward savait que tout cela était impossible. Florentina était une femme qui resterait éternellement inaccessible et il en avait pris son parti. Le destin avait voulu qu'ils restent de bons amis, rien de plus.


Florentina boucla ses bagages et dit au revoir à sa mère. Elle s'assura qu'elle n'avait rien oublié, puis s'assit sur le coin du lit et se remémora son séjour à Radcliffe. Elle était venue avec trois valises et repartait avec six, outre une licence de lettres. Un fanion de l'équipe de hockey sur glace, que Scott lui avait donné, était tout ce qui restait sur le mur. Elle le décrocha, le garda un moment dans la main, puis le jeta dans la corbeille à papier.

Peu après, elle s'installa à côté de son père à l'arrière de la voiture et le chauffeur les conduisit hors du campus.

— Pouvez-vous rouler moins vite ? demanda-t-elle.

— Bien sûr, mademoiselle.

Florentina se retourna et regarda à travers la vitre arrière les flèches de la ville de Cambridge disparaissant derrière l'écran des arbres. C'en était fini du passé.

**13**

La Rolls s'arrêta au feu rouge d'Arlington Street, près du jardin public. Florentina et son père discutaient de leur prochain voyage en Europe. Le feu passa au vert.

Une deuxième Rolls déboucha alors de l'avenue du Commonwealth. A l'arrière, une autre conversation se déroulait, entre un néo-licencié et sa mère.

— Parfois, je me dis que nous aurions dû t'envoyer à Yale, Richard, disait la mère, avec un regard affectueux.

Le jeune homme possédait naturellement l'allure aristocratique de son père de qui elle était tombée éperdument amoureuse vingt ans auparavant. Maintenant, son fils faisait partie de la cinquième génération de la famille à avoir terminé ses études à Harvard.

— Pourquoi Yale ? interrogea-t-il gentiment, tirant sa mère de ses réflexions.

— Il eût été plus sain que tu t'éloignes de l'atmosphère trop solennelle de Boston.

— Heureusement que papa n'est pas là ! Il aurait considéré cette remarque comme une trahison.

— Dois-tu vraiment retourner à la Harvard Business School, Richard ? N'y a-t-il pas d'autres écoles de ce genre ?

— Je veux devenir banquier, comme papa. Je tiens à suivre ses traces et, en l'occurrence, Yale n'arrive pas à la cheville de Harvard, se moqua-t-il.

Quelques minutes plus tard, la Rolls s'arrêtait devant une

somptueuse demeure sur Beacon Hill. La porte d'entrée s'ouvrit sur un maître d'hôtel.

— Les invités n'arriveront pas avant une heure, dit Richard en consultant sa montre, je vais aller me changer. Rendez-vous avant sept heures et demie dans le salon bleu.

Elle pensa qu'il avait la même voix que son père. Le jeune homme monta les marches deux par deux — dans la plupart des cas, il les montait quatre à quatre. Sa mère le suivit d'un pas posé, sans jamais toucher la rampe.

Le maître d'hôtel les regarda s'éloigner, avant de retourner à l'office. Henri Cabot Lodge, le cousin de Mme Kane, était invité à dîner. Il fallait vérifier plutôt deux fois qu'une que tout était parfait.

Richard prit une douche en souriant aux considérations de sa mère. Lui-même avait toujours voulu sortir de Harvard et dépasser si possible les exploits de son père. Il était impatient d'entrer à l'Ecole commerciale, à l'automne. Et pourtant, il souhaitait davantage encore emmener Marie Bigelow à la Barbade, cet été. Il l'avait rencontrée aux répétitions du club de musique et tous deux avaient ensuite joué dans le quatuor à cordes de l'université. L'effrontée petite demoiselle de Vassar jouait du violon beaucoup mieux qu'il ne jouait du violoncelle. Et lorsqu'il l'entraîna, hésitante, dans son lit, il découvrit que dans ce domaine aussi, elle avait plus d'une corde à son arc malgré son prétendu manque d'expérience.

Richard termina sa douche par un bon coup d'eau froide, avant de se sécher et de passer un costume de soirée. Il s'étudia dans le miroir : son veston croisé était d'une coupe impeccable. Ce soir, il serait le seul homme à être habillé au dernier cri de la mode, ce qui ne gâchait rien, lorsqu'on était, comme lui, mince et brun. Marie avait dit une fois que Richard était beau n'importe comment, en slip ou en robe de chambre.

Il se rendit au salon bleu et attendit sa mère. Lorsque celle-ci apparut, le maître d'hôtel vint servir l'apéritif.

— Mon Dieu ! Les vestons croisés sont-ils revenus à la mode ? demanda-t-elle.

172

— Aussi incroyable que cela puisse paraître, c'est la dernière mode, maman.

— Eh bien, je me souviens...

Le maître d'hôtel toussota avant d'annoncer « l'honorable Henri Cabot Lodge ».

— Henri ! s'exclama la mère de Richard.

— Chère Catie, répondit le visiteur en l'embrassant sur la joue.

Kate sourit. Son cousin portait un veston croisé. Richard sourit également. Car le veston de son oncle devait dater de vingt ans.

Richard et Marie Bigelow rentrèrent de la Barbade presque aussi bronzés que les indigènes. Ils firent halte à New York pour dîner avec les parents du jeune homme, qui approuvaient visiblement le choix de leur fils. Après tout, Marie était la petite nièce d'Allan Lloyd, qui avait succédé au grand-père de Richard comme P.-D.G. de la banque.

De retour à la Maison Rouge, la résidence bostonienne des Kane, située à Beacon Hill, le quartier le plus chic de la ville, Richard se remit à ses cours. Tout le monde l'avait déjà mis en garde : il allait suivre la discipline la plus rude de l'université, celle qui entraînait le plus grand nombre d'échecs. Pourtant, il fut étonné d'être aussi accaparé par ses études. Il n'avait plus un moment à lui et Marie se désespéra quand il abandonna le violoncelle et le quatuor dont ils faisaient partie tous les deux. Elle se désespéra plus encore, lorsqu'il ne lui resta que les week-ends pour la voir.

A la fin de l'année, elle suggéra de partir de nouveau en vacances à la Barbade. Furieuse, elle l'entendit refuser : il souhaitait rester à Boston pour continuer à étudier.

Richard avait résolu de terminer brillamment sa dernière année d'études. D'ailleurs, son père lui avait conseillé de ne pas dételer avant le dernier examen, précisant que s'il ne terminait pas dans les dix premiers de sa promotion, il lui serait inutile de poser sa candidature à la banque. Il n'était pas question qu'on puisse l'accuser de népotisme.

Pour Noël, Richard rejoignit ses parents à New York, où il ne resta que trois jours avant de retourner à Boston. Sa mère s'inquiétait de la pression à laquelle il se soumettait, mais son père fit valoir qu'il n'en avait plus que pour six mois. Après, il pourrait se reposer pour le restant de ses jours, s'il le voulait.

Kate ne changea pas d'avis. En vingt-cinq ans, elle n'avait pas vu son mari se reposer un seul instant.

A Pâques, Richard téléphona à sa mère pour l'informer qu'il devait rester à Boston durant les brèves vacances de printemps, mais elle lui arracha la promesse de faire un saut pour l'anniversaire de son père. Il en convint, à la condition de retourner à Harvard dès le lendemain.

Richard arriva au domicile familial, dans la 68e Rue, peu après quatre heures, l'après-midi de l'anniversaire de son père. Sa mère et ses deux sœurs, Virginie et Lucy, étaient là pour l'accueillir. Sa mère lui trouva une mauvaise mine. Elle avait hâte que les examens soient terminés. Sachant que son père n'aurait jamais quitté sa banque pour l'anniversaire de quiconque, Richard pensa qu'il arriverait après sept heures.

— Qu'est-ce que tu vas offrir à papa ? demanda Virginie.

— Justement, j'attendais tes conseils, répondit-il, flatteur. (En fait, il avait oublié d'acheter un cadeau.)

— Voilà ce qui s'appelle attendre le dernier moment, commenta Lucy. Moi il y a déjà trois semaines que j'ai acheté son cadeau.

— Il aurait besoin d'une paire de gants, intervint sa mère, la sienne est usée.

— Bleu marine, dit Richard en riant. Je m'en vais de ce pas chez Bloomingdale en choisir une.

Il descendit le long de Lexington Avenue, au cœur de Manhattan, en songeant à son père et en se disant que, si rien ne venait le distraire, il arriverait à terminer parmi les dix premiers, comme convenu entre eux. Il voulait imiter son père en tout et devenir un jour P.-D.G. de la banque. Cette idée le fit sourire.

Il poussa la porte de Bloomingdale, monta les marches et demanda à un employé où se trouvait le rayon des gants. En se frayant un chemin dans la foule qui avait envahi le magasin, il jeta un coup d'œil à sa montre. Il avait tout le temps de se changer pour le dîner, avant le retour de son père. Il regarda les deux vendeuses derrière le comptoir des gants et sourit. L'une d'elles, celle qu'il trouvait la moins jolie, répondit à son sourire. C'était une blonde décolorée avec un peu trop de rouge à lèvres et un décolleté tout juste acceptable chez Bloomingdale. Richard ne put s'empêcher d'admirer une telle confiance en soi. Un petit insigne épinglé au-dessus du sein gauche indiquait son nom : Maisie Bates.

— Puis-je vous aider, monsieur ?

— Oui, répondit Richard, avec un regard vers l'autre vendeuse, la brune. J'aurais besoin d'une paire de gants bleu foncé en cuir uni, ajouta-t-il sans un regard vers la blonde.

Maisie choisit une paire de gants et la lui fit essayer en poussant le cuir sur chaque doigt, puis le laissa les admirer.

— Si vous ne l'aimez pas, vous pouvez essayer une autre paire.

— Ça ira, dit-il, c'est à vous que je dois payer, ou à votre camarade ?

— Je peux m'en occuper.

— Merde ! siffla Richard entre les dents.

Il quitta le magasin à contrecœur, bien décidé à revenir le lendemain. Jusqu'à ce jour, il avait considéré l'amour comme un cliché ridicule, tout juste bon à intéresser les lectrices des revues féminines.

Son père fut ravi de « ce cadeau si bienvenu », et il le fut plus encore en apprenant les progrès de Richard à Harvard.

— Si tu termines parmi les dix premiers, je serai heureux de t'offrir une place de stagiaire à la banque, répéta-t-il pour la nième fois.

Virginie et Lucy échangeaient des sourires.

— Et si Richard est le premier, papa ? demanda Lucy, le nommeras-tu président ?

— Ne sois pas superficielle, ma fille. Si Richard devient président, il l'aura mérité grâce à des années et des années d'efforts. (Puis, se tournant vers son fils :) A propos, quand repars-tu pour Harvard ?

Richard ouvrit la bouche pour répondre « demain », mais il déclara : « Demain, je crois. »

— Tu as raison ! fut le seul commentaire de son père.

Le lendemain, Richard ne retourna pas à Harvard mais chez Bloomingdale, où il se dirigea tout droit vers le rayon des gants. Sans laisser l'occasion à l'autre vendeuse de le servir, Maisie s'élança vers lui. Il ne lui restait plus qu'à acheter une autre paire de gants et à rentrer chez lui.

Le surlendemain matin, il retourna au grand magasin pour la troisième fois et s'abîma dans la contemplation des cravates du rayon voisin, jusqu'à ce que Maisie soit occupée et que sa collègue soit libre. Alors, il s'avança d'un pas confiant vers le comptoir. A son horreur, Maisie laissa tomber sur-le-champ son client et se rua vers lui.

— Une nouvelle paire de gants ? gloussa-t-elle.

— Euh... oui... fit-il d'une voix faible.

Et il quitta Bloomingdale muni d'une troisième paire de gants en cuir uni bleu marine. Le jour suivant, il expliqua à son père qu'il allait rester à New York pour réunir quelques informations sur Wall Street, afin de compléter l'exposé qu'il devait faire. Dès que son père fut parti à la banque, il courut chez Bloomingdale. Il se dirigea vers le rayon des gants, s'attendant à ce que Maisie surgisse, mais ce fut l'autre vendeuse qui l'accueillit.

— Bonjour, monsieur !

— Oh ! Bonjour ! fit-il, pris de court.

— Puis-je vous aider ?

— Non ! Oui ! Je voudrais une paire de gants, ajouta-t-il sans grande conviction.

— Bien, monsieur ! Avez-vous remarqué les bleu marine en cuir ? Je suis sûre que nous avons votre taille, à moins que nous ne les ayons toutes vendues.

Il regarda le nom sur le petit insigne : « Jessie Kovats. » Elle apporta les gants. Il les essaya mais ils ne lui allaient pas. Il essaya une autre paire, tout en regardant de côté Maisie, qui lui sourit d'un air encourageant. Mlle Kovats lui présenta une troisième paire, qui lui allait parfaitement.

— C'est exactement ce qu'il vous faut, dit Jessie.

— Pas tout à fait, répondit Richard.

Jessie reprit à mi-voix :

— Je vais aller remplacer Maisie. Pourquoi ne l'invitez-vous pas à dîner ? Elle accepterait avec joie.

— Mais non, dit-il, vous n'avez rien compris. Ce n'est pas elle que je voudrais inviter, c'est vous !

Elle parut stupéfaite.

— Voulez-vous dîner avec moi, ce soir ?

— Oui, répondit-elle timidement.

— Puis-je passer vous chercher chez vous ?

— N-non, retrouvons-nous plutôt dans un restaurant.

— Où voulez-vous aller ?

Jessie ne répondit pas et Richard suggéra :

— Chez Allen, au coin de la 73e Rue et de la 3e Avenue, cela vous va ?

— Oui, parfaitement.

— Vers huit heures ?

— Vers huit heures.

Richard quitta Bloomingdale, satisfait. Il avait eu ce qu'il voulait, et ce n'était pas une paire de gants.


Richard ne se rappelait pas avoir jamais passé un jour entier à penser à une fille. A partir du moment où Jessie avait accepté son invitation, il n'avait plus eu que cette idée en tête. Enchantée par la décision de son fils de rester un jour de plus à New York, Kate se demanda si Marie Bigelow n'était pas en ville. « Sans aucun doute », décida-t-elle, lorsqu'elle entendit à travers la cloison de la salle de bains son fils chantonner : « J'avais un amour secret. »

Ce soir-là, Richard passa un temps fou à se préparer, dédaignant un costume du soir et optant, après réflexion, pour un blazer bleu foncé et un pantalon de flanelle grise. Il se regarda dans son miroir plus longtemps que de coutume. Il se trouva trop « bon chic, bon genre », mais comment y remédier en si peu de temps ? Il quitta la maison un peu avant sept heures, pour éviter d'expliquer à son père pourquoi il se trouvait encore à New York. L'air était vif et la soirée claire, lorsqu'il arriva chez Allen, quelques minutes après sept heures et demie. Il se fit servir une bière et ne cessa de consulter sa montre, surtout lorsque les aiguilles s'approchèrent de huit heures, puis les dépassèrent. Il se demandait s'il n'allait pas être déçu en revoyant la jeune fille. Il ne le fut pas.

Elle entra dans la salle de restaurant, le cherchant des yeux, resplendissante dans une simple robe bleue, qu'il supposa sortir des rayons de Bloomingdale, alors que n'importe quelle femme aurait reconnu un modèle de chez Zuckerman. Elle l'aperçut venant dans sa direction.

— Désolée d'être en retard.

— Aucune importance, puisque vous êtes là.

— Vous aviez peur que je ne vienne pas ?

— Je n'en étais pas sûr, dit-il, souriant. (Ils se regardèrent pendant un moment.) Je ne connais même pas votre nom, ajouta-t-il, ne voulant pas montrer qu'il l'avait lu maintes fois sur son insigne.

— Jessie Kovats, dit-elle après une courte hésitation. Et vous ?

— Richard Kane, répondit-il en lui tendant la main.

Elle la prit et il garda la sienne, réalisant soudain qu'il n'avait pas envie de relâcher cette douce main.

— Qu'est-ce que vous faites dans la vie quand vous n'achetez pas des gants chez Bloomingdale ? demanda Jessie.

— Je suis étudiant à la Harvard Business School.

— Et on ne vous a pas appris, là-bas, que la plupart des gens n'ont que deux mains ?

Il éclata de rire, ravi qu'elle eût de l'esprit.

— Si on s'asseyait ? proposa-t-il en la prenant par le bras pour la conduire à une table.

Jessie commença à étudier le menu sur le panneau d'affichage.

— C'est quoi un Salisbury steak ? demanda-t-elle.

— Un hamburger incognito.

A son étonnement, elle apprécia le jeu de mots et se mit à rire. A mesure que la soirée avançait, il commençait à se sentir coupable à son égard car, visiblement, Jessie avait vu plus de pièces de théâtre, lu plus de romans, et même entendu plus de concerts que lui. Pour la première fois de sa vie, il regretta d'avoir été à ce point accaparé par ses études.

— Vous vivez à New York ? interrogea-t-il.

— Oui, avec mes parents, répondit-elle, en sirotant son troisième café, que le garçon venait d'apporter.

— Dans quel quartier ?

— 57e Rue.

— Allons-y à pied, proposa-t-il en la prenant par la main.

Elle accepta avec un sourire. Ils se mirent en route, à travers la ville. Pour prolonger le voyage, Richard s'arrêta devant des vitrines qu'il n'aurait jamais regardées en temps normal. Les connaissances de Jessie sur la mode et la gestion commerciale étaient étonnantes. Richard regrettait qu'elle ait été obligée de quitter le lycée pour travailler au Baron, puis chez Bloomingdale.

Ils mirent plus d'une heure pour parcourir une soixantaine de numéros d'immeubles. Lorsqu'ils arrivèrent à la 57e Rue, Jessie s'arrêta devant un vieil immeuble modeste.

— Mes parents habitent là, dit-elle.

Richard lui prit la main :

— J'espère que nous nous reverrons.

— Je l'espère aussi, répliqua Jessie sur un ton peu encourageant.

— Demain ? demanda-t-il timidement. On pourrait aller à l'Ange Bleu voir Bobby Short. (Il lui reprit la main.) C'est plus romantique que chez Allen.

Jessie parut hésiter, comme si l'invitation lui causait quelque souci.

— Si vous n'y tenez pas...

— J'en serais enchantée, murmura-t-elle.

— Je dîne avec mon père et je passe vous prendre à dix heures ?

— Non, non, dit-elle, retrouvons-nous là-bas. C'est à côté.

— Alors, à dix heures.

Il se pencha et l'embrassa sur la joue, respirant pour la première fois son parfum délicat.

179

— Bonne nuit, Jessie, lança-t-il avant de s'éloigner.

Pendant le chemin du retour, Richard sifflota le concerto pour violoncelle de Dvorak. Il arriva chez lui à la fin du premier mouvement. Impossible de se souvenir d'une soirée plus heureuse. Il s'endormit et rêva de Jessie, et non de Galbraith ou de Freedman. Le lendemain matin, il accompagna son père à Wall Street et passa la journée à la bibliothèque, s'octroyant seulement une courte pause pour déjeuner. Le soir, au dîner, il parla à son père des recherches qu'il effectuait sur les offres publiques d'achat, puis eut peur d'avoir montré trop d'enthousiasme.

Après le dîner, il se retira dans sa chambre. Il s'assura que personne ne pouvait le voir se glisser à l'extérieur, quelques minutes avant dix heures. Arrivé à l'Ange Bleu, il retint une table et retourna devant le vestiaire pour attendre Jessie. Son cœur battait la chamade. Cela ne lui était jamais arrivé avec Marie Bigelow. Jessie arriva et il l'embrassa sur la joue, puis la conduisit dans la salle. La voix de Bobby Short vibrait : « Assez de mensonges, dis-moi la vérité. »

Comme Richard et Jessie entraient, le chanteur esquissa un geste de salutation. Richard fut d'autant plus surpris qu'il n'avait vu l'artiste qu'une fois sans jamais lui avoir été présenté. Le maître d'hôtel les conduisit à une table au milieu de la salle. A l'étonnement de Richard, Jessie s'installa le dos au piano. Richard commanda une bouteille de chablis et demanda à Jessie comment s'était passée sa journée.

— Richard, il y a quelque chose que je...

— Salut, Richard !

Un deuxième jeune homme en blazer bleu marine et en pantalon de flanelle grise se tenait près de la table.

— Bonsoir, Steve. Jessie Kovats, Steve Mellon, un camarade de Harvard.

— As-tu vu les Yankees dernièrement, demanda Steve.

— Non ! Je ne suis plus que les équipes gagnantes.

— C'est comme Eisenhower ! Avec son handicap au golf, on pourrait croire qu'il a fait ses études à Yale. (Ils discutèrent pendant quelques minutes et Jessie ne les interrompit pas.)

180

— Enfin, la voilà ! s'écria Steve, en regardant vers la porte, au revoir, Richard ! Ravi de vous avoir connue, Jessie !

Après son départ, Richard parla à Jessie de ses projets. Il voulait venir à New York et travailler à la Lester, la banque de son père. La jeune fille paraissait totalement absorbée par ce que racontait son compagnon et il espéra qu'au moins il ne l'ennuyait pas trop. Il s'amusa plus encore que la veille. En partant, il adressa un signe amical à Bobby Short.

Arrivés au bas de l'immeuble de Jessie, il l'embrassa pour la première fois sur les lèvres. L'espace d'un instant, elle répondit à son baiser, puis elle murmura « Bonne nuit », et disparut dans l'immeuble.

Le lendemain matin, Richard retourna à Boston. Aussitôt arrivé à la Maison Rouge, il appela Jessie. Etait-elle libre vendredi pour aller au concert ? Elle répondit par l'affirmative et, pour la première fois de sa vie, Richard nota ce rendez-vous sur son agenda. Dans la semaine, il reçut un coup de fil de Marie. Il essaya de lui expliquer, le plus gentiment du monde, qu'il n'était plus disponible.

Le week-end fut inoubliable. Ils allèrent au concert, puis au cinéma voir *le Crime était presque parfait*. Jessie parut même apprécier l'équipe de Knicks. A regret, Richard retourna à Harvard le dimanche soir. Les quatre mois qui suivirent consistèrent en de longues semaines et de courts week-ends. Il appelait Jessie tous les jours et ils passaient ensemble l'essentiel de leurs samedis et de leurs dimanches.

Richard commença à redouter les lundis. L'un de ces fameux lundis, à l'occasion d'un cours consacré au krach de 1929, Richard découvrit qu'il était incapable de se concentrer. Comment allait-il expliquer à son père qu'il était amoureux d'une fille qui vendait des gants, des écharpes et des bonnets de laine chez Bloomingdale ?

Lui-même avait du mal à admettre qu'une fille aussi intelligente et attirante que Jessie pût avoir si peu d'ambition. Si seulement elle avait eu les mêmes chances que lui... il écrivit le nom de sa bien-aimée sur son bloc-notes. Eh bien, son père n'en mourrait pas ! Il regarda ce qu'il avait écrit : Jessie Kane.

De retour à New York pour le week-end, Richard dit à sa mère qu'il avait besoin de sortir pour acheter des lames de rasoir. Elle lui suggéra d'utiliser celles de son père.

— Non, ça ne fait rien, dit-il, je préfère les miennes. On ne se sert pas de la même marque.

Kate Kane trouva la remarque d'autant plus bizarre qu'elle savait que son mari et son fils utilisaient la même marque de lames. Richard courut chez Bloomingdale et réussit à arriver avant la fermeture. Au rayon des gants, Maisie, assise dans un coin, se mettait du vernis à ongles.

— Est-ce que Jessie est là ? demanda-t-il, essoufflé.

— Non, elle est déjà partie chez elle, il y a quelques minutes à peine. Elle ne doit pas être bien loin. Dites...

Richard s'élança sur Lexington Avenue. Il chercha longuement Jessie parmi la foule et s'apprêtait à abandonner, lorsqu'il s'aperçut de loin le foulard rouge qu'il lui avait offert. Elle était de l'autre côté de la rue et se dirigeait vers la 5e Avenue. Son appartement se trouvait dans la direction opposée.

Se sentant un peu coupable, il décida de la suivre. Lorsqu'elle arriva à la hauteur de Scribner's, il s'arrêta net en la voyant entrer dans la librairie. Si elle cherchait de la lecture, elle aurait assurément pu trouver son bonheur chez Bloomingdale. Intrigué, il la regarda à travers la vitrine et la vit discuter avec un vendeur, qui la quitta un instant et revint avec deux livres. Il parvint à déchiffrer les titres : *la Société d'abondance,* de John Kenneth Galbraith, et *la Russie aujourd'hui*, de John Gunther. Jessie régla d'une signature, ce qui étonna Richard et sortit, alors qu'il se cachait au coin de la rue.

« Mais qui est cette fille ? » se demanda-t-il, la voyant entrer chez Bendel, le grand couturier. Le portier la salua comme une vieille connaissance. Là encore, Richard regarda à travers la vitre et vit les vendeuses entourer Jessie avec une grande déférence. Une dame plus âgée apparut avec un paquet que, de toute évidence, Jessie était venue chercher.

Elle l'ouvrit, en sortit une longue robe du soir rouge, approuva d'un sourire et la vendeuse rangea la robe dans un carton marron et blanc.

Les lèvres de Jessie formulèrent un « Merci » et elle se dirigea vers la porte, sans même signer son achat. Richard l'évita de justesse quand elle sortit précipitamment du magasin pour sauter dans un taxi. Lui aussi en héla un, au nez d'une vieille dame qui attendait, et ordonna au chauffeur de suivre le taxi précédent. « Comme au cinéma, hein ? » fit le chauffeur, mais Richard ne répondit pas. Lorsque le taxi de Jessie dépassa le petit immeuble devant lequel elle et lui se séparaient habituellement, il commença à se sentir malade.

Le taxi pris en filature continua sa route pendant une centaine de mètres encore et s'arrêta devant un immeuble neuf, où un portier en uniforme se dépêcha d'ouvrir la portière de la jeune fille. En proie à la colère et la consternation, Richard descendit de son taxi, s'apprêtant à se diriger vers la porte derrière laquelle Jessie avait disparu.

— Quatre-vingt-quinze cents, mon vieux ! dit une voix dans son dos.

— Oh pardon ! dit-il en donnant un billet au chauffeur, sans se soucier de la monnaie.

— Merci, petit père, dit le chauffeur, il existe quand même des gens heureux !

Richard courut à la porte de l'immeuble et réussit à rattraper Jessie au moment où elle entrait dans l'ascenseur.

Elle le regarda, muette.

— Qui es-tu ? demanda Richard alors que la porte de l'ascenseur se refermait.

Les deux autres occupants fixaient le vide, avec une indifférence étudiée, pendant que l'ascenseur montait au deuxième étage.

— Richard, j'avais l'intention de tout te dire ce soir. Jusqu'à présent, je n'avais pas trouvé le moment propice.

— Tu parles que tu allais tout me dire, grogna-t-il, en la suivant vers un appartement. Il y a trois mois que tu me mènes en bateau, en me racontant des tas de mensonges. Maintenant, j'exige la vérité.

183

Elle ouvrit la porte et il l'écarta brusquement pour entrer dans l'appartement, la laissant, impuissante, sur le seuil. Au bout d'une grande entrée, il y avait un vaste séjour, orné d'un riche tapis oriental et d'un magnifique bureau géorgien. Une pendule ancienne faisait face à une console d'angle portant un vase plein d'anémones. L'ensemble avait quelque chose de somptueux, même comparé à la maison des parents de Richard.

— Joli nid, pour une vendeuse, observa-t-il d'un ton acerbe. Je me demande lequel de tes amants te paie cela ?

Jessie s'avança d'un pas et le gifla si fort qu'elle se fit mal à la paume de la main.

— Comment oses-tu ? cria-t-elle. Sors de chez moi !

En disant ces mots, elle fondit en larmes. Richard la prit dans ses bras.

— Excuse-moi, murmura-t-il, je n'aurais pas dû t'insulter. Mais je t'aime tant, et je croyais te connaître si bien... Maintenant, je me rends compte que je ne sais rien de toi.

— Moi aussi, je t'aime, Richard. Je regrette de t'avoir giflé. Je ne veux pas te décevoir, mais il n'y a personne d'autre dans ma vie, je te le jure, dit-elle en lui caressant la joue.

— Je l'ai bien méritée, cette gifle, s'excusa-t-il en l'embrassant.

Serrés l'un contre l'autre, ils se laissèrent choir sur le divan, où ils restèrent un moment silencieux. Doucement il lui caressa les cheveux et lui sécha ses larmes. Jessie glissa ses doigts entre deux boutons de la chemise de Richard.

— Tu veux dormir avec moi ? demanda-t-elle doucement.

— Non, je veux rester éveillé, avec toi, toute la nuit.

Sans autre parole, ils se déshabillèrent et firent l'amour tendrement et timidement, craignant de se faire mal, désireux de bien faire. Finalement, Jessie posa sa tête sur l'épaule de Richard, et ils se mirent à parler.

— Je t'aime depuis le premier instant, dit-il. Veux-tu devenir ma femme ? Je me fiche pas mal de ce que tu es, ou de ce que tu fais, Jessie, mais j'ai besoin de toi pour le restant de ma vie.

— Moi aussi je voudrais t'épouser, Richard, mais il faut d'abord que je te dise la vérité.

Elle étendit la veste du jeune homme sur son corps nu.

— Mon vrai nom est Florentina Rosnovski.

Elle lui dit tout sur elle, ainsi que la raison de ce nom d'emprunt. Elle voulait être traitée comme une simple vendeuse pendant son stage, non comme la fille du Baron de Chicago. Richard ne souffla mot pendant tout le récit, et lorsqu'elle eut terminé son histoire, il demeura silencieux.

— Tu ne m'aimes déjà plus, maintenant que tu sais qui je suis ? demanda-t-elle.

— Chérie, dit-il calmement, mon père déteste le tien.

— Je ne comprends pas.

— La seule fois où j'ai entendu prononcer le nom de ton père en présence du mien, il est devenu fou furieux. Il prétend que le seul but de ton père dans la vie semble être la ruine de la famille Kane.

— Comment ? Mais pourquoi ? s'écria Florentina, stupéfaite. Je n'ai jamais entendu parler de ton père. Et comment nos pères se connaissent-ils ? Tu dois faire erreur.

— J'aimerais bien, soupira-t-il, et il répéta le peu que sa mère lui avait confié de la querelle entre Kane et Abel Rosnovski.

— Oh ! Mon Dieu ! C'est sans doute lui le « traître » dont mon père parlait lorsqu'il a changé de banque au bout de vingt-cinq ans. Qu'allons-nous faire ?

— Nous allons leur dire la vérité, déclara Richard. Que nous nous sommes rencontrés en toute innocence, que nous sommes amoureux l'un de l'autre et que nous allons nous marier... et aussi, que rien au monde ne pourra nous en empêcher.

— Attendons quelques semaines, suggéra Florentina.

— Pourquoi ? Tu crains que ton père puisse te convaincre de ne pas m'épouser ?

— Non, Richard, affirma-t-elle en reposant doucement sa tête sur son épaule. Jamais, mon amour. Mais cherchons d'abord un moyen de les mettre au courant sans les brusquer, avant de leur présenter les choses comme un fait accompli. Et puis, peut-être ne réagiront-ils pas avec autant de véhémence que tu l'imagines. Après tout, comme tu l'as dit, l'affaire du Richmond date de vingt ans.

— Crois-moi, ils ne vont pas le digérer. Mon père serait outré de nous voir ensemble, sans qu'il soit question de mariage.

— Raison de plus pour attendre un peu avant de leur annoncer la nouvelle. Cela nous donnera le temps de réfléchir à la meilleure façon de le faire.

Il l'embrassa :

— Je t'aime, Jessie.

— Florentina !

— Encore une chose à laquelle il va falloir que je m'habitue, dit-il.

Richard passa un après-midi par semaine à se renseigner sur l'origine de l'hostilité régnant entre les deux pères. C'était devenu une obsession, qui le hantait même pendant les heures de cours. La façon dont le Baron de Chicago avait tenté d'exclure son père de son propre conseil d'administration, méritait d'être étudiée à la Harvard Business School.

Plus Richard s'informait, plus il découvrait que la haine entre son père et celui de Florentina était profonde. La mère de Richard accepta d'en parler comme si cela la soulageait.

— Pourquoi accordes-tu une telle importance à M. Rosnovski ? demanda-t-elle.

— Je suis tombé sur son nom dans le *Wall Street Journal*. (C'était vrai et faux à la fois.)

De son côté, Florentina prit une demi-journée de congé de chez Bloomingdale et s'envola vers Chicago pour mettre sa mère au courant. Zaphia parla plus d'une heure de la querelle et Florentina ne put qu'espérer que sa mère exagérait les faits. Quelques astucieuses questions posées à Georges Novak la détrompèrent cruellement.

Tous les week-ends, les deux amants échangeaient leurs

informations et, chaque fois, ils ajoutaient encore un grief à la longue liste des différends séparant les deux familles.

— Tout cela paraît si mesquin ! s'exclama Florentina. Pourquoi ne se rencontrent-ils pas pour en parler ? Normalement ils auraient dû bien s'entendre.

— D'accord, répondit Richard, mais lequel de nous deux osera leur faire une telle proposition ?

— Tous les deux, tôt ou tard !

Et les semaines passaient. Richard se montrait toujours gentil et attentif. Il essayait de distraire Florentina en l'emmenant au théâtre, aux concerts du New York Philarmonic, à Central Park où ils faisaient de longues promenades. Mais inexorablement, la conversation revenait sur leurs parents.

Même pendant un récital de violoncelle que Richard donna pour elle toute seule, dans son appartement, l'esprit de Florentina ne cessa de voguer vers son père. Comment pouvait-il se montrer aussi inflexible ? Après avoir achevé la sonate de Brahms, Richard posa son archet et regarda Florentina au fond de ses yeux gris.

— Il faut tout leur dire, dit-il en la prenant dans ses bras.

— Je sais, mais je ne veux pas blesser mon père.

— Je comprends...

Elle fixa le plancher :

— Vendredi prochain, papa revient de Washington.

— Alors, ce sera vendredi prochain, dit calmement Richard, sans desserrer son étreinte.

En regardant la voiture de Richard s'éloigner, cette nuit-là, Florentina se demanda si elle aurait le courage d'aller jusqu'au bout de ses résolutions.

Le vendredi suivant, Richard n'alla pas à son cours et il arriva tôt à New York, pour passer l'après-midi avec Florentina. Des heures durant, ils discutèrent de ce qu'ils allaient dire à leur père respectif. A sept heures du soir, tous deux quittèrent l'appartement de Florentina, dans la 57e Rue. Ils marchèrent sans un mot et, à la hauteur de Park Avenue, ils s'arrêtèrent au feu de signalisation.

— Tu m'épouseras ? questionna-t-il.

Cette phrase allait demeurer dans l'esprit de Florentina,

tandis qu'elle se préparait à parler à son père. Une larme coula sur sa joue, une larme totalement déplacée en cet instant de bonheur intense. Richard tira de sa poche un petit écrin de cuir fauve, l'ouvrit et glissa sur l'annulaire gauche de Florentina une bague de fiançailles, un saphir serti de diamants. Il essaya de lui sécher ses larmes par des baisers. Enfin ils se séparèrent et, après un long regard, Richard s'éloigna.

Ils avaient décidé de se retrouver chez elle, aussitôt après l'épreuve. Elle fixa la bague à son doigt, à côté de l'ancienne, sa favorite du passé.

Richard marchait dans Park Avenue, en ressassant les phrases qu'il avait si minutieusement préparées, et il se retrouva dans la 68e Rue, pas tout à fait prêt à affronter son père.

Ce dernier se trouvait dans le salon, buvant un whisky soda, avant d'aller se changer pour le dîner. La mère de Richard se plaignait du manque d'appétit d'une de ses filles.

— Virginie a décidé de devenir la fille la plus mince de New York.

Richard aurait bien voulu en rire.

— Ah ! Richard, bonsoir ! Nous t'attendions plus tôt.

— Oui, mais je devais voir quelqu'un.

— Qui ? demanda la mère, sans plus d'intérêt.

— La femme que je vais épouser !

Ses parents le regardèrent, stupéfaits. Ce n'était pas la phrase d'approche que Richard avait si soigneusement préparée. Son père recouvra son sang-froid le premier.

— Tu ne penses pas être un peu trop jeune ? Marie pourrait attendre encore un peu, j'en suis sûr.

— Je n'ai pas l'intention d'épouser Marie.

— Non ? dit la mère.

— Non... il s'agit de Florentina Rosnovski.

Kate Kane devint très pâle.

— La fille d'Abel Rosnovski ? s'enquit William Kane d'une voix blanche.

— Elle-même, répondit Richard avec fermeté.

— Est-ce une plaisanterie, Richard ?

— Non, papa ! Nous nous sommes rencontrés dans des circonstances extraordinaires et nous sommes tombés amoureux l'un de l'autre en ignorant le malentendu qui sépare nos familles.

— Le malentendu ? répéta William Kane, le malentendu, dis-tu ? Tu ne savais pas que ce parvenu, cet immigré polonais, a passé toute sa vie à vouloir ma perte et qu'une fois il y a presque réussi ? Et tu oses décrire cela comme un simple malentendu ? Ecoute, Richard ! Je t'interdis de revoir la fille de cet escroc, si tu tiens à devenir membre du conseil de la banque Lester. As-tu pensé à cela ?

— Oui, mais je ne changerai pas ma décision. J'ai rencontré la femme de ma vie et je suis fier qu'elle consente à m'épouser.

— Elle a triché, oui ! Elle t'a séduit pour que son père puisse me voler ma banque ! Tu ne comprends donc rien à leurs plans ?

— Tu ne peux croire à une chose aussi absurde, papa.

— Absurde ? Il m'a déjà accusé d'être responsable de la mort de son partenaire, un certain Davis Leroy lorsque je...

— Père ! Florentina ignorait tout de vos querelles jusqu'à ce qu'elle m'ait rencontré. Tout cela n'est pas raisonnable.

— Est-elle enceinte ? Es-tu obligé de l'épouser ?

— Père ! C'est indigne de vous ! Florentina n'a jamais exercé la moindre pression sur moi, depuis le début. Au contraire ! (Richard se tourna vers sa mère.) Voulez-vous la rencontrer, tous les deux ? Vous comprendrez ensuite qui elle est.

Kate allait répondre quand William Kane hurla :

— Non, jamais !

Puis il ordonna à sa femme de quitter la pièce. Comme elle s'éloignait, Richard put voir que sa mère pleurait.

— Ecoute-moi bien, mon garçon ! Si tu épouses la fille Rosnovski, je te coupe les vivres !

— Vous raisonnez comme vos ancêtres et imaginez que l'argent peut tout acheter. Je ne suis pas à vendre.

— Epouse plutôt Marie Bigelow. C'est une fille respectable et du même milieu que nous.

Richard éclata de rire :

— Quelqu'un comme Florentina est irremplaçable, même par une famille de grands bourgeois.

— Tu oses comparer notre patrimoine à celui de ce Polac stupide !

— Jamais je n'aurais pensé qu'un homme comme vous, père, pût être victime de ce genre de préjugés ridicules.

William Kane fit un pas vers son fils, mais Richard ne broncha pas. Son père s'arrêta devant lui :

— Hors d'ici ! hurla-t-il, tu n'es plus mon fils !

Richard quitta la pièce. Il traversa le hall et aperçut sa mère appuyée à la balustrade. Il alla vers elle et l'enlaça.

Elle murmura : « Je t'aimerai toujours » puis le relâcha brusquement, quand elle entendit son mari arriver dans le couloir.

Richard referma doucement la porte d'entrée derrière lui et se retrouva dans la 68e Rue. Se demandant comment Florentina s'était débrouillée de son côté, il héla un taxi et, sans regarder en arrière, donna au chauffeur l'adresse de la 57e Rue.

De sa vie il ne s'était senti aussi libre.

Arrivé à destination, il demanda au portier si Mlle Rosnovski était rentrée. Elle n'était pas encore arrivée. Il l'attendit sous la marquise, craignant qu'elle n'ait pu repartir. Perdu dans ses pensées il ne vit pas un deuxième taxi s'arrêter. La frêle silhouette de Florentina en émergea. Elle tenait un mouchoir taché de sang à ses lèvres. Elle s'élança vers lui et ils montèrent rapidement dans l'appartement.

— Richard, je t'aime ! furent ses premiers mots.

— Moi aussi, dit-il en la tenant tout contre lui, comme si leur étreinte pouvait résoudre le problème.

Il raconta sa version. Florentina écoutait, pendue à ses lèvres.

— Il a menacé de me laisser sans le sou si je t'épouse. Mais quand vont-ils comprendre qu'on se fiche pas mal de leur fric ? J'ai essayé de faire appel à ma mère, mais cela n'a servi à rien. Mon père l'a carrément chassée de la pièce. Elle

190

pleurait, la pauvre... Ça m'a donné du courage. J'ai planté mon père au beau milieu d'une phrase et je suis parti. J'espère qu'il ne va pas se défouler sur Virginie ou Lucy. Et avec le tien ? Comment cela s'est-il passé ?

— Il m'a frappée, répondit-elle, très calme. Il m'a donné une gifle, pour la première fois de ma vie. Il est capable de te tuer s'il nous trouve ensemble, Richard, mon chéri, partons d'ici avant qu'il nous découvre, c'est ici qu'il viendra en premier. Mon Dieu, j'ai peur...

— Ne crains rien, Flo ! Nous allons partir ce soir, aussi loin que possible et qu'ils aillent au diable.

— Il te faut combien de temps pour faire tes bagages ?

— Je ne peux pas ! Je ne peux plus rentrer à la maison. Prépare tes affaires et fichons le camp. J'ai à peu près cent dollars en poche et j'emporte mon violoncelle. Tu tiens toujours à épouser un type qui possède cent dollars en tout et pour tout ?

— Une vendeuse de grand magasin ne peut guère espérer mieux. Et dire que j'avais rêvé d'être une femme entretenue ! Pour un peu, tu exigerais une dot, ajouta-t-elle en fouillant dans son sac. Tiens, j'ai cent douze dollars et une carte de l'American Express. Vous me devez 56 dollars, Richard Kane, mais je peux vous faire crédit, à un dollar par an.

Une demi-heure plus tard, Florentina avait bouclé ses bagages. Elle s'assit à son bureau, griffonna un mot d'explication à son père, lui disant qu'elle ne le reverrait plus tant qu'il n'aurait pas accepté Richard, et laissa l'enveloppe sur la table de chevet.

Richard appela un taxi.

— A l'aéroport d'Idlewild, dit-il, après avoir placé les trois valises de Florentina et son violoncelle dans le coffre de la voiture.

A l'aéroport, Florentina donna un coup de fil qui parut la soulager. Elle en parla à Richard, qui prit deux billets d'avion. A 7 h 30, le Super Constellation de l'American Airlines roula sur la piste et décolla pour un vol de sept heures. Richard aida Florentina à attacher sa ceinture.

Elle lui sourit :

— Si vous saviez combien je vous aime, monsieur Kane...

— Je crois le savoir, madame Kane.

— Toute ta vie tu vas regretter ce que tu viens de faire.

Il ne répondit pas tout de suite. Il était assis, figé, les yeux fixes. Enfin, il lâcha.

— Je t'interdis de le revoir.

Elle quitta la pièce sans une parole de plus. Il demeura assis dans le fauteuil en cuir cramoisi, seul. Le temps restait suspendu. Il n'entendit pas la sonnerie du téléphone. Le maître d'hôtel frappa à la porte, puis entra.

— M. Abel Rosnovski est sur la ligne, Monsieur. Dois-je répondre que vous êtes là ?

William Kane ressentit une violente douleur à l'estomac. Oui, il devait répondre. Il se leva et dut faire un effort surhumain pour rester debout. Il marcha péniblement jusqu'au téléphone et prit l'écouteur.

— Ici William Kane.

— Rosnovski à l'appareil.

— Vraiment ! Quand cette idée vous a-t-elle pris de pousser votre fille dans les bras de mon fils ? Sans doute au moment où vous avez échoué dans vos rêves les plus fous : acculer ma banque à la faillite ?

— Ne soyez donc pas si...

Abel se contint avant de poursuivre :

— Je veux tout autant que vous que ce mariage n'ait pas lieu. Je n'ai jamais essayé de vous prendre votre fils. J'ai appris son existence aujourd'hui seulement. J'aime ma fille encore plus que je vous déteste et ne veux plus la perdre. Pouvons-nous nous rencontrer pour un arrangement à l'amiable ?

— Non ! dit William Kane.

— A quoi bon remuer le passé, Kane ? Si vous savez où ils se trouvent, nous pouvons peut-être les empêcher de commettre le pire. C'est ce que vous voulez aussi, non ? Où êtes-vous devenu à ce point vaniteux que vous préférez regarder votre fils épouser ma fille sans réagir ?

William Kane raccrocha et réintégra son fauteuil.

Le maître d'hôtel réapparut pour annoncer que le dîner était servi.

— Je n'ai pas faim. Et je ne suis là pour personne.

— Bien, Monsieur.

Le maître d'hôtel sortit. William Kane resta à nouveau seul. Personne ne vint le déranger jusqu'au lendemain matin.

## 14

Le vol 1049 venait d'atterrir à l'aéroport international de San Francisco, Florentina se sentait un peu coupable d'avoir prévenu ses amis à la dernière minute.

A peine Richard posa-t-il un pied sur la piste qu'il vit une espèce de colosse en jupons accourir, puis serrer Florentina dans ses bras.

— Toi alors, on peut dire que·tu ne laisses aucun choix aux copines ! hurla-t-elle. Appeler juste avant de grimper dans l'avion...

— Pardonne-moi, Belle ! Je ne le savais pas moi-même.

— Ne sois pas stupide, c'est très bien ainsi. Justement, on était en train de se dire avec Claude qu'on n'avait aucun projet pour la soirée.

Florentina se mit à rire, et fit les présentations.

— Vous n'avez pas d'autres bagages ? s'enquit Belle en montrant les trois valises et le violoncelle.

— Nous avons dû partir précipitamment, expliqua Florentina.

— Ici vous êtes chez vous, affirma Belle, tout en s'emparant de deux valises.

— Dieu merci, tu n'as guère changé, Belle !

— Si, dans un certain sens. Je suis enceinte de six mois. Je me sens comme un panda géant, bien que personne ne le remarque.

Les deux amies se frayèrent un chemin parmi la foule, en

direction du parking. Richard les suivait avec son violoncelle, et Claude fermait le cortège.

Pendant le trajet vers San Francisco, Belle apprit à ses amis que Claude avait trouvé du travail dans un cabinet d'avocat, la Pillsbury, Madison et Satro.

— Il s'est bien débrouillé, non ? fit-elle, pleine de fierté.

— Quant à Belle, elle est devenue prof de gym au lycée du coin et depuis ils n'ont pas perdu un seul match de hockey, ajouta Claude, avec une égale fierté.

— Et vous ? questionna Belle, un doigt pointé vers Richard. D'après vos bagages, je présume que vous êtes un musicien en quête de contrat.

— Pas exactement, répondit-il en riant. Je suis un futur banquier et dès demain, je commencerai à chercher un emploi.

— Quand allez-vous vous marier, tous les deux ?

— Dans trois semaines environ, dit Florentina. Je voudrais me marier à l'église, et puis il faut attendre la publication des bans.

— Alors, d'ici là, vous allez vivre dans le péché, plaisanta Claude, tandis que la voiture dépassait la pancarte de bienvenue de la ville. Quel couple moderne ! J'en ai toujours rêvé, mais Belle est vieux jeu.

— Mais pourquoi donc avez-vous quitté New York ? demanda Belle, ignorant le commentaire de son mari.

Florentina leur raconta tout. Comment elle avait rencontré Richard, ainsi que la querelle historique qui opposait leurs deux pères. Belle et Claude écoutèrent en silence l'incroyable récit, jusqu'à ce que la voiture s'arrête.

— Voilà la maison, annonça Claude en tirant énergiquement sur le frein à main.

Florentina descendit sur la chaussée. La rue présentait une forte pente et surplombait la baie.

— Quand Claude sera augmenté, nous irons vivre au sommet de la colline, dit Belle. Pour l'instant, nous restons sur le flanc.

— Fantastique ! s'exclama Florentina en pénétrant dans le petit pavillon.

196

A la vue des crosses de hockey, elle sourit.

— Venez, appela Belle, je vais vous montrer votre chambre. Vous pourrez défaire vos valises.

Ils grimpèrent un petit escalier en colimaçon.

— Voilà la chambre d'amis. Elle est moins luxueuse que la suite présidentielle du Baron, mais meilleure que celles des communautés hippies.

Plus tard, Florentina découvrirait que Belle et Claude avaient remplacé les deux lits jumeaux de la chambre d'amis par le grand lit de leur propre chambre, de sorte que leurs invités puissent dormir ensemble. Il était 4 heures du matin à New York lorsque Richard et Florentina allèrent enfin se coucher.

— Eh bien, dit Richard, puisque Grace Kelly n'est plus libre, je crois que je vais faire ma vie avec toi. Du reste, Claude avait raison, nous devrions vivre dans le péché.

— Si tu vivais dans le péché avec lui, personne à San Francisco ne l'aurait remarqué.

— Tiens, tiens, déjà des regrets ?

— Parfaitement ! J'avais toujours espéré que je vivrais avec un homme qui préfère le côté gauche du lit.

Dès le lendemain matin, après un copieux petit déjeuner préparé par Belle, Florentina et Richard se mirent à éplucher les offres d'emploi dans les journaux.

— Il faut trouver un job rapidement, dit Florentina, notre argent ne va pas durer plus d'un mois.

— Ce sera plus facile pour toi. Je ne connais pas beaucoup de banques qui m'engageraient sans diplôme et sans une recommandation de mon père.

— Ne t'inquiète pas. Nous triompherons de nos deux pères !

Mais Richard avait vu juste. Il ne fallut pas plus de trois jours à Florentina et un coup de fil à son ex-employeur, chez Bloomingdale, pour trouver du travail dans une nouvelle boutique de mode, nommée « Loin de Colomb », qui cherchait une vendeuse qualifiée par une petite annonce dans le *San Francisco Chronicle*. Une semaine de plus, et le directeur de la boutique se rendait compte qu'il avait déniché l'oiseau rare.

De son côté, Richard sillonnait San Francisco, allant de banque en banque. Invariablement, le directeur du personnel le priait de le rappeler, et lorsqu'il téléphonait, on lui apprenait qu'il n'y avait aucune place disponible correspondant à ses qualifications. La date du mariage approchait et Richard commençait à s'angoisser.

— On ne peut leur en vouloir, disait-il, ils font tous des affaires avec mon père. Ils n'osent pas se fâcher avec lui.

— Quelle bande de lâches ! Il n'y a donc pas une seule banque qui ne collabore avec la Lester ?

Le visage enfoui dans les mains, Richard se mit à réfléchir :

— Si, dit-il, la Bank of America. Mon père s'est disputé avec la direction à propos d'une caution honorée tardivement, qui lui a fait perdre des intérêts. Il s'était juré de ne plus collaborer avec eux. Oui, je pourrais toujours essayer. Je leur passerai un coup de fil demain.

Le lendemain, le directeur demanda à Richard si sa requête avait un quelconque rapport avec le différend bien connu entre la Bank of America et M. William Kane.

— Oui, monsieur, répondit-il.

— Bien ! Nous avons au moins quelque chose en commun. Vous allez commencer lundi prochain au poste de caissier et si vous êtes le digne fils de William Kane, je gage que vous ne ferez pas de vieux os derrière le guichet.

Richard et Florentina se marièrent un samedi, trois semaines après leur arrivée à San Francisco. La cérémonie fut toute simple. Elle fut célébrée à l'église Saint-Edouard, par le père O'Reilly, venu exprès de Chicago avec la mère de Florentina. Claude emmena la jeune mariée à l'autel, puis se posta près de Richard, dont il était le témoin. Gargantuesque dans sa robe de grossesse rose bonbon, Belle s'acquitta du rôle de témoin de la mariée. Le mariage fut ensuite arrosé sur le port, chez Di Maggio. Les deux salaires des jeunes mariés ne suffisaient pas pour payer l'addition et Zaphia dut participer aux frais.

— Si vous avez envie d'un bon dîner, tous les quatre, passez-moi un coup de fil et j'arriverai par le prochain avion, promit-elle.

A une heure du matin, les jeunes mariés se retirèrent dans leur chambre.

— Mon Dieu ? Qui eût cru que j'aurais épousé un caissier !

— Et moi donc ! Comment aurais-je pu imaginer que ma femme serait vendeuse de magasin ! D'un point de vue sociologique, ce mariage est un succès.

— Espérons qu'il le sera sur tous les autres points, conclut Florentina en éteignant la lumière.


Abel n'avait de cesse de découvrir sa fille. Après de nombreux coups de fil, télégrammes et autres efforts désespérés pour mobiliser la police, il se dit qu'il lui restait une seule issue. Il composa un numéro de téléphone à Chicago.

— Allô ? fit une voix, presque aussi glaciale que celle de William Kane.

— C'est moi. Tu peux deviner la raison de mon appel.

— Oui, je me doutais que tu allais me faire signe.

— Depuis quand es-tu au courant au sujet de Florentina et de Richard Kane ?

— Depuis trois mois, environ. Florentina est venue me voir à Chicago et elle m'a tout avoué. Elle n'a pas exagéré, c'est un type épatant !

— Où sont-ils maintenant, tu le sais ?

— Oui !

— Alors ? Où ça ?

— Tu n'as qu'à les trouver toi-même.

Zaphia raccrocha. Bah ! se dit Abel, encore une sur qui il ne faut pas compter. Sur son bureau traînait toujours le dossier du fameux voyage en Europe. Abel ne l'avait même pas ouvert. Il se mit à tourner les pages : deux billets d'avion, deux réservations à Londres et à Edimbourg, deux billets d'opéra, deux billets de théâtre... mais à présent, il y allait tout seul, Florentina n'inaugurerait pas les Baron d'Edimbourg et de Cannes...

Abel finit par sombrer dans un sommeil de plomb, comme s'il ne désirait plus se réveiller, plus jamais. Georges le trouva le lendemain à huit heures du matin, appuyé sur son bureau. Il promit à Abel de retrouver Florentina avant son retour d'Europe. Mais à force de lire et de relire la lettre de sa fille, Abel avait compris que, même s'il la retrouvait, elle n'accepterait pas de le voir.

## 15

— Je voudrais emprunter trente-quatre mille dollars, dit Florentina.

— Pour quoi faire ? demanda Richard froidement.

— Pour acheter le bail d'un petit immeuble sur Nob Hill. Je veux ouvrir ma propre boutique de mode.

— Quelles sont les clauses du bail ?

— Il court sur dix ans, renouvelable.

— Quelles garanties peux-tu offrir pour cet emprunt ?

— Trois mille actions du groupe Baron.

— Le groupe Baron est une société privée, annonça Richard. Ces actions n'ont aucune valeur pour une banque, parce qu'elles ne peuvent être négociées sur le marché boursier.

— Mais le groupe vaut cinquante millions de dollars et je possède 1 % de la totalité.

— De quelle façon as-tu obtenu ces actions ?

— Mon père m'en a fait cadeau, pour mes vingt et un ans.

— Alors pourquoi ne pas lui emprunter cette somme directement ?

— Oh ! Et puis zut ! Va-t-on me poser toutes ces questions ?

— J'en ai bien peur, Jessie !

— Les directeurs de banque sont-ils tous aussi durs que toi ? On ne m'a jamais traitée comme ça à Chicago.

— Parce que ton père offrait une excellente garantie. Ici, ils ne te connaissent pas et, donc, ils ne se montreront pas aussi conciliants. Un directeur de banque doit avant tout partir du principe que tout emprunt risque de ne pas être remboursé. C'est pourquoi, il n'accepte de traiter que si le risque est couvert du double de la somme, à défaut de quoi il risque tout simplement de sauter. Quand on emprunte de l'argent, il faut toujours essayer de se mettre à la place du prêteur. Les demandeurs sont toujours sûrs et certains de pouvoir rembourser. Le banquier, lui, sait que 50 % des prêts qu'il consent lui coûteront de l'argent ou ne lui en rapporteront pas dans le meilleur des cas. Il doit donc se montrer circonspect, s'il veut rentrer dans son argent. Mon père disait que la plupart des contrats financiers rapportent 1 % d'intérêts à la banque, alors, tu comprends, un banquier ne peut pas se permettre de perdre un contrat à 100 % plus d'une fois tous les cinq ans.

— Tout cela est parfait. Mais comment dois-je répondre à la question : « Pourquoi donc n'allez-vous pas voir votre papa ? »

— Il faut dire la vérité. Les affaires sont fondées sur la confiance. S'ils sentent que tu as toujours été régulière avec eux, ils te soutiendront en cas de difficulté.

— Tu n'as toujours pas répondu à ma question.

— Tu n'as qu'à dire : « Je suis fâchée avec mon père pour des raisons familiales et je voudrais, quand même, réussir toute seule. »

— Et tu penses que cela marchera ?

— Ce n'est pas sûr, mais au moins tu auras abattu tes cartes. Et maintenant, revoyons le problème depuis le début.

— Est-ce nécessaire ?

— Personne ne te doit cet argent, Jessie.

— Bon, je reprends : je voudrais emprunter trente-quatre mille dollars...

— Cela fait beaucoup d'argent. Pourquoi en avez-vous besoin ?

— J'ai l'intention d'acheter...

— Le dîner est servi ! cria Belle de la cuisine.

— Ouf ! Sauvée ! soupira Florentina.

— Seulement jusque après le dîner. Combien de banques vas-tu contacter lundi ?

— Trois : la Banque de Californie, la Wells Fargo et la Crocker. A moins que tu n'acceptes de m'ouvrir un compte à la Bank of America et de me passer les trente-quatre mille dollars sous la table. Tiens, au fait, pourquoi pas ?

— Parce que les prisons ne sont pas encore mixtes.

La tête de Claude passa par l'entrebâillement de la porte :

— Dépêchez-vous si vous voulez trouver encore quelque chose à vous mettre sous la dent.


Pendant ce temps, Georges recherchait activement Florentina, tout en continuant à diriger le groupe Baron. Il voulait obtenir un résultat concret avant le retour d'Abel.

En un quart d'heure, Georges avait obtenu plus de succès qu'Abel auprès de Zaphia. Celle-ci fut ravie de lui apprendre qu'elle faisait souvent l'aller-retour sur la côte Ouest pour rendre visite aux jeunes mariés. Un coup de fil à une agence de voyage de Chicago suffit pour dévoiler la vérité : Mme Rosnovski se rendait régulièrement à San Francisco. Vingt-quatre heures plus tard, Georges découvrait l'adresse et le numéro de téléphone de Florentina. Il réussit même à lui parler au téléphone, bien qu'il sentît sa réticence.

Visiblement très curieux d'apprendre ce qui se passait dans la vie d'Abel, Henry Osborne proposa d'aider Georges. Il essaya même de lui extorquer une nouvelle fois de l'argent.

— Vous devez attendre le retour d'Abel, répondit Georges sèchement.

— Hélas, je ne puis attendre aussi longtemps.

— Je regrette, mon cher, mais je ne suis pas autorisé à accorder des prêts personnels.

— Même pas à un membre du conseil ? Vous regretterez toute votre vie cette décision, Georges ! Après tout, je sais mieux que vous comment le groupe a débuté. Je suis persuadé que certaines personnes me paieraient une fortune pour ce genre d'informations.

Chaque fois qu'il revenait d'Europe, Abel retrouvait Georges à l'aéroport d'Idlewild. Le fidèle adjoint arrivait une vingtaine de minutes avant l'atterrissage. D'habitude, son patron lui demandait impatiemment comment se portait le groupe. Cette fois, le sujet de ses préoccupations risquait fort d'être différent.

Comme toujours, Abel sortit avec les premiers passagers. Peu après, assis avec Georges à l'arrière de la Cadillac de la société, il demanda à brûle-pourpoint :

— Alors ? Quoi de neuf ?

Il était sûr que Georges comprendrait.

— J'ai pour toi de bonnes nouvelles et des moins bonnes, répondit Georges tout en appuyant sur un bouton.

Abel contempla la vitre qui glissait, isolant les passagers du chauffeur, et se mit à tambouriner sur la fenêtre.

— Florentina a gardé le contact avec sa mère. Elle vit à San Francisco, dans un petit pavillon qu'elle partage avec de vieux amis de l'université.

— Mariée ?

— Oui.

Abel encaissa le choc en silence. Enfin, il demanda :

— Et le fils Kane ?

— Il travaille dans une banque. Des tas d'employeurs n'ont pas voulu de ses services, parce qu'il n'avait pas terminé la Harvard Business School et que son père refusait de l'appuyer. Finalement, il a trouvé une place de caissier à la Bank of America. Son salaire est minable, par rapport à ses compétences.

— Et Florentina ?

— Ta fille est sous-directrice dans une boutique de mode appelée *Loin de Colomb*, près du parc de Golden Gate. Elle a essayé d'emprunter de l'argent à différentes banques.

— Pour quelle raison ? s'inquiéta Abel. A-t-elle des ennuis ?

— Elle cherche des capitaux pour ouvrir son propre magasin.

— Combien lui faut-il ?

— Trente-quatre mille dollars, pour l'achat du bail d'un immeuble sur Nob Hill.

Abel réfléchit quelques instants.

— Arrange-toi pour qu'elle obtienne cette somme. Je veux que cela ait l'air d'un prêt bancaire ordinaire, sans aucune trace de mon intervention. (Il recommença à tapoter sur la fenêtre.) Cela doit rester entre nous, Georges.

— Comme tu veux, Abel.

— Tiens-moi au courant de tout ce qu'elle fait, dans les moindres détails.

— Et pour Richard Kane ?

— Il ne m'intéresse pas. Et les mauvaises nouvelles, quelles sont-elles ?

— Des ennuis avec Henry. Il doit de l'argent au monde entier. Je suis à peu près certain que tu es sa seule source de revenus. Il menace de dévoiler une sombre histoire de pots-de-vin, sur laquelle tu aurais fermé les yeux à la création du groupe. Il prétend avoir gardé tous les papiers, depuis le premier jour où il t'a connu. Et il dit qu'il t'a fait verser une indemnité plus forte, après l'incendie du Richmond, et qu'il possède un dossier de dix centimètres d'épaisseur.

— Je m'occuperai de lui dès demain matin.


Abel était totalement absorbé par son travail lorsque Henry Osborne arriva au rendez-vous. L'alcool et le manque de sommeil avaient marqué son visage et, à le regarder, Abel se dit pour la première fois que son interlocuteur faisait plus vieux que son âge.

— J'ai besoin d'un peu d'argent pour me tirer d'une mauvaise passe, commença Henry, avant même de serrer la main du Baron. Je n'ai pas eu beaucoup de chance, ces temps-ci.

— Vous devriez vous montrer plus prudent, à votre âge, Henry. Combien vous faut-il ?

— Dix mille dollars feraient l'affaire.

— Dix mille ? Vous me prenez pour une machine à sous ? La dernière fois, vous vous étiez contenté de cinq mille.

— Que voulez-vous ? L'inflation ! répondit Henry avec un rire faux.

— C'est la dernière fois, compris ? dit Abel en sortant son carnet de chèques. Si vous osez venir me taper encore une seule fois, je vous mets à la porte du conseil.

— Vous êtes un vrai pote, Abel ! Je ne recommencerai plus. Plus jamais, je vous le jure.

Abel le regarda. Désinvolte, Henry tira un cigare de l'humidificateur et l'alluma. Georges n'aurait jamais osé faire ça, au bout de vingt ans de travail en commun.

— Merci, Abel ! Vous ne regretterez pas votre geste.

Henry sortit en tirant sur le cigare. Abel appuya sur un bouton et, un instant après, Georges apparaissait :

— Que s'est-il passé ? demanda-t-il.

— J'ai payé. Pour la dernière fois. Ne me demande pas pourquoi, mais ça m'a coûté dix mille dollars.

— Quoi ? Tel que je le connais, il reviendra à la charge. Je te parie tout ce que tu veux.

— Il n'a pas intérêt à recommencer, parce que j'en ai par-dessus la tête de lui. Dans le passé, il m'a rendu service. Maintenant, on est quitte. As-tu eu des nouvelles de ma fille ?

— Je me suis arrangé avec la banque Crocker de San Francisco pour lui faciliter les choses. Lundi prochain elle a rendez-vous avec le chef du service des prêts bancaires. Elle aura l'impression d'obtenir un prêt normal, sans faveur particulière. A propos, ils vont lui demander un demi pour cent d'intérêt supplémentaire, pour qu'elle ne se doute rien. Elle ne saura jamais que l'emprunt est couvert par toi.

— Merci, Georges, tu es parfait. Je parie dix dollars qu'elle remboursera tout en deux ans et qu'elle n'aura plus jamais besoin d'emprunter. Tiens-moi au courant de tout ce qu'elle fait, absolument de tout.


Le lundi suivant, Florentina se rendit dans trois banques. La Banque de Californie ne montra qu'un très vague intérêt à sa démarche. La Wells Fargo l'expédia rapidement. La Crocker lui demanda de rappeler quelques jours plus tard.

206

Etonné et ravi à la fois, Richard demanda :

— De quoi avez-vous parlé ?

— La Banque de Californie réclame, outre l'acte notarié du bail, 8 % d'intérêts. La Crocker veut 8,5 %, le bail et mes actions du groupe Baron.

— Ce n'est pas mal, si l'on considère que tu n'as jamais eu de compte chez eux. Mais ça veut dire aussi que tu devras réaliser un bénéfice de 25 % dès la première année, pour rentrer dans tes frais.

— J'ai calculé que je pourrais atteindre 32 %.

— Je te trouve bien optimiste, Jessie. J'ai étudié tous les chiffres hier soir. Tu n'as aucune chance d'atteindre cette somme. Ta société risque de perdre entre sept et dix mille dollars dans l'année. Il faut plutôt espérer que ces banquiers croient en ton avenir.

— C'est exactement ce qu'ils m'ont laissé entendre.

— Quand auras-tu une réponse ?

— A la fin de la semaine. C'est encore pire que d'attendre les résultats des examens.

— Je suis très satisfait de vos services, Kane, dit le directeur, et j'ai fait, en haut lieu, une demande de promotion à votre sujet.

La sonnerie du téléphone l'interrompit. Le directeur décrocha. Etonné, il passa l'écouteur à Richard.

— Pour vous, dit-il.

— Richard ? La Banque de Californie n'a pas retenu mon dossier, mais la Crocker est d'accord. N'est-ce pas épatant ?

— En effet, madame, répondit-il, tout en évitant le regard du directeur.

— C'est tout l'effet que cela vous fait, monsieur Kane ? A présent, je me pose également ce fameux problème sociologique dont nous avons parlé, et je me demande si vous pourriez m'aider d'une façon ou d'une autre.

— Si vous vouliez passer à la banque, chère madame, nous pourrions examiner chaque détail de cette affaire.

— Excellente idée ! J'ai toujours rêvé de faire l'amour

dans la salle des coffres, entourée d'une montagne de liasses. Des millions de Benjamin Franklin me regardant...

— Je suis d'accord avec votre proposition, chère madame, et vous le confirmerai dès que possible, par téléphone.

— Alors faites vite, sinon je ferme mon compte.

— Nous essayons d'être utiles à notre clientèle, madame.

— Quand je regarde mon relevé bancaire, je n'ai pas cette impression !

Florentina raccrocha.


— Où veux-tu aller fêter ta réussite ? demanda Richard.

— Je te l'ai déjà dit au téléphone. Dans la salle des coffres.

— Ma chérie, quand tu m'as appelé, j'étais dans le bureau du patron, qui me proposait le poste de numéro trois du service étranger.

— Formidable ! Cela mérite une double célébration. Allons à Chinatown et achetons chez le traiteur cinq plats et cinq grands Coca-Cola.

— Pourquoi cinq, Jessie ?

— Parce que j'ai invité Belle ! A propos, monsieur Kane, je préfère quand vous m'appelez « Madame ».

— Moi j'aime mieux Jessie. Ça me rappelle le bon vieux temps et tout le chemin que tu as accompli depuis notre rencontre.

Ce soir-là, Claude rentra avec deux bouteilles de champagne.

— Débouchons la première tout de suite, proposa Belle.

— D'accord ! dit Florentina, mais que ferons-nous de l'autre ?

— Nous la mettrons de côté pour une occasion qui pourrait survenir à l'improviste, suggéra Claude.

Richard ouvrit la bouteille pendant que Florentina rangeait l'autre dans le réfrigérateur.

Le lendemain, Florentina signa la promesse de vente du petit immeuble sur Nob Hill, puis les Kane emménagèrent dans le minuscule appartement au-dessus de la boutique. Florentina, Belle et Richard passaient tous leurs week-ends à repeindre et à nettoyer. Claude, l'artiste de la bande, imprima l'enseigne « Chez Florentina », sur la vitrine du magasin. Un mois plus tard, tout était prêt pour l'ouverture.

Pendant la première semaine, Florentina, qui cumulait les fonctions de propriétaire, de directrice et d'employée, contacta les principaux grossistes new-yorkais, fournisseurs des boutiques de son père. En peu de temps, elle se constitua un stock considérable et obtint un crédit de quatre-vingt-dix jours.

La jeune femme inaugura sa boutique le 1er août 1958. Elle se souviendrait toujours de cette date car, peu après minuit, Belle mit au monde un bébé de douze livres.

Florentina avait expédié un important courrier pour annoncer l'ouverture de sa boutique, un jour avant que le timbre-poste passe de trois à quatre cents. Elle avait également engagé une assistante de son ex-employeur de *Loin de Colomb*, Nancy Ching, une petite Chinoise qui avait le charme de Maisie mais pas son quotient intellectuel, heureusement.

Le premier matin après l'inauguration, les deux jeunes femmes attendirent les clients pleines d'espoir. Elles ne virent pas un chat de la journée, sauf une personne, qui entra pour demander son chemin. Le lendemain, une jeune fille entra et essaya des jupes et des corsages pendant une heure, puis repartit sans rien acheter. Dans l'après-midi, une vieille dame choisit une paire de gants, après avoir farfouillé dans tous les rayons.

— Qu'est-ce que je vous dois ? demanda-t-elle.

— Rien, répondit Florentina.

— Comment rien ?

— Vous êtes ma première cliente, je vous en fais cadeau.

— Vous êtes très gentille, dit la vieille dame, ravie. Je vous ferai de la publicité auprès de mes amies.

— Chez Bloomingdale, vous vous étiez bien gardée de m'offrir une paire de gants, mademoiselle Kovats, observa Richard le soir même. Tu vas faire faillite dans un mois, si tu continues comme ça.

Il se trompait pour une fois. La vieille dame était la présidente d'une association en vue de San Francisco. Un mot d'elle valait davantage qu'une page de publicité dans le *San Francisco Chronicle*.

Les premières semaines, Florentina travailla dix-huit heures par jour. Après la fermeture du magasin, elle se plongeait dans l'inventaire des stocks, lorsque Richard s'occupait de la comptabilité. Quelques mois plus tard, la jeune femme commença à se demander si son petit commerce avait seulement un espoir de survivre.

A la fin de la première année d'exercice, Richard et Florentina invitèrent Claude et Belle pour célébrer les pertes du magasin : sept mille trois cent huit dollars.

— Il va falloir absolument faire mieux l'année prochaine, déclara Florentina d'une voix ferme.

— Pourquoi ? demanda son mari.

— Parce que nos dépenses chez l'épicier vont augmenter.

— Pour quelle raison ? Belle vient habiter avec nous ?

— Non, je suis enceinte.

Richard était fou de joie. Il s'inquiéta de voir Florentina s'acharner au travail jusqu'au dernier jour, où elle dut se rendre à l'hôpital. Ils fêtèrent le bilan de la deuxième année avec un petit bénéfice de deux mille dollars et un fils de cinq kilos. Il avait un seul téton. Son nom avait été choisi quelques semaines auparavant.

Choqué et enchanté, Georges apprit qu'on l'avait choisi pour être le parrain du fils de Florentina. Réticent mais nullement mécontent, Abel sauta sur l'occasion pour découvrir ce qui se passait dans la vie de sa fille.

A la veille du baptême, Georges se rendit à Los Angeles

pour inspecter la construction d'un nouveau Baron. Abel faisait des pieds et des mains pour que l'hôtel soit terminé à la mi-septembre, afin d'être inauguré par John Kennedy, qui était alors en pleine campagne électorale. Georges partit pour San Francisco, confiant. La date limite fixée par Abel serait respectée.

Il fallait un certain temps à Georges, méfiant de nature, pour se rapprocher des gens, et encore plus longtemps pour leur faire confiance. Richard Kane fut une exception à la règle. Dès leur première rencontre, Georges le prit immédiatement en sympathie. Il avait surtout compris que les succès de Florentina, accumulés en si peu de temps, n'auraient pu être obtenus sans le bon sens et la circonspection de son mari. Il se promit d'en faire part à Abel, sans rien cacher de ses sentiments pour Richard Kane.

Après le dîner, les deux hommes jouèrent au Backgammon à un dollar la partie, tout en parlant du baptême.

— Beaucoup plus calme que celui de Florentina, confia Georges à Richard.

A l'idée que son beau-père malgré lui avait passé une nuit en prison, Richard se mit à rire.

— Vous faites sans arrêt des doubles, observa Georges en regardant les dés.

— Mon père... (Richard poursuivit après une légère hésitation :) Mon père m'accusait d'être mauvais perdant quand je lui disais la même chose.

Georges sourit :

— Comment va-t-il ?

— Aucune idée. Je ne l'ai pas vu depuis mon mariage avec Jessie.

Georges ne comprenait pas pourquoi Richard appelait « Jessie » sa filleule. Quand il sut le fin mot de l'histoire, il se dit que cela amuserait Abel.

— Dommage que votre père réagisse comme Abel, dit-il.

— Je reste en contact avec ma mère, répondit Richard en buvant une gorgée de cognac. Je ne puis espérer un changement d'attitude de mon père, surtout si Abel continue à acheter les actions de la Lester.

— En êtes-vous sûr ? fit Georges, surpris.

— Il y a déjà deux ans, n'importe quel banquier de Wall Street vous aurait dit ce qu'il avait en tête.

— Abel est têtu comme une mule. Je ne peux pas le raisonner. En tout cas, je ne pense pas qu'il causera des ennuis à votre père, du moins pas pour le moment, conclut-il en reprenant son verre.

Richard ne dit rien. Il pensait que si Georges le jugeait nécessaire, il lui expliquerait les raisons de cet optimisme.

— Voyez-vous, reprit ce dernier, après avoir posé son verre sur la table, si Kennedy gagne les élections, Abel a des chances de se voir offrir un petit poste par le nouveau gouvernement. Ça se limite à ça.

— Sera-t-il nommé ambassadeur en Pologne ? demanda Florentina, qui venait d'entrer en poussant une table roulante chargée de tasses à café. Il serait le premier immigré polonais à être parvenu si haut. Je connais l'ambition de mon père depuis notre voyage en Europe.

Georges ne répondit pas et elle demanda :

— Henry Osborne est-il derrière tout cela ?

— Sûrement pas, affirma Georges en se renversant sur sa chaise. Ton père lui a retiré sa confiance. Depuis qu'Henry a perdu son siège au Congrès, il se montre si instable que ton père songe sérieusement à l'éjecter du conseil.

— Enfin ! Papa a compris qu'il avait affaire à un salaud.

— Il l'a toujours su. Mais tant que cet individu occupait un poste à Washington, il pouvait lui être utile. Personnellement, je pense qu'il est dangereux, même s'il n'est plus membre du Congrès.

— Pourquoi ? demanda Florentina depuis son siège, dans un coin de la pièce.

— Il doit connaître beaucoup trop de choses sur l'inimitié qui existe entre ton père et celui de Richard. S'il s'endettait davantage, je crains qu'il ne vende directement ses informations à M. Kane.

— Impossible ! lança Richard.

— Comment pouvez-vous être aussi catégorique ?

— Vous voulez dire qu'après tant d'années, vous n'êtes même pas au courant ?

Georges les regarda tour à tour :

— Au courant de quoi ?

— Manifestement, il ne sait rien, remarqua Florentina.

— En ce cas, il lui faut un double cognac, dit Richard en resservant Georges. Henry Osborne déteste mon père plus encore qu'Abel.

— Comment ? Pour quelle raison ?

— Henry a épousé ma grand-mère, après la mort de mon grand-père. (Richard reprit du café, avant de poursuivre :) Il y a très longtemps, quand Henry était encore jeune et beau, il a essayé d'extorquer sa fortune à ma grand-mère. Son entreprise a échoué car mon père, alors âgé de dix-sept ans, a découvert que le passé d'Henry à l'école militaire de Harvard n'était qu'une façade. Il a pu, ainsi, le faire jeter hors de sa maison.

— Bonté divine ! s'exclama Georges. Je me demande si Abel l'a jamais su.

— Bien sûr qu'il le sait, coupa Florentina. C'est sans doute même essentiellement pour cette raison qu'il a décidé de faire appel à un individu comme lui. Mon père avait besoin de quelqu'un dont il était sûr qu'il ne vendrait jamais la mèche à William Kane.

— Comment l'as-tu su ? Quand ?

— Après avoir dit à Richard que je n'étais pas Jessie Kovats. Presque tout ce qui concerne Henry se trouve dans un dossier enfermé dans le dernier tiroir du bureau de papa.

— Et dire que je me croyais trop vieux pour apprendre tant de choses en un seul jour ! soupira Georges.

— Votre apprentissage commence à peine, annonça Richard. Non seulement Henry Osborne n'a jamais mis les pieds à Harvard, mais il n'a jamais combattu pendant la Première Guerre mondiale. En outre, de son vrai nom, il s'appelle Vittorio Togna.

Georges ouvrit la bouche, mais aucun son ne put franchir ses lèvres.

— Nous savons également que Papa possède 6 % des

actions de la banque Lester, continua Florentina. Imagine quels ennuis il peut créer s'il met la main sur 2 % de plus.

— Nous avons des raisons de croire qu'en ce moment même, il est en train de négocier les 2 % de Peter Parfitt, l'ancien P.-D.G. de la banque. Son but consiste à chasser mon père de son propre conseil d'administration, ajouta Richard.

— Cela a pu être vrai dans le passé.

— Pourquoi pas maintenant ? interrogea Florentina.

— Abel ne fera rien d'aussi stupide tant que Kennedy pense lui proposer le poste d'ambassadeur à Varsovie. Ne vous inquiétez pas, il ne fera rien pour l'instant. Que penses-tu si je t'invitais à l'inauguration du Baron de Los Angeles ?

— Richard pourra venir aussi ?

— Tu connais déjà la réponse, Florentina.

— Encore une partie de Backgammon ? proposa Richard, en changeant le sujet de la conversation.

— Oh non, dit Georges, j'ai assez perdu comme ça.

Il sortit son portefeuille de la poche intérieure de sa veste et tendit à Richard onze dollars.

— Mais tout ça, c'est la faute des doubles, ajouta-t-il.

## 16

Pendant que Florentina était à l'hôpital pour son accouchement, Nancy Ching s'était merveilleusement bien occupée du magasin. A présent, Kane Junior dormait paisiblement dans son berceau, dans l'arrière-boutique, et Florentina avait repris avec satisfaction ses activités.

Dans une lettre adressée à miss Tredgold, dans laquelle elle avait glissé quelques photos du bébé, elle expliquait qu'elle essaierait de devenir une mère responsable, jusqu'à ce qu'il soit indispensable de trouver une nurse.

« Mais je n'ai aucune chance de trouver quelqu'un comme vous, sauf peut-être à Much Hadham », terminait-elle.

Pendant les deux premières années de leur mariage, Florentina et Richard avaient concentré tous leurs efforts sur leur carrière respective. Florentina fit l'acquisition d'une deuxième boutique tandis que Richard, de son côté, gravissait encore un échelon dans la hiérarchie de la banque.

Florentina aurait préféré consacrer plus de temps à l'étude des tendances de la mode, plutôt qu'à la comptabilité, mais elle n'osait pas demander à son mari ce surcroît de travail, à son retour de la banque.

Elle fit part de ses idées audacieuses à Nancy. Celle-ci se montra réticente pour commander un important stock de petites tailles.

— A la rigueur, cela pourrait aller pour moi, dit la petite Chinoise en souriant, mais pas pour la plupart des Américaines.

— Objection, Votre Honneur ! La petite femme deviendra la beauté de demain, nous devons être prêtes. Si le petit gabarit gagne la bataille de la mode, on va assister à la révolution de l'amaigrissement, après quoi vous-même aurez l'air énorme.

Nancy éclata de rire.

— D'après vos commandes de 36 et de 38, vous avez intérêt à avoir vu juste.

Après la visite de Georges, ni Florentina ni Richard ne reparlèrent du brûlant différend qui opposait leurs parents. Mais ils désespéraient de les voir se réconcilier. Tous deux parlaient de plus en plus souvent au téléphone avec leur mère. Malgré une correspondance régulière avec ses sœurs, Richard fut exclu du mariage de Virginie. Cette triste situation aurait pu durer indéfiniment, si deux événements n'étaient survenus.

Le premier fut impossible à éviter. Le second consista en une erreur téléphonique. Le premier eut lieu à cause de l'ouverture du Baron de Los Angeles.

Florentina, qui avait suivi les progrès du groupe avec le plus grand intérêt, s'apprêtait elle-même à ouvrir un troisième magasin. Le nouvel hôtel d'Abel avait été achevé en septembre 1960 et Florentina prit son après-midi pour assister à l'inauguration du Baron par le sénateur John Kennedy. Elle se mit tout au fond de la salle, au milieu de la foule des invités et, de sa place, elle put observer son père. Abel avait grossi et vieilli. D'après les personnalités présentes, il avait visiblement des relations haut placées dans le parti démocrate.

« Si Kennedy est élu, va-t-il donner à Papa l'occasion de servir à ses côtés ? » se demanda-t-elle.

Le discours de bienvenue d'Abel était impressionnant de clarté, mais Florentina fut littéralement subjuguée par le jeune candidat à la présidence. Ce dernier, lui sembla-t-il, incarnait l'Amérique. Après son discours, elle souhaita de tout son cœur qu'il devienne président des Etats-Unis. Et elle quitta le nouveau Baron avec la ferme intention d'envoyer de l'argent à la neuvième circonscription de l'Illinois pour soutenir la campagne de Kennedy et même d'y consacrer du temps. Sans doute, son père avait déjà envoyé des sommes auprès desquelles sa propre contribution paraîtrait ridicule.

Richard était resté un fervent républicain et un supporter inconditionnel de Nixon.

— Sais-tu ce qu'Eisenhower a répondu quand on lui a demandé son avis sur ton porte-drapeau ? plaisanta-t-elle.

— Oh ! Sûrement quelque chose de déplaisant.

— Un journaliste a demandé à Eisenhower : « Pouvez-vous me dire à quelles décisions importantes le vice-président a participé ? »

— Et qu'a-t-il répondu, ce cher Ike ?

— Donnez-moi une semaine et je pourrai vous en citer au moins une !

Pendant les dernières semaines de la campagne, Florentina passa toutes ses journées à écrire des enveloppes et à répondre au téléphone, au quartier général du parti, à San Francisco. Contrairement aux élections précédentes, elle était à présent persuadée que les démocrates avaient trouvé en Kennedy un chef de file auquel l'on pouvait croire sans réserve. Le dernier débat télévisé entre les deux candidats réveilla ses anciennes ambitions politiques, qu'Henry Osborne avait si vite enterrées. Le magnétisme et la perspicacité de Kennedy était si éblouissants que Florentina se demanda comment, après avoir assisté à ce débat, on pouvait encore voter pour le parti républicain.

Richard s'obstinait à prétendre que le charme n'avait jamais constitué un garant politique, ni une preuve d'efficacité. Le soir des élections, Florentina et son mari restèrent devant le poste de télévision à regarder les résultats, tard dans la nuit. Les tours, les détours et les coups de théâtre se succédèrent jusqu'aux résultats de la Californie, qui permirent à Kennedy de remporter la victoire, avec la plus petite marge majoritaire de toute l'histoire des Etats-Unis. Florentina jubilait. Quant à Richard, il maintenait que jamais Kennedy n'aurait réussi sans le soutien du maire de Chicago et les trucages des résultats dont il s'était fait une spécialité.

— Voterais-tu pour le parti démocrate, si j'étais candidate ? demanda Florentina.

— Cela dépendrait de ta politique. Je suis un banquier, pas un sentimental.

— Eh bien, cher banquier au cœur de pierre, je voudrais ouvrir un quatrième magasin.

— Qu'est-ce que tu dis ?

— Une bonne affaire, à San Diego. Le bail est de deux ans seulement mais il est renouvelable.

— Combien ?

— Trente mille.

— Tu es folle, Jessie ! Tu es prête à réinvestir tout le bénéfice de cette année !

— A propos d'investissement, j'attends un deuxième enfant !


Florentina et Richard suivirent le discours « d'inauguration » du trente-cinquième président des Etats-Unis à la télévision, dans l'appartement au-dessus de leur première boutique.

— Laissons le monde aller de l'avant, amis comme adversaires, car le flambeau est entre les mains d'une nouvelle génération d'Américains, nés dans ce siècle, pétris dans la guerre et assagis grâce à une paix dure et amère.

Florentina ne pouvait détacher les yeux de cet homme, qui avait su réunir la confiance de tant de citoyens. Le Président Kennedy conclut avec ces mots :

— Ne vous demandez plus ce que votre pays peut faire pour vous, mais ce que vous pouvez faire pour votre pays.

Alors, la foule se leva comme un seul homme et Florentina se mit aussi à applaudir sans s'en rendre compte. Combien d'Américains, à travers tout le pays, étaient-ils en train d'applaudir devant leur télévision ? Elle se tourna vers Richard.

— Pas mal, pour un démocrate, dit-il, ému lui aussi.

Florentina sourit :

— Penses-tu que mon père est là-bas ?

— Sans aucun doute.

— Alors, il n'y a plus qu'à attendre sa nomination.

Une lettre de Georges, écrite dès le lendemain, confirma la présence d'Abel à Washington pour la cérémonie. Elle se terminait ainsi :

« Ton père se prépare à partir pour Varsovie. Je suis sûre que, s'il devient ambassadeur, il sera plus facile de lui faire rencontrer Richard. »

— Quel merveilleux ami, ce Georges, dit Florentina.

— Autant pour nous que pour Abel, répondit Richard, songeur.

Tous les jours, Florentina lisait la liste des nominations communiquées à la presse par le porte-parole du Président, Pierre Salinger. Mais il n'y avait rien concernant l'ambassade de Varsovie.

## 17

Quand le nom d'Abel apparut enfin dans les journaux, Florentina n'aurait pas pu le manquer, car il s'étalait sur toute la première page en gros caractères :

LE BARON DE CHICAGO ARRÊTÉ.

Médusée, elle lut l'article :

« New York. — Abel Rosnovski, le célèbre magnat de l'hôtellerie, plus connu sous le nom de "Baron de Chicago", a été arrêté ce matin à huit heures trente, dans un appartement de la 57e Rue. L'arrestation a eu lieu au lendemain de son retour de Turquie, où il venait d'inaugurer le dernier-né de sa chaîne d'hôtels, le Baron d'Istanbul.

« M. Rosnovski est accusé de corruption de fonctionnaires dans quatorze Etats. Les agents du F.B.I. recherchent pour témoignage l'ancien député Henry Osborne qui, pour l'instant, demeure introuvable.

« Maître Trafford Jilks, l'avocat de M. Rosnovski, dément les accusations et prétend que son client est en mesure de fournir des explications complètes qui le mettront totalement hors de cause...

« De source officieuse, à Washington, poursuivait l'article, nous apprenons que le gouvernement était sur le point de rendre publique la nomination de M. Rosnovski comme ambassadeur des Etats-Unis en Pologne... »

Florentina ne ferma pas l'œil de la nuit. Comment tout cela avait-il pu arriver ? Et comment son père se sortirait-il de ce traquenard ? Elle ne cessait de penser à lui et passait toutes ses journées à dévorer les journaux... Richard avait essayé de la réconforter. D'après ses dires, peu d'hommes d'affaires avaient pu échapper, dans leur vie, à des ennuis avec la loi.

Trois jours avant l'ouverture du procès, le ministère de la Justice retrouva Henry Osborne à La Nouvelle-Orléans. Il fut aussitôt arrêté et cité comme témoin à charge.

Le ministère public demanda l'ajournement du procès, afin de discuter avec l'ex-député du contenu d'un certain dossier sur Abel Rosnovski, qui était parvenu dans les bureaux du F.B.I. Le juge Prescott accorda un délai de quatre semaines à l'accusation.

Les journalistes ne tardèrent pas à découvrir que, pour payer ses dettes, Osborne avait vendu le fameux dossier qu'il s'était constitué en dix ans, pendant qu'il dirigeait le conseil du groupe Baron. Une société de détectives privés en avait fait l'acquisition. Comment ce dossier était-il tombé entre les mains des agents du FBI ? Cela demeurait un mystère.

Florentina avait peur pour son père. Avec un témoin à charge comme Henry Osborne, Abel risquait de nombreuses années de prison. Après une deuxième nuit d'insomnie, Richard lui suggéra de contacter son père. Florentina écrivit à Abel une longue lettre dans laquelle elle l'assurait de son soutien moral et de sa foi en son innocence. Au moment où elle s'apprêtait à fermer l'enveloppe, elle y glissa une photo de son fils.

Quatre heures avant le début de l'audience, Henry Osborne fut découvert mort dans sa cellule par le gardien qui lui apportait son petit déjeuner. L'ex-député s'était pendu avec une cravate aux couleurs de Harvard.

— Pourquoi Henry s'est-il suicidé ? demanda Florentina à sa mère, qu'elle appela le même jour au téléphone.

— C'est facile à deviner, répondit Zaphia. Henry croyait que le détective privé, qui avait payé ses dettes, voulait le dossier à seule fin de faire chanter ton père.

— En fait, pourquoi a-t-il acheté ce dossier ?

— Le dossier a été acheté d'une façon anonyme à Chicago. William Kane était derrière cette tractation et c'est lui qui a envoyé le dossier à la police.

Dès lors, Florentina n'éprouva plus que haine envers William Kane, et elle ne pouvait s'empêcher de faire d'amers reproches à Richard. Visiblement, ce dernier n'était pas moins choqué par les procédés de son père. Florentina le comprit enfin, après avoir surpris une conversation téléphonique entre Richard et sa mère.

— Tu as été trop dur, remarqua-t-elle, après qu'il eut raccroché.

— Oui, je sais. Ma pauvre mère est prise entre deux feux.

— On n'est pas encore sortis de l'auberge, lâcha Florentina. Depuis toujours, Papa rêvait de retourner à Varsovie. Jamais il ne pourra pardonner à ton père.

Florentina suivit le procès jour après jour. Tous les soirs, elle téléphonait à sa mère, après que celle-ci fut rentrée du tribunal. En écoutant les commentaires de Zaphia, Florentina en arrivait à se demander si toutes les deux nourrissaient les mêmes espérances quant à l'issue du procès.

Vers le milieu de la semaine Zaphia annonça :

— Le vent tourne du côté de ton père.

— En es-tu sûre ?

— Depuis que l'accusation a perdu son principal témoin, ses arguments ne supportent pas une analyse approfondie. Trafford Jilks a présenté Henry Osborne comme Pinocchio, dont le nez se rallongeait quand il mentait.

— Alors, Papa sera blanchi ?

— Je n'irais pas jusque-là, mais il est possible que le ministère public propose un compromis.

— De quelle sorte ?

— Il abandonnera les principales accusations, à condition que ton père plaide coupable sur quelques points mineurs.

— Et il s'en sortira seulement avec une amende ?

— S'il a de la chance, oui. Mais on tient le juge Prescott pour un dur et ton père risque quand même la prison.

— Espérons qu'il n'aura qu'une amende.

Zaphia s'abstint de tout commentaire.

« Six mois de prison avec sursis pour le Baron de Chicago ! » Florentina apprit la nouvelle par la radio, alors qu'elle roulait en voiture, pour chercher Richard à son travail. Elle manqua de percuter une Buick, puis elle gara son véhicule dans une zone interdite, pour écouter la suite des informations :

« Le ministère a abandonné les principales accusations de corruption de fonctionnaires contre Abel Rosnovski, surnommé le Baron de Chicago, qui s'est reconnu coupable de deux chefs d'accusation mineurs. En résumant les débats, le juge Prescott a déclaré :

« ''La libre concurrence n'autorise pas la corruption. La corruption est un acte criminel, d'autant plus grave lorsqu'il est perpétré par un homme compétent et intelligent, qui ne devrait sous aucun prétexte s'abaisser à de telles pratiques. Dans d'autres pays, a ajouté le juge, la corruption fait peut-être partie des usages. Ce n'est pas le cas aux Etats-Unis...''

« Le juge Prescott a condamné Abel Rosnovski à six mois de prison avec sursis et à vingt-cinq mille dollars d'amende.

« Nous poursuivons notre flash d'actualité. Le Président Kennedy se rendra à Dallas en compagnie du vice-président, à l'automne prochain... »

Florentina éteignit la radio et entendit quelqu'un tambouriner contre la vitre. C'était un agent de police.

— Le stationnement est interdit, madame.

— Je sais, répondit-elle après avoir descendu la vitre.

— Cela vous coûtera dix dollars, pour cette fois.


— Vingt-cinq mille dollars et six mois d'emprisonnement avec sursis ! Cela aurait pu être pire, commenta Georges alors que la voiture se dirigeait vers le Baron.

— Oui, répondit Abel, mais j'ai perdu la Pologne, voilà le drame ! Je veux que tu achètes les 2 % de Parfitt même s'il en demande un million de dollars. Une fois que j'aurai

8 % de la Lester, j'invoquerai l'article 7 des statuts et je réduirai en cendres William Kane, dans son propre conseil.

Georges acquiesça tristement.


Quelques jours plus tard, le ministère des Affaires étrangères annonçait que John Moors Cabot était nommé ambassadeur à Varsovie.

## 18

C'est le lendemain du verdict qu'eut lieu le second événement. Le poste de téléphone relié à l'appartement se mit à grésiller. Nancy était en train de refaire les vitrines, remplaçant les légères robes d'été par la collection d'automne. Florentina répondit.

— Je voudrais parler à M. Kane, dit une très lointaine voix de femme.

— Il est déjà parti à la banque. Voulez-vous laisser un message ? C'est Florentina Kane à l'appareil.

Après une pause, la voix répondit :

— Ici Katherine Kane. Ne raccrochez pas, s'il vous plaît.

— Pourquoi aurais-je raccroché, madame Kane ? demanda Florentina.

Ses genoux tremblaient et elle s'assit sur une chaise, à côté du téléphone.

— Parce que vous devez me haïr, ma chère enfant, et je vous comprends, expliqua rapidement la mère de Richard.

— Non, non, je ne vous déteste pas. Voulez-vous que Richard vous rappelle à son retour ?

— Surtout pas. Mon mari ignore que je suis en contact avec Richard. S'il l'apprend, il sera furieux. Mais ce que je voulais dire à mon fils dépend de vous, en fin de compte.

— De moi ?

— Oui ! Je meurs d'envie de vous rendre visite et de faire la connaissance de mon petit-fils. Si vous m'autorisez...

— J'en serais ravie, madame Kane, répondit Florentina avec chaleur.

— Merci ! Vous êtes très compréhensive. Mon mari doit se rendre au Mexique dans trois semaines. Je pourrais venir un vendredi, à condition de rentrer le lundi matin.

Quand Richard sut la nouvelle, il se dirigea tout droit vers le réfrigérateur. Intriguée, Florentina le suivit et sourit en le voyant sortir la seconde bouteille de champagne de Claude.

Trois semaines plus tard, elle accompagna Richard à l'aéroport pour accueillir sa mère.

— Vous êtes très belle ! murmura-t-elle, en saluant une dame mince et très élégante, dont le visage ne trahissait aucun signe de fatigue, malgré un vol de six heures. A côté de vous, je dois avoir l'air horrible, avec mon gros ventre.

— A quoi vous attendiez-vous, ma chère enfant ? A une sorcière montée sur un balai ?

Florentina se mit à rire. Katherine Kane lui entoura les épaules d'un bras et elles firent quelques pas ensemble, oubliant momentanément Richard. Celui-ci fut soulagé en voyant les deux femmes sympathiser.

A la vue de son petit-fils, Kate Kane réagit de la façon la plus traditionnelle.

— J'aurais tant voulu que ton père voie son petit-fils, soupira-t-elle. Mais il est arrivé à un point où toute discussion est exclue.

— As-tu appris quelque chose sur les rapports entre les deux hommes ? demanda Richard.

— Rien de plus que vous-mêmes. Ton père avait jadis refusé de soutenir Davis Leroy, lorsque son affaire était en faillite et le père de Florentina le rend responsable du suicide de Leroy. Cette maudite querelle aurait pu en rester là si Henry Osborne n'était pas entré en scène. J'implore le ciel pour que ce problème soit résolu de mon vivant.

— J'ai parfois peur que l'un d'entre eux meure avant que l'autre ne retrouve son bon sens, dit Richard. Ces deux hommes sont de sacrées têtes de mules.

Ils passèrent ensemble un merveilleux week-end. Le petit-fils de Kate passa le plus clair de son temps à expédier ses jouets à travers la pièce.

Le dimanche soir, ils ramenèrent la mère de Richard à l'aéroport et elle accepta de revenir les voir dès que son mari partirait à nouveau pour ses affaires. Les derniers mots de Mme Kane à l'égard de Florentina furent :

— Si seulement mon mari pouvait vous connaître, il comprendrait tout de suite pourquoi notre fils est tombé amoureux de vous.

Quelques semaines plus tard, Annabelle venait au monde en criant de tout son cœur. Richard et Florentina fêtèrent un double événement à la fin de cette année : la naissance de leur fille et un bénéfice de dix-neuf mille cent soixante-quatorze dollars. Pour marquer l'occasion, Richard décida d'investir une petite part de cette somme dans l'achat d'une action au Club Olympique, section golf.

A la banque, Richard avait de plus en plus de responsabilités au service étranger. Il rentrait désormais chez lui une heure plus tard. Florentina décida qu'il était grand temps d'engager une gouvernante, afin qu'elle-même puisse se consacrer entièrement à ses magasins.

Bien sûr, aucune chance de tomber sur une miss Tredgold. Belle lui recommanda une jeune fille de couleur, dénommée Carol, qui avait passé son bac un an plus tôt et cherchait un travail sûr. Le fils de Florentina mit aussitôt ses petits bras autour du cou de Carol. Florentina en conclut que les préjugés étaient quelque chose que les enfants apprenaient de leurs parents.

## 19

— Je n'arrive pas y croire ! s'exclama Florentina. Quelle bonne nouvelle ! Mais qu'est-ce qui l'a poussé à changer d'avis ?

— Il commence à se sentir vieux, répondit Katherine Kane, et sa voix tremblait dans l'écouteur. Il se dit que, s'il ne résout pas ses différends avec Richard, il partira un jour à la retraite, sans laisser son fils à sa place au conseil d'administration. Il craint également que la présidence de la banque n'échoie à Jake Thomas, qui n'a guère que deux ans de plus que Richard, et qui ne voit pas d'un bon œil la présence d'un jeune Kane au conseil.

— J'ai hâte que Richard soit là pour lui annoncer la nouvelle. Il sera tellement content ! Mais depuis qu'il dirige le service étranger, il rentre rarement avant sept heures du soir. Je vais essayer de ne pas montrer ma nervosité lorsque je rencontrerai votre mari, ajouta-t-elle.

— En tout cas, vous serez moins nerveuse que lui ! N'ayez crainte, ma chère enfant. William se prépare à tuer le veau gras pour accueillir le fils prodigue. Avez-vous eu des nouvelles de votre père, depuis notre dernière rencontre ?

— Aucune. Il n'y aura pas de veau gras pour la fille prodigue !

— Ne vous laissez pas abattre. Quelque chose peut survenir, qui le fasse également changer d'avis. Nous allons tous y réfléchir, quand nous nous reverrons.

— Je voudrais y croire, espérer que Papa finira par se réconcilier avec nous, mais j'ai perdu tout espoir.

— Eh bien soyons heureux que l'un des deux pères ait fini par retrouver ses esprits, dit Kate. Je reviendrai vous voir et nous discuterons alors de tous les détails.

— Quand venez-vous ?

— Ce week-end.

Richard fut ravi d'apprendre la nouvelle. Après avoir lu un chapitre de *Winnie l'ourson* à son fils, il commença à faire des projets :

— Nous pourrons aller à New York en novembre.

— Je ne peux attendre si longtemps.

— Tu as déjà attendu trois ans.

— Oui, mais ce n'est pas la même chose.

— Tu veux toujours tout, immédiatement, Jessie ! A propos, j'ai étudié ta demande au sujet du nouveau magasin, à San Diego.

— Alors ?

— A première vue, l'idée est excellente et je l'approuve.

— Victoire ! Jamais je ne me serais attendue à entendre ces mots de votre bouche, monsieur Kane.

— Minute, Jessie ! Le projet n'a pas mon entière approbation. Une partie de ton programme d'expansion m'échappe. Pourquoi veux-tu engager un dessinateur ?

— C'est facile à comprendre, répliqua Florentina. Malgré les cinq boutiques, les fournisseurs engloutissent 40 % du chiffre d'affaires. Si les robes que je vends étaient spécialement conçues pour mes magasins, il y aurait deux avantages évidents : premièrement mes frais diminueraient dans des proportions considérables, deuxièmement, je ferais sans cesse de la publicité pour mes propres produits.

— Il y a également un inconvénient majeur, objecta Richard.

— Lequel ?

— L'impossibilité de retourner les invendus.

— Tout à fait d'accord, dit Florentina, mais à mesure de notre expansion, ce problème se posera de moins en moins. Du reste, si je choisis un bon dessinateur de mode, j'aurai ma griffe et mes modèles seront vendus même par mes concurrents.

— Peux-tu me citer un cas comparable ?

— Bien sûr, celui de Pierre Cardin. Le dessinateur est devenu plus célèbre que les magasins.

— Mais découvrir cette perle rare ne sera pas commode.

— Ne vous ai-je pas trouvé, monsieur Kane ?

— Non, Jessie ! C'est moi qui t'ai trouvée.

Florentina sourit :

— Deux enfants, six boutiques, bientôt un membre du conseil de la Lester sur les bras et, de surcroît, la chance de rencontrer ton père. Qu'est-ce qu'on peut vouloir de plus ?

Malgré son désir de se rendre à New York immédiatement après le départ de Kate, Florentina avait trop d'occupations pour le faire. L'ouverture du sixième magasin à San Diego, la supervision des cinq autres magasins, pendant qu'elle cherchait un dessinateur et tout en s'occupant de ses enfants, accaparaient tout son temps. Mais au fur et à mesure que le voyage à New York approchait, elle devint de plus en plus nerveuse. Elle se mit en devoir de sélectionner sa propre garde-robe et celle des enfants. Elle acheta, pour Richard, une nouvelle chemise au tissu strié d'un mince filet rouge, mais elle doutait qu'il accepterait de la porter hormis pendant les week-ends. Tous les soirs, couchée dans le noir, yeux grands ouverts, elle se demandait avec inquiétude si elle allait plaire au père de Richard. Celui-ci ne cessait de lui rappeler les paroles de Katherine : « Vous ne serez jamais aussi nerveuse que lui. »

Pour célébrer l'ouverture du sixième magasin et la réconciliation imminente avec son père, Richard emmena Florentina à l'Opéra, où le Ballet national italien donnait *Casse-noisettes*. Richard ne s'intéressait pas au spectacle. A sa surprise, au cours de la représentation, Florentina montra une grande agitation. A l'entracte, il lui demanda ce qui n'allait pas.

— J'attends depuis une heure de savoir qui a dessiné ces costumes fabuleux.

Ce disant, elle commença à feuilleter fébrilement son programme.

— Je dirais qu'ils sont plutôt voyants, hasarda Richard.

— Parce que tu es daltonien, répliqua-t-elle, puis ayant trouvé ce qu'elle cherchait sur le programme, elle lut à voix haute : son nom est Gianni di Ferranti. Sa notice biographique dit qu'il est né à Milan en 1931 et qu'il participe actuellement à sa première tournée à l'étranger, avec le Ballet italien, depuis qu'il a terminé l'Académie des Beaux-Arts à Florence. Je me demande s'il accepterait de quitter la compagnie et de travailler pour moi.

— D'après ce que je sais sur la troupe, il ne le fera pas, déclara Richard, d'un air résigné.

— Peut-être est-il plus aventureux que toi, chéri.

— Peut-être est-il complètement fou. Pourquoi pas ? Il est italien, après tout.

— En tout cas, il n'y a qu'une seule façon de le savoir, dit Florentina en se redressant.

— Laquelle ?

— Aller le chercher dans les coulisses.

— Tu vas rater la deuxième partie du spectacle.

— La deuxième partie ne changera sûrement pas toute ma vie, jeta Florentina tout en s'engageant dans le couloir.

Richard la suivit. Ils sortirent du bâtiment et se dirigèrent vers l'entrée des artistes. Un jeune gardien ouvrit la fenêtre.

— Puis-je vous aider ? demanda-t-il d'un ton qui signifiait exactement le contraire.

— Oui, fit Florentina, très sûre d'elle. J'ai rendez-vous avec Gianni di Ferranti.

Richard foudroya sa femme du regard. La gardien décrocha le téléphone :

— Votre nom ?

— Florentina Kane.

Le gardien répéta le nom dans l'écouteur, et un instant après, il raccrocha :

— Il n'a jamais entendu parler de vous.

Florentina fut prise de court. Richard sortit alors son portefeuille et plaça un billet de vingt dollars sur le bord de la fenêtre, devant le gardien.

— Peut-être a-t-il entendu parler de moi.

— Allez voir vous-même, bougonna le gardien en s'emparant du billet. Prenez le couloir, c'est la deuxième porte à gauche.

Sur ces mots, il referma la fenêtre.

Florentina et Richard pénétrèrent dans le couloir.

— Tous les hommes d'affaires donnent, tôt ou tard, des pots-de-vin, railla-t-elle.

— Allons, ne fais pas la tête parce que ton mensonge n'a pas marché, fit Richard avec un sourire.

Arrivée devant la porte indiquée par le gardien, Florentina frappa fermement avant d'entrer.

Un grand Italien aux cheveux noirs était assis dans un coin de la pièce, devant un plat de spaghettis. Florentina ne put s'empêcher d'admirer son allure. Il portait un pantalon sur mesure et un blazer bleu, sur une chemise ouverte sur la poitrine. Le détail le plus frappant chez lui était ses longs doigts d'artiste. Dès qu'il vit Florentina, il se redressa avec grâce.

— Giann ? commença-t-elle, c'est un honneur pour moi de...

— Attendez, répondit le jeune homme avec un léger accent italien. Il est dans la salle de bains.

Richard pouffa et reçut un coup de coude. Au même moment, une porte s'ouvrit et un personnage chauve, haut comme trois pommes, fit son entrée. Ses vêtements étaient merveilleusement bien coupés. Les spaghettis avaient eu sur lui plus d'effet que sur son compagnon, mais son visage était très jeune.

— Qui sont ces gens, Valério ?

— Mme Florentina Kane, coupa-t-elle avant que le jeune homme puisse répondre, et voici mon mari, Richard.

— Qu'est-ce que vous voulez ? dit-il.

Sans la regarder, il s'assit en face de son compagnon.

— Vous offrir du travail comme dessinateur.

— Ah non ! Encore un ! s'exclama-t-il en levant les bras au ciel.

Florentina retint son souffle :

— Qui vous a déjà contacté ?

— Yves Saint Laurent à New York, Pierre Cardin à Los Angeles et Balmain à Chicago. Dois-je continuer ?

— Vous ont-ils proposé un pourcentage sur les ventes ?

« Quelles ventes ? » voulait demander Richard mais, se souvenant brusquement du coup de coude, il préféra garder le silence.

— Je possède déjà six boutiques et six autres sont sur le point d'ouvrir, continua Florentina à brûle-pourpoint. (Elle priait pour que Ferranti ne remarque pas les sourcils de Richard, qui se haussèrent à ces mots.) Le chiffre d'affaires pourrait atteindre des sommes astronomiques d'ici quelques années.

— Celui d'Yves Saint Laurent est déjà impressionnant.

— Peut-être. Mais combien vous a-t-il proposé ?

— Vingt-cinq mille dollars par an et 1 % sur les ventes.

— Je vous offre vingt mille et 5 %.

L'Italien esquissa un geste de dénégation.

— Vingt-cinq mille et 10 %, offrit-elle.

Ferranti éclata de rire, puis se leva et alla ouvrir la porte. Florentina ne bougeant pas, il lança :

— Vous faites partie de ces boutiquiers qui voudraient Zeffirelli pour décorateur et Luigi Ferpozzi comme conseiller honoraire. Je ne m'attends pas à ce que vous compreniez, ajouta-t-il.

— Luigi est un de mes bons amis, dit Florentina d'un air hautain.

Mains sur les hanches, l'Italien éclata de rire :

— Ah ! Les Américains ! Tous les mêmes ! Pour un peu, vous me diriez que vous êtes en train de créer un nouveau costume pour le pape.

Richard ne put s'empêcher de penser que cet homme n'avait pas tout à fait tort.

— Vous avez bluffé, signora, reprit l'Italien. Ferpozzi est venu voir le spectacle la semaine dernière à Los Angeles, et nous avons parlé longuement de mon travail. Je tiens enfin le moyen de me débarrasser de vous !

Laissant la porte ouverte, di Ferranti se rua vers sa table de toilette, se saisit du téléphone et composa un numéro sur

le cadran. Personne ne parla en attendant que l'appel abou-
tisse. Enfin, Florentina crut entendre une voix bien connue.

— Luigi ? Ici Gianni. Il y a ici une jeune dame américaine, du nom de Mme Kane, qui prétend être une de vos
amies. Il écouta pendant quelques instants et son sourire
s'élargit : Il dit qu'il ne connaît personne de ce nom et se
demande si vous ne vous sentiriez pas mieux à Alcatraz.

— Non, Alcatraz ne me dit rien, mais dites-lui qu'il est
persuadé que mon père l'a construit.

Gianni di Ferranti répéta les paroles de Florentina. Un profond étonnement se peignit sur sa figure. Enfin, se tournant
vers elle à nouveau :

— Luigi m'a demandé de vous offrir le thé, à condition
que vous ayez apporté votre propre théière, dit-il.

Il fallut à Florentina deux déjeuners, un dîner avec Richard
et un autre avec ses banquiers, plus une assez grosse avance
d'argent, pour persuader Gianni et son ami Valério de quitter
Milan pour s'installer à San Francisco. Elle avait la conviction que le petit Italien était le génie qu'elle attendait. Dans
l'excitation de toutes ces négociations, elle oublia totalement
qu'il ne lui restait plus que six jours pour sa rencontre à New
York, avec le père de Richard.

Ils étaient en train de prendre leur petit déjeuner, ce lundi-
là. Soudain, le visage de Richard devint si pâle que Florentina le crut au bord de l'évanouissement.

— Qu'est-ce qui t'arrive, chéri ?

Incapable de parler, il désigna la première page du *Wall
Street Journal*. Elle lut l'article et, sans un mot, rendit le
journal à son mari. Il relut alors plus lentement chaque ligne,
comme s'il voulait s'assurer qu'il avait bien compris. La briè-
veté de l'article donnait aux mots une force impressionnante :
« William Lowell Kane, président-directeur général de la banque Lester, a démissionné de son poste ce vendredi, après la
réunion du conseil d'administration. »

Richard savait que la communauté bancaire donnerait la
pire interprétation à ce départ précipité, effectué sans la

moindre explication ou suggestion de raisons de santé, surtout alors que le fils unique de William Kane n'avait pas été invité à remplacer son père au conseil.

Il prit Florentina dans ses bras et la serra contre son cœur.

— Est-ce que notre voyage à New York est annulé ? demanda-t-elle.

— Non, sauf si ton père est à l'origine de tout cela.

— Non, ce n'est pas possible. Je ne veux pas ! Mon Dieu, après avoir attendu si longtemps...

Le téléphone se mit à sonner. Richard se précipita pour répondre, devançant Florentina.

— Allô ?

— Richard, c'est ta mère. J'ai essayé de m'échapper de la maison. As-tu appris les nouvelles ?

— Oui, je viens de lire le *Wall Street Journal*. Pourquoi, bon sang, Papa a-t-il démissionné ?

— Je ne connais pas les détails. Mais pour autant que je sache, M. Rosnovski, qui possédait depuis dix ans 6 % des actions de la banque, n'avait besoin que de 8 % pour chasser ton père de la présidence.

— L'article sept, murmura Richard.

— Ça doit être ça. Mais je ne sais pas ce que cela signifie.

— Papa a fait ajouter cette clause aux statuts de la banque pour se protéger contre toute tentative de rachat. Il pensait que la clause en question était suffisante, car seule une personne en possession de 8 % ou plus pouvait braver son autorité. Il n'a jamais imaginé qu'un étranger à la famille aurait pu mettre la main sur un tel pourcentage. Papa n'aurait jamais abandonné ses 51 % de la Kane et Cabot pour devenir P.-D.G. de la Lester s'il avait subodoré qu'un étranger était susceptible de prendre sa place.

— Oui, mais cela n'explique pas sa démission.

— Je suppose que, d'une façon ou d'une autre, le père de Florentina est entré en possession des 2 % qui lui manquaient, acquérant du même coup le même pouvoir que papa dans sa banque. La vie serait impossible pour lui, comme P.-D.G.

— Et comment lui rendrait-il la vie impossible ?

Richard pensa que son père n'avait même pas mis sa mère au courant de ce qui se passait à la banque.

— Parmi les garanties stipulées par l'article sept, expliqua-t-il, il en est une qui donne, à quiconque possède 8 % des actions, le droit de suspendre pendant trois mois toutes les transactions bancaires en cours. Je sais, par le comptable de la Lester, que M. Rosnovski possédait déjà 6 % des actions. Je suppose qu'il a pu obtenir les 2 % de Peter Parfitt.

— Il n'aurait pas pu, objecta Kate. Ton père avait chargé un vieil ami d'acheter les parts de Parfitt à un prix supérieur à leur valeur, et cela lui avait redonné confiance en l'avenir.

— Alors tout le mystère est là. Comment M. Rosnovski a-t-il pu entrer en possession des 2 % qui lui manquaient ? Je ne connais personne au conseil qui aurait accepté de vendre ses propres parts, à moins que...

— Vos trois minutes sont terminées, madame, coupa la voix de l'opératrice.

— Où es-tu, Maman ?

— Dans une cabine publique. Ton père m'a interdit de te recontacter et quant à Florentina, il ne veut plus en entendre parler.

— Excusez-moi, madame, vos trois minutes sont terminées.

— Je paierai le supplément, intervint Richard.

— Navré, monsieur, l'appel est déjà déconnecté.

Richard raccrocha, à contrecœur.

Florentina le regarda :

— Chéri, pourras-tu me pardonner d'avoir un père qui a commis pareille chose ? Jamais je ne lui pardonnerai...

— Ne juge jamais personne Jessie, répondit-il en lui caressant les cheveux. Si jamais on apprenait la véritable histoire, on trouverait bien des erreurs des deux côtés. Et maintenant, chère madame, oubliez tout cela. Vous avez des enfants et six boutiques, et votre serviteur est attendu à la banque par des clients irascibles. Du reste, le pire est déjà passé.

Florentina considéra son mari, reconnaissante pour ses bonnes paroles, même si elle n'en croyait pas un mot.

Le même jour, Abel apprit lui aussi la démission de William Kane par le *Wall Street Journal*. Il décrocha le téléphone, composa le numéro de la banque Lester et demanda le nouveau président-directeur général. Quelques secondes plus tard, il avait Jake Thomas en ligne :

— Bonjour, monsieur Rosnovski.

— Bonjour, monsieur Thomas. Je vous appelle simplement pour vous confirmer que je vais, ce matin, vous céder personnellement les 8 % d'actions de la banque que je détiens, pour deux millions de dollars.

— Merci, monsieur Rosnovski. C'est très généreux de votre part.

— Inutile de me remercier, monsieur le président, c'est exactement ce dont nous étions convenus lorsque vous m'avez vendu vos 2 % d'actions de la Lester.


Florentina réalisa qu'elle ne se remettrait pas facilement du coup bas accompli par son père. Comment était-il possible de l'aimer et de le haïr à la fois ? Elle s'efforça de concentrer toute son attention sur son petit empire naissant et de rayer son père de ses pensées.

Un autre événement, qui n'avait rien de personnel, mais tout aussi tragique pour elle, eut lieu le 22 novembre 1963. Richard l'appela de la banque, ce qui n'était pas dans ses habitudes, pour lui annoncer que quelqu'un avait tiré sur le Président Kennedy à Dallas, et que, selon les premiers témoignages, on craignait pour sa vie.

## 20

Gianni di Ferranti, le dessinateur italien nouvellement engagé par Florentina, avait eu l'idée lumineuse d'ajouter un double F entrelacé sur les cols ou les ourlets de toutes ses créations. Le résultat fut impressionnant et ajouta au prestige de la société. Pourtant, Gianni admettait volontiers qu'il avait « piqué » l'idée à Yves Saint Laurent.

Florentina trouva le temps de se rendre à Los Angeles, où elle visita une propriété mise en vente dans Rodeo Drive, l'une des rues les plus chics de Berverly Hills. Dès qu'elle la vit, elle appela Richard pour lui faire part de son projet d'ouvrir un septième magasin. Il répondit qu'il étudierait attentivement le dossier avant de donner le feu vert, mais que cela risquait d'attendre quelques jours, à cause de son travail à la banque.

Depuis un certain temps, Florentina ressentait la nécessité de se doter d'un associé ou, du moins, d'un directeur commercial, puisque Richard était de plus en plus absorbé par la banque. Elle aurait voulu que ce fût lui, mais n'osait le suggérer.

— Tu n'as qu'à mettre une annonce dans le *Chronicle*, tu verras bien combien de réponses tu recevras, conseilla-t-il. Je t'aiderai à les trier et nous recevrons ensemble les postulants.

Florentina suivit le conseil de son mari. Quelques jours plus tard, les lettres affluèrent de toutes parts. Banquiers, avocats, comptables, tous semblaient témoigner un intérêt particulier pour le salaire proposé. Richard aida Florentina à répondre à chaque lettre. Au milieu de la nuit, il resta en contemplation devant une lettre, et murmura : « Je suis complètement fou. »

— Je le sais, mon amour, c'est pourquoi je t'ai épousé.

— Nous avons dépensé bêtement quatre cents dollars.

— Pourquoi ? Tu disais toi-même que l'annonce serait un bon investissement.

Richard lui tendit la lettre qu'il était en train de lire.

— Il a l'air qualifié, commenta-t-elle, après avoir parcouru la feuille de papier. Puisqu'il travaille actuellement à la Bank of America, tu dois pouvoir me dire s'il mérite ou non de devenir mon directeur commercial.

— Il est hautement qualifié. Et devine qui va le remplacer à la banque.

— Aucune idée.

— Etant donné qu'il est mon propre patron, ça ne peut être que moi.

Florentina éclata de rire :

— Dire que je n'osais pas te le demander. Néanmoins, je considère que ces quatre cents dollars ont été bien dépensés, cher associé !

Quatre semaines plus tard, Richard Kane quitta la Bank of America, pour rejoindre sa femme comme associé à 50 % et directeur commercial de « Florentina S.A. San Francisco, Los Angeles et San Diego ».

De nouvelles élections eurent lieu. Submergée de travail, Florentina ne n'en préoccupa guère. Après une discussion avec Richard, elle lui confia qu'elle se méfiait de Johnson tout en méprisant Goldwater. Richard plaça un autocollant républicain : Au + $H_2O$ = 1964 [1] sur leur voiture, et Florentina l'enleva aussitôt.

D'un commun accord, ils ne reparlèrent plus de politique. Florentina apprit sans émotion le triomphe du démocrate en novembre.

---

1. Au = formule chimique de l'or (gold en anglais) ; $H_2O$ = formule chimique de l'eau (water en anglais). Donc *gold* + *water* = 1964. C.Q.F.D. (Note du traducteur.)

Un an s'écoula. Les enfants donnaient l'impression de grandir plus vite que leur empire commercial. Pour le cinquième anniversaire de leur fils, ils ouvrirent deux nouveaux « Florentina », l'un à Chicago et l'autre à Boston. Richard regardait d'un œil circonspect les boutiques pousser comme des champignons. Florentina n'hésitait plus. Puisque des milliers de clients nouveaux demandaient et redemandaient des vêtements de Gianni di Ferranti, elle passait presque tout son temps libre à chercher des emplacements pour créer de nouveaux magasins.

En 1966, il ne restait plus qu'une seule ville importante où Florentina ne s'était pas implantée. Elle se disait que des années peut-être passeraient avant de trouver un emplacement libre dans la seule avenue qui convenait pour ouvrir le « Florentina » de New York.

## 21

— Tu es une véritable tête de mule, Abel !

— Je le sais, mais que veux-tu que j'y fasse ?

— Rien au monde ne pourra m'empêcher de me rendre à cette invitation, sache-le.

Couché sur son lit, Abel leva le regard. Depuis six mois, à dater de ce fichu accès de grippe, il ne sortait que très rarement. Georges restait son seul contact avec le monde extérieur.

Abel savait que son vieil ami avait raison et il était même contraint d'admettre que cela était bien tentant. Il se demanda si Kane avait accepté de s'y rendre et se prit à l'espérer. Mais dans le fond, il en doutait. Son ennemi était exactement comme lui, une sacrée tête de mule.

La voix de Georges le tira de ses pensées :

— Je parie que William Kane y sera.

Abel ne fit aucun commentaire, se contentant de demander :

— As-tu reçu le dernier rapport de Varsovie ?

— Oui, oui, répondit Georges d'une voix pointue, furieux qu'Abel ait changé de sujet. Tous les accords ont été signés. John Gronowski n'aurait pas pu se montrer plus coopératif.

« Gronowski, le premier ambassadeur polono-américain à Varsovie, pensa Abel, jamais je ne m'y ferai... »

— Ton voyage en Pologne a apporté les fruits que tu attendais. Bientôt, tu ouvriras un Baron à Varsovie.

— Je voudrais que ce soit Florentina qui l'inaugure, dit Abel très doucement.

— Alors dis-le-lui et n'essaie pas de m'apitoyer. Tout ce que tu auras à faire, c'est d'admettre l'existence de Richard et de t'habituer au fait que leur mariage est un succès, sinon il n'y aurait pas *ça* sur ta cheminée.

Ce disant, Georges désigna un carton d'invitation, qui était resté sans réponse.

Florentina Kane ouvrit sa nouvelle boutique sur la Cinquième Avenue. Tout New York était là, ou presque. Vêtue d'une robe verte, spécialement dessinée pour l'occasion, avec le double F désormais célèbre sur le col montant, la jeune femme se tenait près de l'entrée, saluant chacun des invités et offrant des coupes de champagne. Katherine Kane, accompagnée de sa fille Lucy, arriva avec les premiers visiteurs. Peu après, la boutique fut prise d'assaut par une foule de gens que Florentina connaissait peu ou pas du tout. Georges arriva à son tour et, à la joie de Florentina, il demanda d'être présenté à la famille Kane.

— M. Rosnovski viendra-t-il plus tard ? demanda innocemment Lucy.

— Hélas, non. Je l'ai traité de vieille tête de mule, pour manquer une si belle réception. M. Kane est-il là ?

— Non, répondit Kate. Il est souffrant et ne sort presque plus.

Par la suite, elle apprit à Georges une nouvelle qui l'enchanta...

— Comment va mon père ? chuchota Florentina à l'oreille de Georges.

— Pas très bien. Je l'ai laissé dans son appartement. Mais peut-être, quand il apprendra que ce soir...

— Peut-être, qui sait ? interrompit Florentina.

Elle prit Kate par le bras et la présenta à Zaphia. Pendant un moment, aucune des deux vieilles dames ne parla. Ensuite, Zaphia déclara :

— Je suis ravie de vous connaître. Votre mari est-il avec vous ?

Peu à peu, la pièce se remplissait de monde. On pouvait

246

à peine se déplacer. L'ouverture de ce nouveau magasin était sans nul doute un grand succès. Mais l'esprit de Florentina voguait ailleurs. Elle pensait, précisément, au dîner qui aurait lieu le soir même.


Une foule de badauds encombrait le coin de la Cinquième Avenue et de la 56e Rue, tandis que les invités continuaient à affluer.

L'homme qui se tenait sous un porche, sur le trottoir opposé, portait un pardessus noir rehaussé par une écharpe de laine et un chapeau rabattu sur le visage. La soirée était froide et le vent soufflait dans la Cinquième Avenue.

« Mauvais temps pour les vieux », se dit-il, et il regretta d'avoir quitté son lit douillet. Mais il avait décidé d'assister envers et contre tout à cette inauguration. Il caressa le lourd bracelet d'argent qu'il portait au poignet et se remémora les nouvelles clauses de son testament, dont l'une privait sa fille de ce bijou.

Il sourit en voyant les gens aller et venir dans la somptueuse boutique. A travers la vitrine, il pouvait apercevoir au milieu de la foule son ex-femme en grande conversation avec Georges. Tout à coup, il aperçut Florentina et une larme coula sur sa joue ridée. Sa fille semblait encore plus belle que dans son souvenir. Il eut envie de traverser la rue qui les séparait et d'aller lui dire :

— C'est Georges qui avait raison, je ne suis qu'un vieux toqué, voudras-tu me pardonner ?

Mais au lieu de cela, il resta sur place, sans bouger et se borna à la regarder de loin. Un homme grand au visage aristocratique se tenait à côté de sa fille. Sans doute le fils Kane. Un bel homme, avait dit Georges. Comment donc l'avait-il décrit ? Ah oui ! Comme la force secrète de Florentina. « Comme il doit me haïr », pensa Abel avec tristesse.

Il releva le col de son manteau, jeta un ultime regard à sa fille bien-aimée, et reprit lentement le chemin du Baron. Comme il s'éloignait de la boutique, il aperçut un homme marchant lentement sur le même trottoir. Il était plus grand que lui et avançait d'un pas chancelant.

Leurs regards se croisèrent pendant une fraction de seconde, puis l'homme retira son chapeau. Abel lui rendit son salut sans un mot et chacun continua son chemin.

— Dieu merci, tout le monde est parti ! soupira Florentina. J'ai juste le temps de prendre un bain et de me changer pour le dîner.

— A tout à l'heure, répondit Kate Kane en l'embrassant.

Florentina ferma la boutique et, tenant ses enfants par la main, elle se dirigea vers l'hôtel Pierre. Depuis son enfance, c'était la première nuit qu'elle allait passer une nuit dans un autre hôtel que le Baron.

— Encore un triomphe pour toi, ma chérie, dit Richard un peu plus tard.

— Espérons que ce soir il en sera de même.

— Cesse de t'inquiéter, Jessie. Mon père t'adorera.

Il la suivit à travers le vestibule de l'hôtel, la rattrapa et passa un bras autour de ses épaules.

— Dix années perdues, murmura-t-il. Maintenant, nous aurons une chance d'oublier le passé.

Richard emmena sa petite famille dans l'ascenseur :

— Pendant que tu prends ton bain, je vais laver et habiller les enfants.

Dans son bain moussant, Florentina se demanda comment la soirée allait tourner. Dès le moment où Kate Kane lui avait annoncé le désir de William de la connaître, ainsi que les enfants, elle n'avait cessé de se dire qu'il changerait à nouveau d'avis. A présent, la rencontre devait avoir lieu dans une heure seulement. Est-ce que Richard se posait les mêmes questions ?

Elle émergea du bain, se sécha avec soin et se parfuma avec *Joy*, son parfum préféré, puis enfila une longue robe bleue qu'elle avait sélectionnée après mûre réflexion pour la soirée. Kate lui avait confié que le bleu était la couleur préférée de son mari. Après une longue hésitation sur les bijoux qu'elle porterait, elle opta pour la bague ancienne que le bienfaiteur de son père lui avait offert autrefois. Fin prête, elle jeta un coup d'œil à son miroir.

« Trente-trois ans, pensa-t-elle, pas assez jeune pour porter la mini-jupe, pas assez vieille pour jouer les élégantes. »

Richard entra et la regarda :

— Tu es éblouissante ! Le vieux tombera amoureux de toi dès qu'il te verra.

Elle sourit et se mit à brosser les cheveux des enfants, pendant que Richard partait se changer. Leur fils, qui avait maintenant sept ans, avait l'air d'un vrai petit homme, dans son costume flambant neuf — le premier. Annabelle portait une robe rouge galonnée de ruban blanc, très courte. Son jeune âge lui permettait de suivre les audaces de la mode.

— Nous sommes prêts, annonça Florentina à Richard, qui venait de réapparaître.

Surprise, elle le regarda : son époux avait mis la fameuse chemise striée de fil rouge.

Le chauffeur avait déjà ouvert la portière de la Lincoln louée par Richard. Florentina et les enfants s'installèrent sur la banquette. La jeune femme resta silencieuse tandis que la voiture avançait lentement dans les rues encombrées de New York. Richard se pencha par-dessus le dossier de la banquette avant et caressa la main de Florentina. La voiture s'arrêta dans la 68e Rue, devant un élégant petit hôtel particulier en pierre de taille.

— N'oubliez pas ! Il faut vous comporter le mieux possible, avertit Florentina.

— Oui, maman, répondirent en chœur les enfants, nullement impressionnés par le fait qu'ils allaient enfin rencontrer un de leurs grands-pères.

Avant même qu'ils fussent descendus de voiture, la porte d'entrée s'ouvrit sur un vieux domestique en livrée, qui dit en s'inclinant légèrement :

— Bonsoir, Madame. Quel plaisir de vous revoir, Monsieur.

Kate les attendait dans le hall. Une peinture à l'huile représentant une jeune femme assise sur un fauteuil en cuir cramoisi, les mains sur les genoux, attira l'attention de Florentina.

— La grand-mère de Richard, expliqua Kate. Je ne l'ai pas connue, mais on comprend aisément pourquoi, en son temps, elle était considérée comme une beauté.

Florentina ne pouvait détacher son regard du portrait.

— Qu'est-ce qui ne va pas, chérie ? s'enquit Richard.

— La bague... murmura-t-elle.

Kate fit miroiter le saphir serti de diamants qu'elle portait à l'annulaire.

— Oui, William me l'avait offerte pour nos fiançailles.

— Pas celle-ci. La bague du portrait.

— Ah ! L'ancienne ! Oui, magnifique. Elle faisait partie du patrimoine des Kane depuis des générations. Malheureusement, elle a été perdue voici des années.

Florentina exhiba sa main et Kate contempla sa bague d'un air incrédule. Tous les regards se reportèrent ensuite sur le portrait. Il n'y avait aucun doute, c'était la même bague.

— Un cadeau de baptême, dit Florentina, seulement on n'a jamais su qui l'avait envoyé.

— Seigneur ! s'écria Richard, cela ne m'avait jamais traversé l'esprit.

— Et mon père l'ignore toujours, ajouta Florentina.

Une domestique apparut dans le hall.

— Excusez-moi, Madame. J'ai averti Monsieur que tout le monde était là. Il demande que M. Richard et son épouse montent le voir seuls.

— Allez-y, dit Kate. Je vous rejoins tout à l'heure avec les enfants.

Main dans la main, Florentina et Richard commencèrent à gravir les marches. Florentina tournait et retournait la bague ancienne sur son doigt. Peu après, ils entrèrent dans la vaste pièce où William Lowell Kane les attendait, assis au coin du feu, sur le fauteuil en cuir cramoisi.

« Quel bel homme », se dit Florentina, réalisant tout à coup à quoi ressemblerait Richard quand il serait plus âgé.

— Père, dit Richard, je vous présente ma femme.

Encouragée par le sourire avenant qui étirait les lèvres de

William Kane, Florentina fit un pas en avant. Richard attendit en vain la réponse de son père et, soudain, Florentina comprit que le vieil homme ne parlerait plus jamais.

## 22

Abel se pencha sur la table de chevet et décrocha le téléphone.

— Envoyez-moi Georges, je voudrais m'habiller.

En attendant l'arrivée de son ami, il relut pour la nième fois la lettre qu'il venait de recevoir. Il n'arrivait pas à croire que son commanditaire anonyme n'avait été autre que William Kane.

Georges arriva et Abel lui tendit sans un mot la feuille de papier. Après l'avoir lue lentement, Georges murmura :

— Oh ! Mon Dieu !

— Je dois aller à l'enterrement, dit Abel.

Ils arrivèrent avec un léger retard à l'église de la Trinité de Boston. Le service funèbre était commencé. Ils prirent place au dernier rang, au milieu d'une assistance respectueuse et attristée. Richard et Florentina entouraient Kate. On pouvait dénombrer parmi la foule trois sénateurs, cinq députés, deux archevêques et plusieurs directeurs de banque, ainsi que le directeur du *Wall Street Journal*. Le président de la Lester et tous les chefs de service étaient également présents.

— Vont-ils jamais me pardonner ? demanda Abel à voix basse, et comme Georges ne répondait pas : Tu vas le voir ?

— Bien sûr !

— Merci, Georges. J'espère pour lui que William Kane a eu un ami aussi bon que toi.

Abel était au lit, les yeux rivés sur la porte. Enfin, celle-ci s'ouvrit et il reconnut à peine la ravissante jeune femme qui entra. Pourtant, autrefois, elle avait été sa « petite fille ». Il lui sourit timidement, tout en la regardant par-dessus ses lunettes aux verres en demi-lune. Georges resta debout, près de la porte, tandis que Florentina se ruait vers le lit, pour embrasser son père — un long baiser qui ne rattrapait pas dix années perdues, lui dit-il, et il poursuivit :

— On a tant de choses à se dire. Sur Chicago, la Pologne, la politique, les magasins. Mais commençons par Richard. Pourra-t-il jamais croire que j'ignorais jusqu'à hier que derrière mon commanditaire se cachait son père ?

— Oui ! Lui-même l'avait découvert seulement un jour avant toi. Mais comment l'as-tu appris ?

— Par la lettre d'un avocat de la Banque nationale de Chicago. Ses instructions lui interdisaient de me dévoiler le nom de mon bienfaiteur jusqu'à sa mort. Quel imbécile je suis ! Richard acceptera-t-il de me voir ?

— Il meurt d'envie de te connaître. Il attend en bas, avec les enfants.

— Faites-les chercher ! Faites-les chercher ! cria Abel.

Avec un sourire épanoui, Georges disparut. Peu après, on frappa à la porte et Abel s'efforça de se lever. Richard entra, suivi par les enfants. Ensuite, le chef de la famille Kane échangea une chaleureuse poignée de main avec son beau-père.

— Bonjour, monsieur, dit-il, c'est un honneur de faire votre connaissance.

Abel resta muet, incapable d'articuler le moindre mot. Florentina lui présenta les enfants.

— Comment t'appelles-tu ? demanda le vieil homme au petit garçon.

— William Abel Kane.

Abel prit la menotte de l'enfant :

— Je suis fier que mon nom soit associé à celui de ton autre grand-père. Puis, s'adressant à Richard : Vous ne pouvez savoir combien je suis désolé pour votre père. Si j'avais su... Bon sang ! Que d'erreurs et d'années perdues ! Jamais

254

je n'aurais pu imaginer que votre père était mon bienfaiteur. Maintenant, je donnerais volontiers dix ans de ma vie pour pouvoir lui exprimer toute ma gratitude, mais hélas, c'est trop tard.

— Père aurait très bien compris. Mais une clause dans les statuts familiaux lui interdisait de révéler son identité, à cause du conflit potentiel entre ses intérêts personnels et professionnels. Il n'était pas le genre d'homme à transgresser les lois et c'est du reste pourquoi ses clients avaient une confiance aveugle en lui.

— Et moi, je me suis conduit comme un imbécile, soupira Abel.

— Le destin ! dit Richard. Personne d'entre nous n'aurait pu prévoir qu'Henry Osborne se trouverait sur notre chemin.

— J'ai vu votre père le soir de sa mort, lança soudain Abel. (Il reprit, sous les regards stupéfaits de ses interlocuteurs :) Nous nous sommes rencontrés sur la Cinquième Avenue. Il est venu lui aussi à l'inauguration de votre nouvelle boutique et a ôté son chapeau pour me saluer. C'est déjà beaucoup ! oui, beaucoup !

Peu après, Abel et Florentina se remémorèrent des jours plus heureux. Ils en rirent un peu et pleurèrent beaucoup.

— Pardonnez-nous, Richard, dit Abel, nous autres Polonais nous sommes de grands sentimentaux.

— Je le sais. Mes enfants sont à moitié polonais.

— Peut-on dîner ensemble, ce soir ?

— Volontiers.

— Avez-vous déjà goûté à un vrai festin polonais, mon garçon ?

— Oh ! Oui ! J'y ai droit à chaque Noël, depuis dix ans !

Abel éclata de rire. Peu après, il expliqua comment il envisageait l'avenir du groupe. Il proposa d'inclure une boutique « Florentina » dans chaque hôtel et sa fille l'approuva. Mais elle demanda une seule faveur : l'accompagner avec Richard à Varsovie, pour l'inauguration du nouveau Baron. Richard promit d'être des leurs.

Dans les jours qui suivirent, Abel prit l'habitude de voir

régulièrement sa fille et, aussi, d'apprécier son gendre. Mais pourquoi, diable, avait-il été aussi obtus par le passé ? Il voulait que leur voyage soit inoubliable pour Florentina et le dit à Richard. Il avait demandé à sa fille d'inaugurer le Baron, mais elle avait objecté que seul le président du groupe pouvait assumer une telle tâche. Cependant, la santé de son père l'inquiétait.

Semaine après semaine, Florentina et Abel suivirent les progrès du nouvel hôtel. Le jour de l'ouverture approchant, Abel répéta son speech d'inauguration devant sa fille.

Toute la famille se rendit à Varsovie, afin d'inspecter le premier hôtel occidental construit derrière le rideau de fer. Tout était parfait, exactement comme Abel l'avait promis.

La cérémonie d'inauguration se déroula dans l'immense parc de l'hôtel. Le ministre du Tourisme polonais prononça un discours de bienvenue devant les invités, puis ce fut au tour du président du groupe Baron de prendre la parole. Abel prononça chaque mot écrit et répété et lorsqu'il eut terminé, les milliers de personnes qui avaient envahi la pelouse se levèrent et applaudirent à tout rompre.

Le ministre du Tourisme donna une paire de ciseaux au président du groupe Baron. Ce fut Florentina qui coupa le ruban devant l'entrée de l'hôtel en prononçant la formule consacrée :

— Je déclare le Baron de Varsovie officiellement ouvert.

Florentina fit le voyage jusqu'à Slonim, pour répandre les cendres de son père sur les lieux mêmes de sa naissance. A la vue de cette terre qui avait vu naître Abel, elle se jura de ne jamais oublier ses origines.

Richard avait tout fait pour la réconforter. Du reste, pendant la courte période où il avait fréquenté son beau-père, il avait reconnu en lui les principales qualités de Florentina.

La récente réconciliation entre Florentina et son père n'avait pas été suffisante, et elle pensait avoir encore tant de choses à lui dire et tant de choses à apprendre de lui. Elle ne cessait de remercier Georges, qu'elle considérait à présent comme un membre de la famille, et qui avait ressenti la mort d'Abel aussi durement qu'elle.

Le dernier Baron Rosnovski reposait sur sa terre natale, tandis que son unique enfant et son meilleur ami retournaient en Amérique.

# LE PRÉSENT

## 1968-1982

## 23

La nomination de Florentina Kane à la présidence du groupe Baron fut confirmée par le conseil le jour même de son retour de Varsovie. Sur l'avis de Richard, elle accepta de transférer le siège social des boutiques à New York. Quelques jours plus tard, ils se rendirent pour la dernière fois dans le petit appartement de Nob Hill et passèrent quatre semaines en Californie, pour préparer leur déménagement. L'opération consistait entre autres à remettre la direction de toutes les boutiques de la côte Est entre les mains compétentes de leur ancien directeur, et à confier à Nancy Ching les deux succursales de San Francisco.

Florentina fit ses adieux à Belle et à Claude et promit à ses bons amis qu'elle reviendrait régulièrement sur la côte Ouest.

— Tu pars aussi subitement que tu es venue, dit Belle.

C'était la deuxième fois que Florentina la voyait pleurer.

A New York, Richard eut l'idée d'associer les boutiques au groupe Baron, afin de simplifier certaines questions fiscales, avec l'accord de Florentina. A soixante-cinq ans, Georges Novak fut promu directeur à vie et obtint un salaire qu'Abel lui-même aurait considéré comme généreux. Florentina devint P.-D.G. du groupe et Richard fut nommé directeur général.

Ils avaient trouvé une magnifique maison dans la 64e Rue. En attendant que les travaux soient terminés, ils s'installèrent au 42e étage du Baron de New York. Le petit William avait été admis à Buckey, une école très prisée, que Richard avait également fréquentée, longtemps auparavant. Annabelle allait à Spence. Carol pensait que le temps était venu de chercher un travail ailleurs, mais à cette seule idée, Annabelle fondait en larmes.

Florentina s'enfermait tous les jours avec Georges, qui lui apprenait comment gérer le groupe. Le vieil homme s'inquiétait. Est-ce que sa filleule saurait se montrer assez dure en affaires pour diriger un aussi vaste empire ? Ses craintes furent apaisées à la fin de la première année, surtout lorsque Florentina prit la décision d'aligner les salaires du personnel de couleur sur celui des employés blancs.

— Elle a hérité du génie de son père, confia-t-il à Richard, mais elle manque encore d'un peu d'expérience.

— Le temps y pourvoira, prédit le mari de Florentina.

A la fin de la première année de présidence de la jeune héritière, Richard fit un rapport complet au conseil. Le groupe avait réalisé un bénéfice net de vingt-sept millions de dollars, malgré des investissements immobiliers considérables et la dévaluation du dollar, du fait de la guerre de Vietnam. Il termina son rapport en émettant le souhait que ce genre d'exercice soit dorénavant confié à une banque.

— D'accord, répondit Florentina, mais je te considère toujours comme un banquier.

— Ne m'en parle pas ! Avec le chiffre d'affaires que nous réalisons actuellement avec plus de cinquante devises différentes et les commissions que nous versons à toutes ces institutions financières auxquelles nous avons recours, il serait peut-être temps de contrôler notre propre banque.

— Cela doit être impossible d'acheter une banque du jour au lendemain, et au moins aussi dur de remplir les conditions exigées par le gouvernement pour en gérer une.

— Naturellement. Mais nous possédons 8 % de la Lester et nous connaissons les problèmes auxquels mon père a dû faire face par le passé. Essayons plutôt de tourner cette clause à notre avantage. Voilà ce que je pense proposer au conseil...

Dès le lendemain, Richard adressait une lettre à Jake Thomas, le P.-D.G. de la Lester, pour solliciter un rendez-vous. La réponse du banquier fut réservée, voire hostile, et finalement leurs secrétaires respectives convinrent de l'heure et du lieu de la rencontre.

Quand Richard pénétra dans le bureau de Jake Thomas, celui-ci se leva et désigna d'un geste de la main un siège à son visiteur. Ensuite, il se rassit sur le même fauteuil que le père de Richard avait occupé pendant plus de vingt ans. Les fleurs dans le vase étaient moins fraîches et moins abondantes que dans le souvenir de Richard.

L'accueil du banquier fut formel et froid, mais Richard ne se laissa pas intimider. Il savait qu'il devrait jouer la carte de la force.

Il n'y eut aucun préambule :

— Monsieur Thomas, vous n'êtes pas sans savoir que j'ai 8 % des actions de la Lester en ma possession. J'habite désormais New York et il me semble qu'il est grand temps pour moi de récupérer au conseil la place qui me revient de droit.

Manifestement, Jake Thomas s'était préparé à cette offensive. Richard le comprit dès les premiers mots de sa réplique :

— Dans des circonstances normales, l'idée serait excellente, monsieur Kane. Malheureusement pour vous, le conseil vient de pourvoir son dernier siège vacant. Il ne vous reste donc qu'à revendre vos parts à la banque.

Richard s'attendait plus ou moins à cette réponse.

— Sous aucun prétexte je ne me séparerai des actions de ma famille ! Mon père a créé cette banque afin qu'elle devienne l'une des institutions les plus respectées des Etats-Unis. J'ai l'intention de m'intéresser à son avenir.

— Dommage ! fit l'autre. Vous n'ignorez pas, pourtant, que votre père a quitté la banque dans des circonstances plutôt malheureuses. Du reste, nous sommes prêts à racheter vos actions à un prix raisonnable.

— Plus raisonnable que celui que mon beau-père vous a offert pour racheter les vôtres ?

La figure de Jake Thomas s'empourpra :

— Vous êtes un destructeur, souffla-t-il.

— Monsieur Thomas, j'ai souvent remarqué dans le passé que, pour construire, il fallait parfois savoir détruire au préalable !

— Prenez garde ! Vous n'avez pas assez d'atouts dans votre manche pour vous attaquer à cette maison.

— Personne ne sait mieux que vous que 2 % peuvent suffire.

— Je ne vois pas l'intérêt de prolonger cet entretien, monsieur Kane !

— Et je suis de votre avis. Mais soyez certain que, dans un proche avenir, nous reprendrons cette discussion, déclara Richard.

Il se leva. Thomas évita soigneusement de lui serrer la main.


— Puisqu'il le prend sur ce ton, déclarons-lui la guerre, dit Florentina.

— Bonne idée, approuva Richard. Mais avant de passer à la contre-attaque, j'ai envie de consulter le vieil avocat de mon père, Thaddeus Cohen. Il sait tout de la Lester et, si nous combinons tout ce que nous savons, nous pourrons peut-être en tirer quelque chose.

Florentina acquiesça :

— Une fois, Georges m'a confié ce que mon père pensait faire, si malgré ses 8 %, il ne parvenait pas à renverser ton père.

Richard écouta attentivement les explications de Florentina.

— Crois-tu que ça peut marcher dans ce cas précis ? termina-t-elle.

— On peut toujours essayer, mais on prend un sacré risque.

— Rien ne doit nous faire peur, hormis la peur elle-même !

— Oh ! Jessie ! Quand comprendras-tu que Roosevelt était un homme politique et non un banquier ?

Richard passa près de quatre jours enfermé en compagnie de Thaddeus Cohen dans les bureaux du cabinet d'avocats « Cohen, Cohen, Yablons et Cohen ».

— Vous êtes la seule personne qui possède actuellement 8 % de la Lester, affirma Thaddeus, assis à son bureau. Jake Thomas lui-même en possède 2 %. Si votre père avait su que Jake Thomas n'avait les moyens de détenir les actions d'Abel Rosnovski que pour quelques jours, il aurait pu déjouer le complot et conserver la présidence de la banque.

Le vieil avocat des Kane se renversa sur sa chaise, portant les deux mains à son crâne chauve.

— Cette information me rendra la victoire plus douce, dit Richard. Connaissez-vous les noms des autres actionnaires ?

— Mes listes datent de l'époque où votre père était encore directeur général. Il y a eu tant de changements depuis qu'elles ne valent plus grand-chose aujourd'hui. Inutile de vous le rappeler, mais vous êtes parfaitement en droit de réclamer les nouvelles listes.

— Et j'imagine que Thomas me les enverra le plus tard possible.

— A mon avis, il ne pourra pas traîner au-delà de Noël, observa Thaddeus Cohen, en se permettant un maigre sourire.

— Et que pourrait-il se passer si je convoquais une réunion extraordinaire pour demander des explications sur la façon dont Jake Thomas a vendu ses propres actions dans le seul but de chasser mon père du conseil ?

— Rien. Vous ne réussiriez qu'à mettre un certain nombre de personnes dans l'embarras. Jake Thomas s'arrangerait pour que la réunion soit prévue à une date qui ne conviendrait à personne, et où il y aurait beaucoup d'absents. Du reste, il n'aurait aucune difficulté à obtenir 51 % des voix

par procuration, donc à faire repousser toutes vos propositions. Et j'imagine qu'il en profiterait pour laver à nouveau
son linge sale en public, ce qui ne pourrait que nuire à la
réputation de votre père. Non, franchement, M. Kane, je
crois que Mme Kane a eu la meilleure idée, et permettez-moi
de le dire, elle est typique du génie de son père dans ce genre
d'affaires.

— Et si nous échouons ?

— Je ne suis pas joueur, mais je suis prêt à parier quand
vous voulez sur la combinaison Kane-Rosnovski contre Jake
Thomas.

— Si je vous donne mon accord, quand lançons-nous
l'offre ?

— Le 1er avril, répondit Thaddeus, sans l'ombre d'une
hésitation.

— Qu'y a-t-il de particulier ce jour-là ?

— Les gens paient leurs impôts et certains ont alors besoin
de liquidités.

Richard et Thaddeus mirent au point tous les détails de
l'opération. Le même soir, Richard rapportait tout à
Florentina.

— Combien perdrons-nous en cas d'échec ? fut sa première question.

— Une somme rondelette : trente-sept millions de dollars.

— Je vois, fit-elle.

— Mais on ne perdra pas tout. Simplement, notre capital sera investi dans les actions de la Lester, ce qui limitera
considérablement le cash-flow du groupe — si malgré tout,
nous n'arrivons pas à prendre le contrôle de la banque.

— Qu'en pense monsieur Cohen ?

— Que nous avons 50 % de chances de réussir. Mon père
ne se serait jamais lancé dans cette aventure avec des chances aussi maigres, ajouta-t-il.

— Le mien, si ! Il a toujours considéré qu'un verre est à
moitié plein.

— Alors, Thaddeus Cohen avait raison.

— Pourquoi ?

— A ton sujet. D'après lui, si tu ressembles tant soit peu

266

à ton père en affaires, je devrais me préparer à livrer cette bataille.

Trois mois durant, Richard ne vit que comptables, hommes de loi, conseillers fiscaux. Le 15 mars, tout était couché noir sur blanc. Le même après-midi, il réserva un espace dans la page financière des principaux journaux américains, pour le 1er avril. Et il avertit le service des petites annonces que le texte parviendrait au journal vingt-quatre heures seulement avant la publication.

Il ne pouvait s'empêcher de penser à ce jour et se demander qui, de lui ou de Jake Thomas, allait être le dindon de la farce. Pendant les deux dernières semaines, Richard et Thaddeus vérifièrent plusieurs fois tous les détails de leur plan, s'assurant qu'ils n'avaient rien omis et que son existence n'était pas connue de plus de trois personnes.

Au matin du 1er avril, assis à son bureau, Richard considéra le texte de son annonce, qui s'étalait sur toute une page du *Wall Street Journal* :

« Le groupe Baron offre quatorze dollars pour chaque action de la banque Lester. La cotation de ces actions est actuellement de onze dollars un quart. Toutes les personnes intéressées sont priées de prendre contact avec leur courtier. Pour de plus amples renseignements, écrire à M. Robin Oakley, Chase Manhattan Bank, 1, Chase Manhattan, Plaza, New York, NY 10005.

« Cette offre est valable jusqu'au 15 juillet. »

Dans son éditorial, Vermont Royster fit remarquer que cette offre avait dû être soutenue par la Chase Manhattan, qui, en contrepartie, détenait sans doute des capitaux du groupe Baron à titre de garantie. Si l'opération réussissait, ajoutait l'éditorialiste, Richard Kane se trouverait à la tête de la Lester, à la place occupée pendant plus de vingt ans par son père. S'il échouait, le groupe Baron se verrait acculé à un régime d'austérité pendant plusieurs années, puisqu'il disposerait d'une part importante mais minoritaire de la banque, sans pour autant la contrôler.

Richard lui-même n'aurait pas mieux résumé la situation.

Florentina appela son mari à son bureau pour le féliciter de la façon dont il avait lancé l'opération « table rase ».

— Comme disait Napoléon, la première règle de la guerre, c'est la surprise.

— Alors espérons que Jake Thomas n'assistera pas à mon Waterloo.

— Quel pessimisme, monsieur Kane ! Dites-vous qu'en ce moment, M. Thomas est sur des chardons ardents et qu'après tout, il ne dispose pas de l'arme secrète que vous possédez.

— Quelle arme ? demanda Richard.

— Moi !

Le téléphone fut raccroché pour grésiller aussitôt.

— M. Jake Thomas sur la ligne, monsieur Kane.

« Je me demande si l'on peut téléphoner tout en étant sur les charbons ardents », pensa-t-il.

— Passez-le-moi, dit-il.

Pour la première fois, il commençait à imaginer ce qu'avait pu être la confrontation entre son père et Abel Rosnovski.

— Monsieur Kane, fit la voix de Jake Thomas, nous devrions chercher ensemble à résoudre nos différends. Peut-être ai-je été un peu imprudent de ne pas vous avoir offert tout de suite un siège au conseil.

— Cette place ne m'intéresse plus, monsieur Thomas.

— Comment ? Mais je...

— Non ! Je ne m'intéresse qu'à la présidence !

— Vous ne comprenez pas que si le 15 juillet, vous n'avez pas réussi à vous procurer 51 % du capital de la Lester, nous allons immédiatement apporter des modifications aux statuts et émettre des actions nouvelles qui diminueront la valeur des vôtres ? J'ajoute que les membres du conseil contrôlent déjà 40 % des actions et j'ai l'intention de contacter tous les actionnaires aujourd'hui même, pour leur recommander de ne pas répondre à votre O.P.A. Si j'obtiens encore 11 %, vous allez perdre une petite fortune.

— Je suis prêt à prendre ce risque.

— Comme vous voudrez, Kane ! Le 23 juillet, je vais convoquer l'assemblée annuelle des actionnaires. Si d'ici là vous n'avez pas eu vos 51 %, je vous jure que je veillerai personnellement à vous écarter de cette banque, tant que je serai président ! (Et la voix de Jake Thomas se radoucit subitement.) Voudriez-vous reconsidérer votre position ?

— Avant de quitter votre bureau, monsieur, j'avais clairement exposé ce que je voulais. Rien n'a changé depuis.

Richard raccrocha brutalement, ouvrit son agenda et nota sous la date du 23 juillet : assemblée annuelle des actionnaires de la Lester, suivi d'un point d'interrogation. Le même après-midi, il reçut le télégramme de Jake Thomas adressé à tous les actionnaires de la banque.

Tous les matins, Richard appelait Thaddeus Cohen, qui le tenait au courant de l'évolution de la situation. A la fin de la première semaine, il était en possession de 31 % ce qui, ajouté à ses 8 % initiaux, donnait 39 %. Si Thomas contrôlait réellement 40 % des actions, le combat s'annonçait serré.

Deux jours plus tard, Richard reçut une circulaire envoyée à tous les actionnaires par Jake Thomas, dans laquelle le P.-D.G. de la Lester les mettait en garde contre l'offre du groupe Baron.

« Vos intérêts tomberont entre les mains d'une société qui, dernièrement encore, était dirigée par un homme accusé de pots-de-vin et de corruption de fonctionnaires », écrivait-il en fin de paragraphe.

Cette attaque contre la mémoire d'Abel indigna Richard. Quant à Florentina, de sa vie il ne l'avait vue aussi furieuse.

— Nous allons le réduire en poussière, n'est-ce pas ? demanda-t-elle, en serrant les poings.

— Cela va être juste. Ils possèdent 40 % entre tous les membres du conseil et leurs amis. Et comme à quatre heures de l'après-midi, nous avions 41 %, la bataille pour les 19 % qui restent décidera du vainqueur le 23 juillet.

Jusqu'à la fin du mois, Richard n'entendit plus parler de Jake Thomas, à tel point qu'il commença à se demander si ce dernier n'avait pas obtenu les 51 % fatidiques. Huit semaines avant l'assemblée annuelle de la banque, ce fut au tour de Richard, en lisant son journal au petit déjeuner, de sentir ses cheveux se dresser sur sa tête. A la page 37 du *Wall Street Journal*, une publicité annonçait que la Lester mettait sur le marché deux millions d'actions, jusqu'alors autorisées mais non émises, vendues au bénéfice d'un nouveau fonds de retraite pour les employés de la banque.

Dans une interview accordée au reporter du *Journal*, Thomas expliquait qu'il s'agissait là d'un grand pas en avant vers la répartition du bénéfice au personnel, initiative qui devrait servir de modèle à la nation et à la communauté bancaire tout entières.

Richard jura à voix basse. Laissant son café refroidir dans la tasse, il se rua vers le téléphone.

— Qu'est-ce que tu dis ? demanda Florentina.

— Bordel ! répéta-t-il en lui passant le journal.

Elle lut la nouvelle, pendant qu'il téléphonait.

— Qu'est-ce que ça veut dire ?

— Eh bien, même si nous parvenons à nous procurer ces fameux 51 %, ces deux millions de parts supplémentaires, vendues à des organismes institutionnels, j'en suis sûr, nous empêcheront d'écraser ce fumier le 23 juillet.

— Est-ce légal ?

— C'est exactement ce que j'essaie de savoir.

Thaddeus Cohen répondit sans hésiter :

— C'est absolument légal, sauf si vous parvenez à l'arrêter par voie de justice. Mais je vous préviens, si on ne vous accorde pas un arrêt suspensif, vous ne serez jamais président de la Lester.

Pendant vingt-quatre heures, Richard fit le tour des cabinets d'avocats et des salles d'audience. Il signa trois déclarations sous serment, avant qu'un juge n'accepte la demande d'injonction de suspension. Après un appel devant trois juges, ceux-ci décidèrent à deux voix contre une, et après une journée de délibération, de suspendre l'offre des parts émises par la Lester, jusqu'à l'assemblée du 23 juillet. Richard avait gagné une bataille, mais pas la guerre. Dès le lendemain matin, de retour à son bureau, il découvrit qu'il ne disposait encore que de 46 % des actions dont il avait besoin pour abattre Jake Thomas.

— Il doit avoir le reste, dit Florentina, d'une voix désespérée.

— Cela m'étonnerait, répondit Richard.

— Pourquoi pas ?

— Il n'aurait pas perdu son temps à jouer le numéro des actions supplémentaires, s'il avait déjà 51 % en sa possession.

— Bien raisonné, monsieur Kane !

— En vérité, continua Richard, il doit croire, de son côté, que nous les avons ces 51 %. Où sont passés les 5 % manquant ?

Au cours des derniers jours de juin, il fallait s'accrocher aux basques de Richard pour l'empêcher de bombarder de coups de fil toutes les trente secondes la Chase Manhattan. Le 15 juillet, il disposait de 49 % et se disait que dans huit jours seulement, Thomas pourrait produire les nouvelles actions, lesquelles lui ôteraient l'espoir de contrôler la Lester. A cause du cash-flow nécessaire au groupe Baron, il serait obligé de se défaire immédiatement d'une partie de ses actions, avec une perte considérable, ainsi que l'avait prévu son adversaire.

A plusieurs reprises dans la journée, il se surprit à soliloquer tout haut :

— 2 % ! Seulement 2 % !

Il restait à peine une semaine. Richard se concentrait de plus en plus difficilement sur les issues de secours du nouvel hôtel. Ce fut alors que Marie Preston demanda à lui parler au téléphone.

— Je ne connais aucune Marie Preston, dit-il à sa secrétaire.

— Elle prétend que vous l'avez connue sous le nom de Marie Bigelow.

Il ne put s'empêcher de sourire. Qu'est-ce que Marie pouvait bien vouloir ? Il ne l'avait pas revue depuis qu'il avait quitté Harvard. Il prit le combiné :

— Marie, quelle surprise ! Tu ne m'appelles pas pour te plaindre du service d'un des Baron, au moins ?

— Pas du tout, bien que nous ayons déjà passé une nuit dans un Baron, si tu t'en souviens encore.

— Comment pourrais-je l'oublier ? protesta-t-il, ne se souvenant de rien.

— Je t'appelle pour te demander un conseil. Il y a quelques années, mon grand-père, Allan Lloyd, m'a laissé 3 % d'actions de la Lester. J'ai reçu une lettre d'un certain Jake Thomas, me demandant de céder ces actions à la banque et non à toi.

Richard retint son souffle et son cœur se mit à cogner très fort.

— Tu es toujours là, Richard ?

— Oui, Marie. J'étais en train de réfléchir. Eh bien, il faut dire que...

— Ecoute, mon chou, inutile de te lancer dans un long discours. Pourquoi ne viendrais-tu pas avec ta femme passer une soirée en Floride, avec mon mari et moi ? Tu pourrais mieux nous conseiller.

— Florentina est absente et ne rentre de San Francisco que dimanche prochain.

— En ce cas viens tout seul. Max serait ravi de faire ta connaissance.

— Laisse-moi le temps de prendre mes dispositions. Je te rappelle dans une heure.

Richard appela Florentina. Celle-ci lui conseilla de tout laisser tomber pour se rendre en Floride. Ensuite, il transmit l'information à Thaddeus Cohen, qui parut ravi.

— Sur mes listes, ces actions figurent encore au nom d'Allan Llyod, dit-il.

— Maintenant, elles sont au nom de madame Max Preston.

— Je me fiche pas mal du nom, allez vite les chercher !

Richard prit l'avion le samedi après-midi. A l'aéroport de West Palm Beach, il était attendu par un chauffeur en livrée. A la vue de la somptueuse résidence des Preston, on pouvait se demander comment l'occuper entièrement, à moins d'avoir vingt enfants. La vaste demeure se dressait tout au bout d'un terrain de golf, près d'un canal. Il fallut six minutes de voiture pour aller du pavillon du garde à l'imposant escalier de quarante marches menant à la maison. Marie était debout, sur le perron, dans un costume d'amazone, et ses cheveux blonds flottaient sur ses épaules. Il la regarda et se souvint de ce qui l'avait attiré en elle, près de quinze années auparavant.

Un maître d'hôtel prit le bagage de Richard et le conduisit dans une chambre assez grande pour y tenir une réunion. Sur le lit, il y avait un costume de cavalier.

Richard et Marie firent une promenade à cheval. Il n'y avait aucune trace de Max, mais elle prétendit que son mari arriverait vers sept heures du soir. Heureusement, sa compagne se contenta d'un petit galop. Cela faisait longtemps que Richard n'était pas monté à cheval et il savait que, le lendemain, il serait complètement fourbu. De retour à la maison, il prit un bain, passa un costume sombre et redescendit au salon un peu avant sept heures. Marie arriva peu après, dans une robe vaporeuse et décolletée, et le maître d'hôtel lui tendit d'office un grand verre de whisky.

— Je suis désolée, annonça-t-elle. Max vient de m'appeler. Il est retenu à Dallas et ne pourra rentrer avant demain, tard dans l'après-midi. (Avant que Richard ne pût répondre, elle ajouta :) Allons dîner et tu m'expliqueras pourquoi le groupe Baron a besoin de mes 3 %.

Richard raconta calmement toute l'histoire, depuis le jour où son père avait pris la suite du grand-oncle de Marie. Il remarqua à peine les deux premiers plats, tant il était absorbé par son récit.

— Ainsi, grâce à mes 3 %, la banque peut revenir entre les mains des Kane, observa Marie.

— Oui, répondit Richard. Il en manque 5 %, mais comme nous possédons déjà 49 %, tu peux nous permettre d'être majoritaires.

— Eh bien, cela me paraît clair comme de l'eau de roche, fit-elle, alors que l'on emportait le soufflé, j'aviserai mon courtier dès lundi matin et tout sera arrangé. Allons boire un cognac dans la bibliothèque pour célébrer l'événement.

— Tu n'imagines pas à quel point je suis soulagé, dit Richard en repoussant sa chaise et en suivant son hôtesse dans un corridor interminable.

La bibliothèque avait les dimensions d'un terrain de basket-ball et disposait de presque autant de sièges. Marie servit le café pendant que le maître d'hôtel apportait le cognac. Ensuite, elle le renvoya pour la soirée, et prit place sur le divan, près de Richard.

— Comme au bon vieux temps, soupira-t-elle en s'appuyant contre lui.

Richard acquiesça. Il rêvait encore à la présidence de la Lester. Il savoura son cognac et remarqua à peine que Marie avait posé la tête sur son épaule. Au deuxième cognac, il finit par s'apercevoir que la main de la jeune femme reposait sur sa cuisse. Il avala une gorgée de cognac. Tout à coup, sans prévenir, Marie l'enlaça de ses bras et l'embrassa sur les lèvres. Lorsqu'elle le relâcha, il se mit à rire en disant : « Comme au bon vieux temps », puis, se redressant, il se servit une tasse de café noir.

— Qu'est-ce qui retient Max à Dallas ? demanda-t-il.

— Une histoire d'oléoduc, répondit-elle sans enthousiasme.

Richard resta prudemment près de la cheminée et pendant l'heure qui suivit il apprit tout sur les oléoducs et un peu sur Marie. Il suggéra qu'il était temps d'aller se coucher et elle ne fit aucun commentaire, se contentant de se lever et de l'accompagner jusqu'à l'escalier qui menait à sa chambre. Elle s'éclipsa avant qu'il ait pu lui souhaiter bonne nuit.

Richard ne put s'endormir. L'exaltation d'avoir pu obtenir les 3 % qui lui manquaient se mêlait à l'inquiétude devant son éventuelle prise de pouvoir à la banque, qu'il souhaitait n'être accompagnée que du minimum de perturbation. Même en tant qu'ancien président, Jake Thomas risquait d'être gênant et, déjà, Richard imaginait mille et une façons pour apaiser sa colère, qui exploserait sans aucun doute lorsqu'il aurait perdu la bataille.

Il entendit alors un léger bruit émanant de la porte de sa chambre, puis la poignée tourna et le battant s'ouvrit sur la silhouette de Marie, vêtue d'un négligé rose transparent.

— Tu es réveillé, Richard ?

Il resta immobile, se demandant s'il avait une chance de s'en sortir en feignant le sommeil. Craignant qu'elle ne l'ait vu bouger, il répondit « Oui », d'une voix ensommeillée, amusé à l'idée qu'il allait devoir penser à l'horizontale.

Marie alla s'asseoir sur le coin du lit :

— Tu as besoin de quelque chose ? s'enquit-elle.

— Oui, d'une bonne nuit de sommeil.

— Il existe deux méthodes pour bien dormir, répliqua-t-elle en se penchant pour lui caresser les cheveux. Avaler un somnifère ou faire l'amour.

— Excellente idée, mais j'ai déjà pris le somnifère, rétorqua-t-il d'un air somnolent.

— Peut-être, mais il n'a pas apporté l'effet désiré, alors pourquoi n'essayons-nous pas la deuxième méthode ?

Elle fit glisser son négligé et le laissa tomber en petit tas sur le sol. Sans autre mot, elle se faufila sous les draps et se colla à Richard. Il sentit son corps ferme de femme sportive et qui n'avait jamais eu d'enfants.

— Eh bien, murmura-t-il, j'aurais préféré ne pas avoir pris ce somnifère, ou avoir prévu de rester une nuit de plus.

Marie se mit à l'embrasser dans le cou, et à le caresser d'une façon de plus en plus audacieuse. « Seigneur, se dit-il, après tout je ne suis qu'un homme. » C'est alors que, quelque part, une porte claqua. Marie rejeta les couvertures, enfila en catastrophe son négligé traversa la pièce en courant et disparut comme une voleuse. Une lumière s'alluma dans le hall. Richard tira les draps sur son corps et entendit des bribes de conversation dont il ne comprit pas un mot. Puis, il sombra dans un sommeil agité.

Le lendemain matin, au petit déjeuner, il trouva Marie en compagnie d'un homme plus âgé, qui avait dû être extrêmement séduisant dans sa jeunesse. L'homme se leva et serra la main de Richard :

— Permettez que je me présente : Max Preston. Je ne

pensais pas passer le week-end avec vous, mais mon travail s'est terminé plus tôt que prévu et j'ai pu attraper le dernier vol. Je ne voudrais pas que vous quittiez ma maison sans avoir goûté à la véritable hospitalité du Sud.

Pendant le petit déjeuner, les deux hommes discutèrent de leurs problèmes avec Wall Street et des effets de la nouvelle législation fiscale, instituée par Nixon. Le maître d'hôtel annonça que le chauffeur attendait M. Kane pour le reconduire à l'aéroport.

Les Preston accompagnèrent leur invité jusqu'à la voiture, au bas des quarante marches. Richard embrassa Marie sur la joue, la remercia pour tout ce qu'elle avait fait pour lui et serra chaleureusement la main de Max.

— A bientôt, j'espère, dit celui-ci.

— Appelez-moi si vous passez par New York.

Marie lui sourit gentiment, puis le couple le salua de la main, alors que la Rolls s'éloignait lentement dans l'allée.

Dans l'avion, après le décollage, Richard se sentit merveilleusement soulagé. L'hôtesse lui servit un cocktail et il commença à échafauder des plans pour le lundi suivant. A sa grande joie, Florentina l'attendait dans leur maison de la 64e Rue.

— Les actions sont dans la poche ! annonça-t-il triomphalement.

Pendant le dîner, il raconta à sa femme tous les détails de son séjour en Floride. Ils finirent par s'endormir sur le canapé, près du feu, un peu avant minuit, la main de Florentina reposait sur la cuisse de Richard.

Dès le lendemain, Richard appela Jake Thomas, afin de l'informer qu'il était maintenant en possession de 51 % des actions de la banque. Dans l'écouteur, il pouvait entendre le souffle court de son ennemi.

— Dès que les certificats seront entre les mains de mon avocat, je viendrai à la banque vous faire connaître mes intentions, en ce qui concerne la transition de la présidence.

— Bien, répondit Thomas, d'une voix résignée. Puis-je vous demander qui vous a rendu les derniers 2 % ?

276

— Une vieille amie, Marie Preston.

Il y eut un silence à l'autre bout de la ligne, puis Jake Thomas demanda :

— Mme Max Preston, de Palm Beach ?

— Elle-même, lança triomphalement Richard.

— Alors inutile de vous déranger, monsieur Kane, Mme Preston a négocié avec nous ses actions, il y a quatre semaines, et nous détenons les certificats depuis plusieurs jours.

Thomas raccrocha. Richard avala sa salive.

Lorsqu'il raconta à Florentina la nouvelle tournure de l'affaire, celle-ci s'exclama :

— Tu aurais dû coucher avec cette bonne femme ! Jake Thomas l'aurait fait, j'en suis sûre.

— Aurais-tu couché avec Scott Forbes, dans les mêmes circonstances ?

— Mon Dieu, non, monsieur Kane.

— Alors, tu vois bien, Jessie...

Richard passa deux nuits blanches. Comment diable acquérir les 2 % manquants ? Manifestement, chaque camp était maintenant en possession de 49 %. Thaddeus Cohen l'avait déjà prévenu qu'il allait falloir commencer à liquider ses parts. Il ferait mieux de prendre exemple sur Abel et de tout revendre à la veille de l'assemblée. Richard se tournait et se retournait dans son lit. Des idées impossibles surgissaient dans son esprit. Il se tourna sur le côté encore une fois, quand Florentina s'éveilla en sursaut.

— Tu ne dors pas ? demanda-t-elle calmement.

— Non, je cherche un petit 2 %.

— Moi aussi. Te souviens-tu, ta mère avait dit une fois que quelqu'un avait acheté pour ton père 2 % de la Lester à un certain Peter Parfitt, afin d'empêcher Papa de mettre la main dessus.

— Oui, je me souviens.

— Eh bien, peut-être cette personne n'est-elle pas au courant de ton offre.

— Ma chérie, on l'a vue dans tous les journaux des Etats-Unis !

— Les Beatles aussi, mais tout le monde ne les connaît pas.

— Cela ne coûte rien d'essayer, dit Richard tout en décrochant le téléphone qui se trouvait sur sa table de chevet.

— Tu appelles les Beatles ?

— Non, ma mère.

— A quatre heures du matin ? Tu ne peux pas appeler ta mère à une heure pareille.

— Je le peux et je le dois.

— J'aurais mieux fait de me taire jusqu'à demain matin.

— Ma chérie, nous n'avons plus que deux jours et demi devant nous avant que je ne perde tes trente-sept millions de dollars, et le porteur de ces parts pourrait vivre en Australie.

— Un bon point pour nous, monsieur Kane !

Richard composa un numéro sur le cadran et attendit. Au bout d'un moment, une voix ensommeillée répondit.

— Maman ?

— C'est toi, Richard ? Mais quelle heure est-il ?

— Quatre heures du matin ! Désolé de te déranger, Maman, mais c'est une question de vie ou de mort. Maintenant, écoute-moi attentivement. Une fois, tu avais mentionné un ami de papa, qui aurait acheté 2 % de la Lester à Peter Parfitt, pour sauvegarder la banque des mains du père de Florentina. As-tu une idée de qui il s'agissait ?

Un silence s'ensuivit.

— Oui, je crois, fit Kate, attends ? Ça va me revenir... Oui, c'était un vieil ami d'Angleterre, un banquier qui avait fait ses études à Harvard, avec ton père. Il s'appelait...

Richard retint son souffle. Florentina s'assit sur le lit.

— Dudley... Colin Dudley. Et il était président de... mon Dieu, je ne sais plus.

— Ne t'en fais pas, maman, cela me suffit amplement. Retourne à ton lit.

— Merci ! Quel bon et respectueux fils tu es !

— Qu'est-ce qu'on va faire, maintenant ?

— Peux-tu préparer le petit déjeuner ?

Florentina embrassa son mari sur le front et disparut. Richard décrocha une nouvelle fois le téléphone.

— Allô ? les renseignements ? Quelle heure est-il à Londres, s'il vous plaît ?

— Neuf heures du matin et sept minutes, monsieur.

Richard tourna les pages de son agenda personnel, puis :

— Allô, mademoiselle, je voudrais le 01 735 7227, s'il vous plaît.

Il attendit avec impatience. Enfin, une voix se fit entendre sur la ligne.

— Bank of America.

— Je voudrais parler à Jonathan Coleman, je vous prie.

Encore quelques minutes d'attente.

— Ici Jonathan Coleman.

— Bonjour Jonathan, Richard Kane à l'appareil.

— Ravi de vous entendre, Richard. En quoi puis-je vous être utile ?

— J'ai besoin d'une information urgente. De quelle banque Dudley est-il président ?

— Un instant, Richard, je vais consulter le Bottin des banquiers. (Richard pouvait entendre les pages tourner.) Robert Fraser and Co, dit son interlocuteur. Seulement, maintenant il s'appelle sir Colin Dudley.

— Quel est son numéro de téléphone ?

— 493 3211.

— Merci, Jonathan. Je vous appellerai lors de mon prochain séjour à Londres.

Richard nota le numéro sur une enveloppe et il était en train d'appeler à nouveau l'inter quand Florentina entra dans la chambre.

— Du nouveau ?

— Je suis sur une bonne piste. Allô ? Passez-moi le 493 3211 à Londres, s'il vous plaît.

Florentina s'assit sur le lit. Richard attendit.

— Robert Fraser and Co, fit une voix.

— Pourrais-je parler à sir Colin Dudley ?

— De la part de qui, monsieur ?

— Richard Kane, du groupe Baron à New York.

— Ne quittez pas, monsieur.

Richard attendit une nouvelle fois.

— Bonjour, ici Dudley.

— Bonjour, sir Colin. Mon nom est Richard Kane. Vous connaissiez mon père, je crois.

— Et comment ! Nous étions à Harvard ensemble. Il était épatant, votre paternel, et j'ai été navré d'apprendre sa mort. Du reste, je viens d'écrire à votre mère. D'où m'appelez-vous ?

— De New York.

— Les Américains sont des lève-tôt, hein ? Qu'est-ce que je peux faire pour vous ?

— Avez-vous toujours 2 % d'actions de la Lester ? interrogea Richard, le souffle court.

— Oui ! Et elles m'ont coûté les yeux de la tête. Enfin, je ne m'en plains pas. Votre père m'avait rendu quelques services, alors...

— Voulez-vous me les vendre, sir Colin ?

— Ça dépend du prix.

— Combien en voulez-vous ?

— Huit cent mille dollars, répondit Dudley après un silence.

— Entendu, lança Richard sans hésiter. Mais il me les faut demain, et je ne veux pas courir le risque de faire appel à un courrier spécial. Si je faisais un transfert de fonds de banque à banque, pourriez-vous, de votre côté, régler toutes les formalités avant mon arrivée ?

— Mais oui, mon garçon, c'est très simple, répondit Dudley sans modestie, je peux aussi vous envoyer une voiture à l'aéroport et même la mettre à votre disposition pendant votre séjour à Londres.

— Merci, sir Colin.

— Laissez-tomber le « sir », jeune homme. J'ai atteint l'âge où l'on préfère se faire appeler par son prénom. Prévenez-moi quand même de votre arrivée et tout sera prêt.

— Merci, Colin !

Richard raccrocha.

— Tu ne vas quand même pas t'habiller, Richard ?

— Mais si ! De toute façon, je ne pourrais plus fermer l'œil cette nuit. Alors, et mon petit déjeuner ?

A six heures du matin, Richard avait déjà retenu une place sur le premier vol pour Londres et il avait déjà réservé sa place de retour. Il reviendrait à New York le lendemain à 13 h 35, par un vol quittant Londres à 11 h du matin, heure locale. Il aurait alors vingt-quatre heures pour souffler, avant la réunion avec les actionnaires de la Lester, fixée pour le mercredi à deux heures de l'après-midi.

— Un peu précipité, tout ça, commenta Florentina, mais ne crains rien. Je crois en toi. A propos, William aimerait que tu lui rapportes un autobus londonien pour sa collection. Rouge, si possible.

— Tu fais toujours des promesses derrière mon dos ! Ah ! Quel poids que d'être directeur général de ton groupe.

— Je le sais, mon amour ! Et dire que tout cela t'arrive uniquement parce que tu couches avec le P.-D.G. !

A sept heures, installé à son bureau, Richard donnait ses instructions pour le transfert par télex des huit cent mille dollars à la Robert Fraser and Co, Albemarle Street, Londres. Il savait que l'argent arriverait à la banque de sir Colin Dudley avant lui-même. A sept heures et demie, il se rendit à l'aéroport et passa la douane. Le 747 partit à l'heure dite et il arriva à destination à dix heures du soir. Sir Colin Dudley avait tenu parole : un chauffeur attendait Richard à l'aéroport, pour le conduire au Baron de Londres. Le directeur lui avait réservé la suite Davis Leroy, car la présidentielle était occupée par un certain M. Jagger, dont le groupe occupait tout le neuvième étage.

— Je n'ai jamais entendu parler de ce groupe, dit Richard. Quel est son domaine d'activité ?

— La chanson, monsieur, répondit le directeur.

Richard dîna tranquillement dans sa suite et appela Florentina avant de se coucher.

— Tenez bon, monsieur Kane, nous dépendons tous de vous.

Richard se réveilla à sept heures du matin et fit ses bagages avant d'aller déjeuner. Son père lui avait toujours recommandé les harengs fumés londoniens. Il demanda à les goûter et lorsqu'il eut terminé le dernier morceau, ils lui parurent si délicieux qu'il décida de les recommander, à son tour, à son fils. Après le déjeuner, il se promena pendant une heure dans Hyde Park, en attendant l'ouverture de la banque.

Le parc verdoyait, les massifs croulaient sous les roses. Il ne put s'empêcher de le comparer à Central Park et se rappela que Londres disposait de cinq parcs royaux d'une superficie identique.

La neuvième heure venait de sonner lorsque Richard franchit l'entrée de la banque Robert Fraser and Co. Une secrétaire l'introduisit dans le bureau de sir Colin Dudley.

— J'étais sûr que vous seriez à l'heure, mon vieux. Tout est prêt pour vous. J'ai déjà trouvé votre père assis sur le perron, au milieu des bouteilles de lait. Ce jour-là, tout le monde a bu du café noir.

Richard sourit.

— Bon, vos huit cent mille dollars sont arrivés hier avant la fermeture. Il ne reste plus qu'à signer la cession devant témoin.

Là-dessus, sir Colin appuya sur un bouton :

— Pouvez-vous venir, Margaret ?

La secrétaire particulière de sir Colin assista à la signature du transfert des parts, qui allait faire de Richard le président de la Lester.

Richard relut attentivement les documents et y apposa également sa signature, avec la mention « lu et approuvé », puis prit le reçu de huit cent mille dollars.

— Eh bien voilà, j'espère que tout le mal que vous vous êtes donné vous propulsera à la tête de la Lester, mon vieux !

Richard considéra le vieil homme aux moustaches blanches à la gauloise, au crâne chauve et à la mise toute militaire.

— Ah ! Vous étiez au courant ?

— Je ne voudrais pas que vous autres Américains pensiez que nous sommes des endormis. Maintenant, dépêchez-vous d'attraper le vol de onze heures et vous arriverez facilement à l'heure pour votre réunion. Je n'ai pas beaucoup de clients prêts à payer aussi promptement que vous. A propos, compliments pour ce type sur la Lune.

— Pardon ! dit Richard.

— Vous avez envoyé un homme sur la Lune.

— Mon Dieu ! s'exclama Richard.

— Non, pas encore. Cela doit faire partie des prochains plans de la N.A.S.A.

Richard éclata de rire et remercia une nouvelle fois sir Colin. Exultant, il retourna au Baron à pied. Il comprenait tout à fait comment on se sentait sur la Lune. Il avait laissé son bagage au portier, en contrôla rapidement le contenu, puis le chauffeur de sir Colin le ramena à Heathrow.

Richard pénétra dans l'aérogare bien en avance. Arrivé à New York, il aurait vingt-quatre heures à patienter. Si son père avait dû effectuer la même transaction, avant qu'il ne devienne président, le processus lui aurait pris au moins deux semaines.

Richard s'installa au bar, commanda un Martini et se plongea dans le *Times*. Rod Laver avait remporté pour la quatrième fois le tournoi de Wimbledon. Richard s'absorba dans la lecture de l'article, sans remarquer, à travers les fenêtres, le brouillard qui commençait à tomber.

Une demi-heure plus tard, un haut-parleur annonça que tous les vols seraient retardés. Une heure après, le vol de Richard fut enfin annoncé, mais pendant qu'il traversait la piste, il remarqua que le brouillard s'épaississait de minute en minute. Dans l'avion, il se laissa choir sur son siège, boucla sa ceinture de sécurité et se plongea dans la lecture d'un *Times* datant d'au moins une semaine, en s'efforçant de ne pas regarder par le hublot jusqu'à ce que l'avion prenne la piste d'envol.

Nixon, disait l'article, avait attribué le grade de général à deux femmes : le colonel Elisabeth Hoisington, et le colonel Anne Mae Hays. Sans aucun doute, Florentina aurait approuvé pour la première fois cette initiative d'un président honni.

— Nous sommes au regret de vous annoncer que ce vol sera retardé jusqu'à dissipation du brouillard, informa le haut-parleur.

Un brouhaha de mécontentement s'éleva parmi les passagers de première classe.

— Messieurs les passagers sont priés de retourner à l'aérogare où un déjeuner leur sera offert. La Pan American vous présente toutes ses excuses et espère que ce retard n'entraînera pas pour vous d'inconvénients majeurs.

Malgré lui, Richard sourit amèrement.

De retour au terminal, Richard fit le tour des comptoirs à la recherche du premier avion en partance. Il apprit qu'un vol d'Air Canada était prévu pour Montréal et réserva une place, après s'être fait confirmer que l'avion de la Pan Am était désormais le vingt-septième sur la liste des départs. Il se plongea ensuite dans les horaires des vols entre Montréal et New York. Il y en avait toutes les deux heures et le voyage durait un peu plus d'une heure.

Il assaillit d'appels la Pan Am et Air Canada. La réponse, doucereuse et polie, restait invariable :

— Désolé, monsieur, nous ne pouvons rien faire avant la dissipation du brouillard.

A deux heures de l'après-midi, Richard appela Florentina pour l'informer de son retard.

— Pas de quoi s'affoler, monsieur Kane. Pendant que je vous tiens au téléphone, avez-vous songé au petit autobus rouge de William ?

— Zut ! J'avais complètement oublié.

— Pas très brillant aujourd'hui, monsieur Kane. Va vite au *duty-free*, entendu ?

Dans une boutique de l'aéroport, Richard finit par découvrir un choix d'une douzaine d'autobus londoniens. Il choisit un grand modèle en plastique rouge et paya avec ses dernières livres. Ensuite, le paquet sous le bras, il décida de profiter du déjeuner offert par la compagnie. Il eut droit au pire repas de sa vie : une tranche transparente de bœuf, incongrûment baptisée « steak minute » dans le menu, entourée de trois vieilles feuilles de laitue. Un coup d'œil à sa montre lui apprit qu'il était trois heures.

Pendant les deux heures qui suivirent, il s'efforça de lire quelques pages de *la Maîtresse du lieutenant français*, mais, à l'affût des annonces, il ne put jamais dépasser la quatrième page. A sept heures, alors qu'il errait dans l'aérogare, il se dit que bientôt il serait trop tard pour le décollage, quel que fût le temps. Le haut-parleur grésilla, et une voix informa sur un ton de mauvais augure qu'une importante annonce allait suivre. Richard resta immobile, comme pétrifié, alors que les mots s'égrenaient :

— Nous informons les passagers que tous les vols sont suspendus jusqu'à demain matin, à l'exception des vols Iran Air n° 006 à destination de Jeddah, et Air Canada n° 009, à destination de Montréal.

Richard était sauvé grâce à sa prévoyance. Il savait que, dans quelques minutes, le vol d'Air Canada serait bondé. Une nouvelle fois, il prit place dans la salle d'attente de la première classe. Le vol fut à nouveau retardé. Finalement, on appela les passagers un peu après huit heures.

Le 707 décolla à neuf heures passées et Richard eut envie d'applaudir. Le vol se déroula sans incident, hormis une nourriture infecte, et l'avion atterrit à Montréal un peu avant onze heures du soir.

Richard se rua vers le comptoir des lignes américaines et découvrit qu'il avait manqué de quelques minutes le dernier vol pour New York. Il jura à haute voix.

— Ne vous inquiétez pas, monsieur, dit l'employé, il y a un vol demain matin à dix heures vingt-cinq.

— A quel heure arrive-t-il à New York ?

— Onze heures et demie.

— Deux heures et demie de battement, monologua-t-il tout haut, c'est un peu juste ! Puis-je louer un avion privé ?

— Pas à cette heure-ci, monsieur, répondit l'employé, après un coup d'œil à sa montre.

Richard tambourina sur le comptoir, réserva une place pour le lendemain, prit une chambre au Baron de Montréal et appela Florentina.

— Où es-tu ? demanda-t-elle.

— A Montréal.

— De plus en plus curieux.

Il lui expliqua ce qui s'était passé.

— Mon pauvre chéri. As-tu pensé à l'autobus rouge ?

— Je suis assis dessus. En revanche, ma valise est restée sur la Pan Am.

— Et les certificats de cession ?

— Ils sont dans mon attaché-case, qui ne me quitte jamais.

— Bien joué, monsieur Kane ! J'enverrai une voiture pour toi à l'aéroport. M. Cohen et moi-même allons nous rendre à la réunion des actionnaires avec nos 49 %. Si tu arrives avec les 2 % supplémentaires, Jake Thomas n'aura plus qu'à s'inscrire au chômage en sortant de la réunion.

— Comment peux-tu rester aussi calme ?

— Parce que jamais encore tu ne m'as laissée tomber. Dors bien.

Richard dormait mal et retourna à l'aéroport plusieurs heures avant le départ. Malgré un très léger retard, le commandant de bord pensait pouvoir atterrir à l'aéroport Kennedy à onze heures et demie. Richard se félicita de n'avoir pas de bagages. Il était sûr maintenant de pouvoir assister à la réunion — il aurait même une demi-heure de battement. Pour la première fois depuis plus de vingt-quatre heures, il commença à se détendre.

Au-dessus de New York, l'avion commença à survoler l'aéroport. De sa place, Richard pouvait apercevoir, à travers le hublot, l'imposant building de Wall Street où il devait se trouver dans deux heures. L'avion décrivait des cercles au-dessus de la piste d'atterrissage. Richard se mit à tambouriner rageusement sur son genou. L'avion descendit une centaine de mètres mais recommença à dessiner des cercles.

— Ici le commandant James McEwen, fit une voix dans le haut-parleur, je vous prie d'excuser ce retard dû à l'importance du trafic. Plusieurs vols retardés arrivent de Londres.

Richard se demanda si l'avion de la Pan American qu'il avait délaissé n'allait pas atterrir avant le sien. Cinq, dix, quinze minutes s'écoulèrent. Richard consulta son agenda :

« Ordre du jour : 1$^{re}$ question : motion contre l'offre du groupe Baron. 2$^e$ question : émission de nouvelles actions. »

Si Florentina et Thaddeus Cohen n'apportaient pas la preuve qu'ils détenaient bien 51 %, Jake Thomas s'empresserait de clore la réunion.

L'avion descendit un peu plus. Enfin, les roues touchèrent le sol. Il était midi vingt-sept.

Richard traversa l'aérogare au pas de course et dépassa son chauffeur, qui se mit à courir à son tour vers l'aire de stationnement. Pour la centième fois, Richard consulta sa montre. Il lui restait une heure et vingt minutes de battement. Il allait arriver aisément à la réunion.

— Dépêchons ! dit-il.

— Oui, Monsieur, dit le chauffeur en s'installant sur la file de gauche de la voie express menant à Manhattan.

Un instant après, une sirène se fit entendre, et un motard dépassa la voiture, faisant signe au chauffeur de se ranger sur le côté. Le policier quitta sa moto et se dirigea lentement vers Richard, qui avait surgi du véhicule et essayait d'expliquer qu'il s'agissait d'une question de vie ou de mort.

— On dit ça ! fit le policier, quand on ne prétend pas que sa femme est en train d'accoucher.

Richard laissa le chauffeur se débrouiller avec le policier et essaya en vain de héler un taxi. Ils étaient tous occupés. Une heure plus tard, le policier convint de les laisser partir. Il était une heure vingt-neuf minutes, quand la voiture traversa le pont de Brooklyn pour s'engager sur le boulevard Franklin-Roosevelt. Richard voyait les gratte-ciel de Wall Street se profiler sur le ciel, alors que la circulation devenait de plus en plus dense. A deux heures moins six, ils atteignirent Wall Street. Ne tenant plus en place, Richard sauta de la voiture, attaché-case dans une main, autobus rouge dans l'autre, et s'élança sur la chaussée au milieu d'un concert de klaxons.

L'horloge de la Sainte-Trinité sonna deux heures, et il se surprit à prier qu'elle avance. En gravissant les marches de la banque Lester, il s'aperçut tout à coup qu'il ignorait dans quelle salle se tenait l'assemblée.

— Au 51e étage, monsieur, l'informa le gardien.

L'ascenseur qui desservait les étages de 30 à 60 était empli d'une foule d'employés qui rentraient de déjeuner. Il s'arrêta au 31e étage, puis au 33e, au 34e, au 42e et au 44e, au 45e, au 50e et enfin au 51e. Richard se rua dans le couloir, suivant les flèches rouges indiquant le lieu de la réunion. Lorsqu'il entra dans la salle noire de monde, une ou deux personnes se retournèrent pour le regarder. Il y avait plus de cinq cents personnes assises, écoutant le discours du P.-D.G. de la banque. Richard était le seul actionnaire à être en nage.

Il fut accueilli par un Jake Thomas très décontracté, qui, du haut de sa chaire, lui adressa un sourire condescendant. « J'arrive trop tard ! » pensa-t-il. Florentina, assise au premier rang, gardait la tête penchée. Richard se laissa choir sur un siège tout au fond de la salle et écouta le discours du président de la Lester.

— Nous pensons tous que la décision prise aujourd'hui sert au mieux les intérêts de la banque. Dans les circonstances envisagées par le conseil de direction, personne n'a été surpris par ma suggestion. La Lester continuera ainsi à jouer son rôle traditionnel qui a fait d'elle l'une des plus grandes institutions financières des Etats-Unis. Passons au deuxième point à l'ordre du jour, poursuivit-il.

Richard était écœuré.

— Ma dernière tâche, en tant que président de la Lester, est de vous proposer M. Richard Kane comme nouveau président.

Richard n'en croyait pas ses oreilles. Une petite vieille se leva du premier rang, déclarant qu'elle acceptait cette motion, étant donné que le père de M. Kane avait été un des plus grands présidents que la banque ait jamais eus.

Des applaudissements crépitèrent, et la petite vieille se rassit à sa place.

— Merci, dit Jake Thomas. Que ceux qui sont en faveur de cette motion lèvent la main.

Richard contempla la salle hérissée de mains levées.

— Maintenant, ceux qui sont contre.

Jake Thomas regarda la salle du haut de l'estrade.

— Bien, dit-il, la motion est adoptée à l'unanimité. Et maintenant, mesdames et messieurs, je suis heureux d'inviter le nouveau président à vous dire quelques mots.

Richard s'avança vers l'estrade. La foule s'était mise debout pour l'applaudir. En passant près de Florentina, il lui confia l'autobus rouge.

— Ton voyage à Londres aura au moins servi à quelque chose, murmura-t-elle.

Abasourdi, Richard monta sur l'estrade. Jake Thomas le gratifia d'une chaleureuse poignée de main, puis alla s'asseoir au bout du premier rang.

— Je n'ai pas grand-chose à dire à cette occasion, commença Richard, mais je souhaite toutefois vous assurer que mon désir est de poursuivre la tradition suivie du temps de mon père et que je consacrerai tous mes efforts à cette fin.

Incapable d'ajouter autre chose, il sourit et conclut :

— Je vous remercie de votre présence massive aujourd'hui et espère vous revoir à la prochaine assemblée annuelle.

Les applaudissements crépitèrent de nouveau, puis les actionnaires commencèrent à se disperser en discutant entre eux. Dès qu'ils purent fausser compagnie à tous ceux qui voulaient approcher Richard, soit pour le féliciter, soit pour lui exprimer leur sentiment sur l'avenir de la banque, Richard et Florentina se réfugièrent dans le bureau directorial. Il contempla le portrait de son père suspendu au-dessus de la cheminée, puis, se tournant vers sa femme :

— Comment as-tu pu réussir ton coup, Jessie ?

— Eh bien, je me souviens toujours d'un mot qui revenait constamment dans la bouche de ma gouvernante : plan d'urgence. Miss Tredgold avait toujours un plan d'urgence, pour le cas où il se mettrait à pleuvoir. Quand tu m'as appelée de Montréal, j'ai eu peur que, la malchance aidant, tu ne puisses arriver à temps à la réunion. Alors, j'ai passé un coup de fil à Thaddeus Cohen ; qui a passé toute sa matinée à rédiger les documents nécessaires.

— Quels documents ?

— Patience, monsieur Kane. Après ce triomphe, j'ai tout de même le droit de vous tenir encore un peu en haleine.

Richard se tut, à contrecœur.

— Donc, lorsque j'ai eu le document vital entre les mains, j'ai appelé Jake Thomas et j'ai demandé à le voir vingt minutes avant l'assemblée. Si tu étais arrivé entre-temps, j'aurais annulé ce rendez-vous. Mais tu n'arrivais toujours pas.

— Mais le plan...

— Mon père, pas bête, m'avait dit un jour, « un salaud est toujours un salaud », et il avait raison. J'ai donc vu M. Thomas et l'ai informé que nous étions en possession de 51 % des actions de la Lester. Il ne voulait pas me croire jusqu'à ce que je mentionne le nom de sir Colin Dudley. Alors, il est devenu très pâle. Là-dessus, j'ai étalé sous son nez le paquet de documents de Thaddeus et, sans lui laisser le temps de les examiner, j'ai dit que s'il nous cédait ses 2 % avant deux heures, nous le payerions quatorze dollars l'action. J'ai ajouté qu'il devrait donner sa démission signée et promettre de ne plus effectuer la moindre transaction impliquant la Lester. A toutes fins utiles, et bien que cela ne fût pas prévu dans le contrat, il devrait également proposer ta nomination au poste du président.

— Bon sang, Jessie ! Tu as les nerfs de dix hommes.

— Non, seulement d'une femme.

Richard se mit à rire.

— Et qu'a-t-il répondu ?

— M. Thomas a demandé ce que je comptais faire s'il refusait. « Nous vous mettrons à la porte publiquement, ai-je répondu, sans aucun dédommagement. » Ensuite, j'ai entrepris de lui expliquer qu'il se trouverait obligé de vendre ses actions sur le marché officiel, car tant que nous aurions 51 % de la Lester, il n'aurait plus aucun rôle à jouer dans l'avenir de cette banque.

— Ensuite ?

— Rien. Il a tout signé, sans se donner la peine de consulter ses collègues.

— Brillant, Jessie ! Dans la conception et dans l'exécution.

— Merci, monsieur Kane. Dorénavant, puisque vous êtes devenu président de votre banque, j'espère que vous n'allez plus courir à travers le monde, prendre du retard, manquer vos réunions et revenir avec un modèle d'autobus rouge pour toute preuve de vos ennuis. A propos, as-tu pensé à ramener aussi un cadeau pour Annabelle ?

Richard parut embarrassé. Florentina se pencha et lui tendit un sac en papier de chez Schwarz. Il en sortit un paquet. Une photo sur le dessus montrait une machine à écrire pour enfants, avec un « made in England » bien visible sur le dessous.

— Pas vraiment votre jour, n'est-ce pas, monsieur Kane ? Tiens, Neil Armstrong est revenu plus vite que toi. On devrait lui proposer une place au conseil.


Le lendemain matin, Richard lut un article signé par Vermont Royster, dans le *Wall Street Journal* :

« M. Richard Kane semble avoir réussi un coup d'Etat (sans verser de sang) qui a fait de lui le président de la Lester. L'assemblée annuelle des actionnaires n'a pas eu à prendre de décision car la succession au poste de président a été proposée par Jake Thomas, le titulaire du poste, et approuvée à l'unanimité.

« Beaucoup d'actionnaires présents à la réunion se sont référés aux traditions mises en œuvre par feu William Lowell Kane, le père de l'actuel président. A la fermeture de Wall Street, les actions de la Lester avaient gagné deux points. »

— On n'entendra plus jamais parler de Jake Thomas, conclut Florentina.

## 24

Richard n'avait jamais entendu parler du major Abanjo. Du moins, pas avant ce matin-là. Du reste, aucun Américain ne le connaissait, hormis ceux qui éprouvaient un singulier intérêt pour le Nambawe, le plus petit Etat d'Afrique centrale. Et pourtant, cet obscur personnage fit manquer à Richard son plus important rendez-vous de la journée, le onzième anniversaire de son fils.

Le major sortit des pensées de Richard, aussitôt que celui-ci entra dans la maison de la 54ᵉ Rue, et ce à cause d'Annabelle. Quelques minutes auparavant, la petite fille avait versé le contenu d'une théière sur la main de William, dans le but d'attirer son attention. Elle n'avait pas réalisé que le thé était bouillant. A ce moment, Carol surveillait, dans la cuisine, la cuisson du gâteau d'anniversaire. William ne s'occupa guère de sa sœur, car il ne songeait qu'à hurler, et tous ses amis furent renvoyés dans leurs foyers. Peu après, Annabelle poussait elle aussi des hurlements à fendre l'âme, car son père l'avait couchée sur ses genoux et lui administrait une solide fessée, avec sa pantoufle. Sur quoi les deux enfants furent envoyés au lit, William avec une aspirine et une bouillotte glacée, Annabelle sans rien, en guise de punition supplémentaire.

Onze bougies continuèrent de se consumer sur le gâteau au chocolat décoré de sucre glace, qui resta intact sur la table de la salle à manger.

— Il va sûrement garder une cicatrice sur la main jusqu'à

la fin de sa vie, observa Florentina, après avoir rendu une dernière visite à son fils, enfin endormi.

— En tout cas, il s'est comporté comme un homme.

— Pas du tout ! Sinon, il aurait pleuré dans mon giron !

— Tout cela ne serait pas arrivé si j'étais rentré à temps, soupira Richard, ignorant le commentaire de sa femme. Maudit major Abanjo !

— Qui est-ce ?

— Un jeune officier, le principal organisateur du coup d'Etat qui a eu lieu au Nambawe aujourd'hui.

— Et peux-tu me dire pour quelle raison ce petit pays d'Afrique t'a mis en retard pour l'anniversaire de ton fils ?

— Ce petit pays, comme tu dis, doit environ trois cents millions de dollars à la Lester, sur un prêt accordé en 1966 et dont la date d'échéance expire dans trois mois.

— Quoi ? Nous allons perdre trois cents millions ? demanda Florentina, sidérée.

— Oh non ! La banque a déjà récupéré 15 % de cette somme. Les 85 % qui restent ont été divisés entre trente-sept organismes financiers.

— Et on peut survivre avec une perte de quarante-cinq millions de dollars ?

— Oui, tant que le groupe Baron reste notre allié, dit-il en souriant à sa femme. Nous perdons quand même le bénéfice de trois années, sans parler d'un sérieux coup porté à notre réputation, avec l'implication de trente-sept autres banques. Je glisse, bien sûr, sur l'inévitable chute de nos actions en bourse, dès demain.

Les valeurs de la Lester baissèrent beaucoup plus que Richard ne l'avait prévu, pour deux raisons. Tout d'abord, Abanjo, devenu général, puis bombardé président du Nambawe, annonça qu'il refusait d'honorer des dettes contractées par le précédent régime envers différents régimes « fascistes », y compris les Etats-Unis, la Grande-Bretagne, la France, l'Allemagne et le Japon. Richard se demanda combien de banquiers russes étaient en train de débarquer en Afrique centrale en ce moment.

La deuxième raison fut la suivante : un reporter du *Wall*

*Street Journal* appela Richard au téléphone pour lui demander une déclaration sur le coup d'Etat.

— Je n'ai rien à dire, répondit Richard, feignant de ne pas s'intéresser à cet événement plus qu'à un moucheron dans sa soupe, je pense que le problème sera résolu de lui-même dans les jours qui viennent. Après tout, le prêt en question n'est que l'un des nombreux accordés par la Lester ces derniers temps.

— M. Jake Thomas ne partage pas vraiment cette opinion, répondit le journaliste.

— Vous vous êtes entretenu avec M. Thomas ? demanda Richard, incrédule.

— Il a appelé le journal ce matin et il eut une longue conversation avec notre directeur. Il n'a laissé aucun doute sur son point de vue. Il serait surpris que la Lester survive à une telle pression sur son cash-flow.

— Pas de commentaires, répliqua Richard sèchement, et il raccrocha.

Sur la demande de son mari, Florentina convoqua le conseil d'administration du groupe Baron, afin d'assurer à la banque un soutien financier suffisant pour l'empêcher de couler, en prévision de ventes massives d'actions. A leur surprise, Georges Novak manifesta un grand scepticisme. Selon lui, le groupe devait éviter de se laisser impliquer dans les problèmes de la Lester. Il ajouta qu'il n'avait jamais vu d'un bon œil l'utilisation des actions du groupe Baron à titre de garantie pour l'O.P.A. sur la banque.

— Je n'ai rien dit à l'époque, mais cette fois-ci je ne me tairai pas, déclara-t-il, les mains appuyées sur la table de la salle de réunions. Abel n'aurait pas aimé qu'on dilapide l'argent d'une bonne affaire pour en sauver une mauvaise. Il disait toujours : « N'importe qui peut parler de bénéfice et dépenser l'argent qu'il n'a pas gagné. » Avez-vous pensé que nous pourrions tous faire faillite ?

— La somme dont nous avons besoin ne mettra pas le groupe en péril, argua Richard.

— Abel disait toujours qu'une perte valait dix fois un profit sur le plan des embêtements, répondit Georges. Peut-on savoir combien de prêts de ce genre ont été alloués à des pays étrangers qui pourraient être victimes d'un coup d'Etat pendant que nous dormons sur nos deux oreilles ?

— Un seul, en dehors de la Communauté européenne. Il s'agit d'un prêt de deux cents millions de dollars accordé au shah d'Iran. La Lester est une fois de plus la banque pilote, avec un engagement de trente millions. En tout cas, l'Iran n'a jamais omis de payer les intérêts, à une heure près.

— Quand tombe l'échéance ? questionna Georges.

Richard feuilleta un épais dossier et d'un doigt il parcourut une colonne de chiffres. Irrité par l'attitude négative de Georges, il n'en était pas moins satisfait de se sentir prêt à répondre à n'importe quelle question.

— Le 19 juin 1978, répondit-il.

— En ce cas, je voudrais être sûr que la Lester se retirera quand le prêt arrivera à renouvellement.

— Qu'est-ce que vous dites ? s'exclama Richard. Le shah d'Iran est aussi solide que la Banque d'Angleterre.

— Je crois savoir que les Anglais commencent à avoir quelques problèmes...

Richard commençait à se fâcher. Il s'apprêtait à répliquer, quand Florentina l'interrompit :

— Un instant. Si la Lester promet de ne pas reconduire le prêt du shah en 1978 ou d'être impliquée dans d'autres investissements en faveur de pays du tiers monde, accepteras-tu, Georges, de persuader le conseil de souscrire à la perte des quarante-cinq millions du contrat africain ?

— J'ai besoin d'autres arguments.

— Lesquels ? dit Richard.

— Ecoutez, mon vieux, vous n'avez pas besoin de crier. Je suis encore le président de ce conseil et j'ai consacré trente ans de ma vie au groupe. Je n'ai pas envie d'assister à l'écroulement de tant d'efforts en trente secondes.

— Désolé, dit Richard, je n'ai pas beaucoup dormi ces derniers temps. Que voulez-vous savoir, Georges ?

— En dehors des accords avec le shah, la Lester a-t-elle accordé d'autres prêts dépassant dix millions de dollars ?

— Non. La plupart des prêts internationaux sont conduits

par des banques comme la Chase ou la Chemical. Nous ne nous engageons que pour une petite part. Visiblement, Jake Thomas a dû penser que le cuivre et le manganèse du Nambawe constituaient d'excellentes garanties.

— Et nous savons à nos dépens que M. Thomas n'est pas infaillible, ajouta Georges. Mais quels autres prêts avez-vous accordé à l'étranger, au-delà de cinq millions ?

— Deux. Sept millions à l'Electricité australienne, garantis par le gouvernement, et un autre à l'I.C.I. de Londres. Tous deux courent sur cinq ans, avec des dates fixes de remboursement, qui ont été honorés à temps.

— Si le groupe avance les quarante-cinq millions de dollars, en combien de temps pensez-vous pouvoir rembourser cette somme ?

— Cela dépend de la durée du prêt et du taux d'intérêt.

— 15 % sur cinq ans.

— 15 % ? répéta Richard, interloqué.

— Le groupe Baron n'est pas une institution charitable, Richard. Tant que j'en serai directeur, je ne permettrai pas que le groupe vienne en aide aux banques défaillantes. Nous sommes des hôteliers de métier et sur les trente dernières années nous avons réalisé un bénéfice annuel de 17 % en moyenne. Si nous vous prêtons ces quarante-cinq millions, pourrez-vous, oui ou non, nous rembourser dans cinq ans, à 15 % d'intérêt ?

Richard hésita, griffonna quelques chiffres sur son bloc-notes et consulta une nouvelle fois son dossier.

— Oui, je suis sûr que nous pourrons rembourser jusqu'au dernier sou dans cinq ans, même si nous ne comptons plus sur le contrat africain, dit-il calmement.

— Je pense que c'est ainsi que ce contrat doit être traité, dit Georges. Je tiens de bonne source que l'ancien chef d'Etat du Nambawe, le roi Erobo, s'est réfugié à Londres, et il a élu domicile au Claridge. D'après mes informations, il pense acheter une maison à Chelsea. Il possède, paraît-il, en Suisse, presque autant d'argent que le shah. Il ne doit pas être prêt à retourner dans son pays et je le comprends.

Richard risqua un sourire, alors que Georges continuait :

— Sous réserve de la confirmation du conseil, j'accepte de couvrir l'emprunt africain dans les termes convenus et vous souhaite bonne chance, Richard ! Du reste, j'ai un petit secret à vous apprendre. Abel n'aimait pas Jake Thomas non plus, et cela a fait pencher la balance, pour moi.

Ce disant, il referma son dossier :

— Maintenant, excusez-moi, je dois déjeuner avec Conrad Hilton et il n'est jamais arrivé en retard depuis trente ans.

Quand la porte se referma sur Georges, Richard s'écria :

— Bonté divine ! Pour qui croit-il travailler ?

— Pour nous, dit Florentina. Je comprends maintenant pourquoi mon père lui a confié le groupe, quand il est parti combattre les Allemands.

Dès le lendemain, un communiqué, paru dans le *Wall Street Journal* et annonçant que le groupe Baron soutiendrait la Lester, contribua à faire remonter les actions de la banque. Quant à Richard, il s'attaqua, le jour même, à ce qu'il appelait déjà : « ma corvée de cinq ans ».

— Qu'est-ce que tu comptes faire avec Jake Thomas ? demanda Florentina.

— L'ignorer. Le temps travaille pour moi. Aucune banque de New York ne voudra l'employer le sachant prêt, en cas de désaccord, à divulguer à la presse les secrets de ses anciens employeurs.

— Et comment le sauront-ils ?

— Ma chérie, si le *Wall Street Journal* le sait, tout le monde le sait !

Richard avait raison, car une semaine plus tard, au cours d'un déjeuner avec le président de l'Association des banquiers, celui-ci lui répéta toute l'histoire, puis il conclut :

— Cet homme a transgressé la règle d'or de la banque. A partir de maintenant, il aura des difficultés à ouvrir un simple compte courant.

William se remit de ses brûlures beaucoup plus vite que Florentina ne l'espérait et retourna à l'école. La cicatrice sur sa main était trop petite pour impressionner ses camarades. Annabelle n'avait cessé de surveiller la main de son frère, avec un air sincèrement contrit.

— Tu crois qu'il m'a pardonné ? demanda-t-elle à sa mère.

— Bien sûr, ma chérie. William est comme papa. Il oublie les pires disputes, dès le lendemain matin.

Florentina se disait qu'il était temps de visiter les Baron européens. Son secrétariat avait mis au point un itinéraire incluant Rome, Paris, Madrid, Lisbonne, Berlin, Amsterdam, Londres et même Varsovie. Elle partait en toute confiance puisque Georges restait sur place.

Elle le dit à Richard dans la voiture qui les menait à l'aéroport. Il acquiesça. Ensuite, il lui rappela que depuis leur mariage, ils ne s'étaient jamais séparés durant trois semaines.

— Tu survivras, mon chéri.

— Tu vas me manquer, Jessie.

— Allons ! Tu ne vas pas devenir sentimental à ton âge ! Tu sais bien que je dois me tuer au travail pendant le restant de mes jours, afin que mon mari continue à pavaner comme président de la Lester.

— Je t'aime, dit Richard.

— Moi aussi, répondit Florentina. Mais n'oublie pas que tu me dois encore quinze millions et cinquante-six dollars.

— Et d'où sors-tu ces cinquante-six dollars ?

— De notre séjour à San Francisco. Tu ne m'as jamais remboursé cette petite somme que je t'ai prêtée avant notre mariage.

— Tu m'avais dit que c'était ta dot !

— Non ! c'est toi qui l'avais dit ! Moi, je l'avais présentée comme un prêt. Du reste, j'ai l'intention de consulter Georges sur les termes du remboursement, dès mon retour. Peut-être transigerons-nous sur 15 % en cinq ans. Ce qui veut dire, monsieur Kane, que vous me devez, actuellement, quatre cents dollars environ.

Elle se pencha et l'embrassa.

Le chauffeur ramena Richard à son bureau. Aussitôt, il appela Cartier, à Londres, et donna des instructions précises à propos d'un certain objet qui devrait être prêt dans dix-huit jours.

Richard préparait le bilan annuel de la banque. Le prêt impayé du Nambawe le rendait fou de rage. Sans lui, la Lester aurait réalisé un bénéfice substantiel : de quoi dépasser, dès la première année, les résultats de Jake Thomas. Or, les actionnaires ne retiendraient qu'une énorme perte, par rapport à l'exercice 1970.

Richard suivit chaque étape du voyage de Florentina avec grand intérêt, s'appliquant à l'appeler une fois au moins dans chaque capitale. La P.-D.G. du groupe Baron semblait satisfaite de sa tournée et, malgré quelques projets de changement, elle admettait volontiers que les hôtels du continent étaient fort bien gérés. Toutes les dépenses excessives n'avaient été dues qu'à ses propres exigences de grande qualité.

Elle appela de Paris et Richard lui annonça une bonne nouvelle : William venait d'obtenir le premier prix de mathématiques. Il allait sûrement être admis à Saint-Paul, pensait Richard, confiant.

Depuis l'incident du thé bouillant, Annabelle avait également mis les bouchées doubles à l'école, tant et si bien qu'elle avait réussi à s'arracher de la position peu enviée de cancre de la classe. Pour Florentina, cette nouvelle valait l'autre.

— Quelle est ta prochaine étape ? demanda Richard.

— Londres.

— Mon petit doigt me dit qu'une fois là-bas, tu auras envie d'appeler quelqu'un de ma connaissance, dit Richard, avec un petit rire.

Ce soir-là, Richard gagna son lit avec un sentiment de satisfaction qu'il n'avait pas éprouvé depuis longtemps.

Florentina donna de ses nouvelles plus tôt que prévu.

C'était le lendemain à 6 heures du matin. Richard dormait encore à poings fermés et, dans son rêve, il était en train de régler ses comptes avec le général Abanjo. Il venait à peine de presser la détente de son pistolet quand le téléphone sonna. Il se réveilla et décrocha machinalement, pensant entendre les derniers mots du général.

— Je t'aime !

— Quoi ? fit-il.

— Je t'aime !

— Jessie ! Tu sais quelle heure il est ?

— Midi passé.

— A New York il est six heures huit.

— Je voulais juste te dire combien j'aimais ma broche en diamants. (Richard sourit.) Je vais la porter pour le déjeuner avec sir Colin et lady Dudley, qui vont arriver d'un instant à l'autre. Ils m'emmènent au Mirabelle. Bon, je te laisse. A demain, ou plutôt à aujourd'hui !

— Tu es folle !

— A propos, je ne sais si cela va t'intéresser, mais je vois un type aux actualités de midi, qui est en train de raconter quelque chose au sujet d'un certain général Abanjo. Le pauvre homme aurait trouvé la mort dans un contre-coup d'Etat qui a eu lieu dans un certain pays d'Afrique centrale. Le vieux roi retourne demain dans son pays, où il sera accueilli comme un héros national.

— *Quoi ?*

— Tiens ! Justement, le roi se fait interviewer et je peux te répéter ses paroles, si tu veux : « Mon gouvernement entend honorer toutes ses dettes envers ses amis du monde occidental. »

— Quoi ? répéta Richard.

— Il a l'air vraiment sympa, cet homme, surtout depuis qu'il a retrouvé sa couronne. Bonne nuit, monsieur Kane, dormez bien.

Alors que Richard faisait des bonds dans son lit, à New York, à Londres on frappait à la porte de Florentina. Sir Colin et sa femme entrèrent dans la chambre.

— Prête, jeune dame ? demanda sir Colin.

— Naturellement.

— Vous avez l'air ravie. C'est sans doute le retour sur le trône du roi Erobo qui a redonné des couleurs à vos joues.

— Vous êtes bien informé, sir Colin, mais il y a une autre raison, répondit Florentina en jetant un coup d'œil sur la petite carte qui se trouvait encore sur la table, et en relisant chaque mot :

« J'espère que ceci constituera une garantie acceptable, jusqu'au remboursement des cinquante-six dollars, et des intérêts. » C'était signé : M. Kane.

— Quelle belle broche ! admira lady Dudley. Mais c'est un âne, dirait-on ? Y a-t-il une signification particulière ?

— Certainement, madame. Cela veut dire que le donateur a l'intention de continuer à voter pour Nixon.

— Alors offrez-lui des boutons de manchette en forme d'éléphant, observa sir Colin.

— Richard avait raison, conclut Florentina. Mésestimer les Britanniques ne paie pas.


Après le déjeuner, Florentina appela l'école de Miss Tredgold. La secrétaire lui passa la salle des professeurs. Il n'était nul besoin d'informer Miss Tredgold des avaries du général Abanjo. Quoi qu'il en soit, celle-ci parut beaucoup plus intéressée par les nouvelles de William et d'Annabelle.

Dans l'après-midi, Florentina se rendit chez Sotheby et eut une conversation avec l'un des directeurs des établissements.

— Il se passera peut-être des années avant qu'un tel article ne soit vendu aux enchères, madame Kane, dit-il.

— J'attendrai. Prévenez-moi dès qu'une telle occasion se présentera, s'il vous plaît.

— Entendu, chère madame.

L'expert nota le nom et l'adresse de Florentina.

Trois semaines plus tard, de retour à New York, Florentina entreprit de mettre en œuvre les modifications envisagées lors de sa tournée européenne. A la fin de 1972, grâce à son énergie personnelle, à la sagesse de Georges et au génie de Gianni di Ferranti, le groupe avait pu déclarer un bénéfice supérieur aux autres années. Et, grâce à la parole du roi Erobo, la banque de Richard enregistrait également des profits substantiels.

Après l'assemblée annuelle des actionnaires, Richard, Florentina et Georges allèrent au restaurant. Officiellement,

Georges avait pris sa retraite mais, à soixante-cinq ans, il continuait à se rendre à son bureau tous les matins à huit heures. Florentina le comprenait très bien. Il devait se sentir bien seul, après avoir perdu peu à peu tous les amis de son âge et surtout Abel, de qui il avait été si proche. William et Annabelle l'appelaient « grand-père » et cela émouvait Georges jusqu'aux larmes. Il les récompensait en leur achetant des tonnes de glaces.

Florentina croyait savoir tout ce que Georges avait fait pour le groupe. La vérité ne lui apparut qu'après la retraite définitive de ce dernier. Georges s'éteignit dans son sommeil en octobre 1972. Il laissait tout ce qu'il avait à la Croix-Rouge polonaise et nommait Richard son exécuteur testamentaire.

Richard suivit à la lettre les dernières volontés de Georges et se rendit même à Varsovie, avec Florentina, pour rencontrer le président de la Croix-Rouge polonaise, afin de discuter des modalités de la donation. De retour à New York, Florentina adressa une circulaire aux directeurs de tous les hôtels du groupe pour les avertir que désormais la suite présidentielle porterait le nom de Georges Novak.

C'était le lendemain de leur retour de Varsovie. Dès son réveil Florentina confia à son mari que Georges, qui lui avait tant appris de son vivant, continuait à lui donner des enseignements, même mort.

— Mais de quoi parles-tu ?

— Il a laissé toute sa fortune à une œuvre de charité et pourtant, il n'a jamais mentionné le fait que mon père avait rarement fait la charité, hormis quelques dons occasionnels à la Pologne ou pour des causes politiques. Moi-même je suis peu charitable et si tu n'avais pas ajouté, au bas du rapport annuel, que les donations sont déductibles des impôts, je n'y aurais même pas songé.

— J'imagine que tu n'es pas sur le point de rédiger ton testament. Qu'as-tu en tête ?

— Pourquoi ne pas créer une fondation à la mémoire de nos deux pères ? Réunissons nos deux familles et accomplissons ce qu'ils n'ont pas réussi de leur vivant.

Richard s'assit sur le lit et regarda sa femme, qui se dirigeait vers la salle de bains, tout en continuant à bavarder :

— Le groupe Baron pourrait accorder une subvention d'un million de dollars par an à cette fondation.

— Il faut dépenser le revenu, jamais le capital, objecta-t-il.

Florentina ferma derrière elle la porte de la salle de bains, donnant ainsi à Richard le temps de réfléchir à sa proposition. Il dut admettre qu'elle ne manquait pas de courage. Cependant, il supposa qu'elle n'avait pas dû penser à la personne qui pourrait s'occuper de l'administration d'une telle entreprise.

Il sourit tout seul, quand la porte de la salle de bains se rouvrit.

— Nous pourrions dépenser le revenu dont tu parlais, déclara Florentina, pour des immigrés de la première génération, qui n'ont pas eu la chance de bénéficier d'une éducation décente.

— Et aussi accorder des bourses à des enfants surdoués, quelles que soient leurs origines, ajouta Richard en sautant du lit.

— Brillante idée, monsieur Kane ! Espérons que, parfois, la même personne pourra réunir les deux conditions.

— C'était le cas de ton père, répondit Richard, avant de disparaître à son tour dans la salle de bains.

Thaddeus Cohen accepta de quitter sa retraite pour établir les statuts de la fondation. Cela lui prit un mois. A l'annonce de sa création, la presse salua cet événement comme un nouvel exemple de la capacité du couple Kane d'allier à l'originalité le courage et le bon sens.

Un reporter du *Chicago Sun Times* contacta Thaddeus Cohen et demanda des précisions sur le choix du nom de la fondation. Thaddeus expliqua que Remagen avait été choisi parce que, sur ce champ de bataille, le colonel Rosnovski avait sauvé la vie du capitaine Kane.

— J'ignorais qu'ils s'étaient rencontrés sur un champ de bataille, remarqua le reporter.

— Ils l'ignoraient également, rétorqua Thaddeus, nous ne l'avons découvert qu'après leur mort.

— Extraordinaire ! Mais dites-moi, monsieur Cohen, peut-on savoir qui sera le premier administrateur de la fondation Remagen ?

— Le professeur Luigi Ferpozzi.

L'année suivante, tant la Lester que le groupe Baron battirent de nouveaux records. Wall Street considérait à présent la banque de Richard comme un empire. Florentina fit la tournée de ses hôtels au Moyen-Orient et en Afrique. Au Nambawe, le roi Erobo donna un banquet en son honneur. Elle promit de faire construire un Baron dans la capitale, mais resta vague à propos du refus de la Lester de souscrire au dernier emprunt international lancé par le roi.

William termina brillamment sa première année à Saint-Paul, montrant toujours un grand penchant pour les mathématiques, tout comme son père. Ayant eu les mêmes professeurs, père et fils évitèrent de leur demander des comparaisons.

Annabelle n'avait pas fait autant de progrès que son frère, mais son professeur avait dû convenir d'une certaine amélioration, même si elle était amoureuse de Bob Dylan.

— Qui est-ce ? demanda Florentina.

— Aucune idée, répondit Richard, mais il doit produire sur Annabelle le même effet que Sinatra avait eu sur toi, il y a vingt-cinq ans.

Après six ans de présidence à la tête du groupe Baron, Florentina commença à s'ennuyer. Richard semblait tous les jours inventer de nouveaux défis. De son côté, Gianni di Ferranti avait pris si bien en main la chaîne des boutiques qu'il ne la dérangeait jamais, sinon pour lui indiquer les destinataires des chèques.

A présent, le groupe Baron fonctionnait sans anicroches. L'équipe de direction était si compétente que personne ne sembla s'apercevoir de l'absence de Florentina, lorsqu'un matin elle ne se rendit pas à son bureau.

Un soir, alors que Richard, confortablement installé dans le fauteuil en velours rouge, lisait près de la cheminée, Florentina exprima tout haut son sentiment :

— Je m'ennuie !

Richard s'abstint de tout commentaire.

— Il est grand temps de faire autre chose dans la vie que de répéter les exploits de mon père, ajouta-t-elle.

Richard sourit, sans lever le regard de son livre.

**25**

— Devine qui parle ! Tu as droit à trois réponses.

— J'ai besoin de quelques éléments, répondit Florentina, agacée. Elle connaissait cette voix, mais n'arrivait pas à la situer.

— Beau, intelligent et célèbre.

— Paul Newman !

— Tu brûles ! Essaie encore.

— Robert Redford.

— Non ! Une dernière chance.

— Je demande un renseignement supplémentaire.

— Lamentable en français, pas meilleur en anglais et toujours amoureux de toi.

— Edward ! Edward Winchester ! Chère voix du passé ! Tu n'as pas l'air d'avoir beaucoup changé.

— Pieux mensonge ! J'ai dépassé la quarantaine et il t'arrivera la même chose l'année prochaine, si je ne m'abuse.

— Comment est-ce possible ? J'ai à peine vingt-quatre ans !

— Encore ?

— Je me suis fait conserver dans la glace pendant les quinze dernières années.

— Ce n'est pas ce que j'ai lu à ton sujet. Tu voles de victoire en victoire.

— Et toi ?

— Je suis associé dans un cabinet d'avocats à Chicago. Winston et Strawn.

— Marié ?

— Non, j'ai décidé de t'attendre.

Florentina éclata de rire.

— Je te préviens, je suis mariée depuis plus de quinze ans et j'ai un fils de quatorze ans et une fille de douze.

— Ah bon ! Alors je ne demanderai pas ta main. Mais je voudrais quand même te voir pour une affaire importante.

— Quoi donc ? Tu m'intrigues.

— Si je viens à New York la semaine prochaine, accepteras-tu de déjeuner avec moi ?

— Bien volontiers. (Florentina consulta son agenda.) Disons mardi prochain ?

— Ça me convient. Au Four Seasons à treize heures ?

— J'y serai.

Florentina raccrocha et se rassit sur sa chaise. En dépit de quelques cartes de Noël et d'une ou deux lettres, elle n'avait eu pour ainsi dire aucun contact avec Edward depuis seize ans.

Elle s'étudia dans le miroir : quelques minuscules rides étaient apparues autour des yeux et des lèvres. Elle se tourna de profil pour examiner la minceur de sa silhouette. Florentina se sentait jeune. Indéniablement, sa fille était assez grande pour attirer les regards masculins dans la rue et son fils était en pleine adolescence.

Ce n'était pas juste ! Richard, lui, ne faisait pas ses quarante ans. C'était à peine si quelques cheveux blancs grisonnaient sur ses tempes, sa chevelure semblait peut-être moins épaisse qu'autrefois, mais il avait gardé sa sveltesse et la vigueur des débuts de leur rencontre. Richard trouvait encore le temps de jouer au squash deux fois par semaine au Harvard Club et même de pratiquer le violoncelle certains weekends.

Le coup de fil d'Edward avait fait prendre conscience à Florentina de son âge. Pour la première fois, elle s'était mise à y penser, d'une façon presque morbide. Pour un peu, elle eût songé à la mort. Thaddeus Cohen était mort l'année précédente. Sa mère et Kate Kane demeuraient les seuls membres survivants de cette génération.

Florentina se pencha, essayant en vain de toucher ses orteils. Pour se rassurer, elle s'en remit aux rapports mensuels du groupe Baron. Seul le Baron de Londres, bien que bâti sur un des plus beaux sites de Mayfair, ne donnait pas son plein rendement. Mais comment diable les Anglais se débrouillaient-ils pour combiner tout à la fois demandes d'augmentation outrancières, un chômage élevé et manque de personnel qualifié ?

A Riyâd, il avait fallu remplacer la totalité du personnel à cause d'innombrables vols et, en Pologne, le gouvernement n'avait pas encore autorisé le groupe à sortir des devises.

Mais en dépit de ces problèmes mineurs, qui du reste pourraient être résolus par l'équipe de direction, la société était florissante. Sur le ton de la confidence, Florentina apprit à Richard que l'on prévoyait des bénéfices de quarante et un millions de dollars pour le groupe en 1974, alors que ceux de la Lester atteignaient tout juste dix-huit millions. Pourtant, Richard avait prédit qu'en 1974 les bénéfices de la banque dépasseraient ceux des hôtels.

Florentina feignit le dédain, sachant au fond d'elle-même qu'en matière de prévisions financières, Richard se trompait rarement.

Ses pensées revinrent à Edward. A ce moment, le téléphone sonna et Gianni di Ferranti la convia à voir sa nouvelle collection, destinée à un défilé de mode à Paris. Cette proposition chassa son vieux camarade d'école de l'esprit de Florentina, jusqu'au mardi suivant.

Elle arriva au Four Seasons peu après une heure, vêtue du dernier modèle de Gianni, une robe en soie vert bouteille agrémentée d'une veste sans manches. En gravissant le large escalier du restaurant, elle se demanda si elle allait reconnaître Edward.

Elle l'aperçut sur la dernière marche et souhaita secrètement avoir aussi bien « vieilli » que lui.

— Edward ! s'écria-t-elle, tu n'as pas bougé d'un pouce ! (Il rit et, moqueuse, elle poursuivit :) J'ai toujours adoré les cheveux grisonnants et le poids que tu as pris te sied à merveille. Je ne pouvais en attendre moins d'un avocat distingué de ma ville natale.

Il l'embrassa sur les deux joues, avec l'aplomb d'un général français et, bras dessus bras dessous, tous deux suivirent le maître d'hôtel. Une bouteille de champagne les attendait déjà à leur table.

— Du champagne ! Comme c'est charmant ! Qu'est-ce qu'on arrose ?

— Nos retrouvailles, dit Edward.

Ayant remarqué ensuite que Florentina semblait perdue dans ses pensées, il s'enquit :

— Qu'est-ce qui ne va pas ?

— Je me revoyais assise sur le sol de la classe, pleurant à chaudes larmes, pendant que tu arrachais le bras de Franklin Roosevelt avant de l'arroser d'encre bleu roi.

— Et tu l'avais bien mérité ! Tu n'étais qu'une affreuse gamine « m'as-tu-vu ». Pauvre petit ourson ! Au fait, est-il toujours en vie ?

— Il a élu domicile dans la chambre de ma fille et, comme il a réussi à garder son autre bras et ses deux jambes, je conclus qu'Annabelle se débrouille mieux avec les jeunes gens que sa mère n'avait pu le faire.

Edward éclata de rire :

— Et si nous commandions ? proposa-t-il, j'ai tant de choses à te dire... ça m'a fait tout drôle de suivre ta carrière dans les journaux ou à la télé, et je voulais me rendre compte si tu avais changé.

Florentina choisit du saumon et une salade. Edward opta pour une côte de bœuf et des asperges.

— Tu m'intrigues, fit-elle.

— Pour quelle raison ? demanda Edward.

— Pourquoi un avocat ferait-il le voyage de New York juste pour voir une tenancière d'hôtel.

— Tu n'y es pas. Je ne viens pas en tant qu'avocat, qui veut voir une tenancière d'hôtel, mais comme trésorier du parti démocrate.

— J'ai déjà donné ! Cent mille dollars aux démocrates de

Chicago l'année dernière. Et, pour ta gouverne, Richard a envoyé la même somme aux républicains de New York.

— Je sais bien que tu as soutenu financièrement toutes les campagnes électorales du parti. Je ne suis pas venu chercher ton argent, Florentina. C'est toi que je veux.

— Ça fait plaisir d'entendre ça, répliqua-t-elle en souriant. Les hommes ont cessé de me faire de tels compliments ces derniers temps. Tu sais, Edward, poursuivit-elle sur un autre ton, pendant toutes ces années j'ai été tellement submergée de travail que j'avais à peine le temps d'aller voter. Et quant à me lancer dans la politique, il n'en est pas question ! Depuis l'affaire du Watergate, je trouve Nixon détestable et Agnew encore pire. Comme Muskie ne s'est pas présenté, il ne me reste plus que George McGovern, dont je ne raffole pas précisément.

— Oui, mais...

— Et j'ai un mari, deux enfants et une société au chiffre d'affaires de deux cents millions de dollars à gérer.

— Que comptes-tu faire pendant les vingt prochaines années ?

Elle sourit.

— Arriver au milliard.

— En d'autres termes, tu ne te renouvelles pas. Je partage ton opinion en ce qui concerne McGovern ou Nixon, l'un étant trop bien, l'autre pas assez. Et je ne vois aucune personnalité valable à l'horizon.

— Ne me dis pas que tu veux que je me présente aux présidentielles de 1976.

— Non, mais au Congrès, comme député de l'Illinois.

Florentina fit tomber sa fourchette.

— Si mes souvenirs sont exacts, ce genre de job exige dix-huit heures de travail par jour, quarante-deux mille cinq cents dollars par an et aucune vie de famille. De surcroît, on a les électeurs sur le dos — et ils sont aussi durs que possible. Enfin, et c'est le pire, il est recommandé d'habiter la neuvième circonscription de l'Illinois.

— Et alors ? Le Baron se trouve en plein dans la neuvième

circonscription et, par ailleurs, ce sera juste une période de transition...

— Vers quoi ?

— Le Sénat.

— Où, alors, on a tout le pays sur le dos...

— Puis vers la présidence.

— C'est-à-dire là où on a le monde entier sur le dos... Cher Edward, on n'est plus à l'école. Je n'ai pas deux vies devant moi, une pour ma famille et une...

— Et une pour rendre aux autres un peu de ce que tu leur as pris.

— C'est très dur, ce que tu viens de me dire.

— Je te demande pardon. Mais, tout comme toi, j'ai toujours été persuadé que tu avais ton mot à dire en politique. Le temps est venu, d'autant plus que, maintenant je le sais, tu n'as pas changé.

— Mais je n'ai même pas fait de politique à un niveau élémentaire, disons local, alors, tu penses, à un niveau national...

— Florentina, tu le sais aussi bien que moi, la plupart des députés n'ont ni ton intelligence ni ton expérience. Et c'est pareil pour beaucoup de Présidents, penses-y.

— Tu m'en vois flattée mais pas convaincue.

— En tout cas, je peux te dire que plusieurs membres de notre groupe à Chicago souhaitent que tu sois candidate démocrate pour la neuvième circonscription.

— Pour le bon vieux siège d'Henry Osborne ?

— Exactement. Le député démocrate qui l'a regagné en 1954 se retire après ce mandat et le maire Daley veut un candidat fort face aux républicains.

— Une femme, et d'origine polonaise si possible ?

— Oui, une femme qui, selon le *Time*, arrive dans l'estime de l'opinion publique juste après Jacky Kennedy et Margaret Mead.

— Tu es fou, mon vieux ! Qui se soucie de ça ?

— Toi, Florentina. Accorde-moi une seule journée de ton précieux temps, viens à Chicago et accepte de rencontrer ceux qui te réclament. Et tâche d'exprimer avec tes propres mots les sentiments qui t'animent sur l'avenir de notre pays. Fais-le pour moi, au moins.

— Bon, bon, je vais y réfléchir et je t'appellerai dans quelques jours. Mais je te préviens, Richard va penser que je suis devenue folle.


Florentina se trompait.

Richard était rentré tard ce soir-là, d'un voyage à Boston. Au petit déjeuner, le lendemain, il lui annonça qu'elle avait parlé dans son sommeil.

— Ah oui ? Qu'ai-je dit ?

Il la regarda et répondit :

— Quelque chose que j'ai toujours soupçonné.

— Mais quoi ?

— « Dois-je me présenter aux élections ? » (Et comme elle ne répondait rien.) Pourquoi Edward Winchester voulait-il te voir d'urgence ?

— Il me propose de retourner à Chicago pour me présenter au Congrès.

— C'était donc ça ! Tu devrais prendre cette proposition au sérieux, Jessie. Depuis des années, tu prétends que les femmes compétentes n'osent pas faire de politique. Du reste, tu as toujours eu ton franc-parler à l'égard des maladresses de ceux qui dirigent la vie publique. Maintenant, tu as une occasion de cesser de te lamenter et de faire quelque chose.

— Mais le groupe Baron ?

— Les Rockefeller ont bien survécu quand Nelson est devenu gouverneur de l'Etat de New York. Les Kane se débrouilleront aussi ! La société emploie quelque vingt-sept mille personnes, et on trouvera bien une dizaine d'hommes pour te remplacer.

— Merci, monsieur Kane. Et comment vivra-t-on, moi dans l'Illinois, et vous à New York ?

— Rien de plus facile. Je viendrai tous les week-ends à Chicago et tu viendras ici les mercredis. Puisque Carol veut bien rester chez nous, les enfants ne seront pas tellement perturbés. Et quand tu seras élue, je me rendrai tous les mercredis soir à Washington.

— Vous avez l'air d'y avoir songé depuis un certain temps, monsieur Kane.

Une semaine plus tard, Florentina prit l'avion pour Chicago. Edward l'attendait à l'aéroport O'Hare. Il pleuvait à verse, le vent soufflait par rafales et, malgré le grand parapluie qu'Edward tenait à deux mains, Florentina se retrouva vite trempée.

— Je sais maintenant pourquoi Chicago me manquait, commenta-t-elle en grimpant dans la voiture.

Pendant le trajet vers la ville, Edward la renseigna sur les gens qu'elle devait rencontrer.

— Quelques bénévoles et des fidèles partisans qui te connaissent déjà à travers la télévision et les journaux. Ils seront sans doute étonnés de découvrir que tu as deux pieds, deux mains et une tête, comme tout le monde.

— Combien seront-ils ?

— Une soixantaine environ, soixante-dix à tout casser.

— Et tout ce que je dois faire, d'après toi, ce sera de les rencontrer et de leur dire quelques mots sur mes idées concernant les affaires du pays ?

— Oui !

— Et ensuite, je rentre chez moi ?

— Si tu le désires.

La voiture s'immobilisa dans Randolph Street, devant les bureaux du parti démocrate. Une grosse bonne femme, une certaine Mme Kalamitch, accueillit Florentina et la précéda dans le hall bondé de monde. Tous se mirent à applaudir.

— Tu m'avais parlé de quelques vieux routiers, murmura-t-elle.

— Je suis aussi étonné que toi. Je m'attendais à soixante-dix personnes, pas à plus de trois cents.

La nervosité de Florentina atteignit son comble quand elle fut présentée au comité de sélection et dut prendre place sur l'estrade. Elle s'assit à côté d'Edward, consciente de la froideur de la salle, en comparaison avec tous ces gens réunis

314

dans le hall, les yeux pleins d'espoir. Des gens qui ne jouissaient d'aucun privilège, comme elle. Combien cette salle était différente de celle du conseil d'administration du groupe Baron, où des messieurs habillés chez Brooks Brothers buvaient des Martini avant d'aller dîner ! Pour la première fois de sa vie, elle eut honte de sa richesse, mais espéra qu'on ne remarquerait pas son trouble.

Edward se redressa au centre de l'estrade :

— Mesdames et messieurs, j'ai l'honneur ce soir de vous présenter une dame qui a su gagner le respect et l'admiration du peuple américain. Cette dame a su bâtir un des plus vastes empires du monde et je veux croire qu'elle saura également bâtir une carrière politique d'égales dimensions. Et j'ose espérer que cette carrière commencera ici même, ce soir. Mesdames et messieurs, voici Florentina Kane !

Florentina se leva. Elle se sentait mal à l'aise et regrettait de ne pas avoir mieux préparé son discours.

— Je vous remercie, monsieur Winchester, pour vos bonnes paroles. C'est merveilleux de revenir à Chicago, ma ville natale, et j'apprécie que tant de gens se soient déplacés pour me voir, par une nuit aussi froide et humide. Tout comme vous, je me sens abandonnée par les responsables actuels de notre grand pays. Je crois en une Amérique forte et si j'entrais dans l'arène politique, je m'attacherais aux paroles prononcées par Franklin Roosevelt dans cette même ville : ''Il n'existe pas de vocation plus exaltante que de servir son pays.''

« Mon père est arrivé à Chicago, comme immigré polonais. Nulle part ailleurs que dans ce pays il n'aurait pu accomplir tout ce qu'il a réalisé. Chacun de nous doit jouer son rôle dans les destinées de ce pays que nous aimons. Je n'oublierai jamais votre gentillesse, vous qui m'avez invitée à devenir votre candidate. Soyez-en sûrs, je ne prendrai pas une telle décision à la légère. Et je ne suis pas venue avec un long discours bien léché, car je préfère répondre aux questions que vous jugez importantes. »

Elle se rassit, sous les applaudissements de trois cents auditeurs enthousiastes. Quand le silence se fit, elle répondit à des questions sur des sujets divers, allant des bombardements américains sur le Cambodge à la législation de l'avortement, et du Watergate à la crise de l'énergie.

C'était la première fois qu'elle abordait une réunion sans avoir établi au préalable par écrit des faits et des chiffres, et elle s'étonna elle-même de son assurance sur tant de sujets.

Une heure plus tard, quand elle eut répondu à la dernière question, l'auditoire se leva et commença à scander : « Kane au Congrès », refusant de s'arrêter, jusqu'à ce que Florentina quitte l'estrade. Ce fut alors un des rares moments de sa vie où elle ne sut pas très bien ce qu'elle devrait faire par la suite. Edward vint à la rescousse, manifestement enchanté :

— Je le savais qu'ils allaient t'adorer, dit-il.

— J'ai été mauvaise, cria-t-elle par-dessus le brouhaha.

— Alors, qu'est-ce que cela doit être quand tu es bonne !

Edward l'entraîna à l'écart, tandis que la foule se précipitait vers elle. Un homme pâle, rivé sur une chaise roulante, réussit à toucher le bras de Florentina.

— C'est Sam, Sam Hendrick, dit Edward. Il a perdu ses deux jambes à la guerre du Vietnam.

— Madame Kane, dit l'homme, vous ne vous souvenez sans doute pas de moi. Il y a longtemps, nous étions ensemble dans ce même hall et nous collions des enveloppes pour Stevenson. Si vous décidez de vous présenter aux élections pour le Congrès, ma femme et moi allons travailler jour et nuit pour que vous soyez élue. Beaucoup d'entre nous ont toujours espéré que vous reviendriez à Chicago pour vous présenter.

Sa femme, qui se tenait derrière la chaise roulante, acquiesçait en souriant.

— Merci, dit Florentina.

Elle voulut se frayer un chemin vers la sortie, mais en fut empêchée par les mains tendues de ses admirateurs. Près de la porte, une jeune fille de vingt-cinq ans environ l'arrêta en disant :

— J'ai vécu dans votre ancienne chambre à Radcliffe. Comme vous, j'ai entendu parler le président Kennedy.

L'Amérique a besoin d'un nouveau Kennedy. Pourquoi ne serait-ce pas une femme ?

Florentina contempla ce jeune visage anxieux mais intense.

— J'ai terminé mes études, continua la jeune fille, et maintenant je travaille à Chicago. Si vous vous présentez aux élections, des milliers d'étudiants manifesteront pour vous dans les rues.

Florentina n'eut pas le temps de lui demander son nom, et elles furent séparées par la foule. Enfin, Edward réussit à la tirer hors de la cohue puis la fit entrer dans une voiture qui les attendait devant les locaux du parti démocrate, pour les ramener à l'aéroport. Devant l'aérogare, le chauffeur noir sauta de la voiture pour ouvrir la portière de Florentina. Elle le remercia.

— C'est un plaisir, madame Kane. Je voudrais vous remercier pour vos prises de position vis-à-vis de ma communauté dans le Sud. Nous n'oublions pas que vous avez prêté l'oreille à nos revendications pour l'égalité des salaires et que, grâce à vous, tous les hôtels ont dû suivre. J'espère que j'aurai la chance de voter pour vous.

— Merci encore, répondit Florentina, en souriant.

Edward l'accompagna jusqu'à la porte d'embarquement.

— Bon voyage et merci d'être venue, Flo. Préviens-moi dès que tu auras pris ta décision.

Il ajouta après une pause :

— Si tu sens que tu ne peux pas t'engager jusqu'à la nomination, je comprendrai.

Il l'embrassa sur la joue et s'éloigna.

Dans l'avion, Florentina s'assit seule, réfléchissant à ce qui s'était passé au cours de la soirée. Comme elle avait été si mal préparée à une telle manifestation ! Et combien elle aurait aimé que son père fût là, pour en témoigner.

Une hôtesse de l'air vint lui demander si elle désirait boire quelque chose.

— Rien, merci.

— Que puis-je faire pour vous, madame Kane ?

Florentina leva le regard, surprise que la jeune femme connaisse son nom.

— J'ai travaillé dans un de vos hôtels, expliqua celle-ci.

— Lequel ?

— Le Baron de Detroit. Vos hôtels sont l'étape idéale pour les hôtesses de l'air. Si seulement l'Amérique était gouvernée de la façon dont vos hôtels sont gérés, on n'en serait pas là, ajouta-t-elle, en s'éloignant.

Florentina se mit à feuilleter *Newsweek*. Sous le titre *Jusqu'où ira l'affaire du Watergate ?* elle étudia les visages d'Ehrlichman, d'Haldeman et de Dean, avant de refermer le magazine. Sur la couverture, il y avait une photo de Nixon, et la légende : *Quand le Président a-t-il su ?*

Peu après minuit, elle se retrouva dans sa maison de la 64e Rue. Richard l'attendait assis près du feu, sur son fauteuil préféré. Il se leva pour l'accueillir.

— Alors ? Est-ce qu'on t'a demandé de devenir président des Etats-Unis ?

— Non ! Seulement madame le député.

Le lendemain, elle appela Edward au téléphone :

— J'accepte de poser ma candidature pour le Congrès, comme représentante du parti démocrate, annonça-t-elle.

— Merci ! J'aurais peut-être dû t'exprimer ma gratitude d'une façon plus complète, mais pour l'instant, merci.

— Edward, puis-je savoir qui aurait été candidat si j'avais refusé ?

— On a fait un peu pression sur moi pour que je me présente, mais j'ai dit à mes amis que je connaissais un meilleur candidat. Cette fois, je suis sûr que tu écouteras mes conseils, même si tu deviens Président.

— Je dois te faire remarquer que je n'ai jamais réussi à me faire élire président de la classe !

— Non, j'y suis parvenu, moi, et pourtant j'en suis réduit à te servir.

— Quand dois-je commencer, monsieur le professeur ?

— Les primaires auront lieu en mars, autant réserver tous tes week-ends dès maintenant.

318

— Peux-tu me dire le nom de cette jeune personne de Radcliffe qui m'a approchée pour me parler de Kennedy ?

— Janet Brown. En dépit de son âge, c'est déjà un de nos meilleurs éléments au département des relations humaines de la ville.

— Tu as son numéro de téléphone ?


Dans la semaine qui suivit, Florentina informa le conseil du groupe Baron de sa décision. Les membres du conseil nommèrent Richard coprésident et élirent deux nouveaux directeurs.

Florentina appela Janet Brown. Elle lui proposa un poste d'assistante politique à plein temps et fut enchantée par l'accord spontané de la jeune femme. Elle engagea deux nouvelles secrétaires, uniquement pour le travail politique. Enfin, elle demanda à la direction du Baron de Chicago de lui libérer le 38ᵉ étage pour un an environ.

— Tu prends les choses à cœur, à ce que je vois, observa Richard, tard dans la soirée.

— En effet ! Il faudra que je travaille dur, pour que tu deviennes un jour le premier homme des Etats-Unis !

## 26

— Faut-il s'attendre à une forte opposition à l'intérieur du parti ?

— Non, rien d'extraordinaire, répondit Edward. Tu auras probablement un ou deux concurrents, mais comme le comité de sélection te soutient totalement, la vraie bataille aura lieu avec les républicains.

— Qui sera leur candidat ?

— On ne sait pas encore. Mes indicateurs m'ont fait savoir que ça va se passer entre deux hommes, Ray Buck, choisi par le candidat précédent, et Stewart Lyle, conseiller municipal depuis huit ans. Tous deux sont prêts à faire une solide campagne, mais cela n'est pas notre problème immédiat. Le peu de temps qui nous reste, nous le consacrerons aux primaires du parti.

— Combien de gens iront voter aux primaires ? demanda Florentina.

— On ne sait pas exactement. Il y a à peu près cent cinquante mille démocrates enregistrés et on peut compter d'habitude sur 45 à 50 % de participants, c'est-à-dire soixante-dix ou quatre-vingt mille votants environ.

Ce disant, Edward déplia une carte de Chicago et la plaça devant Florentina.

— Les limites de la circonscription sont marquées en rouge et vont de Chicago Avenue au sud, aux limites d'Evanston au nord, puis de Ravenswood et des grands boulevards à l'ouest jusqu'au Michigan, à l'est.

— Le district n'a guère changé depuis le temps d'Henry Osborne, remarqua-t-elle, je m'en souviendrai facilement.

— Espérons-le. Notre tâche principale consiste à ce que tu sois présente en permanence à la télévision et dans la presse. Chaque fois qu'un démocrate allume son poste ou ouvre son journal, Florentina Kane doit être avec lui. Les électeurs doivent penser que tu es partout et croire que ton seul intérêt est le leur. En fait, entre aujourd'hui et le 19 mars, il n'y aura pas de manifestation ou de réception à Chicago où tu ne seras pas.

— Cela me convient. J'ai déjà installé mon quartier général au Baron de Chicago, qui a été construit, grâce à la clairvoyance de mon père, au cœur de la circonscription. J'y passerai tous mes week-ends et j'irai voir ma famille dans la semaine. Quand allons-nous commencer ?

— J'organise une conférence de presse pour lundi prochain. Une courte allocution suivie de questions et de réponses. Ensuite, nous servirons du café, de sorte que tu pourras rencontrer séparément tous les personnages importants. Comme tu aimes réfléchir vite, tu prendras vite goût à rencontrer les journalistes.

— Des conseils particuliers ?

— Sois toi-même.

— Tu vas peut-être le regretter.


Edward avait vu juste. Après un bref discours d'ouverture prononcé par Florentina, les questions commencèrent à pleuvoir. Edward citait à voix basse le nom de chaque journaliste qui se levait pour poser sa question. Le premier s'appelait Mike Royko, et représentait le *Chicago Daily News*.

— Trouvez-vous convenable qu'une richissime dame de New York se présente aux élections dans la neuvième circonscription de l'Illinois ?

— Mais je ne suis pas une richissime dame de New York, répliqua Florentina en se levant. Je suis née à l'hôpital Saint-Luc et j'ai été élevée à Rigg Street. Mon père est arrivé dans ce pays avec quelques vêtements pour tout bagages et a fondé le groupe Baron, dans cette circonscription même. Nous devons toujours lutter, c'est du moins ce que je crois, pour que les immigrés qui débarquent chez nous aujourd'hui aient la possibilité de réaliser les mêmes grandes choses que mon père.

Edward donna la parole à un autre journaliste.

— Etre femme n'est-il pas un désavantage lorsqu'on vient embrasser une carrière politique ?

— J'aurais eu tendance à répondre « Oui » à un public borné ou ignorant. Pas à des électeurs avisés, qui placent l'objectif à atteindre au-dessus des préjugés. Combien d'entre vous aujourd'hui, s'ils venaient à être victimes d'un accident de voiture, se méfieraient d'un femme médecin ? J'ose espérer que les différences de sexe tomberont dans la même désuétude que les problèmes de religion. On dirait qu'un siècle s'est écoulé depuis que l'on demandait à John Kennedy si la présidence se trouverait transformée, du seul fait qu'il était catholique. Aujourd'hui, la même question ne se pose plus pour Ted Kennedy. Des femmes jouent déjà un rôle prépondérant à l'étranger. Golda Meir en Israël et Indira Gandhi en Inde en sont deux exemples parmi d'autres. Quelle tristesse que dans un pays de deux cent trente millions d'habitants, il n'y ait pas une seule femme sur cent sénateurs et seulement soixante femmes sur quatre cent trente-quatre députés !

— Comment réagit votre mari devant le fait que, dans le ménage, ce soit sa femme qui porte la culotte ? demanda brusquement un questionneur indiscret.

Des rires percèrent dans la salle. Florentina attendit que le silence retombe pour répondre :

— Il est trop intelligent et il a trop bien réussi sa vie pour s'embarrasser de ce genre de préjugés.

— Que pensez-vous du Watergate ?

— Un triste épisode de l'histoire américaine, lequel, j'espère, fera bientôt partie du passé mais dont nous devons nous souvenir.

— Pensez-vous que Nixon doit démissionner ?

— Seul le Président lui-même peut prendre cette décision.

— Auriez-vous démissionné, à sa place ?

— A sa place je n'aurais pas été obligée de m'introduire illégalement dans des hôtels. J'en possède cent quarante-trois.

Des rires et des applaudissements donnèrent un peu plus de confiance à Florentina.

— A votre avis, le Président doit-il être mis au banc des accusés ?

— Le Congrès seul peut en décider, sur la base des preuves détenues par l'autorité judiciaire, y compris les bandes enregistrées à la Maison-Blanche, si le président Nixon accepte de les rendre publiques. Mais la démission du procureur général, M. Elliot Richardson, un homme dont l'intégrité n'avait jamais été mise en question, devrait nous alarmer.

— Quelle est votre position vis-à-vis de l'avortement ?

— Je ne tomberai pas dans le même piège que le sénateur Mason qui, la semaine dernière, a répondu à la même question en disant : « Vous savez, tout ce qui se passe en dessous de la ceinture... » (Elle attendit que les rires se calment pour poursuivre, sur un ton grave.) J'ai reçu une éducation catholique, aussi aurais-je tendance à protéger la vie sous toutes ses formes. Néanmoins, je crois qu'il existe certains cas où l'interruption d'une grossesse par un médecin qualifié est à la fois nécessaire et morale.

— Par exemple ?

— En cas de viol ou si la vie de la mère est en danger.

— Que faites-vous des préceptes de votre Eglise ?

— J'ai toujours été en faveur de la séparation de l'Eglise et de l'Etat. Quand on se présente à un poste officiel, on doit savoir prendre position sur certaines questions et donner son opinion, même si elle ne plaît pas à tout le monde. Edmund Burke l'a exprimé beaucoup mieux que moi par cette phrase : « Votre représentant ne vous doit pas seulement son assiduité, mais aussi son propre jugement. Ce serait vous trahir, et non vous servir, s'il sacrifiait le sien par les vôtres. »

Edward, qui avait senti l'effet produit par cette déclaration sur l'assitance, se leva promptement.

— Mesdames et messieurs de la presse, il est temps d'interrompre la réunion pour aller prendre une tasse de café, qui vous permettra à tous de rencontrer Florentina Kane. Vous avez tous compris, j'en suis sûr, les raisons pour lesquelles elle est la personne la mieux qualifiée pour représenter la neuvième circonscription.

Pendant une heure encore, Florentina fut assaillie de questions d'ordre personnel et politique. Certaines étaient si indiscrètes qu'elle aurait volontiers refusé d'y répondre. Mais elle avait vite fait de comprendre qu'une personnalité publique ne peut pas avoir de vie privée.

Lorsque le dernier journaliste se fut éclipsé, elle se laissa tomber sur une chaise, épuisée. Elle n'avait même pas eu le temps de boire une tasse de café.

— Vous avez été formidable, s'écria Janet Brown, n'est-ce pas, monsieur Winchester ?

Edward sourit :

— Bonne oui, pas formidable. Mais c'est de ma faute. J'aurais dû te prévenir de la différence entre le fait d'être P.-D.G. d'une société privée et candidat à une campagne électorale.

— Qu'entends-tu au juste ? demanda-t-elle, étonnée.

— Certains de ces journalistes sont vraiment très puissants et, à travers leurs articles, ils touchent des centaines de milliers de lecteurs. Ils aiment faire croire au public qu'ils connaissent personnellement celui ou celle de qui ils parlent. A une ou deux reprises tu t'es montrée trop distante. Avec le journaliste du *Tribune*, tu as été franchement trop dure.

— Tu parles de celui qui m'a demandé comment réagissait Richard au fait que je portais la culotte ?

— Oui.

— Qu'aurais-je dû répondre ?

— Une quelconque plaisanterie.

— Facile à dire ! C'est lui qui a été dur.

— Possible ! Mais lui ne veut pas être député, n'est-ce pas ? En plus, il a droit à la parole. N'oublie jamais qu'il est lu par plus de cinq cent mille personnes par jour, à Chicago, c'est-à-dire par une grande partie de ton électorat.

— Tu voudrais que je fasse des compromis ?

— Non ! Je veux seulement que tu sois élue. Quand tu siégeras à la Chambre, tu auras tout le temps de prouver à chacun qu'il a eu raison de voter pour toi. Pour le moment, tu es un produit inconnu, avec plusieurs handicaps au départ : tu es femme, et d'origine polonaise, et de surcroît millionnaire, de quoi faire jaser les conservateurs et les envieux. Tu ne pourras les contrer que par l'humour et ton intérêt à l'égard de ceux qui n'ont pas tes privilèges.

— Edward, ce n'est pas moi qui devrais me présenter aux élections, c'est toi !

— Tu es la personne tout indiquée, Flo, répondit l'avocat en hochant la tête, mais je me rends compte maintenant qu'il faudra laisser passer un peu de temps avant que tu ne t'habitues à ton nouveau milieu. Dieu merci, tu as toujours été bonne élève ! A propos, je partage tous les sentiments que tu as exprimés avec tant de véhémence, mais puisque tu aimes citer les hommes politiques du passé, n'oublie pas le commentaire de Jefferson au sujet d'Adams : « On peut perdre des voix pour un discours qu'on n'a pas fait ! »

Une nouvelle fois, Edward avait vu juste. La presse réserva un accueil mitigé à Florentina. Quant au *Tribune*, il ne se gêna pas pour la qualifier d'aventurière de la pire espèce jamais apparue sur la scène politique. « Espérons que Chicago finira par trouver une personnalité démocrate locale, concluait le journaliste, à défaut de quoi je me verrais dans l'obligation de demander à mes lecteurs de voter pour les républicains. »

Suffoquée, Florentina dut admettre que la susceptibilité d'un journaliste dépasse parfois celle d'un homme politique. Elle se jeta alors à corps perdu dans le travail, restant cinq jours par semaine à Chicago, rencontrant des foules de gens, parlant à la presse et à la télévision.

Edward commençait à dire que le vent devenait favorable quand le premier coup dur se produisit.

— Ralph Brooks ? Qui est-ce ? demanda Florentina.

— Un avocat de la région, très brillant et très ambitieux. J'ai toujours pensé qu'il convoitait le poste de procureur de l'Etat, avant de grimper les échelons jusqu'à celui de ministre de la Justice, mais je me trompais.

— Est-ce un candidat sérieux ?

— Oui, naturellement. Un garçon bien de chez nous, diplômé de l'université de Chicago et de la faculté de Droit de Yale.

— Quel âge a-t-il ?

— La trentaine.

— Et, bien sûr, il est séduisant.

— Très ! Quand il plaide au tribunal, toutes les femmes du jury sont immédiatement conquises. J'ai toujours évité de l'affronter, dans la mesure du possible.

— Ce dieu de l'Olympe n'a donc aucun défaut ?

— Sans doute. Tous les avocats dans cette ville finissent par se faire quelques ennemis. Et je suis sûr que notre maire ne verra certainement pas d'un bon œil l'entrée de cet homme dans la course, car il est un rival pour son fils.

— Que dois-je faire à ce propos ?

— Rien du tout. Si on te pose la question, donne la réponse classique : nous sommes en démocratie et que le meilleur gagne.

— Pourquoi se lance-t-il dans la course cinq semaines seulement avant les primaires ?

— Parfois, c'est une bonne tactique. Il espère que tu seras épuisée. Après tout, l'arrivée de M. Brooks empêchera nos partisans de dormir sur leurs lauriers. Un bon entraînement, en vue de l'affrontement avec les républicains.

Edward parlait sur un ton confiant, qui rassura Florentina. Elle ignorait qu'un peu plus tôt, il avait confié à Janet Brown que la bataille s'annonçait serrée. Pendant les cinq semaines qui suivirent, Florentina l'apprit à ses dépens. Partout où elle allait, Ralph Brooks était déjà passé. Chaque fois qu'elle donnait son opinion sur une question importante, Brooks avait déjà donné la sienne, la veille. A mesure que les primaires approchaient, Florentina apprit à connaître le jeu de Brooks, pour le battre.

Au moment même où les sondages d'opinion plaçaient Florentina en tête, son adversaire joua une carte inattendue. Elle le sut par le *Chicago Tribune*, qui annonça un beau matin :

« Brooks lance un défi à Kane et l'invite à un débat public. »

Une chose était évidente, se dit-elle, avec sa grande expérience de la plaidoirie et du contre-interrogatoire, cet homme ne pouvait être qu'un interlocuteur redoutable. Au fur et à mesure que les journaux arrivaient dans les kiosques, le quartier général de Florentina croulait sous les appels.

Allait-elle accepter le défi ? demandaient les journalistes. Allait-elle l'éluder ? La population de Chicago n'avait-elle pas le droit de voir les deux candidats démocrates débattre de leurs idées ?

Janet faisait patienter les questionneurs, tandis que Florentina et Edward discutaient à la hâte. Quelques minutes plus tard, Florentina rédigea un communiqué, que Janet répéta aux journalistes :

« Florentina Kane accepte avec plaisir de rencontrer Ralph Brooks pour un débat public. »

Edward envoya un représentant pour fixer, avec l'attaché de presse de Ralph Brooks, le lieu et l'heure du débat. D'un commun accord, les deux concurrents choisirent le mercredi avant les primaires et fixèrent la rencontre au Centre de la communauté juive. La radio et la télévision retransmettraient le débat et, dès lors, les deux candidats prirent conscience que les résultats de l'élection dépendraient de cette confrontation.

Des jours durant, Florentina répéta son discours et répondit à une multitude de questions posées par Janet, Edward et Richard, comme au temps où miss Tredgold l'aidait à préparer le concours Woolson.

Le soir du débat, toutes les chaises du Centre de la communauté juive disponibles avaient été prises d'assaut. Il y avait même des gens sur les rebords des fenêtres et une foule nombreuse restait debout, au fond de la salle. A cette occasion, Richard fit le voyage depuis New York.

Florentina et son mari se rendirent au Centre une demi-heure avant le débat. Elle se confia aux maquilleurs de la télévision, tandis que Richard trouvait une place au premier rang.

A son entrée sur l'estrade où elle prit place, Florentina fut accueillie par une chaleureuse ovation. Peu après, Brooks fit son entrée, sous des applaudissements non moins chaleureux. Très sûr de lui, il s'avança sur la plate-forme tout en repoussant une mèche de cheveux rebelle. Aucune femme dans la salle ne pouvait détacher les yeux de lui, y compris Florentina.

Le président du comité de sélection leur souhaita la bienvenue, puis, les attirant à l'écart, il leur rappela le règlement : chacun devait faire un discours, suivi par une séance de questions-réponses avec les journalistes et une brève conclusion.

Les deux concurrents acquiescèrent, ces détails ayant été mis au point à l'avance par leurs représentants. Le président du comité tira une pièce toute neuve de sa poche. Florentina regarda le visage de Kennedy sur la pièce de monnaie.

— Face, dit-elle.

L'homme lança la pièce en l'air. Le visage de Kennedy apparut à nouveau.

— Je parlerai en second, déclara Florentina, sans hésiter.

Sans autre préalable, ils regagnèrent l'estrade et prirent place de part et d'autre d'Edward, Florentina à sa droite et Ralph Brooks à sa gauche. A huit heures précises, le président du comité déclara la séance ouverte.

— M. Brooks va prononcer le premier discours, suivi par Mme Kane. Une conférence de presse aura lieu ensuite.

Ralph Brooks se redressa. Il était grand, extrêmement beau. Il fallait bien admettre qu'un metteur en scène lui aurait attribué sans hésiter le rôle de Président. Il se mit à parler et Florentina pensa qu'elle était tombée d'emblée sur le plus redoutable des adversaires, un homme détendu, sûr de lui, véritable professionnel de la parole, sans la moindre once de fanfaronnades.

— Mesdames et messieurs, chers amis démocrates, dit-il, me voici donc devant vous, ce soir, moi un homme de votre région et qui a vécu toute sa vie ici à Chicago. Mon arrière-grand-père est natif de cette ville et, quatre générations durant, mes parents ont exercé le métier d'avocat, dans notre cabinet de la rue La Salle, et toujours au service de la communauté. Si je me propose aujourd'hui à vos suffrages comme candidat à la députation, c'est que j'ai l'intime conviction que les représentants d'une population doivent toujours surgir des racines de la communauté qu'ils représentent. Je ne possède pas la fortune de mon adversaire, mais je vous apporte mon attachement et mon respect et cela, j'espère, surpasse la richesse à vos yeux...

Des applaudissements l'interrompirent, mais Florentina put voir que, dans la salle, un certain nombre de personnes n'applaudissaient pas.

— Pour ce qui concerne la prévention du crime, le logement, les transports en commun et la santé, poursuivit Ralph Brooks, je me suis toujours battu devant les tribunaux pour défendre le bien public. Maintenant, je cherche l'occasion de le promouvoir à la Chambre des Représentants des Etats-Unis.

Florentina ne perdait pas un mot du discours de son adversaire et elle ne fut guère surprise des applaudissements prolongés qu'il souleva. Brooks se rassit et Edward présenta Florentina. A son tour elle se leva, réprimant une folle envie de prendre la fuite, mais un sourire de Richard lui rendit sa confiance.

— Il y a cinquante ans, commença-t-elle, mon père est arrivé en Amérique, après avoir échappé aux Allemands, puis aux Russes. Il a fait son apprentissage à New York, mais c'est à Chicago qu'il a fondé la grande chaîne d'hôtels que j'ai le privilège de diriger. Le groupe Baron emploie actuellement vingt-sept mille personnes, dans tous les Etats d'Amérique. A l'apogée de sa carrière, mon père a quitté ce pays,

330

pour combattre une nouvelle fois les Allemands. Il est revenu de la guerre avec une Etoile de bronze.

« Je suis née dans cette ville. J'ai fait mes études dans un lycée qui se trouve à un kilomètre de cette salle, et j'y ai reçu une instruction qui m'a permis de m'inscrire à l'université. Aujourd'hui, je reviens dans ma ville natale, dans l'espoir de représenter ceux grâce à qui mon rêve américain est devenu réalité. »

Une salve d'applaudissements accueillit ces dernières paroles, mais, à nouveau, certains spectateurs n'applaudirent pas.

— J'espère, reprit-elle, que je ne serai pas écartée de la course à la députation sous prétexte que je suis riche. Si la fortune était une raison de disqualification, alors Jefferson, Roosevelt ou Kennedy n'auraient jamais été Présidents.

« J'espère aussi que l'électorat ne va pas me délaisser parce que mon père était immigrant. En ce cas, un des maires les plus éminents que cette ville ait connus, je veux parler d'Anton Cermak, n'aurait jamais pu franchir le seuil de l'hôtel de ville. Et si on ne voulait pas de moi parce que je suis une femme, alors, la moitié de la population américaine devrait être disqualifiée avec moi. »

Cette fois-ci, les applaudissements fusèrent de toutes parts. Florentina respira profondément :

— Je n'ai pas à me justifier d'être fille d'immigrant, ni d'être riche, ni d'être femme. Et jamais je ne me justifierai d'avoir voulu représenter la population de Chicago au Congrès... (Les applaudissements s'intensifièrent.) Si le destin ne veut pas que je vous représente, je soutiendrai M. Brooks. Mais si vous me faites l'honneur de me choisir pour être votre candidat, je vous donne ma parole que je m'attaquerai aux problèmes de cette ville avec le même attachement et la même énergie que j'ai mis à faire prospérer ma société, une des plus grandes chaînes hôtelières du monde.

Elle se rassit, au milieu de l'enthousiasme général et jeta un coup d'œil furtif à son mari. Richard souriait. Pour la première fois, Florentina se détendit et regarda la salle. Beaucoup de gens s'étaient levés pour applaudir. Bien sûr, la plupart d'entre eux faisaient partie de son équipe. Elle regarda sa montre : vingt heures vingt-huit. Le timing avait été parfait : *Rire pour tous*, l'une des émissions de variétés les plus suivies, allait prendre fin sur la neuvième chaîne. Dans les minutes qui suivraient, beaucoup de téléspectateurs allaient changer de chaîne. A la tête que faisait Ralph Brooks, elle comprit que ce détail ne lui avait pas échappé.

Après les questions, qui n'apportèrent aucune surprise, et les déclarations finales, Florentina et Richard purent fausser compagnie à leurs admirateurs et rentrer à leur appartement, au Baron, où ils attendirent impatiemment la première édition des journaux.

Dans l'ensemble, la presse se montrait favorable à Florentina, et même le *Tribune* admettait que la rencontre se soldait par un match nul.

Pendant les trois derniers jours de la campagne, Florentina dut arpenter les routes, serrer des mains, participer à des manifestations, dont la fameuse parade de Saint-Patrick, avant de s'effondrer, tous les soirs, dans un bain chaud. Tous les matins, Richard la réveillait avec une tasse de café fumant, puis la folie recommençait.

— Le grand jour est arrivé, dit Richard.

— Tant mieux, soupira Florentina, mes pauvres jambes ne résisteront plus à une aventure de ce genre.

— N'aie crainte, nous saurons tout ce soir, répondit-il sans lever le regard de son numéro de *Fortune*.

Florentina enfila un simple tailleur bleu infroissable et mit aux pieds des chaussures que miss Tredgold aurait qualifiées de résistantes. Elle en avait usé deux paires depuis le début de la campagne.

Après le petit déjeuner, elle se rendit avec Richard au bureau de vote, situé dans une école à proximité, et vota pour Florentina Kane, avec un sentiment d'irréalité.

Richard ne vota pas, car il était enregistré à New York, sur les listes du parti républicain.

L'écart fut plus important qu'Edward ne l'avait prédit, puisque quarante-neuf mille trois cent douze personnes votèrent ce jour-là pour Florentina, tandis que quarante-deux mille neuf cent soixante-douze donnaient leur préférence à Ralph Brooks.

Florentina Kane avait remporté sa première élection.

De leur côté, les républicains avaient choisi pour candidat un adversaire moins dangereux que Ralph Brooks, un bon vieux républicain du nom de Stewart, charmant et courtois, qui ne croyait pas aux confrontations personnelles. Il plut à Florentina dès le premier jour où ils se rencontrèrent. Nul doute que s'il était élu, Stewart Lyle représenterait dignement la circonscription de l'Illinois.

Après la démission de Nixon, le 9 août, et le pardon de Ford à l'ancien président, les démocrates remportèrent presque partout une victoire écrasante.

Florentina figurait parmi les élus, en tête de liste. Elle avait conquis l'Illinois contre le candidat républicain, avec une majorité de plus de vingt-sept mille voix. Richard la félicita le premier.

— Je suis fier de toi ma chérie, fit-il, avec un sourire malicieux, et je suis sûr que Mark Twain le serait également.

— Pourquoi Mark Twain ? demanda-t-elle, étonnée.

— Parce qu'il a dit : « Supposez que vous soyez un idiot et supposez que vous êtes membre du Congrès... mais je me répète ! »

## 27

William et Annabelle rejoignirent leurs parents à Noël, dans la maison familiale des Kane, au Cape Cod. Ravie d'avoir les enfants pour les fêtes. Florentina récupéra bien vite de sa fatigue.

A moins de quinze ans, William parlait déjà de Harvard et passait ses après-midi plongé dans des livres de mathématiques que même Richard ne comprenait pas. Quant à Annabelle, elle était toute la journée pendue au téléphone à parler de garçons avec ses amies, au point que Richard se sentit obligé de lui expliquer le fonctionnement des télécommunications.

Florentina trouva le temps de lire *Centennial*, de Michener. Sous l'influence de sa fille, elle accepta d'écouter Roberta Flack chanter *Killing me softly with his song*, à plusieurs reprises et de plus en plus fort. Excédé, Richard supplia Annabelle de ranger « cette stupidité » et elle obéit. Pour la première fois, Richard mit sur le tourne-disque une chanson populaire qu'il adorait. Médusée, Annabelle vit sa mère sourire aux paroles qui commençaient ainsi :

> *Reviens Jessie*
> *depuis que tu es partie*
> *j'ai froid tout seul dans mon lit...*

Après les vacances de Noël, Florentina accompagna Richard à New York. Pendant une semaine, elle examina les rapports sur le groupe Baron. Les directeurs des différents services l'informèrent sur le fonctionnement de la société en son absence.

Pendant l'année, les hôtels en construction à Brisbane et à Johannesburg avaient été achevés et les vieux Baron de Nashville et de Cleveland rénovés. En l'absence de Florentina, Richard avait réduit quelque peu le programme d'investissements, mais il avait réussi à augmenter les bénéfices qui atteignaient quarante-cinq millions de dollars pour l'année 1974. Florentina ne s'en plaignit pas, d'autant que, cette année, les profits de la Lester promettaient eux aussi d'être nettement en hausse.

Cependant, Florentina s'inquiétait pour Richard. Il commençait à accuser son âge et des rides avaient fait leur apparition sur son front et au coin de ses yeux, signe de fatigue et d'anxiété. Elle lui reprocha de travailler comme un forcené — il avait même abandonné le violoncelle — et il argua, en souriant, qu'il fallait se donner de la peine, quand on voulait devenir premier homme de son pays.

Madame le député arriva à Washington début janvier. Janet Brown l'avait précédée, dès décembre, avec la mission de diriger le secrétariat politique et de s'occuper de la transition avec le bureau de son prédécesseur. A l'arrivée de Florentina, tout semblait déjà organisé, dans la suite Georges-Novak, au Baron de Washington.

Pendant les six derniers mois, Janet s'était rendue indispensable et Florentina arriva bien préparée à l'ouverture de la session du 94e Congrès. Janet avait consacré la somme de 227 270 dollars, allouée annuellement à chaque député, au recrutement d'une équipe solide. Elle s'en était occupée méticuleusement, donnant priorité à la compétence des candidats quel que fût leur âge, et avait ainsi engagé pour Florentina une secrétaire particulière du nom de Louise Drummond, une assistante législative, un attaché de presse, quatre correspondants juridiques chargés de la recherche des réponses aux questions posées et du courrier, sans oublier deux secrétaires supplémentaires, et une réceptionniste.

En outre, Florentina avait embauché, pour son bureau régional de Chicago trois employés placés sous les ordres d'un de ses plus fidèles supporters, d'origine polonaise lui aussi.

Les bureaux de Florentina se trouvaient au 7e étage du Longworth Building, le plus ancien des trois immeubles de la Chambre des Représentants. Janet lui apprit que le même bureau avait été occupé dans le passé par Lyndon Johnson, et John Lindsay, l'ancien maire de New York.

— Je n'entends rien, je ne vois rien, je ne dis rien, commenta-t-elle.

Le nouveau bureau de Florentina ne se trouvait guère qu'à cent cinquante mètres du Capitole. Par mauvais temps, ou quand elle voulait éviter les groupes de touristes en voyage organisé, elle s'y rendait en métro.

Son bureau personnel, une pièce de dimensions modestes, comportait un lourd mobilier appartenant à l'administration, à savoir un bureau en bois massif, un énorme canapé en cuir marron, quelques chaises inconfortables et deux meubles à tiroirs. Visiblement, le précédent occupant du bureau était un homme, l'état des lieux en témoignait.

Très vite, les rayons furent garnis par un exemplaire du Code civil, les statuts de la Chambre, les statuts de l'Illinois revisés et annotés et la biographie en six volumes de Lincoln, par Carl Sandburg, un de ses ouvrages préférés. Florentina décora les murs ternes de quelques aquarelles de son choix, dissimulant ainsi les trous laissés par son prédécesseur. Sur le bureau trônait une photo de la famille Kane prise devant la toute première boutique Florentina, à San Francisco. Ayant découvert que chaque membre du Congrès avait droit aux fleurs du jardin, elle chargea Janet, outre de réclamer leurs allocations, de poser un bouquet de fleurs fraîches sur son bureau, tous les lundis.

Florentina chargea également son assistante de veiller à la décoration de la salle d'attente. A son avis, cette pièce devait être à la fois digne et accueillante. Le visiteur ne pouvait voir nulle part des photos ou des portraits d'elle, car Florentina détestait l'habitude, prise par certains de ses collègues, consistant à transformer leur réception en temple d'auto-satisfaction.

Et elle accepta à contrecœur de placer le drapeau de l'Illinois et celui des Etats-Unis croisés derrière son bureau.

A la veille de l'ouverture de la session du Congrès, Florentina donna une réception pour sa famille et tous ceux qui avaient travaillé à sa campagne. Richard y participa avec Kate et les enfants et Edward amena la mère de Florentina et le père O'Reilly de Chicago. A sa surprise, sur une centaine d'invitations, plus de soixante-dix personnes furent de la fête.

Tandis que la soirée battait son plein, elle entraîna Edward à l'écart et lui demanda de faire partie du conseil d'administration du groupe Baron. Un peu éméché par le champagne, il accepta, puis oublia la proposition, jusqu'à réception d'une lettre signée par Richard confirmant sa nomination et ajoutant qu'il serait bon pour Florentina d'avoir deux conseillers aux points de vue différents, ce qui lui permettrait de se consacrer à plein à sa carrière politique.

Cette même nuit, tandis que Richard et Florentina se couchaient épuisés, le président de la banque Lester exprima à sa femme toute son admiration.

— Je n'aurais rien pu faire sans votre soutien, monsieur Kane !

— Mais je ne t'ai pas encore soutenue, Jessie, même si je dois admettre, à contrecœur, que je suis très satisfait de ta victoire. Et maintenant, trêve de plaisanterie. Il s'agit pour moi de rattraper le temps perdu si je veux me conformer aux prévisions des experts européens du groupe.

— Je voudrais bien que tu te reposes un peu, mon chéri.

— Je ne le puis, mon amour. Aucun de nous ne peut se permettre de se reposer. C'est pourquoi nous nous complétons si bien.

— Tu penses donc que nous nous complétons ?

— En un sens, non. Si c'était à refaire, je crois que j'aurais épousé Maisie, en économisant ainsi quelques paires de gants.

— Mon Dieu, Maisie ! Je me demande ce qu'elle devient.

— Elle est toujours vendeuse chez Bloomingdale. Ayant perdu tout espoir de m'épouser, elle a jeté son dévolu sur un représentant de commerce. Bon ! Est-ce que je peux lire mon rapport, maintenant ?

Elle lui ôta le dossier des mains et le fit tomber par terre : « Non, mon chéri ! »

Le président de la Chambre des Représentants, Carl Albert, sobrement vêtu, monta à la tribune. D'un coup de marteau sur la chaire, il déclara ouverte la première session du 94e Congrès, tout en regardant dans l'hémicycle les membres du Congrès assis sur leurs fauteuils en cuir vert. De sa place, Florentina sourit à Richard et aux enfants, qui avaient pu trouver une place dans les galeries. En observant ses collègues, elle ne pouvait s'empêcher de se dire qu'ils formaient le groupe de gens les plus mal habillés qu'elle avait jamais vus. Son tailleur en lainage rouge clair, très mode, faisait d'elle une exception.

' Le président demanda à l'aumônier de la Chambre de donner la bénédiction. La cérémonie fut suivie par les allocutions d'ouverture prononcées par les chefs politiques de chacun des deux grands partis, puis d'un discours du président.

Ce dernier rappela aux députés qu'ils se devaient de faire des interventions courtes et d'éviter tout bruit pendant les discours de leurs collègues. Il déclara ensuite la séance close et tout le monde quitta la salle, chacun s'empressant d'aller participer à l'une ou l'autre des innombrables réceptions qui célébraient le jour de l'ouverture de la session du Congrès.

— C'est tout ce que tu auras à faire, maman ? demanda Annabelle.

Florentina éclata de rire :

— Non, ma chérie, c'était juste la séance d'ouverture. Le vrai travail commence demain.

Elle ne croyait pas si bien dire, et fut d'ailleurs la première à en être surprise le lendemain. Son courrier, déjà, comportait 161 enveloppes, dont deux journaux de Chicago antidatés, six lettres émanant de députés sollicitant une entrevue et commençant toutes par « Chère collègue et amie », sept missives de groupes divers, plusieurs invitations à des meetings, trois douzaines de lettres d'électeurs, deux requêtes à ajouter à sa liste, quinze curriculum vitae envoyés par des chercheurs d'emploi désespérés, et une note de Carl Albert stipulant qu'elle avait été nommée à la Commission des Crédits aux Petites et Moyennes Entreprises.

Mais le courrier n'était rien en comparaison des incessants coups de fil concernant n'importe quoi et émanant de n'importe qui, depuis le photographe officiel jusqu'aux interviews de presse. Les correspondants des journaux de Chicago appelaient régulièrement, mais les représentants de la presse locale n'étaient pas moins empressés. Les journalistes se montraient toujours curieux de connaître chaque nouvelle femme député, surtout lorsque celle-ci n'avait rien d'un catcheur. Très vite, Florentina apprit le nom de ceux qui faisaient la pluie et le beau temps dans les médias : Maxime Cheshire et Betty Beale, David Broder et Joe Alsop.

Avant la fin du mois de mars, Florentina accordait une grande interview qui parut en première page du *Washington Post*, sa photo faisait la une de l'hebdo le plus influent de la capitale fédérale.

Pendant les premières semaines, elle eut l'impression de tourner en rond, tout en s'estimant heureuse d'avoir été choisie pour représenter l'Illinois au sein de la puissante commission des Crédits : elle devenait ainsi la première « novice » dans le métier à bénéficier d'un tel honneur. Plus tard, elle découvrit que sa nomination ne devait rien au hasard, lorsqu'elle reçut un mot écrit de la main de Richard Daley, maire tout-puissant de Chicago, disant : « Un prêté pour un rendu. »

Florentina trouvait sa vie fascinante. Elle avait l'impression de redevenir une étudiante, recherchant dans les corridors les salles de réunions, courant dans les sous-sols du Capitole pour faire enregistrer son vote, rencontrant des membres de groupes de pression, étudiant des exposés et signant des centaines de lettres.

L'acquisition d'un tampon avec sa signature lui apparut rapidement indispensable.

Un ancien collègue démocrate de Chicago conseilla à

Florentina d'envoyer une circulaire tous les deux mois aux cent quatre-vingt mille foyers de sa circonscription.

— Rappelez-vous, ma chère, ajouta-t-il, cela peut vous paraître terriblement bureaucratique et paperassier, mais il n'y a que trois façons pour se faire réélire : le courrier, le courrier et le courrier.

Sur les conseils de cet ancien, elle chargea deux de ses employés de découper dans les journaux locaux tout article concernant un de ses électeurs. Ces derniers commencèrent ainsi à recevoir des félicitations pour des mariages ou des naissances, des hauts faits de diverses natures, et même des victoires en basket ou en base-ball, puisque les jeunes de dix-huit ans avaient désormais le droit de vote.

Florentina ajoutait toujours un mot personnel en polonais, quand il s'agissait d'un membre de cette communauté, tout en remerciant mentalement sa mère d'avoir transgressé les ordres de son père à propos de l'enseignement du polonais.

Aidée par Janet, qui arrivait toujours au bureau avant elle et partait bien après, Florentina vint à bout de tout ce travail de paperasserie et, vers le 4 juillet, jour de la fête nationale américaine, elle était presque à jour. Elle n'avait jamais encore pris la parole à la Chambre et n'avait dit que peu de choses pendant les séances de la commission. Sandra Read, une autre femme député de New York, avait dit à Florentina :

— Il faut passer six mois à écouter, six autres à réfléchir et six à parler de temps en temps.

— Et les derniers six mois ?

— Vous entamerez votre campagne de réélection, fut la réponse.

Chaque week-end, elle régalait Richard d'histoires à propos de la Chambre, de la façon scandaleuse dont on flanquait en l'air l'argent des contribuables, de la manière absurde dont le système démocratique américain était dirigé.

— Mais je croyais que tu avais été élue pour changer tout ça, objecta-t-il en regardant sa femme, assise par terre en tailleur.

— Il faut plus de vingt ans pour tout changer. Te rends-tu compte que les commissions prennent des décisions mettant en jeu des millions de dollars, alors que la moitié des membres ignorent l'objet du vote et que l'autre moitié vote par procuration ?

— En ce cas tu devrais te faire élire présidente d'une commission et veiller à ce que ses membres fassent leur travail et assistent aux réunions.

— Je ne peux pas !

— Comment ça ? demanda Richard en pliant son journal du matin.

— On devient président de commission par ordre d'ancienneté. Autrement dit, il est hors de question de devenir président quand on a encore toute sa tête. Si quelqu'un est membre de la commission plus longtemps que vous, il a automatiquement la place. Actuellement, sur vingt-deux commissions, nous avons trois présidents de soixante-dix ans, treize de soixante et six seulement de moins de soixante ans. D'après mes calculs, j'ai une chance de devenir président de la commission des Finances quand j'aurai soixante-huit ans, et après avoir servi vingt-huit ans à la Chambre. Et encore, si je gagne les treize élections législatives d'affilée car si on en rate une, on recommence à zéro.

« Il m'a fallu quelques semaines pour comprendre pourquoi tant d'Etats du Sud élisent des députés de moins de trente ans. Si le groupe Baron était dirigé de la même façon que le Congrès, nous aurions fait faillite depuis fort longtemps. »

Florentina se rendit peu à peu à l'évidence. Il lui faudrait des années pour atteindre le sommet de la hiérarchie politique. Et l'ascension consistait en un long et pénible labeur, considéré par tous comme une peine à purger.

« Suivre le mouvement et s'entendre avec le mouvement », telle était la devise du président de la commission des Finances. Si Florentina voulait que les choses soient différentes pour elle, il fallait transformer le désavantage d'être « un petit nouveau » en avantage d'être femme.

Cette décision se réalisa d'une façon imprévue. Pendant les six premiers mois, elle ne monta pas une seule fois à la tribune, restant pendant des heures dans sa travée, à observer le déroulement des débats et à étudier les orateurs qui savaient utiliser leur temps de parole avec habileté.

Lorsque Robert Buchanan, le républicain bien connu, proposa un amendement contre l'avortement, Florentina sentit que le temps était venu pour elle de faire son discours inaugural.

Elle écrivit au président de la Chambre, demandant l'autorisation de prendre la parole contre la motion Buchanan, et reçut une réponse courtoise lui accordant cinq minutes et lui souhaitant bonne chance.

Buchanan parla avec une grande émotion devant une Chambre silencieuse, utilisant astucieusement ses cinq minutes, comme l'orateur professionnel qu'il était. Il fit à Florentina l'effet d'un horrible rétrograde et, pendant qu'il parlait, elle ajouta quelques notes à son discours soigneusement préparé.

Principale avocate de la cause féministe, Sandra Read prit le relais, et prononça un violent réquisitoire contre l'amendement, régulièrement interrompu par des huées et des commentaires bruyants. Un troisième député monta à la tribune et répéta à peu près les arguments de Buchanan, n'ajoutant rien au débat, mais s'assurant que ses paroles seraient répercutées par le principal journal de son Etat.

Enfin, le président Carl Albert annonça : « Mme la député de l'Illinois » et Florentina s'avança vers la tribune, au milieu de l'hémicyle, s'efforçant de réprimer le tremblement de ses mains.

— Monsieur le président, chers collègues, je vous demande pardon de commencer ma première intervention sur une controverse, mais je trouve cet amendement inacceptable sur plusieurs points.

Elle commença par le cas d'une mère voulant poursuivre une carrière professionnelle, et mit ensuite en relief les raisons pour lesquelles le Congrès devrait rejeter l'amendement.

Elle se sentait nerveuse et avait conscience de mal articuler. Au bout d'une minute seulement, Buchanan et l'autre républicain, qui avait parlé avant elle, était en grande conversation. Quant aux autres députés, ils jacassaient entre eux quand ils ne quittaient pas carrément leur place pour aller parler à un collègue. Bientôt, le brouhaha devint tel que Florentina pouvait à peine entendre sa propre voix.

Tout à coup, au milieu d'une phrase, elle cessa de parler. Le président donna un coup de marteau sur sa chaire et demanda à madame le député si elle désirait céder son temps de parole à quelqu'un d'autre. Elle se tourna vers lui en disant :

— Non, monsieur le président. Mais il est évident que certaines personnes dans cette auguste assemblée préfèrent entendre le son de leur propre voix que le point de vue de quelqu'un d'autre.

Buchanan bondit pour objecter, mais fut rappelé à l'ordre par un vigoureux coup de marteau sur la chaire du président. Le brouhaha s'atténua et les députés, qui n'avaient pas remarqué jusqu'alors Florentina, la regardèrent avec attention. Elle demeura à la tribune, pendant que le président continuait à donner des coups de marteau pour calmer les esprits. Quand enfin le bruit devint silence, Florentina reprit :

— Je m'étais déjà aperçue, monsieur le président, qu'il fallait des années, dans cette maison, pour faire aboutir quoi que ce soit. Je n'avais pas compris qu'il fallait également des années pour que d'aucuns apprennent les bonnes manières.

Ces paroles soulevèrent une tempête de protestations, tandis que Florentina se cramponnait à la tribune, tremblant des pieds à la tête. Le président rappela l'assemblée à l'ordre.

— Le point de vue de madame le député est enregistré, dit-il tout en fixant les intéressés, qui affichaient un air embarrassé. J'ai déjà maintes fois déploré ces habitudes dans le passé, mais il a fallu qu'un nouveau membre vienne nous rappeler combien nous sommes devenus mal élevés. Madame le député voudra-t-elle poursuivre son exposé, maintenant ?

Florentina jeta un coup d'œil à ses notes. Le silence le plus total régnait à présent sur l'hémicycle. Elle s'apprêtait à continuer, quand une main ferme toucha son épaule. Elle avisa Sandra Read, souriant jusqu'aux oreilles.

— Asseyez-vous, vous les avez tous battus. Si vous prononcez un seul mot maintenant, vous ne pourrez que gâcher l'effet que vous avez su produire. Dès que le prochain orateur se lèvera, quittez la salle immédiatement.

Florentina acquiesça, laissa le temps qui lui restait à l'orateur suivant, et retourna à sa place. Le président annonça alors un autre intervenant et Florentina se dirigea vers la sortie, suivie par Sandra Read.

A la porte de l'hémicyle, Sandra la quitta sur ces mots :

— Maintenant, vous n'avez de comptes à rendre à personne. Bravo !

Florentina comprit les paroles de sa collègue quand, dans le hall, elle fut assaillie par une foule de journalistes. Un reporter de la C.B.S. lui demanda de les suivre et elle se retrouva devant une forêt de caméras de télévision, de micros et d'appareils-photo.

— Etes-vous dégoûtée du Congrès ?

— Quelle est votre position vis-à-vis des partisans de l'avortement ?

— Comment comptez-vous vous y prendre pour modifier la procédure ?

— Aviez-vous prémédité ce qui vient de se passer ?

Florentina fut mitraillée de questions. Avant la fin de la soirée, le sénateur Mike Mansfield, le chef du parti démocrate au Sénat, l'appela pour la féliciter et Barbara Walters la sollicitait pour son émission *Aujourd'hui*.

Le lendemain matin, le *Washington Post* donna sa version des événements, laissant entendre que Florentina Kane avait lancé purement et simplement une déclaration de guerre. Richard lut la légende qui accompagnait la photo de sa femme, en première page du *New York Times*, « Une femme courageuse au Congrès ».

A mesure que la matinée s'avançait, il semblait de plus en plus évident que le député Kane était devenu célèbre en une nuit, pour un discours qu'elle n'avait pas prononcé.

Phyllis Mills, député de la Pennsylvanie, mit en garde Florentina ; elle ferait bien de choisir soigneusement le sujet de sa prochaine intervention, car les républicains l'attendaient au tournant.

— Je ferais peut-être mieux d'abandonner sur ce coup d'éclat, commenta Florentina.

Quand le tumulte s'apaisa, et que son courrier repassa de mille lettres par semaine aux trois cents habituelles, Florentina se mit à réfléchir. Comment pouvait-elle acquérir une réputation de sérieux ? A Chicago, celle-ci était déjà bien établie, d'après ce qu'elle avait pu en juger par ses visites bimensuelles. Ses électeurs avaient fini par se dire qu'elle avait bel et bien les moyens de modifier le cours des événements. C'était un grand souci pour elle, car elle avait rapidement compris que le champ d'action d'un homme politique se confinait dans des frontières bien établies.

Toutefois, au niveau local, elle espérait bien pouvoir aider bon nombre de gens, souvent écrasés par le système bureaucratique. Pour ce faire, elle engagea une personne supplémentaire pour son bureau de Chicago.

Enchanté par la tournure que prenait la nouvelle carrière de sa femme, Richard essayait de l'ennuyer le moins possible avec les problèmes administratifs du groupe Baron. Edward Winchester l'aidait considérablement, en prenant des responsabilités à New York et à Chicago. Dans les coulisses du parti, à Chicago, Edward était devenu un personnage influent, après que le maire Daley eut reconnu, à la veille des élections présidentielles de 1972, la nécessité de l'irruption d'une nouvelle race d'hommes politiques. Les vieux supporters de Daley semblaient croire à l'avenir de Florentina.

Richard était reconnaissant à Edward pour sa contribution à l'administration du groupe Baron, et il songeait de plus en plus à l'inviter à devenir membre du conseil d'administration de la Lester.

A peine la première année de députation de Florentina s'achevait-elle qu'elle devait déjà commencer une nouvelle campagne électorale. Elle s'en plaignit à Richard.

— Quel système absurde que de rester à la Chambre pour deux ans seulement. On n'a pas le temps de s'asseoir à sa place qu'il faut déjà ressortir les banderoles.

— Comment peut-on changer ça ? demanda Richard.

— Les sénateurs sont plus gâtés que nous. Ils sont élus pour six ans. Si j'en avais la possiblité je prolongerais le mandat des députés jusqu'à quatre ans au moins.

Elle répéta ses griefs à Edward, à Chicago. Celui-ci rétorqua aimablement que, dans son cas, elle ne rencontrerait de réelle opposition ni chez les démocrates ni chez les républicains.

— Pourquoi ? Que devient Ralph Brooks ?

— Depuis son récent mariage, il convoite le poste de procureur général. En fait, il semble que sa femme répugne à le voir se mêler de politique, et à Washington qui plus est.

— N'en crois pas un mot, dit Florentina, nous entendrons encore parler de lui.

En septembre, Florentina fit un saut à New York. Avec Richard, elle accompagna son fils William dans le New Hampshire, où il allait passer à Saint-Paul la première de ses cinq années d'études. La voiture était chargée d'une stéréo, de disques des Rolling Stones et d'équipements sportifs, plus que de livres. Annabelle était entrée elle aussi au collège, mais elle ne montrait aucun empressement à suivre les traces de Florentina à Radcliffe.

Florentina était déçue par sa fille, dont l'intérêt semblait se porter uniquement sur les surprises-parties et les garçons. Pendant les vacances, elle n'avait pas discuté une seule fois de ses études et n'avait pas ouvert un livre. Elle évitait ostensiblement la compagnie de son frère et changeait de sujet quand le nom de William venait à être prononcé au cours d'une conversation.

Il était de plus en plus manifeste qu'Annabelle était jalouse des aptitudes scolaires de son frère. Carol faisait tout pour l'occuper, mais en vain. A deux reprises, Annabelle avait désobéi à son père et était rentrée d'un rendez-vous plusieurs heures après l'heure convenue. Florentina vit avec soulagement le moment où sa fille allait retourner au collège. Elle avait pris le parti de ne pas réagir avec excès à ces escapades de vacances. Elle espérait qu'Annabelle traversait un moment difficile, propre à l'adolescence, et rien de plus.

Essayer de surnager dans un monde masculin n'avait rien de nouveau pour Florentina, qui entama sa deuxième année au Congrès avec un optimisme accru. En comparaison de la vie politique, la vie professionnelle était un havre de paix. Certes, elle avait exercé les fonctions du président du groupe Baron, mais Richard était là pour l'appuyer.

Selon Edward, devoir combattre plus durement qu'un homme constituait une bonne préparation pour les batailles à venir. Richard demanda à Florentina combien parmi ses collègues auraient pu à son avis être dignes de détenir un siège au conseil d'administration du groupe, et elle dut admettre qu'il y en avait peu.

Pendant la deuxième année de la session, Florentina se sentit plus à l'aise. Elle eut même quelques moments de gloire : elle proposa et fit adopter un amendement qui exemptait d'impôt les publications scientifiques tirant à moins de dix mille exemplaires. En avril, elle s'éleva contre certaines clauses du budget proposé par Reagan. En mai, elle et Richard reçurent de la Maison-Blanche une invitation à une soirée en l'honneur de la reine Elisabeth II.

Il lui était agréable de penser qu'à présent elle pouvait exercer une influence certaine sur des questions intéressant directement la vie de ses électeurs.

Mais l'invitation qui lui fit le plus grand plaisir cette année-là émanait du ministre des Transports, William Coleman. Elle assista à une course de grands voiliers dont le point d'arrivée était le port de New York, dont on commémorait le bicentenaire. Oui, décidément, l'Amérique avait une histoire dont elle pouvait être fière...

Dans l'ensemble, ce fut donc une bonne année, et le seul événement triste fut la mort de sa mère, affectée depuis des mois d'une maladie des voies respiratoires. Depuis plus d'un an, Zaphia s'était retirée de la vie « sociale » de Chicago, au moment même où on parlait beaucoup d'elle dans les pages mondaines des magazines. Déjà en 1968, elle avait confié à Florentina, lors d'un défilé de mode d'Yves Saint Laurent, qui avait révolutionné la Cité des Vents :

— Ces robes ne sont plus pour une femme de mon âge.

Après quoi, on ne l'avait vue que très rarement aux fêtes de charité, son nom disparaissant peu à peu des listes d'invitations. Zaphia se contentait d'écouter pendant des heures les nouvelles de ses petits-enfants, donnant de temps à autre un conseil maternel que sa fille écoutait avec respect.

Florentina avait souhaité des funérailles dans la stricte intimité. Debout près de la tombe, entourée par ses enfants, elle essaya d'écouter les paroles du père O'Reilly, mais se rendit compte que, même dans la mort, elle n'aurait plus jamais de vie privée. Pendant la mise en terre, les flashs des photographes continuèrent de crépiter, jusqu'à ce que le cercueil de la dernière des Rosnovski soit totalement enseveli.

Pendant les semaines précédant les élections présidentielles, Florentina passa presque toutes ses journées à Chicago, laissant le bureau de Washington sous la direction de Janet. Après qu'un député du nom de Wayne Hayes eut avoué qu'il payait l'une de ses employées quatorze mille dollars par an, alors qu'elle ne savait ni taper à la machine ni répondre correctement au téléphone, Janet et Louise demandèrent une augmentation.

— Oui, mais cette employée rend, paraît-il, à M. Hayes, des services d'une nature particulière, auxquels je n'ai pas jugé bon de recourir dans mon bureau, objecta Florentina.

— Bah ! Le problème dans ce bureau est exactement l'inverse, dit Louise.

— Expliquez-vous.

— On passe notre vie à être sollicitées par des députés qui nous prennent pour les Marie-couche-toi-là du Capitole.

— Combien de propositions vous a-t-on faites, Louise ? demanda Florentina en riant.

— Plus de vingt-quatre.

— Et combien en avez-vous accepté ?

— Trois, répondit Louise en souriant.
— Et vous ? dit Florentina en se tournant vers Janet.
— Trois.
— Et combien en avez-vous accepté ?
— Trois !

Lorsqu'elles eurent fini de rire, Florentina déclara :

— Joan Mondale avait décidément raison. Ce que les démocrates font à leurs secrétaires, les républicains le font au pays. Vous serez augmentées toutes les deux.

Edward ne s'était pas trompé au sujet de l'investiture. En tant que candidate du parti démocrate, Florentina semblait imbattable et les primaires dans la neuvième circonscription prirent des allures de promenade. Stewart Lyle, qui se présentait à nouveau comme candidat républicain, confia en privé à Florentina qu'il n'avait aucune chance d'être élu. « Revotez Kane ! » annonçaient un peu partout les panneaux électoraux.

Florentina espérait bien entamer un nouveau mandat au Congrès avec un Président démocrate à la Maison-Blanche. Après une rude bataille avec le gouverneur Reagan, les républicains avaient choisi Gerald Ford, tandis que les démocrates avaient opté pour Jimmy Carter, un homme dont Florentina avait à peine entendu parler avant les primaires du New Hampshire. La bataille qui opposa Ford à Reagan ne fit rien pour rehausser le prestige du Président. Les Américains lui en voulaient d'avoir accordé son pardon à Nixon. Sur un plan personnel, Ford était incapable d'éviter toutes sortes d'erreurs stupides, comme de se cogner la tête sur les portes des hélicoptères ou de glisser malencontreusement sur les passerelles des avions. Au cours d'un débat télévisé avec Carter, il osa même prétendre que la domination russe sur l'Europe de l'Est était un mythe.

Florentina en fut horrifiée.

— Va donc dire ça aux Polonais, avait-elle lancé au petit écran.

Le candidat démocrate commit également sa part d'erreurs. Vers la fin de la campagne, Richard fit valoir que l'image de marque de Carter, chrétien pratiquant, aussi éloigné que possible de cet abîme d'iniquité qu'était Washington, était bien meilleure que celle de Ford, qui souffrait du lourd héritage de l'administration de Nixon, et que le nouveau venu l'emporterait certainement, fût-ce avec une petite marge de voix.

— J'ai pourtant obtenu une majorité confortable, dit Florentina.

— Parce que beaucoup de républicains ont voté pour toi, tiens ! Mais ils ne voteront pas pour Carter.

— En faisais-tu partie ?

— Excellente question. Autre question ?

## 28

Le jour de l'entrée en fonctions du nouveau Président, Richard s'était décidé pour un élégant costume sombre, car Jimmy Carter avait banni les costumes de ville. La famille Kane écouta son discours d'inauguration. Avant tout, un message simple et honnête, correspondant aux nécessités du moment.

L'Amérique avait besoin d'un homme sans tache et sans apprêt et tout le monde n'avait qu'un souhait : le voir réussir. L'ex-président Ford était assis à sa gauche, tandis que Nixon brillait par son absence. Florentina perçut d'emblée « le ton » de l'administration Carter, grâce à ces mots :

— Aujourd'hui, ne rêvons pas d'aller de l'avant mais croyons plutôt au vieux rêve. Nous avons appris que « plus » ne signifie pas nécessairement « mieux ». Même notre grand peuple doit apprendre à reconnaître ses limites. Nous ne pouvons répondre à toutes les questions, ni résoudre tous les problèmes...

Enchantée, la foule assemblée à Washington regarda le nouveau Président, accompagné par la première dame des Etats-Unis et par leur fille Amy, descendre à pied Pennsylvania Avenue. Visiblement, le service d'ordre n'avait pas été préparé à une telle innovation.

— L'artiste travaille sans filet, murmura l'un des agents secrets dans son poste émetteur-récepteur. Si on doit subir quatre ans de gestes spontanés comme celui-là, que Dieu nous vienne en aide.

Le même soir, les Kane se rendirent à l'une des sept « soirées populaires », selon le mot même de Carter, destinées à célébrer l'Inauguration. Florentina portait une nouvelle création de Gianni di Ferranti, dont le tissu blanc strié de fils d'or ne manqua pas d'attirer les objectifs des caméras. Pendant cette soirée, tous deux furent présentés au Président, qui parut à Florentina aussi timide en privé qu'il l'était en public.

Florentina retrouva son siège à la Chambre, pour la session du 95e Congrès, avec l'impression de retourner à l'école. Alentour, ce n'étaient qu'accolades, poignées de main, félicitations et bruyantes discussions sur les faits et gestes de chacun pendant l'intersession.

— Cher ami ! Heureux de vous revoir !

— La campagne a-t-elle été difficile ?

— Vous n'allez plus pouvoir choisir votre commission, maintenant que le maire Daley est mort.

— Que pensez-vous de l'allocution de Jimmy ?

Tip O'Neil, le nouveau président de la Chambre, monta sur l'estrade, donna un grand coup de marteau sur la chaire, rappela les membres du Congrès à l'ordre, et la même procédure recommença.

Florentina avait gagné deux échelons dans la commission des Finances, à cause d'une retraite et d'une défaite aux élections. A présent, elle comprenait mieux le fonctionnement du système des commissions, mais se disait qu'il lui faudrait de nombreuses années et pas mal d'élections avant d'accomplir de réels progrès, par rapport à l'objectif qu'elle s'était fixé. Richard avait suggéré à Florentina de se concentrer sur un domaine susceptible d'attirer plus l'attention de l'opinion que l'avortement ou la réforme des impôts.

Florentina se déclara d'accord sur le principe sans parvenir à se décider sur un sujet précis. Celui-ci s'imposa de lui-même.

Le budget de la Défense vint à l'ordre du jour. Plusieurs députés émirent d'un air badin des opinions d'intérêt divers sur l'allocation de milliards de dollars à la défense nationale. Florentina ne faisait pas partie de la commission de la

Défense, mais elle s'intéressa tout à fait aux opinions du républicain Robert Buchanan, éminent membre de cette commission.

Buchanan rappela les récentes affirmations du ministre de la Défense selon lesquelles les Russes disposaient désormais des moyens de détruire les satellites américains dans l'espace.

Buchanan termina son discours en réclamant des crédits plus importants pour la défense nationale, quitte à diminuer la part allouée à d'autres secteurs. Florentina, qui continuait à tenir Buchanan pour le pire des réactionnaires, se redressa pour le défier, dans un élan de colère. Chacun dans l'hémicyle se souvenait de leur dernière confrontation et savait que Buchanan allait être obligé de la laisser exposer ses arguments.

— Monsieur le député Buchanan me permet-il de lui poser une question ? demanda-t-elle.

— Je vous en prie, madame le député de l'Illinois.

— Monsieur le député peut-il nous dire où il ira chercher cet argent supplémentaire destiné à ces grandioses projets militaires ?

Buchanan se releva lentement. Il portait un costume trois-pièces en tweed et ses cheveux argentés étaient soigneusement plaqués sur le côté. Il se balançait d'une jambe sur l'autre, tel un officier de cavalerie.

— Ces projets grandioses ont été acceptés par mes collègues de la commission et, si mes souvenirs sont exacts, le parti que madame le député de l'Illinois représente est majoritaire dans cette commission.

Les remarques de Buchanan soulevèrent des rires gras. Florentina se releva une nouvelle fois et Buchanan lui céda aussitôt la parole.

— Je suis néanmoins toujours en droit de demander à mon éminent collègue d'où il pense tirer cet argent. Du budget de l'Education, de la Santé ou de l'Aide sociale, peut-être ?

La salle restait silencieuse.

— De nulle part, madame. En tout cas, je signale à ma distinguée collègue de l'Illinois que s'il n'y a pas assez d'argent pour la défense, cela m'étonnerait que nous en ayons besoin pour l'éducation, les hôpitaux ou l'aide sociale.

Buchanan saisit un document sur sa table et cita à la Chambre les chiffres exacts du budget alloué l'année précédente à tous les domaines mentionnés par Florentina. De toute évidence, par rapport aux autres budgets, celui de la défense avait diminué.

— Ce sont des députés comme notre distinguée collègue de l'Illinois, arrivant dans cette salle sans connaître les faits, armés seulement du vague sentiment que les dépenses de la défense nationale sont énormes, qui permettent aux chefs du Kremlin de se frotter les mains, pendant que la réputation de cette noble assemblée est en baisse. C'est très exactement ce genre d'attitude, fondée sur de mauvaises informations, qui a lié les mains du Président Roosevelt, nous laissant tout juste le temps d'affronter la menace hitlérienne !

Cet après-midi-là, Florentina souhaita se retrouver à cent pieds sous terre, tandis que démocrates et républicains manifestaient bruyamment leur approbation à Buchanan. Dès que celui-ci en eut terminé, Florentina quitta la Chambre et retourna précipitamment à son bureau.

— Janet, il me faut tous les rapports sur les crédits de la commission de la Défense, depuis dix ans. Demandez à nos conseillers législatifs de se joindre à nous, lança-t-elle, avant même de s'asseoir.

— Entendu, madame, répondit Janet, un peu surprise, car depuis trois ans, c'était la première fois que Florentina mentionnait la défense.

Peu après les conseillers firent irruption dans le bureau et prirent place sur le vieux canapé de Florentina.

— Pendant les prochains mois, je voudrais que nous nous concentrions sur les questions de défense. Je voudrais que vous passiez au crible les rapports de la commission en question, pendant les dix dernières années, en soulignant tous les passages révélateurs. Je voudrais avoir une appréciation réaliste de la capacité militaire américaine, pour le cas où elle aurait à se défendre contre les Soviétiques.

356

Les quatre assistants prenaient des notes à la hâte.

— Je veux un résumé de tous les travaux importants effectués sur la question, y compris les évaluations de la C.I.A., et je désire être informée chaque fois qu'une conférence ou un séminaire traitant de la défense ou d'un sujet connexe sera organisé à Washington. Je voudrais, bien sûr, tous les commentaires du *Washington Post*, du *New York Times*, de *Newsweek* et du *Time*, sur le sujet, réunis dans un dossier, sur mon bureau tous les vendredis soir. Personne ne doit pouvoir faire une citation dont je n'aie pas eu connaissance.

Les membres de l'équipe, qui, pendant deux ans, avaient passé le plus clair de leur temps sur des dossiers portant sur la taxation des petites et moyennes entreprises semblaient aussi étonnés que Janet. Durant les cinq mois suivants, ils n'allaient pas avoir beaucoup de week-ends libres.

Une fois seule, Florentina décrocha son téléphone et composa cinq chiffres. Une secrétaire répondit et elle demanda une entrevue avec le président du groupe démocrate à la Chambre.

— Bien sûr, madame Kane. Je ferai la commission à M. Chadwick, qui vous rappellera dans la journée.

Le lendemain matin à dix heures, Florentina entrait dans le bureau du président de son groupe.

— Mark, je voudrais faire partie de la commission de la Défense.

— Ce ne sera pas facile, Florentina.

— Je le sais, mais c'est la première faveur que je demande depuis trois ans.

— Actuellement, il y a une case à remplir dans cette commission. De nombreux membres du groupe convoitent cette place et font intervenir tout ce qui peut ressembler de près ou de loin à un piston. Cela étant, je vous promets d'étudier votre requête avec la plus grande attention. (Et ce disant, il griffonna quelques mots sur un bloc-notes posé devant lui.) A propos, Florentina, la Ligue des Electrices tient son meeting annuel dans ma circonscription et j'y suis invité pour prononcer le discours d'ouverture. Je connais votre popularité parmi les membres de la Ligue et j'aimerais bien que vous preniez ma place.

— Je vous promets d'étudier votre requête avec la plus grande attention, répondit-elle en souriant.

Deux jours après, elle recevait un mot du président de la Chambre l'informant de sa nomination à la commission de la Défense. Trois semaines plus tard, elle se rendit aux Texas et déclara à la Ligue des Electrices que tant qu'il y aurait au Congrès des hommes comme Mark Chaldwick, il n'y avait aucun souci à se faire sur le bien-être des Américains. Les femmes applaudirent à tout rompre et quant à Mark Chaldwick, il adressa un sourire complice à Florentina.


Pendant les vacances d'été, la famille Kane au grand complet se rendit en Californie. Ils passèrent les dix premiers jours à San Francisco, avec Belle et les siens, dans sa nouvelle maison au sommet d'une colline surplombant la baie.

A présent, Claude était devenu associé au cabinet d'avocats qui l'employait et Belle avait été promue directrice adjointe de son école. Selon Richard, Claude avait un peu maigri et Belle un peu grossi depuis leur dernière rencontre.

Les vacances auraient pu être plus agréables pour tout le monde si Annabelle n'avait pas fait des siennes en disparaissant quand bon lui semblait sans rendre de comptes à personne. Brandissant une crosse de hockey, Belle ne se gêna pas pour expliquer à Florentina son système d'éducation personnel.

Florentina s'efforçait bien de maintenir l'harmonie entre les deux familles, mais la confrontation se révéla inévitable. Un jour, Belle surprit Annabelle en train de fumer dans le grenier et lui demanda des explications.

— Mêle-toi de tes oignons ! répondit la jeune fille en aspirant une nouvelle bouffée de sa cigarette.

Florentina dut alors réprimander sa fille, pour s'entendre rétorquer que quand on s'occupait si peu du bonheur de ses enfants et qu'on ne pensait qu'à ses électeurs, on n'avait pas le droit d'être exigeant.

Richard s'en mêla, ordonna à Annabelle de boucler ses bagages et la ramena sur la côte Est, pendant que Florentina et William poussaient jusqu'à Los Angeles, pour y passer le reste des vacances.

Florentina se sentait malheureuse et appelait Richard deux fois par jour pour demander des nouvelles de sa fille. Elle rentra à New York avec William une semaine plus tôt que prévu.

En septembre, William entama sa première année universitaire à Harvard, retrouvant ainsi un territoire fréquenté par les Kane depuis cinq générations. Annabelle retourna au collège de Madeira où elle ne fit que peu de progrès, bien qu'elle passât presque tous ses week-ends à Washington, sous l'œil vigilant de ses parents.

Pendant le début de son nouveau mandat, Florentina passa tout son temps libre à parcourir livres et documents sur les questions de défense sélectionnés par ses assistants. Elle commençait à s'intéresser aux problèmes qui surgissaient lorsqu'une nation exprimait la volonté d'assurer sa sauvegarde.

Florentina dévora des exposés écrits par des experts, s'entretint avec des fonctionnaires du ministère de la Défense, étudia à fond les traités entre les Etats-Unis et leurs alliés de l'O.T.A.N. Elle visita le quartier général du Strategic Air Command, fit le tour des bases américaines en Europe et en Extrême-Orient, assista à des manœuvres militaires en Californie et en Caroline du Nord et passa même un week-end dans un sous-marin nucléaire. Elle assista à des réunions d'amiraux, de généraux, d'officiers en retraite, mais on n'entendit pas sa voix à la Chambre, sinon pour poser des questions pendant les réunions de la commission. Plus que par autre chose, elle était frappée par le fait que les armes les plus chères n'étaient pas nécessairement les plus efficaces.

Elle commença par ailleurs à se rendre compte que l'armée avait un retard considérable à rattraper et que son aptitude à réagir n'avait guère été mise à l'épreuve depuis l'affaire des fusées russes à Cuba.

Après une année d'observations et d'études, Florentina conclut que Buchanan avait eu raison et qu'elle ne s'était pas montrée à son avantage. L'Amérique n'avait d'autre choix que d'accroître le budget de la Défense, dans la mesure où l'U.R.S.S. se montrait si ouvertement agressive. Florentina découvrit avec surprise son profond intérêt pour cette nouvelle discipline. Ses idées avaient changé du tout au tout. Un de ses collègues en vint même à la traiter publiquement de « faucon ».

Florentina étudia attentivement tous les documents concernant les missiles MX, aussitôt qu'ils furent présentés à la commission des Armées. Quand l'amendement Simon demandant l'interruption de la construction des missiles apparut à l'ordre du jour de la Chambre, elle demanda à être inscrite sur la liste des orateurs.

D'autres membres du Congrès parlèrent avant elle, se prononçant pour ou contre l'amendement. Elle les écouta avec la plus grande attention. Robert Buchanan fit un remarquable discours dans lequel il s'opposait au « gel » des missiles. Quand il en eut terminé, le président de la Chambre appela Florentina.

Elle traversa l'hémicycle bondé et entendit Buchanan dire d'une voix assez haute pour que ses voisins puissent en profiter : « Attention ! L'expert va parler ! »

Des rires percèrent dans les rangs des républicains et plusieurs députés se déplacèrent pour se rapprocher de Buchanan.

Florentina monta sur l'estrade et plaça ses notes sur le pupitre.

— Monsieur le président, je m'adresse aujourd'hui au Congrès en tant que supporter convaincu du missile MX. Le gouvernement ne peut retarder davantage la mise à jour du système défensif de ce pays sous prétexte que quelques députés réclament à cor et à cri plus de temps pour étudier les documents relatifs à cette question. Ces comptes rendus sont à la disposition de tous les membres de cette assemblée, depuis plus d'un an. C'est dire que ceux qui s'estiment insuffisamment informés avaient tout le temps et les moyens nécessaires pour être aujourd'hui au fait du problème.

« En vérité, cet amendement est avant tout une tactique de retardement pour les adversaires du missile. J'affirme que ces gens-là, que je condamne, pratiquent la politique de l'autruche. Ils resteront la tête enfouie dans le sable, jusqu'à ce que les Russes aient frappé les premiers. Ne comprennent-ils donc pas que l'Amérique se doit d'avoir elle aussi une force de première frappe ?

« J'approuve le programme de construction des sous-marins Polaris, bien que nous ne puissions espérer résoudre tous nos problèmes nucléaires avec cette arme. Nous savons par les services de renseignements de la Marine que les Russes disposent de sous-marins qui peuvent avancer à quarante nœuds et rester immergés pendant quatre ans, oui, quatre ans, monsieur le président, sans retourner à leur base.

« Les habitants du Nevada et de l'Utah, nous dit-on, seront plus exposés que n'importe quel ennemi du fait des missiles MX. L'emplacement sur lequel les missiles seront déployés est déjà propriété du gouvernement. Actuellement, il sert de refuge à mille neuf cent quatre-vingts moutons, et à soixante-dix vaches. Le peuple américain n'a nul besoin d'être ''materné'' sur sa sécurité. Nous sommes élus pour prendre des décisions à long terme, non pour discutailler tandis que notre pays s'affaiblit un peu plus à chaque minute. Certains membres du Congrès voudraient nous faire croire que Néron était un brave homme qui jouait du violon, pour venir en aide aux pompiers de Rome. »

Florentina attendit que les rires diminuent et reprit, sur un ton très grave :

— En 1935, les employés de Ford étaient plus nombreux que les soldats servant sous la bannière étoilée, l'avez-vous déjà oublié ? Avez-vous oublié aussi qu'à la même époque, notre armée était nettement moins puissante que celle de la Tchécoslovaquie, un pays qui s'est fait piétiner par l'Allemagne, puis par l'U.R.S.S. ? Nous avions alors une marine moitié moins importante que celle de la France, un pays que les Allemands ont humilié pendant que nous demeurions les bras croisés. Et quant à nos forces aériennes, Hollywood n'en aurait même pas voulu pour ses films de guerre. Nous n'avions pas un sabre pour nous défendre contre la menace hitlérienne. Nous devons faire en sorte qu'une telle situation ne se reproduise jamais plus.

« Le peuple américain n'a jamais vu des hordes ennemies déferler sur les plages californiennes ou sur les quais de New York, mais cela ne veut pas dire que l'ennemi n'existe pas.

« En 1950, l'U.R.S.S. possédait déjà autant d'avions de combat que nous, quatre fois plus de fantassins et trente divisions blindées, contre une division américaine. Jamais, dans l'avenir, nous ne devrons nous permettre un tel désavantage.

« Je prie pour que notre peuple ne se retrouve plus jamais impliqué dans une affaire comme celle du Vietnam et que personne d'entre nous ne voie plus jamais un seul soldat américain mourir au champ d'honneur. Mais nos ennemis doivent prendre conscience que nous sommes capables de répondre à une agression. Tel l'aigle qui se déploie sur nos bannières, nous volerons au secours de notre pays et de nos amis. »

Quelques députés se mirent à applaudir.

— A chaque Américain qui ose dire que notre défense coûte trop cher, continua-t-elle, je réponds : allez jeter un coup d'œil derrière le rideau de fer et vous verrez alors que nos libertés démocratiques n'ont pas de prix.

« Le rideau de fer passe par l'Allemagne de l'Est, la Tchécoslovaquie, la Hongrie et la Pologne. Désormais l'Afghanistan et la Yougoslavie sont en première ligne, s'attendant à tout instant à voir le rideau de fer les couper du reste du monde. Les Soviétiques ne seront jamais satisfaits, tant que ce maudit rideau de fer ne se sera pas abattu sur le monde entier. »

362

Dans l'hémicycle, on aurait pu entendre voler une mouche. Florentina baissa le ton :

— De puissants pays ont eu, par le passé, la mission de sauvegarder le monde libre. Cette responsabilité incombe aujourd'hui aux chefs de notre grande nation. Il ne faut pas que nos petits-enfants puissent nous reprocher d'avoir échangé cette responsabilité contre un vulgaire regain de popularité. Assurons la liberté de l'Amérique en consentant des sacrifices immédiats. Disons, osons dire à chaque Américain, que nous ferons notre devoir face au danger. Il n'y aura, dans cet édifice, ni Néron, ni joueur de violon, ni incendie, ni victoire pour nos ennemis !

Les applaudissements se déchaînèrent, tandis que Florentina demeurait debout. Le président dut rappeler plusieurs fois la salle à l'ordre, à coups de marteau répétés. Quand le dernier applaudissement s'éteignit, Florentina reprit presque dans un murmure :

— Ce sacrifice ne doit pas être celui de la jeunesse américaine mais il n'est pas question pour autant de le remplacer par l'illusion dangereuse que nous pouvons sauvegarder la paix du monde sans avoir prévu de le défendre contre l'agression. Efficacement protégée, l'Amérique pourra exercer son influence à l'abri de la peur, gouverner à l'abri de la terreur et demeurer le bastion du monde libre.

« Monsieur le président, chers collègues, je m'oppose à l'amendement Simon que je considère comme dangereux et, pis encore, comme irresponsable. »

Florentina retourna à sa place, où elle fut très vite entourée par une foule de députés des deux partis, qui la félicitèrent chaleureusement pour son discours. La presse du lendemain eut l'air de l'apprécier davantage encore et toutes les chaînes de télévision en diffusèrent de larges extraits aux actualités du soir. Tous décrivaient Florentina comme un expert sur les questions de Défense et deux journaux parlèrent d'elle comme d'un futur vice-président des Etats-Unis.

Une fois de plus, le courrier de madame le député dépassa

mille lettres par semaine. Trois d'entre elles l'émurent tout particulièrement. La première, envoyée par Hubert Humphrey souffrant, était une invitation à dîner. Elle l'accepta, mais comme tous les autres invités ne s'y rendit pas. La deuxième émanait de Robert Buchanan, qui lui écrivait simplement : « Madame, chapeau bas ! » La troisième était une lettre anonyme postée dans l'Ohio.

« T'es qu'une traître rouge qui veut détruire les Etats-Unis en faisant voter des budgets exorbitants. Tu ne mérites même pas la chambre à gaz et tu devrais être dépecée avec Ford la marionnette et l'autre connard de Carter. Retourne à tes fourneaux, sale pute ! »

— Que peut-on répondre à ça ? demanda Janet, écœurée.

— Rien, ma chère. Il faut ignorer ce genre de préjugés stupides. Encore heureux que 99 % de ces lettres proviennent de gens bien-pensants, qui expriment honnêtement leur point de vue. Mais j'avoue que si je connaissais l'adresse de cette personne, je serais tentée de répondre, pour la première fois de ma vie : « Va te faire voir ! »

Après une semaine agitée, durant laquelle elle fut persécutée par d'innombrables coups de fil, Florentina passa un paisible week-end en compagnie de Richard. Williams, qui était revenu de Harvard, s'empressa de montrer à sa mère un dessin humoristique, paru dans le *Boston Globe*, la dépeignant comme une passionaria à tête de faucon mordant un ours sur le nez.

Annabelle avait téléphoné de son collège pour prévenir qu'elle ne rentrerait pas pour le week-end. Le samedi, Florentina disputa une partie de tennis avec son fils. Il ne lui fallut que quelques minutes pour découvrir à quel point il était en forme et combien elle était lamentable. Elle ne pouvait même pas prétendre que ses promenades sur les terrains de golf l'avaient maintenue en forme. Chaque coup de raquette rapprochait William d'une victoire facile et elle fut soulagée quand il la quitta en prétextant un rendez-vous.

Pendant le dîner, Richard informa sa femme qu'il comptait faire construire un Baron à Madrid. Il pensait y envoyer Edward pour choisir le terrain.

— Pourquoi Edward ?

— Il me l'a demandé. Il travaille presque à plein temps pour le groupe. Il a même loué un appartement à New York.

— Et sa carrière d'avocat ?

— Il a donné sa démission et prétendu que si tu as pu changer de carrière à quarante ans, il peut en faire autant. Depuis la mort de Daley, l'ancien maire de Chicago, il n'a pas trouvé un job qui vaille ta place au Congrès. Il a toujours l'air d'un gamin enfermé dans un magasin de bonbons. Il me soulage d'un grand poids et c'est la seule personne de ma connaissance qui travaille avec autant d'acharnement que toi.

— Quel merveilleux ami, cet Edward !

— En effet ! T'es-tu jamais aperçue qu'il était amoureux de toi ?

— Quoi ? s'écria Florentina.

— Je n'insinue pas qu'il veut coucher avec toi, encore que je le comprendrais. Non, il t'adore tout simplement, mais il ne l'avouera jamais même si ça saute aux yeux d'un aveugle.

— Mais jamais je ne...

— Non, bien sûr, ma chérie ! Crois-tu que je lui aurais offert un siège au conseil d'administration de la Lester si j'avais soupçonné qu'il pourrait me voler ma femme ?

— J'espère qu'il trouvera le bonheur.

— Il ne se mariera pas tant que tu es là, Jessie. Sois heureuse d'avoir deux hommes qui t'aiment.

Florentina retourna à Washington. Son bureau débordait d'invitations, arrivant toujours en plus grand nombre. Elle demanda conseil à Edward.

— Choisis-en une demi-douzaine parmi les plus importantes correspondant à des lieux où tes points de vue risquent d'atteindre le maximum de personnes. Explique aux autres que ton travail ne te permet pas de te déplacer pour le moment, et tâche de conclure chaque lettre de refus par un mot écrit de ta main. Un jour, quand tu en seras à rechercher une audience plus large que celle de la neuvième circonscription, il y aura des gens dont le seul contact avec toi aura été cette lettre et, sur ce seul fait, ils décideront s'ils sont pour ou contre toi.

— Tu es la sagesse même, mon vieux.

— N'oublie pas que j'ai seulement un an de plus que toi, ma vieille !


Florentina suivit le conseil d'Edward. Toutes les nuits, elle passait deux heures à répondre à la masse de correspondance suscitée par son discours sur la Défense nationale. Cinq semaines plus tard, elle avait répondu à toutes les lettres. Entre-temps, son courrier avait repris des proportions normales. Elle accepta de parler à Princeton, et à l'université de Californie, à Berkeley. Elle prit également la parole devant les cadets de West Point et les aspirants de marine à Annapolis, et son nom figura sur la liste des invités pour un déjeuner donné à Washington en l'honneur des vétérans du Vietnam. Partout où elle se rendit, Florentina fut présentée à des sommités de la Défense nationale. A présent, ce sujet lui tenait à cœur. Affolée par ses lacunes, Florentina se mit à étudier plus à fond les problèmes de défense.

Elle n'en oubliait pas moins de garder un œil sur son bureau de Chicago. Plus elle devenait une personnalité publique, plus elle se trouvait obligée de confier des tâches supplémentaires à ses assistants.

Elle engagea deux nouveaux employés pour son bureau de Washington, un troisième pour celui de Chicago, qu'elle paya sur ses propres revenus. Elle dépensait maintenant plus de cent mille dollars de sa poche, mais Richard ne lui en voulait pas. Après tout, elle réinvestissait en Amérique, et sur l'Amérique…

— Quelque chose d'urgent ?

Florentina contempla le courrier du matin, qui s'entassait sur son bureau. Le 95e Congrès touchait à son terme et la plupart des députés semblaient plus préoccupés de se faire réélire que de réformer la législation américaine. A ce stade de la session, les assistants passaient plus de temps sur des questions électorales que sur des affaires d'intérêt national.

Florentina détestait ce système, lequel, dès qu'une élection était en vue, transformait en monstres d'hypocrisie des gens honnêtes en temps normal.

Toujours efficace, Janet déclara :

— J'attire votre attention sur trois points. Premièrement, votre cote de popularité est loin d'être exemplaire. D'après les sondages, elle est tombée de 89 à 71 % depuis la dernière session et vos adversaires ont sauté sur l'occasion. Déjà, ils prétendent que vous avez perdu tout intérêt à votre travail et ils réclament votre remplacement à cor et à cri.

— Cette baisse de popularité est due au fait que j'ai visité de nombreuses bases militaires et accepté des engagements en dehors de ma circonscription. Ce n'est tout de même pas de ma faute si mes collègues m'invitent à parler dans leur circonscription.

— Je le sais bien, répondit Janet, mais vous ne pouvez pas attendre des électeurs de Chicago qu'ils soient satisfaits de vous quand vous battez la campagne en Californie et à Princeton au lieu de travailler pour eux, à Washington. Il serait plus sage de refuser toutes les invitations de députés ou d'admirateurs, jusqu'à la prochaine session. Vous pourriez alors remonter à 80 % de satisfaits.

— Vous serez là pour me le rappeler. Quel est le deuxième point ?

— Ralph Brooks a été nommé procureur général à Chicago. Donc, il n'est plus dans la course pour un bon moment.

— Je me le demande... murmura Florentina tout en notant sur son calepin de lui envoyer ses félicitations.

Janet tendit à Florentina le *Chicago Tribune* qui publiait

en première page une photo de M. et Mme Brooks avec cette légende : « Le nouveau procureur organise un concert au profit de l'orchestre symphonique de Chicago. »

— Il ne rate pas une occasion celui-là, commenta Florentina. Je parie que sa cote de popularité n'est pas loin de 80. Et le troisième point ?

— Vous avez rendez-vous avec Don Short à 10 heures.

— Qui est-ce ?

— Le directeur de l'Aérospatiale, section Recherche et Développement. Vous aviez accepté de le rencontrer parce que sa société avait passé avec le gouvernement un contrat portant sur la construction de stations-radar capables de détecter les missiles ennemis. Ils essaient actuellement de conclure un nouveau contrat pour l'équipement des navires de guerre.

— Oui, je m'en souviens, maintenant. J'avais lu un excellent article à ce sujet. Pourriez-vous me le retrouver ?

Janet lui tendit un dossier :

— Je crois que tout est là-dedans.

Florentina sourit en tournant rapidement les pages.

— Ah, voilà ! Je me souviens de tout, à présent. J'aurai une ou deux explications à demander à M. Short.

Elle dicta quelques lettres à Janet, avant de se plonger dans l'étude du dossier et de noter quelques questions, avant l'arrivée de M. Short.

— Madame le député, c'est pour moi un grand honneur, lança-t-il, la main tendue, en entrant dans le bureau de Florentina à 10 heures sonnantes, précédé par Janet. A l'Aérospatiale, nous vous considérons comme l'un des derniers espoirs du monde libre.

Il était rare que l'on déplaise à Florentina à première vue. Don Short lui déplut immédiatement. La cinquantaine, petit, avec dix kilos de trop, ses rares mèches noires rabattues avec soin sur son crâne et combattant sans succès une calvitie avancée, l'homme portait un costume à carreaux et brandissait une serviette en cuir marron. Avant que Florentina ait acquis sa réputation de faucon, aucun Don Short ne s'était jamais dérangé pour la voir, estimant sans doute qu'elle n'en valait pas la peine. Depuis qu'elle siégeait à la commission de la Défense, elle recevait une foule d'invitations, des offres de voyages aux frais de l'Etat et même de nombreux cadeaux, allant d'un modèle réduit en bronze du F-15 à plusieurs nodules de manganèse posés sur socle.

Elle n'avait accepté que les invitations correspondant à ses préoccupations du moment et à l'exception d'un Concorde miniature, qu'elle avait posé sur son bureau afin de rappeler son amour de la perfection, quelle que fût son origine, elle renvoya tous les autres cadeaux à leur expéditeur, avec une note polie. Margaret Thatcher, disait-on, avait sur son bureau de la Chambre des Communes une réplique d'Apollo XI, probablement pour les mêmes raisons.

Janet sortit et Florentina indiqua à son visiteur un siège confortable. Don Short s'y installa en croisant les jambes et en offrant à son vis-à-vis le spectacle d'une bande de peau glabre entre ses chaussettes et le bas de son pantalon.

— Quel beau local vous avez ! s'exclama-t-il, puis, pointant un doigt boudiné sur les photos : ce sont vos enfants ?

— Oui.

— Eh bien, ils sont aussi beaux que leur mère, affirmat-il avec un rire nerveux.

— Vous vouliez m'entretenir du XR-108, je crois, monsieur Short ?

— Appelez-moi Don. Oui, il s'agit d'un matériel indispensable, pensons-nous, à l'équipement de la marine américaine. Le XR-108 peut détecter un missile ennemi dans un rayon de plus de quinze mille kilomètres. Si chaque base navale américaine possédait une telle arme, les Russes réfléchiraient à deux fois avant d'avoir l'idée d'attaquer les Etats-Unis. Nos vaisseaux pourraient dès lors sillonner les mers et le bon peuple américain dormirait sur ses deux oreilles.

Il fit une pause, comme s'il s'attendait à des applaudissements, puis ajouta :

— En outre, ma compagnie dispose d'un matériel qui permet de photographier les bases militaires sur le territoire soviétique et de projeter les clichés directement sur un écran de télévision de la Maison-Blanche. Les Russes ne pourront même pas aller aux toilettes sans se faire prendre en photo, conclut-il avec un gloussement.

— Monsieur Short, j'ai étudié avec la plus grande attention les capacités du XR-108. Boeing prétend pouvoir produire pratiquement le même matériel à 72 % de votre prix.

— Notre équipement est beaucoup plus sophistiqué, madame Kane. Nous avons déjà fait nos preuves, je vous le rappelle. Nous sommes de longue date fournisseurs de l'armée américaine.

— Oui, mais vous avez fourni vos derniers matériels en ne respectant pas les délais de livraison mentionnés sur le contrat et en demandant au gouvernement un dépassement de 70 % par rapport à votre estimation initiale, c'est-à-dire une somme de vingt-trois millions de dollars, pour être précise, répondit Florentina sans consulter ses notes.

Don Short se mordit la lèvre :

— L'inflation a pesé sur tous les secteurs d'activité, et pas seulement sur l'industrie aérospatiale. Si vous aviez le temps de rencontrer quelques membres de notre conseil d'administration, le problème vous apparaîtrait beaucoup plus clairement. Nous pourrions organiser un dîner et...

— J'assiste rarement à des dîners, cher monsieur Short, car la seule personne qui en profite, c'est le maître d'hôtel.

Don Short émit un nouveau rire nerveux.

— Mais ce sera un dîner en votre honneur, insista-t-il, avec environ cinq cents personnes. Avec une participation de cinquante dollars par tête, que vous pourriez ajouter à vos fonds électoraux ou à tout ce que vous voudrez, acheva-t-il presque dans un murmure.

Florentina avait une furieuse envie de jeter cet homme dehors, quand Louise arriva avec le café. Le temps que sa secrétaire reparte, Florentina avait recouvré son sang-froid et pris une décision.

— Comment allez-vous organiser ça, monsieur Short ?

370

— Ma société aime bien donner un coup de main à ses amis. Votre campagne électorale doit être plutôt onéreuse, alors ce petit dîner peut rapporter de quoi mettre du beurre dans les épinards. Même si tous les invités ne viennent pas, mais envoient leurs cinquante dollars, ma foi, qui sait ?

— Comme vous dites, monsieur Short.

— Alors, on y va ?

— Pourquoi pas, monsieur Short.

— Je savais qu'on allait finir par s'entendre.

Florentina parvint à grimacer un demi-sourire tandis que son visiteur lui tendait une main moite, avant de se faire raccompagner par Janet.

— Restons en contact, Florentina, dit-il avant de sortir.

— Oui, merci.

La pendule sonna. Il lui restait cinq minutes pour se rendre à la Chambre. « En voilà un que je peux coincer », se dit-elle tout en courant vers l'ascenseur réservé aux membres du Congrès.

Elle traversa le rez-de-chaussée, sauta dans l'autobus qui faisait le trajet Longworth-Capitole et prit place à côté de Bob Buchanan.

— Dans quel sens allez-vous voter ? questionna-t-il.

— Seigneur ! Je ne sais même pas pour quoi on vote aujourd'hui.

Ses pensées voguaient encore envers Don Short et vers la décision qu'elle avait prise à son sujet.

— Vous serez d'accord cette fois, dit Buchanan. Il s'agit de prolonger l'âge de la retraite de soixante-cinq à soixante-dix ans. Nous pourrions, j'en suis sûr, voter dans le même sens.

— Joli subterfuge pour garder des vieillards comme vous au Congrès, se moqua-t-elle, afin que je n'obtienne jamais la présidence d'une commission.

— Attendez d'avoir soixante-cinq ans, Florentina, et nous en reparlerons.

L'autobus s'arrêta devant le Capitole et les deux députés prirent l'ascenseur ensemble. Une fois dans la salle, ils restèrent au fond, en attendant que leurs noms soient appelés.

— Je ne me suis jamais mis de ce côté de l'hémicycle, dit Buchanan. Après tant d'années, cela me fait tout drôle.

— Certains d'entre nous sont humains, vous savez ? Je vais vous confier un secret : mon mari a voté pour Ford !

— Votre mari est un homme sage, dit Buchanan en riant.

— Mais votre femme a peut-être voté pour Carter ?

Tout à coup, le vieil homme parut attristé.

— Elle est morte l'année dernière, dit-il.

— Oh ! J'en suis navrée, répondit Florentina, je ne le savais pas.

— Non, bien sûr. Je le comprends. Mais réjouissez-vous d'avoir une famille, même si elle n'est pas toujours près de vous. Quant à moi, j'ai découvert en cet endroit un piètre substitut familial, même si on a l'illusion d'y accomplir quelque chose. Ils ont commencé à appeler les noms qui commencent par B, alors je vous laisse à vos pensées. A l'avenir, je trouverai peut-être ce côté-ci de l'hémicyle plus plaisant.

Florentina sourit. Et dire que leur respect mutuel avait pris naissance dans la méfiance ! Heureusement, les différences de partis, qui surgissaient si cruellement sur les tribunes électorales, finissaient par s'estomper grâce à un côtoiement quotidien.

Un peu plus tard, quand on appela les députés dont le nom commençait par la lettre K, Florentina alla déposer son bulletin de vote dans l'urne et rentra immédiatement à son bureau d'où elle appela Bill Pearson, le leader de la majorité démocrate. Elle lui demanda un rendez-vous immédiat.

— Tout de suite ?

— Tout de suite, Bill.

— Vous voulez vous faire pistonner pour la commission des Affaires étrangères ?

— Non, c'est beaucoup plus grave.

— Alors, venez.

Bill Pearson écouta le récit de Florentina sur les événements de la matinée, en tirant de temps à autre une bouffée sur sa pipe.

— Nous sommes au courant de ce genre de combine, mais nous pouvons rarement apporter des preuves, commenta-t-il. Votre M. Short, malgré ses radars, nous donnera l'occasion de prendre quelqu'un la main dans le sac. S'il verse des pots-de-vin, peu importe leur montant, nous allons ouvrir une enquête sur l'Aérospatiale. Et même si nous ne parvenons pas à prouver grand-chose, cela fera réfléchir les membres du Congrès qui acceptent de se compromettre dans des magouilles de ce style.

Pendant le week-end, Florentina raconta l'histoire à Richard. Ce dernier ne parut pas surpris.

— Ce n'est pas compliqué, expliqua-t-il. Beaucoup de députés n'ont que leur traitement pour vivre. La tentation de recevoir un peu de liquide de temps en temps est d'autant plus forte qu'ils se battent pour un siège incertain, sans possibilité de se procurer d'autre source de revenu dans le cas où ils le perdraient.

— Alors pourquoi ce Short m'a-t-il contactée, moi ?

— Pourquoi pas ? Moi-même je reçois une demi-douzaine d'approches de ce genre par an, à la banque. Ceux qui offrent des pots-de-vin s'imaginent qu'on ne peut résister à la tentation de réaliser un bénéfice rapide, non imposable, car ils voient le monde à leur propre image. Tu serais étonnée d'apprendre combien de millionnaires sont prêts à vendre père et mère pour dix mille dollars cash.

Don Short téléphona dans la semaine. Il avait organisé un dîner en l'honneur de Florentina à l'hôtel Mayflower et attendait environ cinq cents invités. Florentina le remercia, puis appela Louise par l'interphone en la priant de noter la date sur son carnet de rendez-vous.

Au cours des semaines qui suivirent, son travail à Washington et ses voyages dans différentes circonscriptions firent oublier à Florentina Don Short et son dîner. Elle était à la Chambre, en train de soutenir la proposition de loi d'un collègue attribuant des crédits supplémentaires aux petites entreprises, quand elle vit arriver Janet, hors d'haleine.

— Vous avez oublié le dîner de l'Aérospatiale !

— Mais non, il a lieu la semaine prochaine.

— Si vous aviez consulté votre carnet, vous auriez su que c'est pour ce soir. Vous avez vingt minutes pour vous y rendre. N'oubliez pas : cinq cents personnes vous attendent.

Florentina s'excusa auprès de son collègue et quitta précipitamment la Chambre. Elle prit sa voiture au garage de Longworth et s'élança dans la nuit, sans respecter la limitation de vitesse. Elle abandonna son véhicule dans un parking, avant de franchir l'entrée latérale du Mayflower, avec quelques minutes de retard. Elle découvrit Don Short dans le hall, vêtu d'un costume de soirée trop juste et se rendit compte tout à coup qu'elle n'avait pas eu le temps de se changer. Pourvu que sa robe ne parût pas trop négligée aux invités.

— Nous avons réservé un salon privé, dit-il en l'entraînant vers l'ascenseur.

— J'ignorais que le Mayflower avait une salle de banquet pour cinq cents personnes, observa-t-elle.

La porte de l'ascenseur se referma et Don Short se mit à rire : « Elle est bien bonne », marmonna-t-il.

La pièce, fût-elle bondée, n'aurait pas pu contenir plus de vingt personnes. Don Short présenta Florentina à tous les invités, ce qui lui prit très peu de temps, car ils étaient quatorze en tout et pour tout.

Pendant le dîner, elle dut subir les fanfaronnades de Short sur les triomphes du programme aérospatial. Elle n'était pas sûre de pouvoir tenir toute la soirée sans exploser. A la fin du repas, Don Short se redressa, frappa son verre vide de sa fourchette et se lança dans un discours dithyrambique sur sa grande amie, Florentina Kane, soulevant des applaudissements aussi fournis qu'on pouvait l'espérer de quatorze convives.

Florentina prononça une brève réponse de remerciement et réussit à s'échapper peu après onze heures. Au moins, le Mayflower avait servi un excellent menu.

Don Short la raccompagna jusqu'au parking. Elle remonta dans sa voiture et alors, il lui tendit une enveloppe.

— Dommage qu'il y ait eu si peu de monde, fit-il, mais les absents ont tout de même envoyé leurs cinquante dollars.

Une fois de retour au Baron, Florentina étudia le contenu de l'enveloppe : elle trouva un chèque de vingt-quatre mille trois cents dollars, au porteur.

Dès le lendemain matin, elle raconta tout à Bill Pearson et lui remit l'enveloppe.

— Avec ça, dit-il en agitant le chèque, nos amis vont se retrouver fourrés dans un drôle de guêpier.

Il sourit et enferma le chèque dans un tiroir de son bureau.

Florentina partit en week-end avec le sentiment d'avoir joué plutôt bien son rôle. Même Richard la félicita.

— Quoique, avec cet argent, il y avait de quoi faire, ajouta-t-il.

— Qu'est-ce que tu veux dire ?

— Les bénéfices du groupe Baron en prendront un sérieux coup, cette année.

— Pourquoi, Seigneur Dieu ?

— Carter vient de prendre une série de décisions financières qui défavorisent les établissements hôteliers alors que, par une ironie du sort, les banques se trouvent favorisées. Nous avons actuellement une inflation de 15 % par an et un taux d'escompte officiel de 16 %. J'ai bien peur que les voyages d'affaires diminuent sérieusement lorsque les industriels se seront dit que, en fin de compte, le téléphone coûte moins cher. Ainsi, nous n'allons plus remplir nos chambres et cela nous entraînera fatalement à augmenter nos prix. Résultat, les hommes d'affaires y verront une raison supplémentaire pour écourter leurs déplacements. Pour compléter ce joli tableau, le prix de la nourriture est monté en flèche et les salaires essaient de rattraper l'inflation.

— Tous les grands groupes hôteliers doivent affronter les mêmes problèmes.

— Peut-être. Mais la décision de transférer les bureaux du groupe ailleurs, hors de New York, nous a coûté les yeux de la tête, beaucoup plus cher que je ne l'avais imaginé dans mon budget prévisionnel. 450, Park Avenue est peut-être une adresse prestigieuse sur notre papier à lettres, mais avec les sommes que nous avons consacrées à cet immeuble, nous aurions pu construire deux hôtels dans le Sud.

— Mais cette décision a libéré trois étages du Baron et cela nous a permis d'ouvrir des salles de banquet !

— Et pourtant, l'hôtel n'a réalisé qu'un bénéfice de deux millions de dollars, alors que le seul terrain sur lequel il est situé en vaut quarante.

— Il est indispensable qu'il y ait un Baron à New York. On ne va tout de même pas vendre notre hôtel le plus prestigieux.

— Jusqu'à ce qu'il soit en déficit…

— Mais notre réputation…

— Ton père ne s'est jamais soucié de sa réputation quand il s'agissait de la mesurer aux bénéfices.

— Qu'allons-nous faire, alors ?

— Je compte charger McKinsey et Co d'établir une estimation détaillée du groupe entier. Ils nous remettront un rapport intermédiaire dans trois mois et une étude complète dans un an. J'en ai déjà parlé chez McKinsey à un certain Michel Hogan, qui nous fait un devis en ce moment.

— S'adresser au plus grand expert-conseil de New York, nous coûtera à coup sûr un peu plus d'argent.

— Oui, ils sont chers, mais ils peuvent nous aider à économiser des sommes considérables à long terme. Les Baron dans le monde entier reçoivent une clientèle différente de celle pour laquelle ton père les a construits. Je veux m'assurer que nous ne sommes pas en train de rater une opération qui devrait nous sauter aux yeux.

— Nos cadres de direction ne peuvent-ils pas nous donner ce genre de conseil ?

— Quand les gens de McKinsey ont achevé leur étude sur les grands magasins Bloomingdale, dit Richard, ils ont recommandé à la direction de modifier l'emplacement de soixante-dix de ses comptoirs. Simple ! me diras-tu. En tout cas, le bénéfice avait augmenté de 2 % un an plus tard et pourtant, aucun des cadres de direction n'y avait songé. Peut-être sommes-nous en face du même problème sans le savoir.

— Bon sang ! Je me sens vraiment dépassée.

— Ne t'inquiète pas, Jessie chérie, rien ne sera fait sans ton total assentiment.

— A part ça, comment va la banque ?

— Aussi bizarre que cela puisse paraître, la Lester n'a jamais gagné autant d'argent sur les prêts et les découverts depuis la Dépression. Je me félicite d'avoir acheté de l'or quand Carter a été élu. S'il est réélu, j'en racheterai encore. En revanche, si Reagan gagne la course à la Maison-Blanche, je vends tous mes lingots le jour même. Mais ne t'inquiète pas. Tant que tu percevras tes émoluments de député, je dormirai tranquille en me disant qu'il restera toujours quelque chose pour le temps des vaches maigres. A propos, as-tu parlé à Edward de Don Short et de ses vingt-quatre mille dollars ?

— Vingt-quatre mille trois cents ! Non, je n'ai pas eu l'occasion de lui en parler. De toute façon, il ne s'intéresse plus qu'à la gestion des hôtels.

— Je l'ai convié aux assemblées annuelles du conseil de la Lester. Ainsi, il s'intéressera à la banque, aussi.

— Bientôt il va gérer toutes nos affaires.

— C'est exactement ce que j'envisage, pour le jour où je serai prince consort !

Florentina retourna à Washington, mais à son étonnement, aucun message de Bill Pearson ne l'y attendait. La secrétaire du président du groupe démocrate déclara que celui-ci se trouvait en Californie, en pleine campagne électorale.

377

D'après Janet, les législateurs ne pensaient plus qu'à leur réélection, et Florentina avait tout intérêt à séjourner plus souvent à Chicago. Le mercredi suivant, Bill Pearson téléphona. Il avait parlé de l'affaire Short avec son collègue républicain et le président de la Commission de la Défense. Tous deux trouvaient inopportun de soulever une telle question avant les élections.

Il termina en priant Florentina de ne pas mentionner cette histoire de dessous-de-table, sous peine d'entraver la bonne marche de l'enquête.

Florentina manifesta sa totale désapprobation et, pendant un moment, elle envisagea d'aborder la question devant les responsables de la commission. Toutefois, lorsqu'elle en parla à Edward au téléphone, ce dernier lui conseilla de ne rien tenter. Sans aucun doute, expliqua-t-il, la commission d'enquête possédait plus d'informations sur les pots-de-vin que Florentina elle-même. D'autre part, une telle initiative pourrait donner l'impression que Florentina manœuvrait derrière le dos de la commission. A contrecœur, l'intéressée consentit à n'intervenir qu'après les élections.

Quand la Chambre des Représentants ferma ses portes, Florentina partit pour Chicago, pour une nouvelle campagne. A son grand étonnement, elle dut passer le plus clair de son temps dans les bureaux du parti démocrate, sis Randolph Street.

Après sa première année de présidence, Carter n'avait pas vraiment répondu aux aspirations des Américains et pourtant, on savait que les républicains avaient bien du mal à persuader l'un des leurs de se présenter contre Florentina. Afin de l'occuper, le parti l'envoya le plus souvent possible à travers tout l'Etat de l'Illinois pour prendre la parole dans des meetings de soutien à des candidats démocrates moins connus.

Finalement, Stewart Lyle accepta de se représenter, à la condition expresse — et il ne se gêna pas pour le faire savoir à son parti — de ne pas passer ses journées et ses nuits en déplacement et de ne pas débourser un centime de sa poche.

Le parti républicain ne pardonna jamais à son candidat d'avoir déclaré, au cours d'une conversation privée, comme s'il existait des conversations privées en période électorale :

— La seule différence entre Kane et l'ex-maire de Chicago, feu Daley, c'est que Kane est honnête.

Les électeurs du neuvième district de l'Illinois partageaient sans doute ce point de vue, car ils renvoyèrent Florentina à Washington, avec une majorité légèrement accrue. Elle nota que quinze députés et trois sénateurs de son parti n'avaient pas été réélus. Bill Pearson figurait au nombre des victimes.

Elle l'appela à plusieurs reprises dans sa maison de Californie, pour lui exprimer ses doléances, sans parvenir à l'obtenir. Chaque fois, elle laissa un message sur le répondeur, mais jamais il ne la rappela. Elle en parla à Richard et à Edward et tous deux lui conseillèrent vivement d'en référer au président du groupe démocrate.

Quand Mark Chadwick apprit l'histoire, il parut horrifié et promit d'entrer en contact avec Pearson et de rappeler Florentina dans la journée. Il tint parole, mais son rapport glaça Florentina : Bill Pearson niait avoir jamais eu connaissance de ces vingt-quatre mille trois cents dollars et prétendait ne jamais avoir discuté d'une affaire de pots-de-vin avec Mme le député Kane. Il avait même glissé à Chadwick que si Florentina avait reçu vingt-quatre mille trois cents dollars de n'importe quelle source, elle était tenue par la loi de déclarer cette somme, soit comme contribution à sa campagne, soit comme revenu. Aucune mention de cette somme n'ayant été effectuée sur les formulaires électoraux, le règlement du Congrès ne l'autorisait pas à percevoir des honoraires dépassant sept cent cinquante dollars.

Florentina expliqua au responsable du parti démocrate que Bill Pearson lui-même l'avait exhortée à ne pas déclarer cet argent. Mark Chadwick la crut, mais lui fit comprendre qu'il ne voyait pas comment elle allait s'y prendre pour prouver que Pearson mentait. Les ennuis financiers de Pearson, surtout depuis son deuxième divorce, étaient de notoriété publique, ajouta-t-il.

— Deux pensions alimentaires pour un retraité auraient ruiné plus d'un honnête homme.

Florentina consentit à laisser Chadwick mener une enquête approfondie et promit de ne rien dire.

Dans la semaine, Don Short l'appela pour la féliciter de sa victoire tout en rappelant que le programme des missiles destinés à équiper la marine viendrait à l'ordre du jour le mercredi suivant à la commission de la Défense. Florentina se mordit les lèvres, quand il déclara : « Je suis content que vous ayez touché le chèque, je suis sûr que cet argent a contribué à votre élection. »

Florentina demanda à Chadwick de retarder le vote sur les missiles jusqu'à la fin de l'enquête sur Pearson.

— Impossible, objecta-t-il, car si la décision était ajournée, les fonds iraient ailleurs. Du reste, le ministre de la Défense, qui se fichait pas mal du nom de la société qui allait obtenir le contrat, exerçait des pressions sur la commission pour activer sa décision. Chadwick rappela à Florentina son propre discours à propos des députés qui repoussaient indéfiniment leurs décisions concernant les crédits alloués à la Défense. Elle ne perdit pas son temps en vains arguments.

— Votre enquête avance, Mark ?

— Nous savons que le chèque a été encaissé à la Banque Nationale Riggs, Pennsylvania Avenue.

— Ma banque et mon agence ! s'écria-t-elle, suffoquée.

— Par une dame de quarante-cinq ans environ, qui portait des lunettes noires.

— Il n'y a donc pas de bonnes nouvelles ?

— Si ! Le directeur, ayant trouvé la somme assez élevée, a noté les numéros des billets pour le cas où un litige surgirait plus tard. (Elle s'efforça de sourire.) Florentina, à mon avis vous avez deux possiblités : soit vous dévoilez l'affaire lors de la réunion de mercredi, soit vous gardez le silence jusqu'à ce que cette sale affaire soit éclaircie. Vous pouvez aussi en parler publiquement, en attendant que j'aille au fond des choses.

— Que dois-je faire, à votre avis ?

— Le parti souhaitera probablement que vous vous taisiez, mais je sais ce que je ferais si j'étais à votre place.

— Merci, Mark !

— Votre popularité en prendra sans doute un sacré coup. Mais cela ne vous a jamais arrêtée par le passé.


Thomas Lee, le président de la commission, déclara la séance ouverte. Florentina était déjà à sa place et, depuis quelques minutes, elle prenait des notes. Le contrat des radars antisatellites était le sixième point à l'ordre du jour et sur les cinq premiers, Florentina ne souffla mot. En regardant du côté de la table réservée à la presse et, plus loin, vers les sièges occupés par le public, elle ne put éviter le sourire de Don Short.

— Sixième point de l'ordre du jour, annonça le président, en étouffant un léger bâillement, car les sujets précédents avaient fait l'objet de longs débats, nous allons délibérer sur trois offres de trois sociétés concernant le projet des missiles affectés à la Marine. La décision finale reviendra au bureau de l'Equipement du ministère, mais il prendra en considération notre opinion. Qui peut ouvrir la discussion ?

Florentina leva la main.

— Député Kane !

— Monsieur le président, je n'ai aucune préférence particulière entre Boeing et Gruman. Mais en aucun cas je ne soutiendrai le projet de l'Aérospatiale.

Le visage de Don Short vira lentement au gris.

— Pouvez-vous expliquer à la commission pour quelle raison vous êtes aussi résolument opposée à cette société ?

— Certainement, monsieur le Président. Mes raisons sont dictées par une expérience personnelle. Il y a quelques semai-

381

nes, un employé de l'Aérospatiale est venu me voir dans mon bureau, dans l'intention de me vanter les mérites de sa société. Plus tard, il a essayé de m'acheter moyennant un chèque de vingt-quatre mille trois cents dollars, en échange de mon vote aujourd'hui. Cet homme se trouve actuellement dans cette salle et il aura sans nul doute à répondre de ses actes devant la justice.

Quand le président de la commission réussit à ramener le calme, Florentina expliqua de quelle façon le dîner en son honneur avait été organisé et nomma Don Short, comme « l'homme qui avait payé ». Elle se retourna pour le regarder, mais il avait disparu. Elle n'en continua pas moins son discours, en évitant toute allusion à Bill Pearson. Quand elle eut terminé son exposé, deux autres membres de la commission étaient aussi blêmes que Don Short l'avait été un peu avant.

— Après cette sérieuse accusation portée par notre collègue, je suspends toute décision concernant ce projet, jusqu'à la conclusion de l'enquête, déclara le président Lee.

Florentina le remercia et quitta la salle. Dans le couloir, un groupe de journalistes l'entoura, mais elle se refusa à toute déclaration. Elle en parla à Richard au téléphone, le soir même. Ce dernier ne lui cacha pas que les prochains jours n'allaient pas être amusants.

— Pourquoi ? Je me suis contentée de dire la vérité.

— Je sais. Mais il y a maintenant, dans la Commission, des gens qui vont se battre pour leur vie et qui te considèrent désormais comme leur ennemi n° 1. Alors, tu peux jeter aux orties les règles d'or du marquis de Queensbury.

Florentina comprit ce que Richard avait voulu dire en lisant les journaux le lendemain matin.

« Le député Kane accuse l'Aérospatiale de tentative de corruption », annonçait un titre. « Une société prétend qu'un membre du Congrès a touché de l'argent, comme contribution à sa campagne électorale », clamait un autre.

Grosso modo, tous les journaux racontaient à peu près la même histoire. Florentina sauta du lit, s'habilla en vitesse, dédaignant le petit déjeuner, et se rendit en voiture au Capitole. Une fois dans son bureau, elle étudia les journaux en détail. Tous les journalistes, sans exception, voulaient savoir où étaient passés les fameux vingt-quatre mille trois cents dollars.

— Et moi donc ! dit-elle tout haut.

Le *Chicago Sun Times* tirait : « Le député Kane accuse une société aéronautique de tentative de corruption, après avoir encaissé un chèque. » C'était vrai, mais trompeur.

Richard l'appela au téléphone. Edward était en route pour Washington, dit-il, et Florentina ne devait faire aucune déclaration à la presse sans l'avoir consulté. De toute façon, elle n'aurait pu faire quoi que ce soit, car le matin même, à dix heures, deux agents du F.B.I. vinrent l'interroger dans son bureau.

En présence d'Edward et de son président de groupe, Florentina fit une déposition complète. Les agents fédéraux lui demandèrent de ne rien dire à la presse au sujet de Bill Pearson, jusqu'à la fin de l'enquête. Une nouvelle fois, elle acquiesça à regret.

Ce jour-là, à la Chambre, plusieurs membres du Congrès vinrent la féliciter, alors que d'autres l'évitèrent ostensiblement. Dans l'après-midi, le *Chicago Tribune* demanda où diable les vingt-quatre mille trois cents dollars avaient bien pu disparaître.

« Il est de notre pénible devoir, écrivait l'auteur de l'article, de rappeler à l'opinion que le père de Mme Kane a été jugé et condamné pour corruption de fonctionnaires par le tribunal de Chicago en 1962. »

Florentina pouvait imaginer Ralph Brooks appelant la rédaction du journal pour donner plus de détails. Heureusement, Edward était là pour l'aider à garder son calme et Richard venait tous les soirs de New York par avion, pour être avec elle. Trois jours plus tard, l'affaire était encore à la une de tous les journaux.

Ralph Brooks déclara à l'occasion d'une interview :

« Malgré ma grande admiration pour Mme Kane et ma

foi en son innocence, j'estime qu'il serait plus convenable qu'elle se retire du Congrès pendant le temps nécessaire à l'enquête. »

Florentina n'en fut que plus déterminée à tenir bon, surtout après un coup de fil encourageant de Mark Chadwick.

Le quatrième jour, il n'y avait toujours aucune nouvelle du F.B.I. Florentina se sentait vraiment déprimée, quand un reporter du *Washington Post* l'appela.

— Madame Kane, quelles sont vos réactions après les déclarations du député Buchanan, à propos de l'affaire de l'Aérospatiale ?

— Lui aussi est contre moi ? demanda-t-elle calmement.

— On ne peut pas dire ça, madame, fit la voix à l'autre bout du fil. Je cite : « Je connais Mme le député Kane depuis cinq ans environ, et je la considère comme une adversaire acharnée. Elle m'a exaspéré plus d'une fois. Mais, comme on dit dans le Tennessee, il faut aller jusqu'au bout de la rivière pour rencontrer quelqu'un de plus honnête. Si on ne peut pas faire confiance à Mme Kane, alors, il ne faut se fier à aucun autre membre du Congrès. »

Quelques minutes après Florentina appela Bob Buchanan.

— N'allez surtout pas croire que mon âge m'a radouci, aboya-t-il. Vous êtes entrée à la Chambre du pied gauche, et j'essaierai toujours de vous le couper.

Florentina éclata de rire, pour la première fois depuis de longs jours.


Un vent glacial de décembre soufflait sur la colline du Capitole. Florentina rentrait seule au Longworth Building, après avoir voté le dernier amendement de la journée. Au coin d'une rue, un petit vendeur de journaux criait les titres du soir. Elle ne comprit pas tous les mots : quelque chose, quelqu'un, une arrestation.

Elle se précipita vers le garçon, tout en cherchant une

pièce dans sa poche, mais ne trouvant qu'un billet de vingt dollars.

— J'peux pas rendre la monnaie de ça, dit le petit vendeur de journaux.

— Ça ne fait rien, répondit-elle en prenant un journal.

Elle parcourut très vite l'éditiorial, puis le lut une deuxième fois, plus lentement.

— L'ancien membre du Congrès Bill Pearson, lut-elle tout haut, comme pour prendre le jeune vendeur à témoin, vient d'être arrêté par le F.B.I. à Fresno, en Californie, dans le cadre du scandale de l'Aérospatiale. Une somme supérieure à dix-sept mille dollars en espèces a été découverte dans le pare-chocs arrière de sa Ford toute neuve. Conduit au commissariat le plus proche, il a été interrogé et inculpé un peu plus tard de vol qualifié et de trois autres délits. La jeune femme qui l'accompagnait au moment de son arrestation a été également inculpée pour complicité.

Florentina se mit à danser sur la neige. Le petit vendeur de journaux s'empressa d'empocher les vingt dollars et partit vendre ses journaux à l'autre bout de la rue. On l'avait pourtant mis en garde contre tous ces cinglés de la colline, se dit-il en regardant le Capitole.



— Mes félicitations, madame Kane !

Le maître d'hôtel du Jockey Club fut le premier à commenter les derniers développements de l'affaire. Arrivé de New York, Richard emmena sa femme dîner pour fêter l'événement. Des hommes politiques et d'autres personnalités de la haute société de Washington s'empressèrent de féliciter Florentina, exprimant leur satisfaction de voir la vérité éclater enfin.

Florentina adressa à chacun un de ces sourires mondains irrésistibles dont elle avait acquis le secret après cinq ans de vie politique.

385

Le lendemain, le *Chicago Tribune* et le *Sun Times* accordèrent leurs violons pour chanter les louanges de Mme le député, qui avait su garder son calme dans la tempête. Florentina grimaça un sourire, déterminée à se fier dans l'avenir à son seul instinct. Le bureau de Ralph Brooks ne fit aucun commentaire, ce qui ne manqua pas d'être remarqué.

Edward envoya une énorme gerbe de fleurs et William télégraphia de Harvard :

« A ce soir, à moins que tu ne sois la jeune femme retenue au commissariat de Fresno pour interrogatoire. »

Annabelle arriva à la maison, ignorant apparemment tout des récents problèmes de sa mère, et annonça qu'elle avait été admise à Radcliffe. Plus tard, la principale de l'école de Madeira confia à Florentina que sa réputation et le fait d'avoir fait elle-même ses études à Radcliffe n'avaient pas été pour rien dans l'admission de sa fille. Ainsi, se dit-elle, elle avait le pouvoir d'influencer la vie de ses enfants sans lever le petit doigt.

Plus tard, elle exprima à Richard son soulagement de savoir qu'Annabelle aurait maintenant une vie plus rangée.

Richard demanda à sa fille sur quelle matière principale elle allait porter son choix.

— Psychologie et relations sociales, répondit-elle sans la moindre hésitation.

— Tu appelles ça une matière ? ironisa-t-il, c'est seulement une excuse pour parler de toi-même pendant trois ans.

Etudiant en deuxième année à Harvard, William hocha la tête en signe d'approbation. Un peu plus tard, il demanda à son père s'il acceptait de faire passer sa pension à cinq cents dollars par trimestre.

Quand un amendement à la loi sur l'interruption de grossesse, interdisant l'avortement à partir de dix semaines, fut programmé, Florentina prit la parole pour la première fois depuis le scandale de l'Aérospatiale. Elle fut accueillie par des sourires amicaux et des applaudissements nourris lorsqu'elle prit place à la tribune, où elle fit une brillante plaidoirie. Le député de Chicago fit valoir que la vie de la mère était plus importante que celle de l'enfant qu'elle portait, et rappela à son auditoire que seuls dix-huit membres du Congrès pouvaient parler de grossesse en connaissance de cause. Bob Buchanan bondit de sa place et accusa Florentina Kane d'appartenir à cette espèce de simples d'esprit qui pensent que l'on ne peut discuter de l'avenir du programme spatial si l'on n'a pas fait préalablement le tour de la Lune. Il souligna que si c'était le cas, seul un membre du Congrès avait voix au chapitre, en la personne de John Glenn.

Quelques jours plus tard, Don Short et ses vingt-quatre mille trois cents dollars appartenaient définitivement au passé. Florentina se replongea dans la vie fiévreuse et un Congrès en pleine session. Elle avait progressé de deux rangs à la commission des Finances, et quand elle regardait autour de la table de conférences, elle avait le sentiment d'être un vieux routier de la politique.

## 29

A son retour de Chicago, Florentina se rendit compte que la situation avait bien changé. Les démocrates commençaient à maugréer et à murmurer entre eux que si Jimmy Carter demeurait à la Maison-Blanche, cela n'améliorerait pas nécessairement leurs chances. C'en était fait du bon vieux temps où le Président en titre des Etats-Unis pouvait être assuré d'être riche et de reprendre sa place dans le Bureau ovale de la Maison-Blanche.

Richard rappela à sa femme qu'Eisenhower avait été le dernier président à avoir accompli deux mandats.

Les républicains commençaient de leur côté à prendre du poil de la bête. Après les déclarations de Ford annonçant qu'il ne se présenterait pas, George Bush et Ronald Reagan apparurent comme des candidats de premier plan. Dans les coulisses du Congrès, on chuchotait qu'Edward Kennedy allait se présenter contre Carter.

Florentina continua son travail à la Chambre, évitant soigneusement d'être associée à l'un ou l'autre camp, malgré les avances des deux candidats démocrates et une pluie d'invitations émanant de la Maison-Blanche. Elle tenait à rester neutre, aucun des deux concurrents ne lui paraissant digne de représenter le parti en 1980.

Tandis que d'autres se consacraient à la campagne électorale, elle entreprit de convaincre le Président de durcir le ton avec les chefs d'Etat membres du pacte de Varsovie et de s'engager plus fermement aux côtés des alliés de l'O.T.A.N.

Mais elle en fut pour ses frais. Quand Jimmy Carter déclara, devant un auditoire médusé, qu'il était fort surpris de voir les Russes renier leur parole, Florentina avoua à Janet que n'importe quel Polonais de Chicago aurait pu détromper le Président.

La rupture définitive entre Florentina Kane et la Maison-Blanche intervint le 4 novembre 1979, quand de prétendus étudiants iraniens occupèrent l'ambassade des Etats-Unis à Téhéran en s'emparant de cinquante-trois otages américains.

Le Président se contenta une nouvelle fois de prononcer quelques discours de bon ton, prétendant avoir les mains liées. Florentina usa de tous les moyens dont elle disposait pour persuader le Président de défendre l'Amérique. Lorsqu'il consentit enfin à envoyer une mission de secours, celle-ci se solda par un échec lamentable, portant un coup au prestige des Etats-Unis aux yeux du monde entier.

Après cette humiliation, il y eut un débat au Congrès sur les questions de défense. Pour une fois, Florentina laissa ses notes de côté et se lança dans un discours spontané :

— Comment croire, s'écria-t-elle, qu'un peuple qui a su utiliser les ressources d'énergie, de génie et d'originalité qui étaient les siennes pour envoyer un homme sur la Lune, est incapable de faire atterrir trois hélicoptères dans un désert ?

Sur le moment, elle avait oublié que les débats du Congrès étaient télévisés. Le soir même, aux actualités, les trois grandes chaînes diffusèrent cette partie de son discours.

Il n'était nul besoin de rappeler à Richard combien Georges Novak avait eu raison au sujet du shah. Lorsque les Russes envahirent l'Afghanistan, les Kane annulèrent leur voyage pour les Jeux olympiques de Moscou.

En juillet, à Detroit, les républicains choisirent Reagan pour candidat et Bush pour colistier. Quelques semaines plus tard, les démocrates se réunirent à New York et reconduisiren Carter, avec encore moins d'enthousiasme qu'on n'en avait témoigné à Adlai Stevenson. Lorsque Carter entra au Madison Square Garden, même les ballons refusèrent de descendre du plafond.

Florentina s'efforçait à remplir au mieux son mandat de député. Il était difficile de deviner quel parti deviendrait majoritaire dans quelques mois. Elle présenta un amendement au budget de la Défense, demandant la simplification des démarches administratives. A mesure que les élections approchaient, Florentina sentait une menace peser sur son propre siège, surtout lorsque les républicains remplacèrent son ancien adversaire Stewart Lyle par un cadre supérieur jeune et plein d'allant du nom de Ted Simmons.

Carter et Reagan sillonnaient Chicago, comme deux coucous dans la même horloge. Les sondages annonçaient que les élections allaient se jouer dans un mouchoir de poche. Florentina en doutait, surtout après avoir regardé un débat télévisé entre les deux candidats suivi par plus de cent millions de téléspectateurs.

Le lendemain, Bob Buchanan confia à Florentina que si Reagan n'avait peut-être pas gagné ce face-à-face, du moins ne l'avait-il pas perdu. Pour quelqu'un qui essayait d'empêcher le Président en titre de retourner à la Maison-Blanche, c'était tout ce qui importait. Au fur et à mesure que le jour des élections approchait, le sort des otages de Téhéran préoccupait de plus en plus l'opinion publique, qui doutait à présent de la capacité de Carter à résoudre le problème. Dans les rues de Chicago, des supporters avouèrent à Florentina qu'ils la renverraient à la Chambre des Représentants, mais qu'ils ne voteraient pas une deuxième fois pour Carter.

Richard prédisait une victoire facile pour Reagan. Florentina prit très au sérieux ces prédictions et passa les dernières semaines de la campagne à travailler comme si elle avait été une inconnue essayant d'arracher un premier mandat. Des pluies torrentielles inondant les rues de Chicago jusqu'au jour des élections contrarièrent ses projets.

391

Quand, le lendemain, le dernier bulletin de vote fut décompté, Florentina fut tout de même surprise par l'ampleur de la victoire de Reagan. Celui-ci contrôlait à présent le Sénat, mais les démocrates conservaient d'extrême justesse la majorité à la Chambre des Représentants.

Florentina retourna donc à Washington, avec une majorité de l'ordre de vingt-cinq mille voix. Elle arriva dans la capitale fédérale pour une nouvelle session, mortifiée mais non abattue, quelques heures seulement avant le retour des otages.

Dans son discours d'inauguration, le nouveau Président entreprit d'élever le moral de la nation. Installé en robe de chambre devant son poste de télévision, Richard sourit béatement pendant toute la durée du discours, approuvant bruyamment en particulier un passage dont il continua à citer des extraits pendant des années.

— On parle toujours d'intérêts de groupes, mais notre souci doit se tourner vers un groupe très particulier, trop longtemps négligé. Ce groupe ne connaît pas de limites, pas de différences ethniques, ni divisions raciales ou politiques. Il est constitué de femmes et d'hommes qui fabriquent notre nourriture, surveillent nos rues, font marcher nos mines et nos usines, enseignent à nos enfants, gardent nos maisons et nous soignent quand nous sommes malades.

« Travailleurs, industriels, commerçants, employés, chauffeurs de taxi ou transporteurs routiers, les membres de ce groupe sont en un mot, nous autres, le peuple, ces gens qu'on appelle les Américains... »

Au milieu d'une tempête d'applaudissements et d'acclamations, le Président salua une dernière fois la foule amassée devant l'estrade et quitta le podium. Deux agents des services secrets le guidèrent à travers la marée humaine qui s'écartait, poussée par la garde d'honneur.

L'escorte présidentielle arriva au bas des marches. M. Reagan et la première dame des Etats-Unis montèrent à l'arrière d'une limousine, voulant visiblement rompre avec l'exemple de Carter, et roulèrent doucement le long de l'avenue de la Constitution, vers leur nouvelle demeure.

Comme la voiture s'éloignait, l'un des deux policiers en civil appuya sur le bouton de son émetteur-récepteur :

— Le danseur rentre au palais, chuchota-t-il tout en suivant à la jumelle la voiture présidentielle jusqu'aux portes de la Maison-Blanche.

En janvier 1981, Florentina retrouva le Congrès, mais Washington avait changé. Les républicains n'avaient plus besoin d'implorer le soutien du Congrès pour chaque mesure qu'ils désiraient prendre car tous les députés savaient que le pays exigeait le changement. Florentina se mit à étudier le programme du nouveau gouvernement envoyé au Capitole et vota avec enthousiasme pour une grande partie de ce programme.

Totalement absorbée par son travail aux commissions des Finances et de la Défense, elle ne remarqua pas un entrefilet dans le *Chicago Tribune,* et ce fut Janet qui le lui fit remarquer :

« Nichols, un des sénateurs de l'Illinois, annonce ce matin sa volonté de se retirer en 1982. »

Florentina était en train de discuter de la signification d'une telle déclaration, quand le téléphone sonna. C'était l'un des rédacteurs en chef du *Chicago Sun Times* qui demandait si elle allait soumettre sa candidature pour le Sénat, en 1982. Elle se rendit compte alors que la presse trouvait son éven-

393

tuelle candidature toute naturelle, après trois sessions et demie à la Chambre des Représentants.

— Il y a encore peu de temps, plaisanta-t-elle, votre journal réclamait ma démission.

— Un Premier ministre anglais a déclaré un jour qu'en politique une semaine c'est le long terme. Alors, que comptez-vous faire, madame Kane ?

— J'avoue n'y avoir jamais pensé, répondit-elle en riant.

— Personne ne vous croira et aucun journal n'acceptera de diffuser une telle information. Soyez plus précise.

— Pourquoi me traquez-vous ? J'ai plus d'un an devant moi pour me décider.

— Vous n'êtes donc pas au courant ?

— De quoi donc ?

— Ce matin même, dans une conférence de presse à l'hôtel de ville, le procureur général de Chicago a annoncé qu'il posait sa candidature.

« Ralph Brooks se présente au Sénat », signalaient les manchettes de toute la presse nationale. Nombre de journalistes signalaient que Florentina ne s'était pas encore prononcée sur son éventuelle candidature. Une nouvelle fois, les photos de M. et Mme Brooks fleurirent dans les journaux, avec l'air de narguer Florentina.

— Ce sacré bonhomme devient de plus en plus beau en vieillissant, grommela-t-elle.

Edward l'appella de New York, la pressant de se présenter. A son avis, Florentina devrait attendre que la publicité autour de Brooks soit éventée.

— On pourrait même s'arranger pour faire croire que tu as obéi à une pression de l'opinion publique, conclut-il.

— Combien de fidèles me soutiendront ?

— Mon estimation est de 60-40 en ta faveur, mais comme je ne fais plus partie du comité, je peux me tromper. Nous avons encore un an devant nous avant les primaires, alors inutile de s'agiter, d'autant que nous connaissons maintenant les intentions de Brooks. Tu peux attendre le moment propice, les mains dans les poches.

— Mais pourquoi s'est-il prononcé si tôt ?

— Probablement pour t'intimider. Ou alors il s'imagine que tu patienteras jusqu'en 1984.

— C'est peut-être une bonne idée.

— Pas d'accord. N'oublie surtout pas ce qui est arrivé à John Culver, dans l'Iowa. Il avait décidé d'attendre, pensant que le siège lui tomberait entre les mains comme un fruit mûr. Résultat, son assistant s'est présenté à sa place et c'est lui qui a emporté le siège.

— Je te promets d'y réfléchir.

En vérité, elle ne songea guère à autre chose au cours des semaines qui suivirent : elle savait pertinemment que si elle battait Brooks cette fois, elle n'entendrait plus jamais parler de lui. Aucun doute, l'homme avait de l'ambition à revendre. Sur les conseils de Janet, elle accepta toutes les invitations émanant de l'Etat de l'Illinois et refusa presque tous les engagements extérieurs.

— Vous aurez enfin une chance de tâter le terrain, dit Janet.

— Continuez à me pressurer, Janet.

— N'ayez crainte, vous me payez pour ça.

Florentina s'obligea à se rendre deux fois par semaine à Chicago, mais en conséquence son pourcentage de votes au Congrès ne dépassa pas 60 %. Ralph Brooks avait l'avantage de ne pas vivre à Washington quatre jours par semaine et de ne pas voir sa présence au tribunal exprimée en pourcentages.

De surcroît, le nouveau maire de Chicago, Janet Byrne, venait d'entamer son mandat et de nombreuses personnes bien-pensantes commençaient à déclarer qu'une seule femme suffisait amplement dans la vie politique de l'Illinois. Cependant, Florentina comprit qu'Edward avait raison. Elle avait vraiment 60 chances contre 40 de l'emporter sur Ralph

Brooks. Il était plus difficile de battre un tel adversaire que de se faire élire au Sénat, car, traditionnellement, les élections intermédiaires favorisaient le parti qui n'était pas celui de l'occupant de la Maison-Blanche.

Il y avait un seul espace vierge dans l'agenda de Florentina, et il correspondait au congrès annuel des anciens combattants du Vietnam. Cette fois, ils avaient porté leur choix sur Chicago. John Tower, le sénateur du Texas, et Florentina avaient été invités pour prononcer des discours.

La presse de l'Illinois s'empressa de faire valoir que la réputation de la fille chérie de Chicago dépassait largement les limites de sa circonscription, de sa ville, de son Etat, puisque les anciens combattants l'avaient invitée, honneur insigne, au même titre que l'un des membres les plus influents du Sénat, où il présidait la commission de la Défense.

Florentina consacrait désormais tout son temps à son travail à la Chambre. Elle présenta avec succès un amendement à la loi sur les sociétés, assouplissant ses effets en faveur des entreprises acceptant de consacrer une partie de leurs bénéfices à la destruction des déchets toxiques. Même Bob Buchanan soutint son amendement.

Alors qu'elle était au fond de la salle, attendant les résultats du vote sur son amendement, Bob Buchanan s'approcha d'elle pour lui confier qu'il espérait la voir se présenter au Sénat.

— Vous dites cela pour me voir partir !

— Certes, cela serait une compensation, gloussa-t-il, je dois l'admettre, mais je ne pense pas que vous allez faire long feu, ici, si votre destin doit vous conduire à la Maison-Blanche.

Elle le considéra, étonnée, mais il ne tourna pas la tête, continuant de contempler la salle où les députés allaient et venaient dans le brouhaha.

— Je ne doute pas que c'est là que vous finirez, ajouta-t-il. Dieu merci je ne serai plus de ce monde pour assister à votre inauguration.

Sur ces mots, il s'avança vers l'urne.

Chaque fois que Florentina se rendait à Chicago, elle évitait la question de sa candidature au Sénat même si, manifestement, tout le monde y pensait. Pour Edward, c'était là sa seule chance car, si elle ne se présentait pas maintenant, elle devrait attendre vingt ans avant de pouvoir déloger Ralph Brooks, qui n'avait que quarante-quatre ans.

— Surtout avec son charme brookien ! En tout cas, qui serait capable d'attendre vingt ans ?

— Edward Kennedy, répondit Edward.

Florentina éclata de rire.

— Hé, c'est qu'il n'a peut-être pas dit son dernier mot ! En tout cas, une chose est sûre : il faudra que je me décide dans un sens ou dans un autre avant mon discours devant les anciens combattants du Vietnam.

Florentina et Richard passèrent le week-end à Cape Cod, où Edward alla les rejoindre le samedi dans la soirée. Ils discutèrent tard dans la nuit des diverses hypothèses ainsi que des conséquences qu'une candidature entraînerait sur le travail de la direction de la campagne.

Ils allèrent tous se coucher au petit jour. Mais ils étaient arrivés à une conclusion.

Deux mille hommes avaient envahi la salle de conférence du Hilton. Excepté Florentina, il n'y avait aucune autre femme, sinon quelques serveuses. Richard avait accompagné sa femme à Chicago et, à présent, il était assis à côté du sénateur du Texas. Florentina se leva pour prendre la parole, morte de trac. Elle commença par affirmer sa foi en une Amérique puissante, puis dit à son auditoire combien elle s'était sentie fière quand Truman avait remis à son père l'Etoile de bronze. Mais elle était encore plus fière d'eux, car ils avaient combattu pour leur pays au cours de la première guerre impopulaire menée par l'Amérique. Enchantés, les anciens combattants exprimèrent leur satisfaction par des sifflets et des coups de poing sur les tables.

Florentina rappela ensuite son engagement en faveur du missile MX et sa détermination de voir les Américains vivre sans craindre quiconque, surtout pas les Soviétiques.

— Il faut que Moscou comprenne, dit-elle, que certains membres du Congrès sont peut-être prêts à conclure un compromis au sujet de l'Amérique, mais la femme que vous avez devant vous n'en est pas. (Les congressistes manifestèrent une nouvelle fois leur approbation.) La politique isolationniste poursuivie actuellement par Reagan n'aide pas la Pologne dans la crise qu'elle traverse, ni aucun autre pays que les Russes décideront d'attaquer ensuite. Nous devons nous montrer fermes. On ne peut pas croiser les bras en attendant que les Soviétiques viennent camper sur nos frontières.

Même le sénateur Tower manifesta son assentiment. Elle attendit qu'un silence complet règne à nouveau avant de poursuivre :

— J'ai choisi l'occasion de cette réunion pour vous dire que tant qu'il existera des hommes et des femmes prêts à servir leur pays comme vous l'avez fait, j'espère continuer à servir notre nation et, dans ce but, j'ai l'intention de soumettre ma candidature au Sénat des Etats-Unis.

Peu de gens dans la salle purent entendre le mot « Sénat » à cause du vacarme. La moitié des participants s'étaient dressés pour applaudir pendant que l'autre moitié tapait sur les tables.

Florentina termina son discours par ces mots :

— Je rêve d'une Amérique qui n'aura peur d'aucun agresseur. Et en même temps je prie pour que vous soyez les derniers anciens combattants dont ce pays aura eu besoin.

Elle revint à sa place, sous un tonnerre d'applaudissements. L'ovation se prolongea plusieurs minutes durant. Le sénateur Tower prit ensuite la parole et félicita Florentina pour l'un des plus « beaux discours qu'il ait jamais entendu ».


Edward arriva à New York pour prendre la direction de la campagne, Janet assurant la liaison permanente avec Washington. L'argent affluait de partout dans les caisses car tout le travail que Florentina avait accompli pour ses électeurs commençait à se faire sentir. Douze semaines avant les primaires, les sondages la plaçaient en tête de toute la circonscription. Ses assistants travaillaient avec acharnement nuit et jour, et même alors ils ne pouvaient lui arranger deux réunions à la fois.

Ralph Brooks critiquait le pourcentage de votes de son adversaire, en mettant l'accent sur l'absence de résultats réels obtenus par elle au Congrès. Quelques-unes de ses attaques firent mouche, mais il ne progressa pas davantage. Il semblait avoir l'énergie d'un gamin de dix ans et malgré cela, les sondages indiquaient toujours une cote de 55 à 45 en faveur de Florentina. Selon les rumeurs, les partisans de Ralph Brooks commençaient à se décourager et les contributions à sa campagne se tarissaient peu à peu.

Tous les week-ends, Richard venait rejoindre sa femme à Chicago. Tous les deux sillonnaient les routes, souvent hébergés par des admirateurs. Un des plus jeunes supporters bénévoles de Florentina les conduisait inlassablement à travers toute la région dans sa petite Chevette bleue. Florentina visitait des usines, serrait les mains, faisait le tour des faubourgs, participait à des réunions dans de petites agglomérations rurales avant de déjeuner rapidement et trouvait encore le temps, l'après-midi, de rencontrer des délégations et des groupes divers, avant le discours inévitable de la soirée, au Baron.

Pendant cette période, elle se débrouilla pour ne pas manquer une seule réunion de la Fondation Remagen.

La nuit, avant de se laisser choir sur son lit, elle jetait encore quelques notes sur un grand cahier noir aux pages cornées, qui ne la quittait jamais. Et elle s'endormait tout en s'efforçant de mémoriser les innombrables noms des personnes qu'elle avait rencontrées et qui seraient vexées si jamais elle oubliait le rôle qu'elles avaient joué dans sa campagne.

Le dimanche soir, Richard rentrait à New York, aussi épuisé que Florentina. Pas une fois il ne s'était plaint, pas une fois il n'avait ennuyé sa femme avec les problèmes de la banque ou du groupe Baron.

Florentina lui sourit, alors qu'ils se disaient au revoir à l'aéroport, dans la froidure de février : elle avait remarqué ses gants, la même paire en cuir bleu qu'il avait achetée pour son père chez Bloomingdale vingt ans plus tôt.

— J'ai encore une paire de rechange à user, Jessie, avant de me mettre à la recherche d'une autre femme, dit-il en souriant avant de s'éloigner.

Chaque matin, Florentina se levait un peu plus déterminée que la veille. Elle était seulement triste de voir si peu ses enfants. William portait maintenant une superbe moustache à la Castro et semblait bien parti pour obtenir sa licence avec une mention « très bien ». Quant à Annabelle, elle arrivait toujours pour les vacances avec un jeune homme différent.

D'expérience, Florentina avait appris à s'attendre à n'importe quelle catastrophe pendant une période électorale. Elle ne se doutait pas que le ciel allait lui tomber sur la tête.

Au cours de l'année précédente, la ville de Chicago avait été le théâtre d'une série de meurtres sanglants commis par un homme que la presse avait baptisé l'« égorgeur de Chicago ». Le meurtrier signait ses crimes à l'intention de la police, en dessinant un cœur sur le front de sa victime, après lui avoir tranché la gorge.

De plus en plus souvent, au cours des réunions auxquelles ils prenaient la parole, Florentina et Ralph Brooks étaient interpellés sur la question du respect de l'ordre et de la loi. La nuit, les rues de Chicago étaient désertes, à cause de ce tueur que la police semblait incapable d'arrêter.

Au grand soulagement de Florentina, le meurtrier fut appréhendé une nuit sur le campus de l'université, alors qu'il s'apprêtait à attaquer une étudiante.

Dès le lendemain matin, Florentina félicita publiquement la police de Chicago et écrivit personnellement à l'officier qui avait procédé à l'arrestation du criminel. De son côté, Ralph Brooks annonça que, en tant que procureur, il avait l'intention de diriger l'accusation contre l'égorgeur de Chicago, même si cela devait lui coûter le siège sénatorial. Brillante pirouette, que Florentina elle-même dut admirer. La presse nationale publia la photo du beau procureur général à côté de celle du monstre.

Le procès commença cinq semaines avant les primaires. Visiblement la procédure avait été écourtée, sous l'influence personnelle du procureur. Depuis ce jour, Ralph Brooks fit quotidiennement la une des jounaux. Il réclama la peine de mort, afin que les habitants de Chicago puissent de nouveau circuler sans risque, la nuit, dans les rues.

Florentina eut beau publier communiqué de presse sur communiqué de presse concernant la crise de l'énergie, le bruit près des aéroports, le prix des céréales et même les mouvements des troupes soviétiques vers la frontière polonaise, après l'instauration de l'état de guerre et l'emprisonnement des leaders de Solidarité, il n'y eut pas moyen de déloger Ralph Brooks de la première page. Au cours d'une interview avec un éditorialiste du *Tribune*, elle s'en plaignit avec humour, mais tout en s'en excusant, son interlocuteur fit remarquer que grâce au procureur, les journaux avaient augmenté leur tirage.

Florentina s'isola dans son bureau de Washington, avec l'abominable sentiment qu'il n'y avait plus aucun moyen de contrer son adversaire. Dans l'espoir qu'un affrontement direct pourrait lui donner la chance de briller à son tour, elle invita Ralph Brooks à un débat public. En réponse à ce défi, le procureur déclara à la presse qu'il était trop conscient de ses responsabilités pour accepter de telles confrontations.

— Et tant pis si je perds l'occasion de représenter le bon peuple de l'Illinois au Sénat, répétait-il inlassablement.

Florentina perdit encore un point d'après les sondages, et sa cote de popularité tomba à 52 contre 48 pour Brooks. Et il y avait encore deux semaines à tirer...

Florentina envisageait d'entreprendre une tournée de deux semaines à travers l'Etat, quand elle reçut le coup de grâce. Le mardi suivant la fin du procès, Richard l'appela. La jeune fille qui partageait la chambre d'Annabelle avait téléphoné pour dire que cette dernière n'était pas rentrée depuis dimanche soir et que, depuis, elle n'avait donné aucun signe de vie. Florentina sauta dans le premier avion pour New York.

Richard avait déjà prévenu la police et avait engagé un détective privé pour retrouver sa fille. Il renvoya ensuite Florentina à Chicago, après que la police eut promis de faire l'impossible.

De retour à Chicago, Florentina se mit à tourner en rond, hébétée, appelant Richard toutes les heures, pour s'entendre dire qu'il n'y avait toujours aucune nouvelle d'Annabelle. Une semaine plus tard, Florentina était toujours en tête des sondages, mais avec une courte avance : 51 contre 49 seulement. Edward essayait en vain de lui redonner le goût de la lutte. Les paroles de Bob Buchanan surgissaient sans cesse dans sa mémoire : « Cet endroit est un piètre substitut pour une vraie famille... » Elle commençait à se demander si seulement...

Après une atroce fin de semaine, pendant laquelle Florentina perdit plus d'électeurs qu'elle n'en gagna, Richard l'appela, tout excité. Annabelle avait été retrouvée. Elle n'avait pas quitté New York pendant tout ce temps.

— Dieu merci ! s'écria-t-elle avec des larmes de soulagement, elle va bien ?

— Oui, elle se repose à l'hôpital du Mont-Sinaï.

— Qu'est-il arrivé ? interrogea Florentina, inquiète.

— Elle a eu une interruption de grossesse.

Florentina partit pour New York voir sa fille. Dans l'avion, elle crut reconnaître un des jeunes bénévoles du parti, assis quelques rangs plus loin. Son sourire, sans doute...

Annabelle ne s'était même pas rendu compte qu'elle avait été portée disparue. Edward supplia Florentina de rentrer à Chicago où tous les médias se demandaient où elle avait bien pu passer.

Ils avaient réussi à soustraire la vie privée d'Annabelle aux indiscrétions de la presse, et pourtant certains journalistes commençaient à trouver louche ce séjour de Florentina à New York au moment où elle aurait dû, plus que jamais, se trouver en Illinois. Pour la première fois, elle ignora les conseils d'Edward.

Ralph Brooks sauta sur l'occasion pour suggérer que Florentina était rentrée à New York parce que le groupe Baron connaissait des revers. Sa concurrente, disait-il, avait toujours donné la priorité à ses affaires personnelles. Edward argumenta, Annabelle supplia, et Florentina accepta enfin de retourner à Chicago, un lundi. La presse locale annonçait que la fourchette des voix semblait trop étroite pour se risquer à prévoir qui sortirait vainqueur du scrutin.

Le mardi, Florentina avisa de bon matin le titre qu'elle avait redouté le plus : « La fille de la candidate démocrate se fait avorter. » L'article révélait tous les détails et allait jusqu'à décrire le lit d'Annabelle.

— Tu n'as plus qu'à baisser la tête et à prier, commenta Edward.

Le jour des élections, Florentina était debout à six heures du matin. Edward lui fit faire le tour du plus grand nombre de bureaux de vote. A chaque arrêt, ses supporters agitaient leurs panneaux bleu et blanc : « Kane au Sénat », et distribuaient des tracts sur lesquels on pouvait lire les prises de position de Florentina sur les problèmes politiques les plus importants du moment.

Devant un bureau de vote, une électrice demanda quelle était la position de Florentina sur l'avortement. Elle répondit indignée :

— Je peux vous assurer que mon point de vue n'a guère changé, avant de se rendre compte que la question avait été posée en toute innocence.

Infatigables, les bénévoles du bureau dénichèrent tous les électeurs Kane potentiels et Florentina elle-même ne cessa de travailler jusqu'à la fermeture du dernier bureau de vote, tout en priant pour que tout se passe de la même façon que pour l'élection présidentielle ayant opposé Carter à Ford en 1976.

Richard arriva dans la nuit avec de bonnes nouvelles. Annabelle était retournée à Radcliffe, tout à faite remise de l'intervention. Mari et femme se retirèrent dans leur suite au Baron. Trois postes de télévision diffusaient les résultats qui décideraient lequel des deux candidats démocrates affronterait le candidat républicain en novembre. A 11 heures du soir, Florentina avait 2 % d'avance. A minuit, Brooks avait un avantage de 1 %. Deux heures plus tard, Florentina dépassait de nouveau son adversaire de 1 %. A trois heures, elle s'endormit dans les bras de Richard. Il ne la réveilla pas quand le résultat définitif fut annoncé, parce qu'il voulait qu'elle se repose.

Richard se réveilla brusquement, un peu plus tard. Florentina était debout devant la fenêtre, les poings serrés. Sur les petits écrans apparaissaient les résultats définitifs. Ralph Brooks avait été choisi pour représenter officiellement le parti démocrate, avec un avantage d'un demi pour cent. Sur l'écran, on pouvait voir une photo du vainqueur saluant ses supporters. Florentina regarda une nouvelle fois l'image. Son regard glissa sur le triomphateur pour se fixer sur un homme qui se tenait juste derrière lui. A présent, elle se souvenait où elle avait déjà vu ce sourire...

La carrière politique de Florentina semblait arrêtée. A présent, elle n'était même plus membre du Congrès et elle devait attendre deux ans pour y entrer à nouveau, si toutefois elle y parvenait. Mais après l'histoire d'Annabelle, elle se demandait si le temps n'était pas venu de retourner au groupe Baron et d'essayer d'avoir une vie privée. Richard n'était pas d'accord.

— Ce serait navrant que tu quittes la politique après tout le temps et la peine que tu y a consacrés.

— Justement, tout est là. Si je m'étais donnée autant à ma vie personnelle, si je m'étais un peu plus intéressée à ma fille, elle n'aurait peut-être pas traversé cette crise d'identité.

— Allons bon ! Le grand mot est lâché ! Ce genre de balivernes est digne d'un de ses profs de psychologie, pas de toi. Je n'ai rien remarqué de tel chez William. Ma chérie ! Annabelle a eu une liaison et elle a été trop insouciante, c'est aussi simple que ça. Si chaque jeune fille qui prend un amant était traitée d'anormale, il n'y aurait plus beaucoup de femmes normales. Non, ce dont elle a besoin, c'est que tu la traites comme une amie.

Florentina laissa tout tomber et partit avec Annabelle à la Barbade, pour les vacances d'été. Au cours de longues promenades sur la plage, elle apprit tout de l'histoire d'Annabelle avec un jeune étudiant de Vassar. Florentina avait du mal à se faire à l'idée que les hommes pouvaient désormais fréquenter les facultés jadis réservées aux filles. Annabelle refusait de dévoiler son nom. Elle essaya d'expliquer à sa mère qu'elle l'aimait encore, mais qu'elle n'avait aucune envie de passer toute sa vie avec lui.

— As-tu épousé le premier homme avec lequel tu as couché ? demanda-t-elle.

Florentina ne répondit pas immédiatement, puis raconta à sa fille l'épisode Scott Forbes.

— Quel salaud ! commenta Annabelle après avoir écouté le récit, et quelle chance tu as eue de trouver papa chez Bloomingdale !

— Non, ma chérie, comme ton père le dit si souvent, c'est lui qui m'a trouvée.

Mère et fille se sentaient maintenant plus près l'une de l'autre qu'elles ne l'avaient jamais été pendant des années. Richard et William les rejoignirent pour la deuxième semaine de vacances et tous passèrent une dizaine de jours à barboter dans l'eau et à se faire bronzer.

Richard était aux anges en voyant sa femme et sa fille si détendues en compagnie l'une de l'autre, et il se sentait tout ému quand Annabelle disait « mon grand frère » en parlant de William. Richard et Annabelle écrasaient régulièrement Florentina et William au golf, avant de passer la soirée en dînant et en bavardant.

A la fin des vacances, ils étaient tous tristes de devoir rentrer. Florentina confessa qu'elle ne se sentait guère le courage de se jeter à nouveau dans le tourbillon de la politique, mais Annabelle la convainquit en affirmant que pour rien au monde elle ne voudrait d'une « mère au foyer ». Florentina eut quelque mal à se faire à l'idée qu'elle ne mènerait pas de campagne cette année-là. Pendant sa bataille contre Brooks pour le Sénat, les démocrates avaient porté leur choix sur un jeune et brillant avocat de Chicago, Noël Silverman, pour remplacer Florentina à la Chambre des Représentants. Certains membres du comité de sélection avouèrent qu'ils n'auraient pas pris cette décision s'ils avaient pensé que Brooks avait la moindre chance de gagner.

Beaucoup d'électeurs demandèrent à Florentina de se représenter au Congrès comme candidat indépendant, mais elle refusa. Le parti n'aurait pas approuvé cette décision et il fallait d'ores et déjà préparer les prochaines élections sénatoriales qui auraient lieu deux ans plus tard. David Rodgers, l'autre sénateur de l'Etat, avait déclaré qu'il ne se représenterait pas aux élections de 1984.

Florentina se rendit à Chicago où, à plusieurs reprises, elle prit la parole en faveur de Noël Silverman. Celui-ci remporta le siège avec deux mille trois cent vingt-trois voix de plus que son adversaire et Florentina en fut ravie.

A présent, elle savait qu'elle allait vivre pendant deux ans dans l'isolement politique. Sa peine s'aviva lorsqu'elle lut le titre du *Chicago Tribune* au lendemain des élections :

BROOKS REMPORTE LA COURSE AU SENAT
HAUT LA MAIN

# LE FUTUR

1982-1995

A Noël, William amena pour la première fois Joanna Cabot chez ses parents. Florentina sut instinctivement qu'ils allaient se marier, et pas seulement parce que Richard connaissait de nom le père de la jeune fille.

Joanna était brune, mince et gracieuse et l'on pouvait lire, sur son visage timide, son attachement manifeste pour William. De son côté, le fils de Florentina semblait attentif et fier de cette jeune femme qui se tenait tranquillement à son côté.

— J'aurais dû m'attendre que ton fils, élevé à New York, à Washington et à Chicago aille chercher sa femme à Boston, plaisanta-t-elle.

— Je te signale au passage que William est aussi ton fils, rappela Richard, mais qu'est-ce qui te fait dire qu'il épousera Joanna ?

— Je prédis que nous serons amenés à faire un petit séjour à Boston au printemps prochain, dit Florentina en riant.

Elle se trompait : ils durent attendre l'été.

William terminait sa dernière année préparatoire et attendait avec impatience son admission à la Harvard Business School.

— De mon temps, observa Richard, on attendait d'avoir terminé ses études et même de gagner sa vie avant de fonder une famille.

— C'est faux, Richard ! Toi-même as bien interrompu tes études pour m'épouser.

— Tu nous avais caché ça, papa ? lança William.

— Ton père possède une mémoire sélective, pour reprendre un terme de politique.

William partit en riant.

— Je persiste à dire...

— Ils s'aiment, Richard. Es-tu devenu si vieux, pour ne pas le comprendre ?

— Non, mais..

— Tu n'as même pas cinquante ans et tu agis déjà comme un vieux schnoc ! William a presque l'âge que tu avais quand nous nous sommes mariés. Eh bien, tu n'as plus rien à dire ?

— Non ! Tu es comme tous les politicards, tu interromps sans cesse tes interlocuteurs !

Les Kane passèrent le Nouvel An chez les Cabot. Le père de Joanna, John Cabot, plut immédiatement à Richard. Il était même surprenant qu'ayant tant d'amis communs, ils ne se soient pas rencontrés plus tôt. Joanna avait deux jeunes sœurs qui passèrent l'après-midi à gambader autour de Richard.

Le samedi soir, avant de se coucher, celui-ci déclara :

— J'ai changé d'avis. Joanna est exactement la femme qu'il faut à William !

Florentina prit un accent snob pour demander :

— Mais qu'auriez-vous fait, monsieur Kane, si Joanna était une petite Polonaise, vendeuse de gants chez Bloomingdale ?

Richard la prit dans ses bras :

— J'aurais conseillé à William d'éviter d'acheter trois paires de gants, alors qu'il peut l'épouser gratis.

Les préparatifs pour le mariage paraissaient longs et compliqués. Florentina se souvenait combien son mariage avait été simple et de quelle façon Belle et Claude avaient transporté le grand lit dans la chambre d'amis, à San Francisco. Par bonheur, Mme Cabot s'occupa de tout. Chaque fois qu'on eut besoin des Kane, Annabelle se démena comme une digne représentante de la famille.

412

Au début de janvier, Florentina retourna à Washington pour mettre de l'ordre dans son bureau. D'anciens collègues bavardèrent avec elle, comme si elle n'avait jamais quitté la Chambre. Janet l'attendait avec un paquet de lettres d'électeurs lui exprimant leurs regrets de ne pas la voir retourner au Congrès, et leur espoir qu'elle se représenterait au Sénat dans deux ans.

Florentina répondit à chaque lettre. Elle se disait que si elle n'était pas élue en 1984, c'en était fini de sa carrière politique. Ensuite, elle quitta le Capitole pour New York. Le groupe Baron et la Lester avaient été dirigés avec compétence par Richard et Edward. Les hôtels avaient considérablement changé depuis que Richard avait mis en pratique les nombreuses suggestions de McKinsey and Co. Florentina allait de surprise en surprise, dans ces nouveaux Baron et leur restaurant « Côte de Bœuf » situés au rez-de-chaussée. Elle crut que jamais elle ne s'habituerait aux distributeurs de billets de banque, qui se trouvaient dans le hall, à côté des salons de coiffure. Elle rendit visite à Gianni, pour se rendre compte de l'expansion des boutiques. Le couturier crut qu'elle venait seulement pour essayer une nouvelle robe.

Durant ces premiers mois loin de la vie politique, Florentina travailla plus que jamais. Elle se rendit à deux reprises en Pologne, où elle se désespéra de voir ses compatriotes souffrir du désastre qui frappait le pays. Elle se demandait où les Russes allaient frapper ensuite. Profitant de ces séjours, elle rencontra de nombreuses personnalités européennes. Toutes exprimèrent leur crainte de voir l'Amérique sombrer dans l'isolationnisme, tentation qui semblait de plus en plus prononcée après chaque nouvelle élection présidentielle.

De retour aux Etats-Unis, Florentina se posa la question décisive : oui ou non, allait-elle poser sa candidature aux prochaines élections sénatoriales ? Janet, qui était restée à son service, avait déjà commencé à ébaucher une tactique électorale, en compagnie d'Edward Winchester : leur programme comportait plusieurs séjours à Chicago ainsi que l'acceptation de toute invitiation émanant de l'Illinois. Le sénateur Rodgers appela Florentina après l'intersession de Pâques en disant qu'il espérait la voir reprendre son fauteuil l'année suivante et affirmait qu'elle pouvait compter sur son soutien.

Toutes les semaines, Florentina lisait la revue de presse de Chicago. Ralph Brooks s'était déjà fait un nom au Sénat et avait réussi, on ne savait comment, à s'introduire dans la prestigieuse Commission des Affaires étrangères ainsi que dans celle de l'Agriculture — si importante aux yeux des fermiers de l'Illinois. Il était en outre le seul sénateur « novice » à avoir été nommé membre de l'équipe de réflexion démocrate sur les réformes administratives.

Tout cela contribua à renforcer, et non à miner, la détermination de Florentina.

Le mariage de William avec Joanna fut l'un des jours les plus heureux de la vie de Florentina. En voyant son fils de vingt-deux ans, en smoking, au côté de la jeune mariée, elle se rappela son père. Le lourd bracelet en argent encerclait le poignet gauche du jeune marié et Florentina sourit en observant la petite cicatrice sur sa main droite.

Malgré son air timide et réservé, Joanna avait déjà su s'imposer car, déjà, William s'était débarrassé de ses habits excentriques et de ses cravates voyantes et avait sacrifié sa belle moustache à la Castro, dont il était si fier avant de la rencontrer.

Grand-mère Kane, comme on appelait maintenant Kate, évoluait parmi les invités tel un cuirassé en pleine action, embrassant certains et permettant à d'autres, beaucoup moins nombreux et plus âgés qu'elle, de l'embrasser. A soixante-quinze ans, elle était toujours élégante et avait toutes ses facultés. Elle était en outre le seul membre de la famille qui se permettait de faire des remontrances à Annabelle et d'avoir le dernier mot.

Après une réception mémorable donnée par les parents de Joanna dans leur maison de Beacon Hill, et quatre heures de bal parfaitement endiablées, les jeunes mariés partirent en voyage de noces en Europe.

Richard et Florentina rentrèrent à New York. Le temps était proche où Florentina devrait faire un communiqué concernant sa candidature aux prochaines élections du Sénat. Elle se résolut à consulter le sénateur qui allait prendre sa retraite, sur les termes de la déclaration. Elle appela David Rodgers à son bureau, au Dirksen Building, et en composant le numéro, elle se dit que la vie était tout de même singulière. Ils avaient passé la moitié de leur vie à deux cents mètres l'un de l'autre, sans le savoir. Le sénateur était absent et elle lui laissa un message. Il ne l'appela pas et pendant quelques jours ce fut le silence. Finalement la secrétaire du sénateur téléphona pour expliquer à Florentina que le programme de son patron était trop chargé. Ce n'était vraiment pas le genre de David Rodgers. Florentina espérait que ce rejet n'existait que dans son imagination, jusqu'à ce qu'elle en discute avec Edward.

— On dit qu'il veut que sa femme prenne sa suite au Sénat, dit Edward.

— Betty Rodgers ? Mais elle a toujours prétendu détester la vie publique. Je ne peux pas croire qu'elle ait choisi de son plein gré de continuer le travail de son mari alors que lui part à la retraite.

— Il y a trois ans, son fils a quitté la maison et depuis elle a été élue au conseil municipal de Chicago. Peut-être cela lui a-t-il donné le goût des honneurs.

— Tu crois que c'est sérieux ?

— Je n'en sais rien. Mais je peux le découvrir en passant quelques coups de fil.

Florentina découvrit le pot aux roses avant Edward, grâce à un de ses anciens assistants de Chicago, qui lui apprit que dans les coulisses du parti démocrate, on considérait déjà Mme Rodgers comme candidate.

Dans la même journée, Edward l'appela pour confirmation. Le comité de sélection pensait proposer Mme Rodgers comme candidate du parti démocrate, malgré les sondages suivant lesquels 80 % des démocrates déclarés s'affirmaient prêts à soutenir Florentina comme successeur au siège de David Rodgers.

— Il n'y a rien à faire, ajouta Edward, le sénateur Brooks soutiendra ouvertement Betty Rodgers.

— Tu m'étonnes ! Qu'est-ce qu'on fait ?

— Pas grand-chose pour le moment. Tu bénéficies de soutiens solides au sein du comité et cela va sûrement faire pencher la balance, mais peut-être serait-il plus sage de ne pas s'engager davantage dans cette affaire. Continue à travailler à Chicago et fais semblant d'être au-dessus de tout ça.

— Et si c'est elle qui est choisie ?

— Alors tu te présenteras comme candidate indépendante et tu gagneras.

— Mais il est pratiquement impossible de triompher de la machine électorale du parti, Edward, tu me l'as dit toi-même.

— Truman y a bien réussi.


Quelques minutes après la délibération du comité, en assemblée plénière, Florentina apprit que Betty Rodgers avait été désignée comme candidate officielle du parti, par 6 voix contre 5.

David Rodgers et Ralph Brooks avaient voté contre Florentina.

Il semblait incroyable que six personnes puissent prendre une décision d'une telle importance. Durant les semaines suivantes, Florentina eut deux conversations téléphoniques déplaisantes, l'une avec Rodgers, l'autre avec Brooks. Tous deux prétendirent donner la priorité à l'unité du parti plutôt qu'à l'ambition personnelle d'un de ses membres.

— Tout à fait le genre d'hypocrisie que l'on peut attendre des démocrates, commenta Richard.

De nombreux supporters de Florentina la supplièrent de se battre, mais elle n'en était pas convaincue. Le président de la délégation de l'Illinois l'appela pour lui demander de renoncer formellement aux prochaines élections, pour l'unité du parti. Après tout, argumenta-t-il, Betty n'irait pas plus loin qu'un mandat de six ans.

Ce sera toujours assez long pour Ralph Brooks, se dit Florentina. Elle entendit beaucoup de conseils pendant les quelques jours qui suivirent. Bob Buchanan, rencontré pendant un voyage à Washington, conseilla à Florentina de lire plus attentivement *Jules César*.

— La pièce entière ? demanda-t-elle.

— A votre place, je me concentrerais plutôt sur le rôle de Marc-Antoine.

Florentina contacta le président, annonçant qu'elle voulait bien déclarer devant le comité qu'elle ne serait pas candidate, mais qu'elle ne souhaitait pas soutenir Betty Rodgers.

Le président s'empressa d'accepter le compromis.

La réunion se déroula dix jours plus tard, au Bismarck Hotel, sur la rue West Randolph. Quand Florentina arriva, la salle était déjà bondée. D'après le tonnerre d'applaudissements qui l'accueillit, elle put comprendre que cette réunion n'allait pas être aussi facile que le comité l'avait prévu.

Elle prit place sur le siège numéroté qui lui avait été assigné, au bout du deuxième rang. Le président s'assit au milieu de premier rang, avec deux sénateurs, derrière une longue table. Les sénateurs étaient Rodgers et Brooks.

Quand Florentina apparut, le président la salua poliment d'un signe de tête. Les autres membres du comité s'installèrent au second rang et l'un d'eux murmura :

— Vous avez été bien bête de ne pas vous battre.

A huit heures, le président invita David Rodgers à prendre la parole devant le comité. Le sénateur avait toujours suscité le respect pour le travail qu'il avait accompli en faveur de ses électeurs, mais hélas, même ses plus proches assistants n'arrivaient pas à lui trouver un talent d'orateur.

Il commença par remercier tout le monde pour l'appui qu'on lui avait apporté dans le passé et exprima l'espoir que les démocrates continueraient à soutenir loyalement son épouse. Il donna ensuite un vague aperçu de son travail depuis vingt-quatre ans et se rassit au milieu d'applaudissements condescendants.

Le président prit ensuite la parole, exposant les raisons qui l'avaient poussé à proposer Betty Rodgers à la candidature pour le Sénat.

— Au moins, les électeurs se souviendront facilement de son nom, dit-il. Là-dessus, il éclata de rire, imité par une ou deux personnes sur l'estrade et, curieusement, par quelques rares auditeurs dans la salle.

Pendant dix minutes, il couvrit Betty Rodgers d'éloges sur son œuvre de conseillère municipale, mais la salle gardait le silence. Enfin, il reprit sa place au milieu de quelques maigres applaudissements, puis, négligemment, il présenta Florentina.

Elle n'avait pas pris ses notes. Elle voulait que son discours ait l'air spontané. Pourtant, elle en avait pesé chaque terme, depuis dix jours. Richard avait voulu l'accompagner mais elle l'en avait dissuadé, prétextant que tout avait été déjà décidé avant que le premier mot soit prononcé. En vérité, elle ne souhaitait pas qu'il fût présent, son appui pouvant jeter le doute sur son apparente innocence.

Lorsque le président regagna sa place, Florentina s'avança vers le milieu de l'estrade et se tint debout juste devant Ralph Brooks.

— Monsieur le président, je suis venue aujourd'hui à Chicago pour vous annoncer que je ne serai pas candidate aux élections pour le Sénat des Etats-Unis.

Elle fut interrompue par des « Pourquoi pas ? » et des « Qui vous a arrêtée ? » lancés par l'auditoire, mais poursuivit en feignant d'ignorer ces interventions :

— J'ai eu le privilège de servir la circonscription de Chicago pendant six ans à la Chambre des Représentants, et j'aurais aimé continué à travailler dans l'intérêt des contribuables. J'ai toujours cru à l'unité du parti...

— Mais pas aux candidats que le parti impose ! cria quelqu'un dans la salle.

Une fois encore, Florentina ignora l'interruption.

— Je serai donc heureuse de soutenir le candidat qui a été sélectionné par vous pour jouer la carte du parti, ajouta-t-elle en s'efforçant de paraître convaincante.

Le brouhaha s'instaura, parmi lequel percèrent des cris clairement audibles : « Kane au Sénat ! »

David Rodgers la regardait fixement, mais elle continua :

— A mes supporters je donne rendez-vous une autre fois, dans un autre endroit, mais pas ce soir. Il faut vous souvenir qu'il importe de vaincre les républicains. Si Betty Rodgers devient sénateur, je suis convaincue qu'elle saura servir le parti avec la même habileté que son mari. Mais si les républicains remportent le siège, vous pouvez être certains que je me consacrerai corps et âme pour le reprendre dans six ans. Quel que soit le résultat, le comité peut compter sur moi pour la prochaine période électorale.

Elle regagna rapidement son siège, tandis que ses partisans applaudissaient à tout rompre.

Le président rappela la salle à l'ordre du mieux qu'il le put puis invita Betty Rodgers à prendre la parole. Jusqu'alors, Florentina était restée tête baissée, mais elle ne put résister au plaisir de regarder son adversaire.

Betty Rodgers n'était visiblement pas préparée à une éventuelle opposition et elle semblait très agitée, se débattant avec ses notes. Elle lut un discours bien préparé, sans lever le nez de ses papiers, parfois dans un murmure. Les termes étaient bien choisis, mais à côté d'elle, son mari faisait figure de Cicéron. Florentina se sentit triste et embarrassée pour cette femme et presque coupable de sa propre tactique. Mais après tout, seul le comité était à blâmer, pour avoir accepté de faire subir une telle épreuve à Betty Rodgers.

Florentina commençait à se demander à quelles extrémités Ralph Brooks était capable d'arriver pour l'empêcher d'entrer au Sénat. Betty Rodgers se rassit, tremblante comme une feuille, et Florentina quitta calmement la salle, pour ne plus embarrasser personne. Dehors, elle héla un taxi et se fit conduire à l'aéroport O'Hare.

— Bien sûr, madame Kane, dit le chauffeur, j'espère que vous allez vous présenter aux sénatoriales. Cette fois-ci, vous remporterez facilement le siège.

— Je ne me présenterai pas, répondit-elle platement. Le candidat du parti démocrate s'appelle Betty Rodgers.

— Qui est-ce ?

— La femme du sénateur sortant.

— Elle connaît rien à ce boulot, bougonna le chauffeur. Déjà son mari n'était pas terrible-terrible...

Le reste du trajet se déroula dans le silence. Florentina se disait qu'elle aurait dû se présenter comme candidate indépendante, si elle voulait avoir une chance d'entrer au Sénat. Le risque aurait été de partager les voix démocrates avec Betty Rodgers, permettant ainsi aux républicains de remporter le siège haut la main. En ce cas, le parti ne le lui pardonnerait jamais et ce serait la fin de sa carrière politique. Brooks avait à présent toutes les chances de s'en sortir toujours gagnant. Elle s'en voulut de ne pas l'avoir battu, quand elle en avait eu la possibilité.

Le taxi se gara devant le terminal. Comme elle allait payer la course, le chauffeur lança :

— Tout de même, c'est bizarre ! Je vais vous dire, madame, ma femme pense que vous allez devenir Président. Moi, je n'arrive pas à y croire, car sauf votre respect, je ne voterai jamais pour une femme.

Florentina se mit à rire et il ajouta :

— Sans vouloir vous offenser...

— Mais je ne suis pas offensée, répliqua-t-elle en doublant le pourboire.

Elle consulta sa montre et se dirigea vers la salle d'attente. Elle avait encore une demi-heure avant le décollage. Elle acheta le *Time* et *Newsweek* à un kiosque. Le vice-président Bush figurait sur les deux couvertures. Les premières balles de la prochaine campagne présidentielle étaient tirées. D'après le panneau d'affichage des départs, la porte de départ pour New York était la 12 C. Amusée, elle imagina les stratagèmes de l'administration d'O'Hare pour éviter une « porte n° 13 ».

Elle s'installa sur une chaise en plastique rouge et commença à lire l'article consacré à Georges Bush. Elle était tellement absorbée par sa lecture qu'elle ne fit pas attention au message diffusé par le haut-parleur :

— Mme Florentina Kane est demandée au téléphone.

Florentina continua à lire l'article sur ce directeur de la compagnie pétrolière Zapata Oil, qui avait réussi, à travers la Chambre des Représentants, le comité national républicain, la C.I.A., et l'ambassade des Etats-Unis en Chine, à occuper la vice-présidence.

Un employé de la T.W.A. s'approcha d'elle et la toucha légèrement à l'épaule. Elle leva le nez de son magazine :

— Madame Kane ? On vous demande au téléphone, dit-il en indiquant d'un geste le haut-parleur.

Florentina écouta le message :

— En effet, merci !

Elle traversa la salle d'attente en se dirigeant vers le téléphone le plus proche. En pareil cas, elle s'imaginait toujours qu'un de ses enfants avait eu un accident, même si elle se répétait tous les jours qu'Annabelle avait vingt et un ans et que William était déjà marié.

Elle prit l'écouteur et entendit la voix du sénateur Rodgers.

— C'est vous, Florentina ?

— Oui, moi-même.

— Dieu merci, j'ai pu vous joindre. Betty vient de décider que, tout compte fait, les élections ne l'intéressent pas. Elle sent que la campagne serait trop lourde pour elle. Pouvez-vous revenir avant que cette pièce soit mise à sac ?

— Pour quoi faire ? demanda-t-elle, comme dans un rêve.

— Vous n'entendez pas ce qui se passe ici ?

En effet, Florentina pouvait entendre scander son nom, « Kane ! Kane ! Kane ! » aussi clairement qu'elle entendait la voix du sénateur.

— Ils exigent que vous soyez candidate et ne partiront pas jusqu'à ce que vous soyez revenue.

Florentina serra le poing :

— Je ne suis pas intéressée, David.

— Mais je croyais...

— A moins d'avoir le soutien du comité ainsi que le vôtre...

— Tout ce que vous voulez, Florentina. Betty a toujours pensé que vous étiez la personne idéale pour ce travail. C'est Ralph Brooks qui l'a poussée dans cette affaire.

— Ralph Brooks, vraiment ?

— Oui, mais Betty a maintenant compris qu'il obéissait à des motifs personnels. Alors, pour l'amour du Ciel, revenez !

— J'arrive.

Elle traversa le couloir en courant, en direction de la station de taxis.

— Où allons-nous cette fois, madame Kane ?

— Là d'où nous sommes partis, sourit-elle.

— Je suppose que vous connaissez votre chemin. Moi, je n'arrive pas à comprendre comment un gars ordinaire comme moi pourrait accorder foi à des politiciens qu'il ne connaît même pas.

Florentina espérait que le chauffeur en resterait là, lui donnant l'occasion de rassembler ses pensées, mais cette fois il se lança dans une nouvelle diatribe : il voulait quitter sa femme, sa belle-mère s'y opposait, son fils se droguait et refusait de travailler comme tout le monde, enfin sa fille vivait en Californie, dans une secte religieuse.

— Putain de pays ? Oh ! pardon, madame Kane, fit-il en arrivant près du siège du parti démocrate.

Elle paya pour la seconde fois de la soirée en souhaitant qu'il se taise enfin.

— Après tout, peut-être bien que je voterai pour vous quand vous voudrez devenir Président. (Elle sourit.) Et je pourrais même baratiner les clients qui prennent mon taxi, il y en a au moins trois cents par semaine.

Florentina frissonna : elle venait d'apprendre une nouvelle leçon. Elle pénétra dans l'immeuble en essayant de se concentrer sur ses pensées. Ses partisans l'attendaient, debout, applaudissant avec fougue. Certains tapaient dans leurs mains, qu'ils levaient au-dessus de leur tête, d'autres étaient perchés sur les chaises. Le sénateur Rodgers fut la première personne à l'accueillir sur l'estrade, avec sa femme qui adressa à Florentina un sourire soulagé.

Le président du comité lui serra la main avec chaleur. Seul le sénateur Brooks était invisible : parfois, elle haïssait la politique. Elle se tourna vers ses supporters, qui avaient envahi la salle. Les applaudissements redoublèrent : parfois aussi, elle aimait la politique.

Florentina se mit au centre de l'estrade, mais il fallut attendre cinq bonnes minutes et plusieurs rappels à l'ordre du président. Quand enfin le silence se fit, elle déclara simplement :

— Thomas Jefferson a déclaré un jour : « Je suis revenu beaucoup plus tôt que je ne le pensais. » Je suis heureuse d'accepter votre nomination pour le Sénat des Etats-Unis.

Il ne lui fut pas permis de placer un autre mot, car la foule se déchaînait autour d'elle. Un peu après minuit et demi, elle se retrouva dans sa suite, au Baron de Chicago. Elle décrocha le téléphone et commença à composer le 212 sans penser qu'à New York il était 3 heures du matin.

— Qui est à l'appareil ? fit une voix ensommeillée.

— Marc-Antoine !

— Comment ?

— Je viens d'enterrer Betty.

— Jessie ! Es-tu devenue folle ?

— Non, je viens d'être nommée candidate du parti démocratique pour le Sénat.

En quelques mots elle expliqua à Richard ce qui venait de se passer.

— George Orwell a déjà prédit des tas de catastrophes censées arriver de nos jours, mais il n'a jamais mentionné que tu allais me réveiller au milieu de la nuit, sous le fallacieux prétexte de m'annoncer que tu allais devenir sénateur !

— Je pensais que tu aimerais être le premier à le savoir.

— Peut-être aurais-tu mieux fait d'appeler Edward.

— Crois-tu ? Tu m'as déjà rappelé qu'il est 3 heures et demie à New York.

— Je sais bien. Mais pourquoi dois-je être la seule personne qui entend massacrer Jules César au beau milieu de la nuit ?

Le sénateur Rodgers tint parole et soutint Florentina pendant toute la campagne. Libérée des contraintes de Washington, elle pouvait, pour la première fois depuis des années, consacrer toute son énergie aux élections. Cette fois-ci il n'y eut pas de catastrophe, pas de coup bas, qui ne pussent être jugulés. Tiède supporter, Ralph Brooks chantait implicitement les louanges du concurrent républicain et ne fit rien pour aider Florentina.

Cette année-là, le pays entier avait les yeux fixés sur l'élection présidentielle. La principale surprise avait été le choix du candidat démocrate, un homme venu de nulle part, qui parvint à l'emporter sur Walter Mondale et John Glenn aux primaires, avec un programme intitulé *Fresh Approach*. Il visita à six reprises l'Illinois, où il apparut toujours avec Florentina.

Le jour des élections sénatoriales, les journaux annoncèrent une fois de plus une bataille trop serrée pour se prononcer sur l'issue du scrutin. Les sondages avaient tort et le loquace chauffeur de taxi avait raison. A 1 h 30, heure locale, le candidat républicain laissait la place à Florentina, qui obtenait une victoire écrasante. Plus tard, les spécialistes essayèrent d'expliquer l'erreur des sondages, due à la supposition que beaucoup d'hommes ne voudraient pas voter pour une femme.

Mais cela n'avait plus aucune importance, et le télégramme de félicitations du nouveau Président disait en toutes lettres :

BIENVENUE A NOUVEAU A WASHINGTON,
SENATEUR KANE

## 31

1985 fut l'année des enterrements. Florentina sentit passer, au cours de ces mois, chaque journée de ses cinquante et un ans. Elle retourna à Washington, où elle se vit attribuer une suite au Russel Building, à deux cents mètres de son ancien bureau de député. Pendant son installation, elle se trompa régulièrement de garage et parqua tous les jours sa voiture au Longworth au lieu du Russel.

Elle ne s'habituait pas non plus à son titre de sénateur, surtout quand Richard le prononçait d'une façon grotesque.

— Tu dois penser que ton statut social s'est amélioré, mais le salaire n'a guère suivi, se moquait-il. Vivement que tu sois Président pour gagner, enfin, autant qu'un vice-président de la banque !

En effet, le salaire de Florentina n'avait pas augmenté, mais les dépenses s'étaient multipliées, car à nouveau, elle avait décidé de s'entourer d'une équipe que beaucoup de sénateurs lui enviaient. Elle était la première à reconnaître que des ressources financières extérieures au monde de la politique n'avaient rien de négligeable. Elle avait réengagé la plupart des membres de son ancienne équipe, renforcés par quelques nouveaux venus, qui croyaient dur comme fer en l'avenir de madame le sénateur. Son bureau au Russel Building portait le numéro 440. Outre la pièce qui lui était attribuée, il en comportait quatre autres, qu'occupaient ses quatorze employés, dirigés au doigt et à l'œil par l'intrépide Janet Brown.

A en croire Florentina, son assistante avait épousé son travail. Il y avait encore quatre bureaux dans l'Illinois, où travaillaient trois employés pour chacun.

Le nouveau bureau du sénateur de l'Illinois donnait sur la cour, avec sa fontaine et son parking en graviers. Par beau temps, la pelouse servait de lieu de déjeuner aux sénateurs et, en hiver, de lieu de réunion aux écureuils.

Florentina dépensait deux cent mille dollars par an de plus que le salaire alloué aux sénateurs, dont le montant variait suivant la taille de l'Etat et la population que chacun représentait. Florentina expliqua tout cela à son mari, qui sourit et se promit d'envoyer la même somme au parti républicain.

Le sceau de l'Etat de l'Illinois venait d'être fixé sur la porte de son bureau quand le télégramme arriva. Il était rédigé d'une façon anonyme et froide :

### WINIFRED TREDGOLD DÉCÉDÉE, CE MERCREDI A 11 HEURES DU MATIN.

C'était la première fois que Florentina prenait connaissance du prénom de miss Tredgold. Elle consulta sa montre, passa deux coups de fil longue distance et expliqua à Janet où elle se trouverait pendant les quarante-huit heures suivantes. A 13 heures, le même jour, elle montait à bord du Concorde et arrivait à Londres trois heures et trente-cinq minutes plus tard, à 9 h 25, heure locale. La voiture avec chauffeur qu'elle avait retenue l'attendait à la sortie de la douane pour la conduire dans le Wiltshire par l'autoroute.

Elle descendit à l'hôtel Landsdowne Arms et lut *le Mois de décembre du doyen* de Saul Bellow, jusqu'à 3 heures du matin, pour résister aux effets du décalage horaire. Avant d'éteindre la lumière, elle appela Richard.

— Où es-tu ? furent ses premiers mots.

— Dans un petit hôtel calme du Wiltshire, en Angleterre.

— Et pour quelle raison, je te prie ? Le Sénat fait une enquête sur les pubs anglais ?

— Non, mon chéri. Miss Tredgold est morte et sera enterrée demain.

— Désolé, dit Richard. Si tu m'avais prévenu à temps, je

t'aurais accompagnée. Nous devons beaucoup, tous les deux, à cette dame. Quand reviens-tu ?

— Demain soir, par le Concorde.

— Dors bien, Jessie. Je pense à toi. Et à miss Tredgold.

A 9 h 30 le lendemain matin, une servante apporta le plateau du petit déjeuner : harengs fumés, toasts, marmelade, café et *Times*. Assise dans son lit, Florentina savoura chaque instant, un petit plaisir qu'elle n'aurait jamais osé s'accorder à Washington. A 10 h 30, elle avait épluché le journal et découvert, sans surprise, que les Britanniques souffraient des mêmes problèmes d'inflation et de chômage que les Américains.

Florentina se leva et passa un simple tailleur noir en tricot. Le seul bijou qu'elle mit était la petite montre offerte par miss Tredgold, le jour de son treizième anniversaire. D'après le portier de l'hôtel, l'église se trouvait à un mile environ. La journée était si claire que Florentina décida de s'y rendre à pied. Le portier avait omis d'expliquer que la route montait en pente raide et que la distance était approximative. Tout en marchant elle s'aperçut qu'elle manquait d'entraînement, malgré la vieille bicyclette oubliée à Cape Cod. Quant au jogging, elle était tout simplement passée à côté.

La petite église normande se nichait sur le flanc du coteau, au milieu des chênes et des ormes. Sur le panneau d'affichage, une feuille de papier signalait que la paroisse avait besoin de vingt-cinq mille livres pour entreprendre la réfection du toit. Plus de mille livres avaient déjà été collectées.

A sa surprise, un bedeau l'attendait dans la sacristie, pour la conduire au premier rang près d'une dame austère, qui ne pouvait être que la directrice de l'école. Il y avait plus de monde dans l'église que Florentina n'aurait pu le penser, et les chœurs étaient assurés par l'école. Le service funèbre se déroula dans la simplicité, et l'homélie du prêtre de la paroisse ne laissa à Florentina aucun doute : miss Tredgold avait continué à enseigner avec la même application et le même bon sens qui avaient laissé une telle empreinte sur sa première élève. Elle s'efforça de ravaler ses larmes pendant l'homélie, sachant que sa gouvernante aurait désapprouvé une telle manifestation de faiblesse, mais ne put les retenir quand le chœur entama l'hymne préféré de miss Tredgold.

Après la cérémonie, Florentina franchit le porche normand avec les autres membres de l'assistance et se rendit dans le petit cimetière pour assister à l'enterrement de Winifred Tredgold.

La directrice d'école, réplique exacte de la gouvernante — Florentina avait de la peine à croire que de telles femmes existaient encore —, lui proposa de visiter son institution avant son départ. En rentrant à travers champs, Florentina apprit que miss Tredgold n'avait jamais parlé d'elle, sauf à deux ou trois proches.

Quand la directrice poussa la porte d'une chambre exiguë dans l'annexe de l'école, les larmes de Florentina jaillirent à nouveau. Il y avait, à côté du lit, la photo d'un vicaire, sans doute le père de miss Tredgold, et tout près, dans un petit cadre victorien, une photo de Florentina prise le jour de la distribution des diplômes au Lycée Latin, à côté d'une vieille Bible. Dans le tiroir de sa commode, miss Tredgold avait gardé toutes les lettres envoyées par Florentina depuis trente ans, sauf la dernière en date, restée fermée, sur la table de chevet.

— A-t-elle su que j'ai été élue au Sénat ? demanda-t-elle péniblement.

— Oh ! Oui ! L'école entière a prié pour vous ce jour-là ! C'est la dernière fois que miss Tredgold a lu la Bible à la chapelle. Avant de mourir, elle m'a demandé de vous écrire pour vous dire que son père avait raison, car elle s'était, en effet, occupée de l'éducation d'une jeune personne ayant un destin national. Ne pleurez pas, ma chère enfant, sa foi en Dieu était inébranlable et elle est morte dans une paix totale avec ce bas monde.

« Miss Tredgold m'a également chargée de vous remettre sa Bible et cette enveloppe que vous ne devez pas ouvrir avant de rentrer chez vous. C'est quelque chose qu'elle vous a légué. »

Avant de s'en aller, Florentina remercia la directrice pour

sa gentillesse et exprima son émotion d'avoir été attendue par le bedeau, bien qu'on ne sût pas qu'elle venait.

— Vous n'auriez pas dû être surprise, mon enfant, répondit la directrice, je n'ai pas douté un seul instant que vous alliez venir.


Florentina retourna à Londres. Elle brûlait d'ouvrir l'enveloppe, commé un enfant qui vient de recevoir un paquet ne devant être ouvert que le jour de son anniversaire le lendemain. A 6 h 30, elle prit le Concorde, et atterrit à l'aéroport de Washington à 5 h 30, heure locale. Une heure plus tard, elle était à nouveau à sa table de travail, au Russel Building. Elle contempla l'enveloppe sur laquelle miss Tredgold avait écrit « Florentina Kane » puis, lentement, l'ouvrit.

Elle en retira le contenu, quatre mille actions du groupe Baron. Miss Tredgold était morte en ignorant qu'elle possédait plus d'un demi-million de dollars.

Florentina envoya un chèque de vingt-cinq mille livres pour la réparation du toit de l'église, à la mémoire de Winifred Tredgold, et fit porter les actions au professeur Ferpozzi, à titre de donation à la Fondation Remagen.

Quand Richard apprit l'histoire, il raconta à Florentina que son père avait une fois agi de la même façon, mais pour une somme de cinq cents livres seulement.

— Même Dieu semble tenir compte de l'inflation, ajouta-t-il.


Washington se préparait à l'« inauguration » d'un nouveau Président. A cette occasion, le sénateur Kane fut placé à la tribune des invités d'honneur, d'où le Président nouvellement élu allait prononcer son allocution. Elle écouta attentivement le programme détaillé donnant le cadre de la politique américaine pour les quatre prochaines années, que l'on désignait à présent sous le nom de *Fresh Approach*.

— Tu te rapproches de plus en plus du micro, avait commenté Richard, au petit déjeuner.

De sa place, Florentina laissa errer son regard parmi ses collègues et ses amis de Washington où, maintenant, elle se sentait comme un poisson dans l'eau. Le sénateur Ralph Brooks, un rang devant elle, était encore plus près du Président. Il ne quittait pas le podium des yeux.

Florentina fut nommée à la commission de la Défense nationale et à celle de l'Environnement et des Travaux publics. En outre, elle obtint la présidence de la commission des Petites et Moyennes Entreprises. Et les jours s'écoulaient dans un tourbillon sans fin. Janet et son équipe d'assistants la tenaient au courant de tout, la suivant dans les ascenseurs, les corridors, dans les voitures et les avions, pendant qu'elle votait au Sénat et même entre deux portes des salles de réunion.

Infatigable, elle arrivait à bout du programme de chaque journée. Ses quatorze assistants se demandaient quelle somme de travail il lui faudrait avant de craquer.

Très vite, Florentina acquit au Sénat la même réputation qu'elle s'était faite à la Chambre des Représentants, en s'exprimant uniquement sur les sujets qu'elle connaissait à fond, dont elle parlait avec passion et sagesse. Elle restait silencieuse sur les questions qu'elle ne connaissait pas. Elle vota contre son parti sur diverses questions de défense et, par deux fois, contre la nouvelle politique de l'énergie, provoquée par la dernière guerre du Moyen-Orient.

En tant que seule femme sénateur démocrate, on lui demanda souvent de prendre la parole dans différents Etats. Les autres sénateurs apprirent très vite que Florentina Kane n'était pas seulement une femme respectable, mais aussi une personne qu'on ne pouvait mésestimer.

Florentina découvrit avec plaisir qu'elle était souvent invitée au bureau du président du groupe démocrate majoritaire, pour y discuter des questions intérieures du parti, ou de politique générale.

Pendant sa première session au Sénat, elle fit voter un amendement à la loi sur les Petites Entreprises allégeant considérablement les impôts sur les sociétés qui exportaient au minimum 35 % de leur production. Depuis longtemps,

432

elle estimait que les entreprises qui ne cherchaient pas à vendre leurs produits sur le marché international souffraient de la même folie des grandeurs que les Anglais du milieu du siècle. Elle pensait aussi que si les Américains n'y prêtaient pas attention, ils entreraient dans le XXIᵉ siècle avec les mêmes problèmes que les Britanniques avaient été incapables de résoudre dans les années 80.

En trois mois, elle avait répondu à 1 460 lettres, voté soixante-dix-neuf fois, parlé huit fois à la Chambre, prononcé quatorze discours à l'extérieur, et omis de déjeuner quarante-trois fois en quatre-vingt-dix jours.

— Pas besoin de régime, disait-elle à Janet, je pèse moins que lorsque j'avais vingt-quatre ans et que j'ouvrais ma première boutique à San Francisco.


Le deuxième décès lui sembla d'autant plus bouleversant que toute la famille avait passé le week-end précédent à Cape Cod. La femme de chambre avait rapporté au maître d'hôtel que Madame Kate Kane n'était pas descendue à l'heure habituelle, quand l'ancienne pendule de son mari avait sonné huit fois.

— Alors, elle est morte ! avait dit le maître d'hôtel.

Kate Kane avait soixante-dix-neuf ans quand elle sauta pour la première fois son petit déjeuner, et toute la famille se réunit pour un enterrement de première classe. Le service funèbre eut lieu à la Trinité, à Copley Square. Il contrastait en tout point avec celui de miss Tredgold. Cette fois, ce fut l'archevêque qui prononça l'homélie, devant une congrégation très nombreuse. Tous les Kane et tous les Cabot étaient présents. Il y avait dans l'assistance deux sénateurs et un député. Tous ceux qui avaient connu de près ou de loin grand-mère Kane, et même ceux qui ne l'avaient jamais vue, remplirent les bancs, derrière Richard et Florentina.

Florentina regarda William et sa femme. Joanna était enceinte de huit mois et Florentina pensa que Kate n'avait pas vécu assez longtemps pour devenir « arrière-grand-mère Kane ».

Après l'enterrement, ils passèrent un triste week-end en famille, à la Maison Rouge, sur Beacon Hill. Jamais Florentina n'oublierait les efforts désespérés de Kate pour rapprocher son mari et son fils. A présent, Richard restait le seul chef du clan Kane et cela ajoutait une responsabilité supplémentaire à toutes celles qu'il avait déjà. Mais le connaissant, Florentina savait qu'il ne s'en plaindrait pas et ne la ferait jamais se sentir coupable de l'aider si peu.

Kane jusqu'au bout des ongles, Kate laissait un testament raisonnable et prudent. Le gros de ses biens était partagé entre Richard et ses sœurs. Des sommes confortables étaient distribuées à William et à Annabelle. William recevrait deux millions de dollars pour son trentième anniversaire. Quant à Annabelle, elle allait percevoir les intérêts d'une somme analogue, jusqu'à ce qu'elle ait quarante-cinq ans, ou deux enfants légitimes.

Grand-mère Kane avait une fois de plus visé juste.

A Washington, la bataille du renouvellement par tiers avait déjà commencé. Florentina était satisfaite d'avoir six ans devant elle avant d'affronter à nouveau les électeurs. Cela lui donnait le temps d'effectuer du vrai travail, sans cet arrêt tous les deux ans pour des querelles de partis.

Néanmoins, ses collègues l'invitèrent en si grand nombre à parler dans leur Etat qu'elle eut le sentiment de travailler aussi durement que pour ses propres campagnes. Elle refusa poliment une seule invitation, celle du candidat du Tennessee. Elle se refusait de prendre la parole contre Bob Buchanan, qui se présentait aux élections pour la dernière fois.

Tous les soirs, Louise donnait à Florentina une carte sur laquelle elle avait noté tous les rendez-vous du lendemain : « 7 h 45, petit déjeuner avec un ministre de la Défense étranger de passage aux Etats-Unis. 9 h 30, réunion de la commission de la Défense nationale. 11 h 30, interview pour le *Chicago Tribune*. 12 h 30, déjeuner avec six collègues du Sénat et discussion sur le budget de la Défense. 14 heures, émission radiophonique hebdomadaire. 14 h 30, photo sur les marches du Capitole avec une délégation de l'Illinois. 15 h 15, discussion de la loi sur les P.M.I. 17 h 30, réception des Associations d'entrepreneurs. 19 heures, cocktail à l'ambassade de France. 20 heures, dîner avec Donald Graham du *Washington Post*. 23 heures : appeler Richard au Baron de Denver. »

En tant que sénateur, Florentina pouvait se permettre de n'apparaître à Chicago qu'un week-end sur deux. Un vendredi sur deux, elle prenait l'avion pour Providence, où elle retrouvait Richard, qui venait de New York. Ils se rendaient en voiture à Cape Cod, où ils passaient désormais tous les week-ends libres. Cette maison était devenue leur point de chute exclusif depuis la mort de Kate, Richard ayant offert la Maison Rouge à William et à Joanna.

Le samedi matin ils se reposaient, lisaient journaux et magazines, puis Richard jouait du violoncelle pendant que Florentina se plongeait dans les dossiers administratifs qu'elle avait apportés de Washington. Quand le temps le permettait, ils jouaient au golf l'après-midi et terminaient invariablement par une partie de jacquet le soir.

Florentina perdait toujours cent à deux cents dollars et Richard menaçait de les offrir au parti républicain si elle honorait sa dette de jeu. Florentina contestait l'intérêt de faire un don au parti républicain du Massachusetts, à quoi Richard répliquait qu'il avait déjà soutenu un gouverneur démocrate à New York.

En bonne patriote, Joanna donna naissance à un garçon, baptisé Richard, le jour anniversaire de Washington. Tout à coup, Florentina était devenue grand-mère.

Le magazine *People* cessa alors de la décrire comme la dame la plus élégante de Washington, et commença à l'appeler « la plus séduisante grand-mère de toute l'Amérique ». Cela déclencha un afflux de lettres de protestation contenant des centaines de photos de grand-mères fringantes, demandant au rédacteur en chef de reconsidérer ses affirmations. Tout cela rendit Florentina plus populaire encore.

La rumeur selon laquelle Florentina tenait la corde pour la vice-présidence en 1988 commença de se propager en juillet lorsque l'Association des Petites Entreprises la nomma « Illinoise de l'année », tandis qu'un sondage du *Newsweek* lui décernait le titre de « Femme de l'année ».

Chaque fois qu'elle était questionnée sur ce sujet, Florentina répondait qu'elle était au Sénat depuis moins d'un an et que son travail d'élue de son Etat au Congrès avait la priorité. Mais, de fait, on l'invitait de plus en plus souvent à la Maison-Blanche pour conférer avec le Président. Pour la première fois, être femme dans le parti majoritaire devenait un avantage.

Florentina apprit la mort de Bob Buchanan lorsqu'un jour elle demanda pourquoi le drapeau du Russell Building était en berne. L'enterrement aurait lieu le jeudi suivant, c'est-à-dire le jour où elle était censée proposer un amendement à la loi sur la Santé publique, puis faire un exposé sur la défense, à l'occasion d'un séminaire au Centre international des bourses Woodrow Wilson. Elle annula le discours, fit repousser le vote de la loi et se rendit à Nashville, dans le Tennessee.

Les deux sénateurs de l'Etat et les sept députés restants étaient présents. Florentina prit place à côté de ses collègues, dans un respectueux silence. Avant d'entrer dans la chapelle luthérienne, l'un d'eux lui apprit que Bob avait un fils et une fille. Gérald, son plus jeune fils, avait trouvé la mort au Vietnam. Elle remercia le ciel que Richard ait été trop vieux, et William trop jeune, pour avoir combattu dans cette guerre absurde.

Steven, le fils aîné, conduisit la famille Buchanan dans la chapelle. Grand, mince, le visage ouvert et chaleureux, il ressemblait à Bob. Après le service funèbre, Florentina alla lui parler et découvrit chez ce garçon le même charme sudiste qui avait rendu son père si sympathique à ses yeux. Elle fut ravie d'apprendre que Steven allait tenter de reprendre le siège de son père aux prochaines élections.

— Enfin, quelqu'un de nouveau contre qui se battre, fit-elle avec un sourire.

— Mon père avait une grande admiration pour vous, dit Steven.

Elle ignorait que, le lendemain, sa photo serait dans tous les journaux, qui la décriraient comme une grande dame.

« Le député Buchanan n'était pas bien connu des citoyens de New York, disait un article, mais les services qu'il a rendus au Congrès se passent de tout commentaire, du moment que le sénateur Kane s'est rendu dans le Tennessee pour assister à son enterrement. Ce genre de geste est de plus en plus rare dans les milieux politiques, et c'est une raison supplémentaire pour laquelle madame le sénateur est un des membres les plus respectés du Congrès. »

Florentina devenait le personnage politique le plus en vue à Washington. Même le Président admettait que son emploi du temps était encore plus chargé que le sien.

Parmi toutes les invitations reçues cette année-là, elle en accepta une avec une fierté toute particulière. L'université de Harvard lui demandait de se présenter aux élections du Conseil de Surveillance au printemps et de prononcer un discours pour la cérémonie de remise des diplômes, en juin. Même Richard nota cette date sur son agenda.

Florentina étudia la liste de ses prédécesseurs. Elle allait de George Marshall expliquant son programme de reconstruction de l'Europe d'après-guerre, à Alexandre Soljénitsyne, décrivant l'Occident comme décadent et manquant de valeurs spirituelles.

Elle passa des heures et des heures à préparer son discours pour Harvard, sachant que, traditionnellement, tous les médias accordaient une grande importance à cette allocution. Tous les jours, elle répétait chaque paragraphe devant son miroir, dans son bain, et même sur le terrain de golf, avec Richard. Elle écrivit entièrement le texte elle-même, mais accepta de nombreuses remarques de Janet, de Richard et d'Edward, sur le contenu.

A la veille du grand jour, elle reçut un coup de fil de Sotheby. Elle écouta l'expert et fut d'accord avec sa suggestion. Après qu'ils se furent mis d'accord sur un prix minimal, il promit de lui communiquer les résultats des enchères. Cela ne pouvait tomber mieux. Elle prit l'avion pour Boston où elle fut accueillie à l'aéroport par un jeune étudiant enthousiaste, qui la conduisit à Cambridge et la laissa devant le club de la Faculté. Le doyen Bok l'accueillit dans le foyer et la félicita pour son élection au Conseil de Surveillance, puis la présenta aux autres élus, trente personnes dont deux prix Nobel, un de littérature et un de physique, deux anciens ministres, un général, un juge, un magnat du pétrole et deux autres doyens d'université. Elle prit place au milieu de l'assemblée, et ne put s'empêcher de sourire, amusée, en comparant la courtoisie mutuelle des Surveillants, avec le comportement des hommes politiques.

La chambre qui lui fut allouée lui rappela ses années d'étudiante, surtout quand elle dut sortir dans le couloir pour téléphoner à Richard. Celui-ci était en pleine conférence, essayant de résoudre des problèmes de taxation soulevés par le nouveau gouverneur de l'Etat de New York.

— Je viendrai pour le déjeuner, promit-il. Au fait, ton speech de demain a intérêt à être bon, si tu veux que je renonce à regarder l'équipe des Yankees sur la onzième chaîne.

— Soyez à l'heure, monsieur Kane !

— Alors, tâchez de parler aussi bien que devant les anciens combattants du Vietnam, car je viendrai de loin pour vous écouter, sénateur !

— Comment ai-je pu tomber amoureuse d'un type comme vous, monsieur Kane ?

— C'est parce que nous étions en pleine « année de l'Immigré ». Et tu sais que nous autres Bostoniens avons une haute conception de nos devoirs de citoyens.

— Et pourquoi m'as-tu gardée après cette année-là ?

— J'ai décidé qu'il était de mon devoir de passer le restant de ma vie avec toi.

— Excellente décision, monsieur Kane !

— J'aimerais être avec toi, Jessie !

— Tu changerais d'avis si tu voyais ma chambre. Il y a

juste un petit lit pour une personne et tu serais obligé de passer la nuit par terre. Mais sois à l'heure demain, je tiens à ta présence.

— J'y serai ! Mais je t'avertis. Il te faudra du temps pour faire de moi un démocrate !

— Je tenterai ma chance demain, une nouvelle fois. Bonne nuit, monsieur Kane.

Le lendemain matin, la sonnerie du téléphone réveilla Richard dans sa chambre au Baron d'Albany. Il décrocha, supposant que Florentina voulait lui faire part d'une remarque concernant son métier de sénateur. C'était la compagnie aérienne New York Air qui l'avisait que tous ses vols avaient été suspendus pour la journée, à cause d'une grève des employés de l'aéroport.

— Nom de Dieu ! jura-t-il.

Il prit une douche froide, tout en ajoutant quelques nouveaux jurons à son vocabulaire, se sécha rapidement et essaya de téléphoner tout en s'habillant. Il fit tomber le téléphone et dut recommencer.

— Je voudrais louer une voiture immédiatement, dit-il, faisant tomber une nouvelle fois le téléphone, puis réussissant enfin à s'habiller.

Ensuite, il appela Harvard mais personne ne sut lui dire où se trouvait Mme le Sénateur. Il laissa un message expliquant la situation, descendit dare-dare au rez-de-chaussée, avala son petit déjeuner et saisit les clés d'une Ford que l'on venait d'emmener devant l'hôtel.

Les rues étaient embouteillées, et il mit une demi-heure pour trouver l'autoroute. Il consulta sa montre : il devrait rouler à une moyenne de quatre-vingts kilomètres à l'heure s'il voulait arriver à Cambridge avant le discours, prévu pour quatorze heures précises. Il savait combien sa présence était importante pour Florentina et était résolu à ne pas arriver en retard.

Les derniers jours avaient été pour Richard un véritable cauchemar, mais il n'avait pas voulu ennuyer sa femme avec ce vol à Cleveland, la grève du personnel des cuisines à San Francisco, la saisie de l'hôtel du Cap et les impôts sur l'héritage de sa mère, tout cela coïncidant avec la baisse de l'or, du fait de la guerre civile qui déchirait l'Afrique du Sud. Richard s'efforça de chasser tous ces problèmes de son esprit. Dès qu'elle le voyait, Florentina devinait s'il était fatigué ou anxieux et il ne voulait pas l'inquiéter pour des situations dont il savait qu'il finirait par se sortir tout seul.

Richard descendit la vitre de la voiture pour respirer un peu d'air frais. Pendant le reste du week-end, il allait seulement dormir et jouer du violoncelle. Ce serait le premier intermède qu'ils auraient tous les deux, depuis un mois. Pas d'enfants, William étant à Boston avec sa famille et Annabelle se trouvant au Mexique ; pas de questions angoissantes à se poser, rien que des parties de golf pendant deux jours entiers. Si seulement il ne se sentait pas aussi fatigué...

— Merde ! dit-il tout haut.

Il avait oublié d'envoyer une gerbe de roses à Florentina.

Avant d'aller déjeuner, Florentina reçut deux messages. Le premier provenait de Sotheby, l'avisant de l'acquisition de l'objet qui l'intéressait. Le deuxième émanait de Richard. Le premier l'enchanta, et elle fut désappointée par l'autre, même si l'idée que son mari devait en ce moment se ronger les sangs pour les roses lui arracha un sourire. Mais grâce à Sotheby, elle allait pouvoir lui offrir quelque chose qu'il avait désiré toute sa vie.

Florentina avait passé la matinée au Théâtre Tricentenaire, pour les formalités habituelles de remises des diplômes. La vue de trois journalistes installant leurs caméras sur la pelouse, en vue du discours de l'après-midi, la rendit encore plus nerveuse et elle souhaita que personne n'ait remarqué qu'elle avait à peine touché à son déjeuner.

A 13 h 45, les membres du Conseil de Surveillance se dirigèrent vers la cour, où les étudiants s'étaient déjà rassemblés. Elle repensa à sa propre promotion : Belle... Wendy... Scott... Edward... et voilà, elle était de retour avec le titre de sénateur, selon les prédictions d'Edward. Elle prit place sur le podium, contempla la petite carte sur la chaise vide, près d'elle. « M. Richard Kane, époux du sénateur. » Elle sourit, sachant combien cela l'agacerait, et ajouta au stylo: « Qu'est-ce qui t'a retardé ? »

Il ne fallait pas qu'elle oublie de poser cette carte sur la cheminée. Si Richard arrivait après le début de la cérémonie, il serait obligé de trouver une place sur la pelouse. On annonça les résultats des élections, l'attribution de titres honorifiques et le total des dons reçus par l'université. Le doyen Bok fit une allocution, puis Florentina l'entendit prononcer son nom. Elle fouilla du regard les premiers rangs, devant elle, mais aussi loin qu'elle put voir, elle n'aperçut pas Richard.

— Monsieur le doyen Horner, mesdames et messieurs, c'est un grand honneur pour moi aujourd'hui de vous présenter une ancienne étudiante de Radcliffe des plus brillantes, une femme qui a su conquérir l'imagination du peuple américain. En effet, je connais beaucoup d'entre nous qui pensent qu'un jour Radcliffe aura *deux* présidents. (Dix-sept mille invités applaudirent spontanément.) Mesdames et messieurs, voici Florentina Kane !

Elle se leva, tremblante de trac, jetant un rapide coup d'œil à ses notes, alors que les projecteurs de la télévision s'allumaient brusquement, l'aveuglant momentanément. Devant elle, elle ne percevait plus que des visages flous. Elle pria pour que Richard soit parmi eux.

— Monsieur le doyen Bok, monsieur le doyen Horner, me voilà devant vous, aussi nerveuse qu'il y a trente-trois ans, à mon arrivée à Radcliffe. Je n'avais pas trouvé la salle à manger pendant deux jours, car j'étais trop timide pour demander où elle se trouvait. (Les rires apaisèrent un peu sa tension.)

« Maintenant, je vois assis devant moi des hommes et des femmes et, si je me souviens bien de la règle d'or de Radcliffe, "les hommes peuvent entrer dans les chambres des jeunes filles seulement entre trois et cinq heures de l'après-midi et doivent pendant tout ce temps garder leurs pieds sur le sol". Si cette règle est encore en vigueur, je me demande

441

comment ces pauvres gens arrivent à dormir. (Les rires fusèrent pendant quelques secondes.)

« Il y a donc plus de trente ans, j'ai eu l'honneur de faire mes études dans cette grande université. C'était le début de toute une vie et, depuis, j'ai essayé de la réussir au mieux. Exceller a toujours été primordial à Harvard et je vois avec soulagement, dans ce monde qui se transforme, que le niveau de nos lauréats d'aujourd'hui dépasse celui de ma génération. Il y a une tendance parmi les vieilles gens à prétendre que les jeunes d'aujourd'hui ne peuvent pas se comparer avec leurs aînés. Je me souviens d'une inscription funéraire sur la tombe d'un pharaon, qui disait : ''Les jeunes sont paresseux, préoccupés uniquement par eux-mêmes, et ils provoqueront sûrement la destruction du monde tel que nous le connaissons.'' (Les étudiants applaudirent pendant que les parents riaient.)

« Winston Churchill a déclaré une fois : ''Quand j'avais seize ans, je croyais que mes parents ne savaient rien. Quand j'ai eu trente et un ans, j'ai été étonné de découvrir combien ils avaient appris pendant les quinze dernières années.'' (Les parents applaudirent et les étudiants sourirent.)

« L'Amérique est souvent perçue comme un pays monolithique, avec une vaste économie centralisée. Il n'en est rien. L'Amérique, c'est deux cent vingt-cinq millions de personnes qui accomplissent quelque chose de plus varié, de plus compliqué et de plus excitant que tous les autres peuples de la terre. J'envie ceux qui souhaitent jouer un rôle dans l'avenir de leur pays et je plains ceux qui ne le veulent pas.

« L'université de Harvard est célèbre pour son enseignement dans des disciplines comme la médecine, le droit, l'art ou la religion. Il est dramatique de constater combien de jeunes aujourd'hui ne considèrent plus la politique comme une profession honorable, digne d'intérêt. Nous devons changer l'atmosphère qui règne dans les coulisses du pouvoir, afin que les jeunes talents d'aujourd'hui ne démissionnent pas sans réfléchir à l'idée d'entreprendre une carrière publique.

« Personne parmi nous n'a jamais douté de l'intégrité de Washington, d'Adams, de Jefferson ou de Lincoln. Pourquoi n'y aurait-il pas aujourd'hui une nouvelle génération d'hommes d'Etat capables de faire revenir dans notre vocabulaire des mots comme devoir, fierté et honneur sans que, aussitôt prononcés, ils soient accueillis par des ricanements et des sarcasmes ?

« Cette grande université a produit John Kennedy, qui déclara en recevant un diplôme honorifique de Yale : "Maintenant, je possède le meilleur des deux mondes, une éducation à Harvard et un diplôme de Yale." (Quand les rires s'éteignirent, elle ajouta :) Moi, monsieur le doyen, j'ai le meilleur du monde entier, une éducation à Radcliffe et un diplôme de Radcliffe. »

Dix-sept mille personnes se levèrent comme un seul homme et applaudirent pendant de longues minutes. Florentina sourit en pensant combien Richard devait être fier. C'était lui qui avait suggéré cette phrase, pendant que Florentina répétait son discours dans son bain, et elle n'était pas sûre que cela marcherait. Enfin, elle put poursuivre :

— En tant que jeunes Américains, essayez d'être fiers du passé de votre pays, mais considérez-le comme de l'histoire et rien de plus. Défions les anciens mythes, franchissons les obstacles, prenons en main l'avenir, de sorte qu'à la fin de ce siècle, nos exploits soient rangés à côté de ceux des Grecs, des Romains et des Anglais, dans le domaine de la liberté et de la justice pour tous les peuples de cette planète. Aucun obstacle n'est infranchissable, aucun but inaccessible, et lorsque la course folle du temps sera terminée, faisons en sorte que vous puissiez citer le mot de Roosevelt : « Il existe un cycle mystérieux dans l'histoire humaine. A certaines générations les dieux ont beaucoup donné, d'autres ont beaucoup attendu, mais cette génération d'Américains a rendez-vous avec le destin. »

Une fois de plus, la foule se déchaîna en applaudissements spontanés. Quand ils cessèrent, Florentina termina presque dans un murmure :

— Chers étudiants, les cyniques m'ennuient, je méprise les lâches et j'exècre les menteurs qui veulent nous faire croire que diriger notre pays est un travail compliqué d'érudit.

« Je suis convaincue que votre génération, qui conduira les Etats-Unis au XXIᵉ siècle, a un autre rendez-vous avec le destin. Et je prie pour que beaucoup de jeunes de cette génération-là soient présents aujourd'hui. »

Quand elle regagna sa place, elle fut la seule personne à rester assise. Des journalistes firent remarquer le lendemain que même les cameraman avaient applaudi. Florentina regardait la foule, certaine d'avoir produit sur elle une impression favorable, mais elle avait encore besoin de la confirmation de Richard. Les mots de Mark Twain lui revinrent en mémoire : « La douleur se suffit à elle-même, mais la joie n'existe que partagée. »

Florentina fut conduite loin du podium, au milieu des étudiants qui l'acclamaient, mais son regard ne cherchait que Richard. Sur le chemin qui l'éloignait de la cour du Tricentenaire, des douzaines de personnes l'entourèrent, mais ses pensées étaient ailleurs. Elle entendit quelqu'un prononcer les mots « Qui va le lui dire ? » pendant qu'elle s'efforçait d'écouter un étudiant qui partait pour le Zimbabwe enseigner l'anglais. Elle se retourna et aperçut le visage bouleversé de Matina Horner, le doyen de Radcliffe.

— C'est au sujet de Richard, n'est-ce pas ? demandat-elle rapidement.

— Oui, il a eu un accident de voiture.

— Où est-il ?

— A l'hôpital Newton-Wellesley, à dix kilomètres d'ici. Vous devez vous y rendre immédiatement.

— Est-il très mal ?

— Pas très bien.

Une voiture de police conduisit Florentina sur l'autoroute du Massachusetts. Elle priait : « Mon Dieu, laissez-le vivre ! Laissez-le vivre ! »

La voiture s'arrêta devant l'entrée de l'hôpital et elle gravit les marches quatre à quatre. Un médecin l'attendait :

— Madame le sénateur, je suis Nicolas Eyre, chirurgien en chef de l'hôpital. Nous avons besoin de votre autorisation pour opérer.

— Pourquoi ? Pourquoi faut-il l'opérer ?

— Votre mari porte de graves blessures à la tête. C'est notre seule chance de le sauver.

— Puis-je le voir ?

— Oui, bien sûr !

Il la devança d'un pas rapide, jusqu'à la salle de réanimation, aux urgences. Richard gisait sous une tente à oxygène, un tube en caoutchouc dans la bouche et la tête ensevelie sous des gazes blanches. Florentina s'effondra sur une chaise, les yeux fixés sur le sol, incapable de supporter la vue de son mari blessé. Le cerveau allait-il rester endommagé ? Allait-il guérir ?

— Que s'est-il passé ? demanda-t-elle au chirurgien.

— La police n'est pas certaine, mais un témoin affirme que votre mari a franchi le rail de séparation de l'autoroute, sans raison apparente, et est entré en collision avec un semi-remorque. Il semble qu'il n'y ait pas eu de défaillance mécanique de la voiture, ce qui permet de conclure qu'il s'est endormi au volant.

Florentina s'efforça de lever le regard sur l'homme qu'elle avait tant aimé.

— Peut-on opérer, madame Kane ?

— Oui, répondit-elle, d'une voix faible.

C'était pourtant la même voix qui, une heure auparavant, avait fait vibrer des milliers de gens. Conduite dans un couloir, elle s'y assit, seule. Une infirmière s'approcha. Ils avaient besoin de sa signature. Elle inscrivit son nom au bas d'un feuillet. Combien de fois avait-elle fait ce geste aujourd'hui ?

Florentina resta seule dans le corridor, étrange silhouette voûtée dans une robe élégante, sur la petite chaise en bois. Et elle se souvint de quelle façon elle avait connu Richard, chez Bloomingdale, quand elle pensait encore qu'il était amoureux de Maisie. Elle se souvint aussi comment ils avaient fait l'amour juste après leur première dispute, leur fuite éperdue, et leur mariage, avec la complicité de Belle et de Claude. Les naissances de William et d'Annabelle, et ce billet de vingt dollars qui lui avait permis de rencontrer Gianni, à San Francisco. Et le retour à New York, en tant qu'associés pour diriger le groupe Baron et la Lester. C'est grâce à lui que Washington avait été possible. Comme elle souriait, quand il jouait pour elle seule du violoncelle et comme il riait, quand il la battait au golf. Florentina avait toujours voulu réussir pour qu'il soit fier d'elle et il avait toujours fait preuve d'altruisme dans son amour pour elle. Il devait vivre, afin qu'elle puisse se dévouer pour lui et l'aider à guérir.

Dans de tels moments de désespoir, on devient croyant. Florentina s'abattit sur les genoux et implora Dieu de sauver son mari. Des heures s'écoulèrent, puis le docteur Eyre s'avança vers elle. Elle le regarda avec espoir, mais il se contenta de dire :

— Votre mari est décédé, il y a quelques minutes.

— A-t-il dit quelque chose avant de mourir ? demanda-t-elle.

Le chirurgien parut embarrassé.

— Docteur, quels que soient les mots qu'il ait prononcés, j'ai besoin de les entendre.

Le chirurgien répondit, après avoir hésité :

— Tout ce qu'il a dit, madame Kane, était : « Dites à Jessie que je l'aime. »

Florentina baissa la tête. Puis elle s'agenouilla et se mit à prier.

Ainsi l'église de la Trinité abritait le deuxième enterrement dans la famille Kane en l'espace de quelques mois. William se tenait entre deux dames Kane de noir vêtues. L'archevêque rappela qu'il y a une vie après la mort.

Cette nuit-là, Florentina s'enferma dans sa chambre. Son avenir ne lui importait plus. Dans le hall attendait un énorme paquet sur lequel on avait écrit : « Fragile, Sotheby Parke Bernet. Contenu : un violoncelle Stradivarius. »

William accompagna sa mère à Washington, le lundi. Les kiosques à l'aéroport de Logan croulaient sous les titres de

446

son discours de Harvard. Elle ne le remarqua même pas. William resta au Baron avec sa mère pendant trois jours, puis elle le renvoya à sa femme. Des heures durant, Florentina restait seule, dans cette chambre pleine du passé de Richard. Son violoncelle, ses photos, même la dernière partie de jacquet non terminée, tout était là.

Elle commença à se rendre au Sénat tard dans la matinée. Malgré les efforts de Janet, elle ne répondait plus à son courrier, hormis aux milliers de lettres de condoléances. Elle n'était plus ponctuelle aux réunions des commissions, et oubliait des rendez-vous avec des gens importants venus de loin pour la rencontrer. Elle oublia même qu'elle devait présider le Sénat à l'occasion d'un débat sur la Défense, une corvée que les sénateurs se partageaient tour à tour lorsque le vice-président était absent. Ses plus ardents admirateurs commencèrent à douter d'elle et à se dire que plus jamais elle ne retrouverait son impétueux enthousiasme pour la politique.

Les semaines devinrent des mois. Florentina perdit ses meilleurs assistants. On craignait à présent qu'elle n'ait plus aucune ambition. Les plaintes de ses électeurs, exprimées à voix basse pendant les six premiers mois, se transformèrent peu à peu en grogne furieuse, mais Florentina ne changea pas. Le sénateur Brooks alla jusqu'à lui suggérer de prendre une retraite totale « pour le bien du parti » et continua à clamer cette opinion dans les coulisses du parti de l'Illinois.

Peu à peu, le nom de Florentina disparut de la liste des invités de la Maison-Blanche et on ne la revit plus aux cocktails mondains.

William et Edward allaient la voir régulièrement et s'efforçaient de l'empêcher de penser à Richard et de l'intéresser à son travail. Mais en vain.

Elle passa un Noël tranquille à la Maison Rouge, à Boston. William et Joanna s'adaptaient mal au changement qui s'était opéré en elle en si peu de temps car la femme qui, jadis, frappait par sa pétulance et son élégance, était devenue à présent lourde et indifférente à tout. Ce fut un Noël triste pour tout le monde, sauf pour le petit Richard qui, à dix mois, essayait de se tenir debout en s'agrippant à tout ce qui se trouvait à sa portée. Quand Florentina retourna au Nouvel An à Washington, les choses ne s'améliorèrent pas et même Edward commença à désespérer.

Janet Brown attendit près d'un an avant d'annoncer à Florentina que le sénateur Hart lui offrait un travail d'assistante administrative.

— Acceptez, ma chère. Il n'y a plus aucun avenir pour vous ici. J'achèverai mon mandat et me retirerai.

Janet eut beau argumenter, cela n'eut aucun effet sur Florentina. Celle-ci contempla son courrier, notant au passage une lettre de Belle, qui la grondait de ne pas être allée au mariage de sa fille. Elle signa quelques lettres qu'elle n'avait ni écrites ni même lues. Elle consulta sa montre : il était six heures. Sur sa table, il y avait une invitation à une petite réception chez le sénateur Pryor. Florentina la jeta au panier, prit le *Washington Post* et décida de rentrer chez elle à pied. Jamais elle ne s'était sentie une fois seule, lorsque Richard était vivant.

Elle quitta le Russel Building, traversa l'avenue Delaware et coupa à travers l'Union Station Plaza. Bientôt, tout Washington se couvrirait de fleurs. Les jets d'eau bruissaient quand elle emprunta l'allée pavée. Elle atteignit les marches qui conduisaient à la New Jersey Avenue, mais décida de rester un moment dans le parc, et s'assit sur un banc. Rien d'urgent ne l'attendait à la maison. Le souvenir de l'expression de Richard le jour où Jake Thomas l'avait accueilli comme le président de la Lester vint la hanter. Comme il avait l'air bête debout, avec cet autobus en plastique rouge sous le bras ! Les réminiscences de tels incidents de leur vie commune apportaient à Florentina un semblant de bonheur, car désormais elle n'espérait plus rien.

— Tu es sur mon banc !

Florentina sursauta. Un homme, vêtu d'un pantalon crasseux et d'une chemise brune ouverte sur la poitrine et trouée aux manches, était assis à l'autre bout du banc et la considérait d'un œil soupçonneux. Il portait une barbe de quelques jours et il était presque impossible de deviner son âge exact.

448

— Je suis désolée, je ne savais pas que j'étais assise sur votre banc.

— Ben oui, quoi, c'est mon banc, depuis treize ans, maintenant, déclara-t-il. Et avant moi, c'était le banc de Ted et après moi, Matt l'aura. Moi, c'est Danny.

— Matt ? dit-elle sans comprendre.

— Oui, Matt-la-Cirrhose. Il roupille derrière le lot 16 en attendant que je meure. (Ce disant, le clochard émit un petit rire.) Entre nous, avec tout ce qu'il siffle, il n'aura jamais le banc. Dites, madame, vous n'allez pas y rester toute la nuit, hein ?

— Non, je songeais à partir.

— Ah bien, dit Danny.

— Mais que faites-vous toute la journée ?

— N'importe quoi. On sait toujours où trouver de la bouffe, dans les églises, ou alors on fait les poubelles des restaurants chics. Hier, au Monocle, je me suis trouvé un de ces steaks ! Ce soir, je pense essayer le Baron.

Florentina essaya de dissimuler ses sentiments.

— Vous ne travaillez pas ?

— Ah ! Ah ! Et qui donnerait du travail à Danny ? Je n'ai pas eu de job depuis que j'ai quitté l'armée en 1970. Personne ne voulait d'un ancien combattant. Si j'étais mort là-bas, au Vietnam, ça aurait arrangé tout le monde !

— Y a-t-il beaucoup de gens dans votre cas ?

— A Washington ?

— Oui.

— Des centaines !

— Des centaines ? répéta-t-elle.

— Et encore, c'est mieux qu'ailleurs. A New York, on vous colle au trou pour un rien. Hé ! Minute ! Où voulez-vous en venir ? demanda-t-il en la scrutant avec suspicion.

— Vous verrez bien. Puis-je vous demander...

— Vous posez trop de questions. A mon tour maintenant. Je peux avoir le journal, quand vous partirez ?

— Le *Washington Post* ?

— Oui, j'aime la qualité.

— Vous le lisez ?

— Non, dit-il en riant, je me couvre avec et il me tient chaud comme un hamburger, si je me tiens tranquille.

Elle lui donna le journal, se leva et lui sourit, remarquant qu'il n'avait qu'une seule jambe.

— Vous n'auriez pas un balle pour un pauvre soldat ?

Florentina fouilla dans son sac. Elle trouva un billet de dix dollars et un peu de monnaie et lui glissa le tout dans la main. Il regarda l'argent, incrédule.

— Il y a de quoi s'offrir un vrai repas pour Matt et moi, s'exclama-t-il.

Il s'interrompit, puis la regardant de plus près :

— Je vous ai déjà vue quelque part, vous, fit-il, à nouveau soupçonneux. Vous êtes la femme sénateur, vous. Matt dit toujours qu'il va prendre rendez-vous pour vous expliquer un truc ou deux sur votre façon de dépenser les sous du gouvernement. Mais je lui ai dit que rien qu'en nous voyant entrer, les réceptionnistes appelleraient les flics ou attraperaient le désinfectant. Faut pas nous demander à signer le livre d'or des invités. J'ai dit à Matt qu'il allait perdre son temps.

Florentina regarda Danny, qui s'installait confortablement sur son banc, en se couvrant très soigneusement avec les feuilles du *Washington Post*.

— Je lui ai dit aussi, ajouta-t-il, que vous seriez trop occupée pour vous embêter avec des énergumènes comme lui. Et que c'était pareil avec les quatre-vingt-dix-neuf autres sénateurs.

Là-dessus, le clochard tourna le dos à Mme le sénateur de l'Illinois. Florentina lui dit « Bonne nuit » et s'éloigna. En sortant du parc, elle rencontra un agent de police, devant l'entrée du parking souterrain.

— Qui est l'homme sur le banc ?

— Bonsoir, madame le sénateur. On l'appelle Danny, Danny-la-Guibolle. Il ne vous a pas ennuyée, au moins ?

— Non, pas du tout. Il dort là toutes les nuits ?

— Je l'ai toujours vu là, depuis dix ans. Les nuits d'hiver il déménage vers la grille du métro, derrière le Capitole.

450

Il n'est pas méchant comme certains clochards qui campent derrière le lot 16.

Florentina ne ferma pas l'œil de la nuit, pensant à Danny-la-Guibolle et à tous ses semblables. Des centaines, avait-il dit, des centaines qui vivaient dans les mêmes conditions que lui !

Le lendemain matin, à 7 h 30, elle était à son bureau. Janet, qui arriva une heure plus tard, regarda avec stupéfaction Florentina, absorbée dans la lecture de *La Société moderne d'abondance*, d'Arthur Quern. Florentina leva le regard :

— Ah ! Janet ! Il me faut tous les chiffres concernant les sans-emploi, dans tous les Etats d'Amérique et au sein des groupes ethniques. Je voudrais aussi savoir combien de personnes vivant dans ces conditions bénéficient de l'aide sociale et combien n'ont pas travaillé depuis deux ans. Ensuite, j'aimerais savoir combien d'entre eux ont servi dans l'armée. Compulsez toutes les listes de... mais pourquoi pleurez-vous ?

— Je pleure de joie, répondit Janet.

Florentina quitta sa table de travail et enlaça son assistante.

— C'est fini, ma chérie. Oublions le passé et remettons-nous en piste.

## 32

Un mois plus tard, tout le Congrès avait compris que Mme le sénateur Kane était revenue avec l'intention de prendre une revanche. Le Président l'appela personnellement et elle comprit que ses attaques répétées contre la nouvelle politique étaient parvenues jusqu'à la Maison-Blanche, l'unique endroit où l'on pouvait réellement changer les choses.

— Rendez-vous compte, Florentina. Je suis à dix-huit mois des élections et vous attaquez mon programme. Qu'est-ce que vous voulez ? Que les républicains reviennent à la Maison-Blanche ?

— Non, bien sûr. Mais avec votre programme, nous consacrons à l'Aide sociale en un an ce que nous dépensons pour la Défense en six semaines. Savez-vous, monsieur le Président, combien de personnes, dans ce pays, ne mangent pas un repas correct par jour ?

— Oui, je sais, Florentina...

— Eh bien, qu'importent nos chiffres à tous ces gens qui dorment dans les rues, tous les soirs, en Amérique ? Pas en Inde, pas en Afrique, pas en Asie, mais en Amérique ! Et avez-vous une idée, monsieur le Président, du nombre de ces pauvres gens qui n'ont pas eu de travail depuis dix ans ? Pas dix semaines, pas dix mois, dix ans, monsieur le Président !

— Florentina, chaque fois que vous m'appelez « monsieur le Président » je sens que je vais avoir des ennuis. Que voulez-vous que je fasse ? Vous faites partie de ces démocrates qui ont toujours été partisans d'un accroissement du budget pour la Défense nationale.

— Et je le suis toujours. Mais il y a des millions de gens en Amérique qui se ficheraient éperdument de voir les Russes parader sur Pennsylvania Avenue, parce que, dans leur esprit, cela ne peut être pire !

— Oui, naturellement. Vous voilà devenue un faucon déguisé en colombe, et ce genre de déclaration vous vaudrait des titres de journaux mirifiques, mais que voulez-vous que je fasse ?

— Créer une commission chargée de découvrir où va l'argent de l'Aide sociale. Trois de mes assistants travaillent déjà sur le problème et j'ai l'intention de présenter certains faits sur le mauvais usage de ces fonds dès que j'en aurai la possibilité. Je vous promets, monsieur le Président, qu'il y aura de quoi vous faire dresser les cheveux sur la tête.

— Par bonheur, je suis presque chauve. (Elle rit et il poursuivit :) L'idée de la commission me plaît. Je vais en parler lors de ma prochaine conférence de presse.

— Pourquoi pas ? Et n'oubliez pas de parler de cet homme qui dort depuis treize ans sur un banc, tout près de la Maison-Blanche, pendant que vous vous reposez tous les soirs dans la chambre de Lincoln. Un homme qui a perdu une jambe au Vietnam et qui ignore qu'il a droit à soixante-trois dollars par semaine, payables par le Département aux Anciens combattants. Et même s'il le savait, il ne pourrait pas les toucher, car le bureau chargé de lui verser ses indemnités se trouve au Texas. Si, dans un moment d'inspiration, ils décident de lui envoyer un chèque, où l'adresseraient-ils ? A un banc public près du Capitole ?

— Danny-la-Guibolle ! dit le Président.

— Vous en avez entendu parler ?

— Qui ne le connaît pas ? En deux semaines, il a eu plus de publicité que je n'en ai eu en deux ans. Je songe même sérieusement à me faire amputer d'une jambe. Moi aussi j'ai combattu pour mon pays en Corée, le saviez-vous ?

— Oui, mais depuis vous vous débrouillez à merveille.

— Florentina, si j'institue cette commission d'enquête sur l'Aide sociale, m'accorderez-vous votre appui ?

— Certainement, monsieur le Président.

— Et allez-vous cesser vos attaques contre le Texas ?

— Oui, c'était malheureux. Un de mes jeunes assistants a découvert que Danny est originaire du Texas. Savez-vous que, malgré la question de l'immigration sauvage, plus de 20 % des Texans ont un revenu annuel inférieur à...

— Oui, oui, coupa le Président, mais *vous* semblez oublier que mon vice-président, qui vient de Houston, n'a pas eu un seul jour de répit depuis que votre Danny fait la une de tous les journaux.

— Pauvre vieux Pete ! Il sera donc le premier vice-président à se soucier d'autre chose que de son prochain repas.

— Ne soyez pas dure avec Pete. Il joue son rôle.

— Dites plutôt qu'il maintient l'équilibre, pour que vous puissiez rester à la Maison-Blanche !

— Florentina, vous êtes méchante ! Je vous préviens que je vais ouvrir ma conférence de presse, mardi prochain, en annonçant que j'arrive avec une idée brillante.

— Une idée brillante, *vous* ?

— Oui, répondit le Président, il doit exister des compensations, quand on reçoit des coups tout le temps. Je lancerai donc l'idée brillante d'une commission d'enquête sur les dépenses de l'Aide sociale. Je dirai aussi... (Le Président continua après une brève hésitation :) que madame le sénateur Kane a accepté d'en être la présidente. Est-ce que cela pourrait vous calmer pendant quelques jours ?

— Oui. Je tâcherai de faire un rapport dans un an, de sorte que vous ayez le temps d'expliquer à vos électeurs que, décidé à corriger les erreurs du passé, vous allez lancer un nouveau programme, que vous pourriez d'ailleurs intituler *Fresh Approach*...

— Florentina !

— Excusez-moi, monsieur le Président, je n'ai pas pu m'en empêcher.

Janet se demandait quand Florentina trouverait le temps de diriger une si importante commission. Son carnet de rendez-vous était tenu à jour par l'assistant possédant l'écriture la plus serrée de l'équipe.

— Il faut me libérer trois heures par jour, pendant les six prochains mois, annonça Florentina.

— Certainement. Que diriez-vous de deux à cinq heures du matin ? répondit Janet.

— Cela me convient, dit Florentina en souriant, mais j'ai peur que, dans ces conditions, nous ne puissions trouver personne qui ait envie de faire partie de la commission. Nous aurons besoin de nouveaux assistants.

Janet avait comblé toutes les places vacantes dues aux démissions intervenues durant les derniers mois. Elle avait engagé un nouvel attaché de presse, une nouvelle dactylo, quatre conseillers législatifs, parmi les nombreux jeunes diplômés qui faisaient à nouveau la queue devant la porte de Florentina.

— Heureusement, le groupe Baron peut affronter les nouveaux frais y afférents, commenta Janet.

Après la conférence de presse du président, Florentina se mit au travail. Sa commission comportait vingt membres, plus onze assistants. La commission était divisée en sorte qu'une partie soit composée de gens qui n'avaient jamais eu besoin d'avoir recours à l'aide publique, alors que les membres de l'autre partie étaient précisément des assistés ou des chômeurs. Rasé de près et portant le premier costume de sa vie, Danny-la-Guibolle faisait partie de l'équipe de Florentina, à titre de conseiller.

L'originalité de l'idée avait pris Washington de court. D'un article à l'autre, tous les journaux parlaient de cette « Commission sur un banc » du sénateur Kane. Danny raconta des tas d'histoires qui éclairèrent l'autre moitié de la Commission sur la gravité du problème et les abus à corriger, de sorte que les vrais chômeurs puissent bénéficier d'une meilleure indemnisation.

456

Matt-la-Cirrhose, qui avait hérité maintenant du banc de Danny, fut également interrogé par la Commission, ainsi qu'un certain Charlie Wendon, ingénieur de Leavenworth, qui, après un arrangement tacite avec Florentina, avait accepté de raconter de quelle façon il avait pu extorquer mille dollars par semaine à l'Aide sociale, avant d'être arrêté par la police. Cet homme possédait une telle quantité de noms d'emprunt qu'il n'était plus sûr lui-même de son nom véritable. Il avait inventé soixante-dix épouses à sa charge, quarante et un enfants et quatre-vingt-dix vieux parents dépendants. Tout ce monde n'existait, bien sûr, que sur les ordinateurs de l'Aide sociale.

Au début, Florentina pensait qu'il exagérait, jusqu'à ce que Charlie pût prouver à la Commission que l'on pouvait inscrire le président des Etats-Unis sur un ordinateur comme demandeur d'emploi, domicilié avec deux enfants et une vieille mère à charge au 1 600, Pennsylvania Avenue, à Washington.

Wendon confirma ce que Florentina subodorait déjà. Un syndicat professionnel rachetait ni plus ni moins quinze mille dollars par semaine, en détournant les chèques de l'Aide sociale destinés à d'autres personnes.

On découvrit plus tard que le vrai nom de Danny-la-Guibolle était bel et bien inscrit sur l'ordinateur, mais que quelqu'un d'autre touchait son allocation depuis treize ans. Il ne fallut pas longtemps pour établir que Matt-la-Cirrhose ainsi que plusieurs de ses amis y figuraient également, sans avoir jamais reçu un sou.

Florentina continua ses recherches et put prouver qu'il existait plus d'un million de demandeurs d'emploi ayant droit à l'Aide sociale, mais qui ne l'avaient jamais reçue, alors que cet argent allait ailleurs.

Il était inutile de demander au Congrès des sommes supplémentaires, il suffisait de veiller à ce que les dix milliards de dollars alloués annuellement à l'Aide sociale parviennent à ses légitimes destinataires. Beaucoup de nécessiteux, ne sachant ni lire ni écrire, n'étaient jamais retournés à l'agence nationale pour l'emploi, à cause des formulaires compliqués à remplir. Dès lors, leurs noms étaient devenus une source de revenus faciles pour une foule de petits escrocs.

Lorsque, dix mois plus tard, Florentina présenta un rapport complet au Président, celui-ci proposa une série de nouvelles mesures au Congrès en demandant leur approbation immédiate. Il annonça également une réforme de l'Aide sociale, avant les élections. La presse avait été fascinée par la façon dont Florentina avait réussi à inscrire le nom et l'adresse du Président sur l'ordinateur des sans-emploi. Tous les humoristes du pays s'en inspirèrent largement, alors que les agents du F.B.I. procédaient à une série d'arrestations de fraudeurs à travers tout le pays.

La presse félicita le Président pour son initiative. Le *Washington Post* déclara que le sénateur Kane avait fait plus dans une année pour ceux qui étaient dans le besoin, que le New Deal de Roosevelt et la Grande Société de Kennedy réunis. Cela, en effet, ressemblait à une « nouvelle approche ». Des rumeurs circulèrent selon lesquelles Florentina allait bientôt remplacer Pete Parkin à la vice-présidence, mais Florentina était trop perspicace pour se laisser influencer par les spéculations de la presse. Elle savait pertinemment que, le moment venu, le Président continuerait de faire équipe avec Parkin. Ce dernier équilibrait la liste et assurait le soutien du Sud. Malgré sa grande admiration pour Florentina, le Président avait bien l'intention de rester encore quatre ans à la Maison-Blanche.

La question se posait une nouvelle fois. Florentina devait déterminer les priorités parmi les nombreuses personnes qui la sollicitaient et les nombreuses questions qui la préoccupaient. Parmi les requêtes des sénateurs lui demandant de les aider dans leur campagne, l'une émanait de Ralph Brooks.

Brooks, qui n'avait jamais perdu une occasion pour se décrire comme le plus ancien sénateur de son Etat, avait été récemment promu président de la commission de l'Energie au Sénat, un poste très en vue. Il avait reçu de nombreuses félicitations, pour sa façon « musclée » de négocier avec les magnats du pétrole et les grands hommes d'affaires. Florentina savait qu'il disait du mal d'elle en privé. Lorsque les ragots lui revenaient, elle les ignorait. Néanmoins, elle fut surprise lorsqu'il lui demanda de participer avec lui à une émission de télévision, sous prétexte qu'il était important que les deux sénateurs de l'Illinois soient démocrates. Le secrétaire du parti à Chicago pressait Florentina de collaborer et elle finit par accepter. Depuis le début de la session du Congrès, elle n'avait pas échangé deux mots avec Brooks. Elle espérait que son approbation étoufferait quelque peu leur différend. En vain car, quand elle se représenta aux élections sénatoriales, deux ans plus tard, Brooks se révéla être un bien tiède supporter.

Les présidentielles approchaient, plusieurs sénateurs désireux d'être réélus demandèrent à Florentina de prononcer des discours en leur place. Pendant les six derniers mois de 1988, elle passa rarement un week-end chez elle. Même le Président l'invita à la rejoindre à l'occasion de plusieurs apparitions en public, pendant sa campagne. Il était si satisfait de l'accueil réservé par l'opinion publique au rapport Kane sur les indemnités d'Aide sociale qu'il accepta une des requêtes de Florentina, tout en sachant que Pete Parkin et Ralph Brooks en deviendraient fous de rage.

Depuis la mort de Richard, Florentina n'avait presque plus de vie mondaine ou sociale. Elle réussit à passer deux weekends chez William, avec Joanna et son petit-fils de deux ans, à la Maison Rouge, sur Beacon Hill. Dès qu'elle avait un week-end de libre, Annabelle la rejoignait à Cape Cod.

Promu président du groupe Baron et vice-président de la Lester, Edward obtenait des résultats dont Richard lui-même eût été fier. Il venait souvent à Cape Cod pour disputer une partie de golf, mais contrairement à Richard, il perdait toujours.

Chaque fois qu'elle gagnait une partie, Florentina envoyait ses gains au club républicain local, à la mémoire de Richard. Le directeur du club inscrivait ces dons comme venant d'un donateur anonyme, à défaut de quoi les électeurs de Florentina n'auraient pas compris pourquoi elle soutenait les deux partis.

Edward déclara ses sentiments à Florentina et alla même jusqu'à une timide demande en mariage. Elle embrassa gentiment son meilleur ami sur la joue :

— Je ne veux pas me remarier, répondit-elle, mais si tu arrives à me battre une fois au golf, j'accepte de reconsidérer ta proposition.

Edward la prit au mot et s'offrit des leçons de golf, mais Florentina était décidément trop forte pour lui.

Quand la presse apprit que Mme le sénateur Kane avait été choisie pour prononcer le discours d'ouverture de la Convention démocrate de Detroit, on commença à murmurer qu'elle était une candidate possible pour les présidentielles de 1992. Edward s'enthousiasma, mais Florentina lui rappela que quarante-trois autres personnalités étaient dans le même cas qu'elle. Comme le Président l'avait prédit, Pete Parkin blêmit quand il fut question d'accorder la vice-présidence à Florentina. Cependant il se calma quand il comprit qu'il n'était pas question de rayer son nom du « ticket » démocrate. Florentina était persuadée que l'actuel vice-président deviendrait son adversaire le plus acharné si elle décidait de se présenter aux présidentielles, quatre ans plus tard.

Le président et Pete Parkin furent reconduits, au terme d'une convention qui se déroula mollement, avec seulement une poignée de dissidents et de partisans, chargés de maintenir les délégués éveillés sur les gradins. Florentina se souvint, non sans mélancolie, des conventions antérieures, celle du parti républicain de 1976, par exemple, durant laquelle Nelson Rockefeller avait arraché la prise du micro.

Les délégués réservèrent au discours de Florentina un enthousiasme accordé d'habitude aux seuls discours présidentiels, et qui lui valut des panneaux surgissant le dernier jour de la Convention et demandant : « Kane pour 1992 ». Il serait impossible ailleurs qu'en Amérique de voir apparaître plus de dix mille panneaux en une nuit, se dit-elle en rentrant.

Sa campagne présidentielle avait déjà commencé, sans qu'elle lève le petit doigt.

Pendant les dernières semaines précédant les élections, Florentina travailla autant que le Président lui-même. Dans sa loyauté sans limites, la presse vit un des facteurs qui permirent aux démocrates d'obtenir une maigre victoire. Ralph Brooks retourna au Sénat avec une majorité légèrement accrue. Cela rappela à Florentina que sa propre élection au Sénat viendrait dans deux ans.

Dès l'ouverture de la première session du 101e Congrès, plusieurs collègues, sénateurs ou députés, assurèrent Florentina de leur appui, pour le cas où elle voudrait se présenter aux élections présidentielles. Certains d'entre eux, apprit-elle plus tard, avaient fait la même promesse à Pete Parkin. Toutefois, elle les remercia d'un mot écrit de sa main.

Avant d'affronter les nouvelles élections au Sénat, sa tâche la plus difficile consistait à mettre au point et faire voter une loi sur l'Aide sociale au Sénat et à la Chambre. Ce travail lui prit énormément de temps. Elle apporta personnellement sept amendements à la loi, qui prévoyait que le gouvernement fédéral serait responsable de toutes les indemnités à l'échelle nationale, fixant un revenu minimal et mettant en chantier une révision totale du système des indemnités.

Florentina passa des heures à harceler, persuader, séduire et presque à soudoyer ses collègues, jusqu'à la ratification de la loi. Elle se tenait derrière le Président lorsque celui-ci y apposa sa signature. Les caméras et les appareils photographiques les mitraillaient depuis le rang réservé à la presse, délimité par un cordon. C'était le plus grand haut fait de Florentina depuis qu'elle s'était lancée dans la carrière politique. Le Président prononça un communiqué plein d'autosatisfaction avant de se lever pour serrer la main de Florentina.

— C'est cette dame qu'il faut remercier pour la loi Kane, dit-il, puis, se penchant vers elle, il chuchota : Dieu merci, le vice-président est en Amérique du Sud, sinon je n'aurais pas fini d'en entendre parler.

La presse fit l'éloge de l'habileté et de la persévérance avec lesquelles le sénateur Kane avait fait promouvoir sa loi au Congrès. Le *New York Times* prétendit que même si Mme Kane ne réalisait plus rien dans l'avenir, son nom serait déjà incrit dans les livres de droit comme celui d'un grand législateur.

Grâce à la nouvelle loi, aucune personne dans le besoin ne se verrait déchue de ses droits et tous ceux qui avaient pris l'habitude de jouer avec les fonds de l'Aide sociale avaient fini la partie derrière les barreaux.

Quand le tumulte s'apaisa, Florentina essaya de retrouver sa vie normale de sénateur. Les prochaines élections ayant lieu neuf mois plus tard, Janet lui conseilla vivement de passer désormais plus de temps dans l'Etat de l'Illinois qu'à Washington. Presque tous les membres du parti, surtout les plus anciens, offrirent à Florentina leurs services pour sa réélection.

Le Président lui-même mit tout en œuvre pour la soutenir et attira une foule immense devant le palais des Congrès de Chicago où il devait prononcer un discours. Comme ils remontaient les marches, au milieu des acclamations, il murmura :

— Je vais maintenant prendre ma revanche pour toutes les critiques dont vous m'avez accablé pendant ces cinq dernières années.

Dans le discours qui suivit, le Président décrivit Florentina comme une femme qui lui avait causé plus de souci que sa propre épouse et qui voulait, maintenant, dormir dans son lit, à la Maison-Blanche. Lorsque les rires s'apaisèrent, il ajouta :

— Et si elle aspire à la fonction suprême, l'Amérique ne pourrait pas être mieux servie.

La presse du lendemain parlait d'un affront envers Pete Parkin. Selon les éditorialistes, si Florentina décidait de se présenter aux présidentielles, elle bénéficierait de l'appui de l'actuel Président. Celui-ci eut beau démentir cette interprétation, Florentina n'en fut pas moins hissée à la position peu enviable de grand favori pour les élections de 1992.

A l'occasion des élections pour le Sénat, Florentina fut surprise elle-même par l'ampleur de sa victoire. Alors qu'ailleurs la plupart des sénateurs démocrates avaient perdu du terrain, conformément au glissement habituel des partielles, l'écrasante victoire de Florentina confirmait l'opinion déjà répandue selon laquelle les démocrates avaient enfin trouvé plus qu'un porte-drapeau : un futur vainqueur.

La semaine d'ouverture de la première session du 102ᵉ Congrès débuta avec une photo de Florentina en couverture du *Time*. Une narration détaillée de sa vie n'omettait rien, et l'on avait déterré des faits tels que sa performance dans *Jeanne d'Arc,* à l'Ecole Latine, ainsi que l'obtention de la bourse Woolson. On y expliquait même pourquoi feu son mari l'appelait Jessie. Elle était devenue la femme la plus connue d'Amérique. « Cette charmante dame de cinquante-sept ans, disait le *Time* dans son préambule, est à la fois intelligente et spirituelle. Mais prenez garde si vous la voyez serrer le poing, car elle se transforme alors en poids lourd. »

Durant la nouvelle session, Florentina s'efforça de s'acquitter des devoirs normaux d'un sénateur. Tous les jours, collègues, amis et journalistes la pressaient de publier un communiqué concernant son intention de participer ou non à la course à la Maison-Blanche. Elle essaya de détourner leur attention en s'intéressant davantage aux questions principales du jour. A cette époque, le Québec avait élu un gouvernement de gauche et elle se rendit au Canada pour participer aux conversations préliminaires avec la Colombie britannique, l'Alberta, le Saskatchewan et le Manitoba, en vue d'une éventuelle fédération avec les Etats-Unis. La presse l'avait suivie à la trace. A son retour à Washington, on avait cessé de la décrire comme une personnalité politique, on la traitait maintenant comme une figure de premier plan.

Pete Parkin informait déjà qui voulait l'écouter qu'il avait l'intention de poser sa candidature. Un communiqué officiel était attendu d'un instant à l'autre. Le vice-président, de cinq ans plus âgé que Florentina, tentait une ultime fois de poser sa candidature à la Maison-Blanche. Florentina savait également que, pour elle, cette occasion serait la seule. Elle se souvenait encore des paroles de Margareth Thatcher, lorsqu'elle était candidate à la fonction de Premier ministre :

— La seule différence entre un homme et une femme en politique, c'est que si la femme perd, les hommes ne lui donnent pas une deuxième chance.

Si Bob Buchanan était encore de ce monde, il aurait sans doute conseillé à Florentina de relire *Jules César,* mais cette fois, c'était de Brutus qu'il s'agissait.

Elle passa en compagnie d'Edward un week-end tranquille à Cape Cod et, pendant qu'il perdait une fois de plus leur match de golf, ils discutèrent de l'ascension d'une femme dans la carrière politique et de ses chances éventuelles d'arriver au sommet.

Quand Edward rentra à New York et Florentina à Washington, la décision était enfin prise.

## 33

— ... Et dans ce but, je déclare que je suis candidat à la présidence des Etats-Unis.

Florentina regarda l'assemblée des sénateurs. Trois cent cinquante hommes debout applaudissant à tout rompre dans un espace qui, d'après le responsable de la Sécurité, ne pouvait contenir que trois cents personnes. Caméras de télévision et appareils photographiques étaient braqués sur elle, évitant de saisir dans leur champ des visages anonymes.

Elle resta debout pendant l'ovation prolongée qui suivit son communiqué. Quand le tumulte cessa, Edward s'avança vers les micros du podium.

— Mesdames et messieurs, annonça-t-il, le candidat sera ravi de répondre à vos questions.

La moitié des membres de l'assistance se mirent à parler en même temps et Edward désigna un homme au troisième rang, lui signifiant qu'il pouvait poser la première question.

— Albert Hunt, du *Wall Street Journal*, se présenta-t-il. Madame le sénateur, qui, d'après vous, sera le plus dangereux de vos adversaires ?

— Le candidat républicain, répondit-elle sans hésiter, soulevant rires et applaudissements.

Souriant, Edward donna la parole à quelqu'un d'autre.

— Madame Kane, n'avez-vous pas en fait l'intention d'être la coéquipière de Pete Parkin ?

— Je ne suis pas intéressée par la vice-présidence. Cette fonction ressemble à une période de stagnation que l'on supporte dans l'espoir de faire un jour du vrai travail. Au pire, ça me rappelle les paroles de Nelson Rockefeller : « Ne visez pas le numéro deux en politique, sauf si vous voulez suivre un stage de quatre ans en sciences politiques et beaucoup d'obsèques nationales. » Je ne désire ni l'un ni l'autre.

— Pensez-vous que l'Amérique est mûre pour avoir une femme Président ?

— Absolument, sinon je ne poserais pas ma candidature. Mais je saurai mieux vous répondre le 3 novembre.

— Pensez-vous que les républicains choisiront une femme pour candidat, également ?

— Cela m'étonnerait. Ils manquent toujours d'audace. Si les démocrates font de cette idée un succès, ils pourront ensuite la copier, aux élections suivantes.

— Avez-vous assez d'expérience pour postuler à une telle fonction ?

— J'ai été épouse, mère, président d'une société multinationale, membre de la Chambre des Représentants pendant huit ans et du Sénat pendant sept ans. Dans la carrière que j'ai choisie, la présidence semble être l'apogée. Alors oui, je crois être à présent qualifiée pour une telle fonction.

— Pensez-vous que le succès de votre loi sur l'Aide sociale vous attirera la sympathie des défavorisés et de la communauté noire ?

— J'espère qu'elle m'attirera la sympathie de tous. Mon principal souci était de rassurer à la fois les contribuables et les assistés afin qu'ils sentent que ces indemnités sont justes et humaines dans une société moderne.

— Après l'invasion de la Yougoslavie par les Russes, votre gouvernement durcira-t-il sa position vis-à-vis du Kremlin ?

— Après la Hongrie, la Tchécoslovaquie, l'Afghanistan, la Pologne et maintenant la Yougoslavie, la dernière offensive soviétique sur la frontière pakistanaise renforce une conviction que j'ai de longue date : nous devons rester vigilants en ce qui concerne la défense de notre peuple. Nous devons toujours nous rappeler que les deux plus grands océans, qui nous ont si bien protégés par le passé, ne seront plus des garanties dans l'avenir.

466

— Le Président actuel vous a déjà décrite comme un faucon sous le plumage d'une colombe.

— Je ne sais pas si son commentaire se référait à mon aspect ou à mes vêtements, mais je suppose que la combinaison des deux oiseaux n'est pas très loin de l'aigle américain.

— Pensez-vous que nous pouvons garder des relations normales avec l'Europe, après les résultats des élections en Grande-Bretagne et en France ?

— La décision des Français de se doter à nouveau d'un gouvernement gaulliste, alors que les Britanniques ont voté, eux, pour une nouvelle administration travailliste, ne m'inquiète nullement. Jacques Chirac et Roy Hattersley ont prouvé par le passé que tous deux étaient de bons amis des Etats-Unis. Je ne vois pas pourquoi ils changeraient dans l'avenir.

— Est-ce que Ralph Brooks soutiendra votre campagne ?

C'était la première question qui prenait Florentina de court.

— Allez le lui demander. Quant à moi, naturellement, j'espère que le sénateur Brooks sera content de ma décision.

— Madame le sénateur, approuvez-vous le système actuel des primaires ?

— Non ! Sans être favorable à des primaires au niveau national, je suis convaincue que le présent système est à beaucoup de points de vue tout à fait archaïque. Pour choisir son président, l'Amérique a adopté un processus de sélection qui répond plus aux exigences des actualités télévisées qu'aux besoins d'un gouvernement moderne. Et cela encourage les dilettantes. Aujourd'hui, on a une chance de devenir Président, à condition de pouvoir travailler et d'avoir hérité quelques millions de sa grand-mère. Il n'y a plus qu'à passer quatre ans à parcourir le pays et à chercher des délégués pendant que tous les gens mieux qualifiés pour cette tâche font un travail à plein temps ailleurs. Si je deviens Président, je demanderai au Sénat d'adopter une loi permettant à ceux qui ne disposent ni du temps ni de l'argent nécessaires de

467

pouvoir poser malgré tout leur candidature à la magistrature suprême. Nous devons redonner vie au vieux précepte suivant lequel celui qui, né dans ce pays, désire le servir en ayant les qualités requises pour une telle fonction, ne doit pas être éliminé avant même que les premiers électeurs aillent aux urnes.

Les questions continuèrent à affluer de toute part et il se passa une heure avant que Florentina puisse répondre à la dernière :

— Madame Kane, si vous devenez Président, allez-vous être comme Washington et ne jamais mentir, ou comme Nixon et avoir votre propre définition de la vérité ?

— Je ne puis promettre de ne jamais mentir. Nous mentons tous quelquefois pour protéger un ami ou un parent et, si j'étais Président, peut-être faudrait-il mentir pour protéger le pays. Parfois nous mentons pour ne pas nous dévoiler. En tout cas, je puis vous assurer d'une chose : je suis la seule femme en Amérique qui n'a jamais su mentir sur son âge. (Les rires fusèrent et, quand ils cessèrent, Florentina resta debout.) Je voudrais terminer cette conférence de presse en vous disant que, quel que soit le résultat de ma décision d'aujourd'hui, je désire exprimer ma reconnaissance à l'Amérique, qui a permis que la fille d'un immigré puisse postuler à la plus haute fonction du pays. Une telle ambition ne saurait être réalisée dans aucun autre pays du monde, j'en suis sûre.

La vie de Florentina changea dès qu'elle quitta la pièce. Quatre agents des services secrets l'entourèrent, lui frayant habilement un passage à travers la foule.

Florentina sourit quand Brad Staimes se présenta, expliquant que durant la période de sa candidature, il y aurait toujours à son service nuit et jour quatre agents se relayant

468

toutes les huit heures. Elle ne put s'empêcher de noter que deux des agents étaient des femmes, dont le physique était aussi fragile que le sien.

Elle remercia son interlocuteur mais ne s'habitua jamais tout à fait à l'omniprésence de ses anges gardiens. Leurs minuscules écouteurs les distinguaient de ses admirateurs, et elle se souvint de l'histoire de cette vieille dame qui participait à un rassemblement pour Nixon en 1972. Elle s'était approchée des gardes du corps à la fin du discours du candidat, déclarant qu'elle avait définitivement décidé de voter pour la réélection de Nixon, puisque visiblement il sympathisait avec ceux qui, comme elle, étaient durs d'oreille !

Après la conférence de presse, Edward dirigea une réunion de travail dans le bureau de Florentina, afin d'élaborer un plan pour la campagne à venir. Le vice-président avait déjà annoncé qu'il serait candidat. D'autres postulants venaient également de se manifester, mais la presse avait annoncé que la vraie bataille allait d'ores et déjà se jouer entre Kane et Parkin. Edward rassembla une formidable équipe d'enquêteurs d'opinion, de conseillers financiers et politiques, aidés par le personnel officiel de Florentina à Washington, toujours dirigé par Janet Brown.

Tout d'abord, Edward mit au point un plan de campagne quotidien allant des primaires du New Hampshire à la Convention nationale de Detroit, en passant par les primaires de Californie, toujours décisives.

Florentina aurait souhaité que la Convention se tienne à Chicago, mais le vice-président avait opposé son veto. Il ne voulait pas défier Florentina dans son propre fief. Il rappela au comité du parti démocrate que le choix de Chicago et les violentes manifestations qui s'en étaient ensuivies, avaient sans doute été l'unique raison qui avait fait perdre à Humphrey la présidence devant Nixon en 1968.

Florentina avait déjà envisagé qu'il serait impossible de battre le vice-président dans les Etats du Sud. Il était donc vital pour elle de faire un début fracassant en Nouvelle-Angleterre et dans le Middle West. Durant les trois mois suivants, elle admit qu'elle devait consacrer 70 % de son énergie à la campagne et, pendant plusieurs heures, son équipe délibéra sur la meilleure façon d'utiliser ce temps. Ils décidèrent que Florentina devrait se rendre régulièrement dans les principales villes qui voteraient lors des trois premières primaires et, si elle faisait une forte impression dans le New Hampshire, une région traditionnellement conservatrice, ils agiraient en conséquence.

Florentina dut trouver un compromis entre son travail de sénateur et ses fréquents déplacements dans le New Hampshire, le Vermont et le Massachusetts. Edward avait loué un Jet-Lear de six places avec deux pilotes, disponibles vingt-quatre heures sur vingt-quatre de sorte qu'elle puisse quitter Washington à n'importe quelle heure. Les trois Etats dans lesquels se dérouleraient les élections primaires étaient de véritables bastions démocrates et partout où Florentina se rendit, elle put noter autant de « Kane Président » que de posters et de banderoles favorables à Pete Parkin.

Il restait sept semaines jusqu'aux premières primaires. Florentina commença la chasse aux cent quarante-sept mille électeurs déclarés du parti démocrate. Edward ne s'attendait pas à plus de 30 % de votants, mais ce chiffre serait peut-être suffisant pour lui permettre de remporter les primaires et de persuader les indécis qu'elle était un candidat qui avait ses chances.

Florentina avait besoin de l'appui de chaque délégué sûr avant d'arriver dans le Sud, sous peine de ne pas obtenir le chiffre magique de mille six cent soixante voix au terme du voyage, à la Convention de Detroit.

Les premiers signes étaient encourageants. Son enquêteur d'opinion personnel, Kevin Palumbo, pensait que la course avec le vice-président allait être serrée et les sondages officiels semblaient confirmer ce point de vue. Seuls 7 % des personnes interrogées affirmèrent qu'en aucun cas elles ne voteraient pour une femme, mais Florentina savait, justement, combien 7 % pouvaient être importants quand le résultat final se jouait dans un mouchoir de poche.

Le programme de Florentina prévoyait de courtes visites dans plus de cent cinquante petites villes du New Hampshire, un Etat qui en comptait deux cent cinquante. En dépit de l'agitation de ces journées de campagne, elle apprécia ces belles cités de la Nouvelle-Angleterre, la rudesse des fermiers de l'Etat et la morne beauté des paysages en hiver.

A Franconia, elle donna le signal du départ d'une course de traîneaux, et visita l'agglomération la plus septentrionale des Etats-Unis, près de la frontière canadienne. Elle apprit à respecter le point de vue souvent pénétrant des rédacteurs politiques des journaux locaux, dont plusieurs étaient des retraités de grands journaux ou magazines nationaux.

Au dire d'Edward, l'argent affluait dans les quartiers généraux de Florentina à Chicago et les bureaux ornés de banderoles de « Kane Président » poussaient comme des champignons dans tous les Etats. Il y avait plus de volontaires que ces bureaux ne pouvaient en contenir et il avait fallu transformer une douzaine de garages dans toute l'Amérique en quartiers généraux improvisés. Au cours des sept jours qui précédèrent les élections primaires, Florentina fut interviewée successivement par les journalistes vedettes des trois grandes chaînes nationales. Comme son attaché de presse, Andy Miller, le démontra si justement, cinquante millions de téléspectateurs avaient regardé son interview avec Barbara Walters, et il aurait fallu plus de cinq ans à Florentina pour serrer la main à tous ces gens.

Les organisateurs de la campagne veillèrent néanmoins à ce qu'elle rende visite à presque toutes les personnes âgées du New Hampshire. Ensuite, elle dut parcourir les villes de l'Etat, serrer les mains des ouvriers, devant les fabriques de papier, parler à des membres plus ou moins ivres de l'American Legion qui semblait avoir une section dans la moindre bourgade.

Elle apprit à regarder du côté des remonte-pentes des petites collines, plutôt que vers les stations de ski réputées, peuplées de visiteurs new-yorkais qui ne votaient pas.

Si elle échouait avec le petit électorat du Nord, on

mettrait en doute la crédibilité de sa candidature, et elle le savait. Quand elle arrivait dans une ville, Edward la rejoignait et ils travaillaient sans répit, jusqu'à ce qu'elle retourne à son avion. Edward se félicitait de la curiosité suscitée par une femme candidat. Ses éclaireurs n'avaient jamais de difficultés à remplir les salles dans lesquelles Florentina devait parler.

Pete Parkin, qui avait eu une bonne série de décès importants, prouva que le vice-président avait de quoi s'occuper et passait encore plus de temps que Florentina à sillonner le New Hampshire.

Le jour des primaires, Edward annonça que l'équipe Kane avait contacté par téléphone, lettre ou visite, cent vingt-cinq mille démocrates déclarés, parmi les cent quarante-sept mille de l'Etat. Mais l'équipe Parkin avait dû en faire autant, car beaucoup des personnes ainsi contactées s'étaient montrées hésitantes, voire hostiles.

A la veille du scrutin, Florentina fit un discours à Manchester, devant un rassemblement de plus de trois mille personnes. D'après Janet elle aurait accompli le lendemain un cinquantième du chemin vers la présidence, à quoi Florentina répliqua : « Ou ce sera déjà terminé. » Elle rentra dans sa chambre d'hôtel peu après minuit, suivie par les caméras de plusieurs chaînes de télévision et ses quatre gardes du corps, tous convaincus de sa victoire.

Le lendemain, le temps était à la neige. Florentina passa la journée à faire le tour des bureaux de vote du New Hampshire en remerciant les fidèles du parti, jusqu'à la fermeture du dernier isoloir. Peu après 11 heures, la C.B.S. annonça une participation de 47 %, considérée comme très satisfaisante, étant donné les conditions météorologiques.

Les premiers indices ne démentirent pas les sondages. Florentina et Pete Parkin étaient roue dans roue, l'un prenant tour à tour l'avantage sur l'autre tout au long de la nuit, à 2 % près. Pour regarder les résultats, Florentina s'était retirée dans sa chambre d'hôtel en compagnie d'Edward, de

Janet, de ses plus proches collaborateurs et de deux gardes du corps.

— La fourchette ne pouvait pas être plus étroite, déclara la journaliste de la N.B.C. Sénateur Kane, 31 %, vice-président Parkin 30 %, sénateur Bradley 16 %. Le reste des votes est partagé entre cinq autre candidats lesquels, à mon avis, pourront se dispenser de louer une chambre d'hôtel aux prochaines élections.

Florentina se souvint des paroles de son père : « Si tu obtiens aux primaires un résultat satisfaisant... »

Elle quitta le New Hampshire et partit pour le Massachusetts avec six mandats. Parkin en avait cinq. La presse nationale ne donna pas de gagnant, mais cinq perdants. Seuls trois de ces derniers firent acte de présence dans le Massachusetts. Florentina semblait avoir enterré le vieux préjugé selon lequel une femme ne peut pas être un prétendant sérieux.

Elle avait quatorze jours pour remporter la majorité des cent onze mandats du Massachusetts. Ce fut un travail fastidieux. Tous les jours, elle suivait un programme établi par Edward, de façon à rencontrer le plus de votants possible et trouver le moyen d'être citée aux actualités du matin ou à celles de la soirée.

Florentina posa pour les photographes avec des bébés, des présidents d'association, des restaurateurs italiens. Elle mangea des escalopes, de la morue, du ris de veau portugais et des canneberges, prit le métro, l'autobus, le ferry, courut sur des plages, se promena à pied dans le Berkshire et fit son marché en plein air, dans le but de montrer qu'elle avait la résistance d'un homme.

En se plongeant, éreintée et fourbue, dans un bain chaud, elle arriva à la conclusion suivante : si son père était resté en Russie, son ascension vers la fonction suprême du Kremlin n'aurait pas été plus difficile.

Dans le Massachusetts, elle battit Parkin à nouveau, obtenant quarante-sept mandats contre trente-neuf. Le même jour, dans le Vermont, elle battit encore une fois son adversaire en raflant huit des douze délégués de l'Etat. Grâce à ces victoires, l'opinion publique se modifia et les sondages commencèrent à annoncer que de plus en plus de gens répondaient « Oui » à la question : « Une femme peut-elle gagner les élections ? »

Détail amusant, 6 % des personnes interrogées ignoraient que le sénateur Kane était une femme. Selon les spécialistes, le grand test aurait lieu dans le Sud, les primaires se déroulant en même temps en Floride, en Géorgie et en Alabama. Si elle tenait bon, elle aurait alors une chance réelle d'obtenir l'investiture de son parti, car la course à la candidature démocrate était manifestement devenue à présent un combat singulier entre Florentina et le vice-président.

Le scrutin qui eut lieu en Floride ne réserva aucune surprise. Le vice-président obtint soixante-deux mandats sur les cent mis en jeu et la même tendance se répéta en Géorgie, avec quarante contre vingt-trois, ainsi qu'en Alabama, avec vingt-huit sur quarante-cinq.

Cependant, Pete Parkin n'avait pas réussi, comme il l'avait proclamé, « à battre à plate couture la petite bonne femme, dès qu'elle aurait posé son pied dans le Sud ».

Edward et son équipe sillonnaient le pays en tous sens. Les amples moyens de Florentina lui permettaient de poursuivre confortablement sa campagne et son Jet-Lear la transportait sans problème d'un Etat à l'autre. Son énergie semblait inaltérable et ce fut le vice-président qui, le premier, commença à bégayer, à s'enrouer et à se fatiguer en fin de journée. Les deux candidats se rendirent à San Juan, puis, à la mi-mars, Porto Rico vota pour Florentina en lui offrant vingt-cinq délégués sur quarante et un. Deux jours plus tard, lorsqu'elle arriva dans son Etat natal, l'Illinois, Florentina Kane suivait Parkin de près avec 164 mandats contre 194.

La « Cité des Vents » accueillit sa fille favorite en lui accordant la totalité des cent soixante-dix-neuf mandats de

474

l'Illinois et elle reprit la tête, avec trois cent quarante-trois délégués. La situation se renversa à New York, dans le Connecticut et en Pennsylvanie, où le vice-président grignota quelque peu son retard. Avant les primaires du Texas, Parkin détenait cinq cent quatre-vingt-onze mandats, et Florentina six cent cinquante-cinq.

Personne ne fut surpris quand Parkin obtint la totalité des mandats de son propre Etat. Le Texas n'avait pas produit de Président depuis Lyndon Johnson et les Texans étaient convaincus que, si J.R. Ewing avait peut-être ses défauts, il n'avait pas tort d'affirmer qu'une femme était faite pour rester à la maison. Le vice-président quitta son ranch de Houston avec sept cent quarante-trois délégués dans sa musette, alors que Florentina conservait ses six cent cinquante-cinq mandats.

Voyageant dans une fièvre journalière, les deux candidats apprirent à leurs dépens qu'un commentaire anodin de leur part pouvait facilement faire les gros titres des journaux.

Parkin commit la première gaffe en confondant le Paraguay et le Pérou, et les photographes n'y allèrent pas de main morte lorsque le lendemain, lors d'un défilé de voitures, il déambula dans Flint en Mercedes avec chauffeur.

Florentina n'échappa pas davantage aux malentendus. En Alabama, à la question de savoir si elle envisageait de choisir un vice-président noir, elle répondit : « Oui, bien sûr, j'y ai songé. »

Il fallut de nombreux communiqués pour persuader la presse qu'elle n'avait pas déjà demandé à un des leaders de la communauté noire de se joindre à elle. C'est pourtant en Virginie qu'elle commit sa plus grave erreur, à l'occasion d'un discours à la faculté de Droit, où elle parlait des changements qu'elle apporterait au droit commun si elle était élue Président. Le discours avait été préparé et dirigé par l'un de ses assistants de Washington, qui travaillait pour elle depuis qu'elle était député. Elle avait lu le texte attentivement la nuit précédente, y apportant quelques modifications mineures et avait même admiré la construction du discours et son argumentation.

Elle le prononça le lendemain, devant une foule d'étudiants enthousiastes. Le même soir, elle participa à une réunion du Rotary Club de Charlottesville, où il fut question des problèmes des éleveurs de bétail, et elle avait déjà oublié son discours de l'après-midi, jusqu'au lendemain matin, quand elle jeta un coup d'œil aux journaux locaux, tout en prenant son petit déjeuner.

Le *New Leader* de Richmond relatait une histoire dont toute la presse nationale s'empara aussitôt. Un journaliste du coin avait réussi le scoop de sa vie en racontant que si le discours de Florentina était remarquable, c'est qu'il avait été écrit par un de ses assistants, Allen Clarence, lui-même ancien prisonnier. Clarence avait écopé de six mois de prison, disait le journaliste, et d'un an de liberté surveillée pour un délit de droit commun, avant d'être enrôlé dans l'équipe du sénateur Kane. Rares furent les journaux qui firent savoir qu'Allen Clarence avait été condamné pour conduite en état d'ivresse et défaut de permis et qu'il avait été libéré au bout de trois mois.

Questionnée par la presse sur ce qu'elle avait l'intention de faire au sujet de Clarence, Florentina répondit : « Rien. » Edward était d'un tout autre avis. Selon lui, il fallait renvoyer Clarence immédiatement, aussi injuste que cela puisse paraître, car certains journaux, sans parler de Pete Parkin, ne cesseraient de clamer que l'un des hommes de confiance de Florentina était un ancien repris de justice.

— Pouvez-vous imaginer qui dirigera le système pénitentiaire de ce pays, si cette femme accède au pouvoir ? répétait le vice-président à tout bout de champ.

Allen Clarence démissionna, mais le mal était fait. Avant d'arriver en Californie, Pete Parkin menait la course, avec neuf cent quatre-vingt-onze délégués, contre huit cent quatre-vingt-trois pour Florentina.

A San Francisco, Belle alla attendre Florentina à l'aéroport. Malgré ses trente ans de plus, elle n'avait pas perdu un gramme. A son côté se tenait toute sa famille, son mari Claude et un géant de fils, ainsi qu'une fille toute maigrichonne. Belle se rua vers Florentina mais fut arrêtée en plein élan par les robustes gardes du corps. La candidate alla l'embrasser.

— Je n'ai jamais vu ça, bougonna un des hommes des services secrets, elle pourrait s'attaquer à un 747 !

Des centaines de personnes avaient envahi le pourtour de la piste en scandant : « Kane Président ! »

Accompagnée par Belle, Florentina s'avança vers eux. Des centaines de mains se tendirent vers elle, et ce genre de réaction ne manquait jamais de l'émouvoir. Toute la ville avait été placardée d'affiches : « La Californie pour Kane » et, pour la première fois, la foule était en majorité masculine.

A l'heure du retour, en revenant vers l'aéroport, elle aperçut sur un mur un graffiti à la peinture rouge :

« Vous avez envie d'avoir une sale pute polonaise pour Président ? » En dessous, on avait ajouté à la peinture blanche : « Oui ! »

A présent, Belle était devenue directrice de l'une des plus grandes écoles de Californie et avait suivi les traces de Florentina en se faisant élire à la présidence du comité démocrate de la ville.

— J'ai toujours su que tu te présenterais aux présidentielles, alors, je me suis dit : autant avoir pour toi San Francisco, dit-elle.

Belle avait « eu » San Francisco grâce à un millier de volontaires, qui avaient frappé à toutes les portes. La Californie ayant un double visage, conservateur dans le Sud et libéral dans le Nord, Florentina avait la lourde tâche de se présenter comme un candidat centriste. Son efficacité et son intelligence plurent à tous et convertirent les plus durs, de l'aile droite du parti jusqu'à la nouvelle gauche.

Les résultats classaient San Francisco immédiatement derrière Chicago. Florentina aurait aimé avoir encore une cinquantaine de Belle, car le scrutin de la seule ville de San Francisco avait suffi à lui gagner 69 % de la Californie. Grâce à Belle, Florentina arriva à Detroit, devant la Convention, avec cent vingt-huit délégués de plus que Parkin.

Pendant le dîner de célébration, Belle avait mis son amie en garde. Selon elle, le plus grave problème qu'elle aurait à affronter n'était pas le « Je ne vote pas pour une femme », mais le « Elle est trop riche. »

— Encore cette vieille histoire ! avait répondu Florentina, je n'y peux rien. J'ai déjà fait don de mes actions du groupe Baron à la Fondation Remagen.

— Oui, mais personne ne connaît le but de cette fondation. On sait qu'elle accorde une aide aux enfants défavorisés, par exemple, mais combien sont-ils, et quel argent reçoivent-ils ?

— Nous avons dépensé l'année dernière plus de trois millions de dollars en faveur de trois mille cent douze immigrés de milieux défavorisés. Ajoute à cela quatre cents enfants ayant gagné la bourse Remagen, qui leur permet d'entrer dans des universités américaines. Il y en a même un qui, grâce à sa bourse, est entré à Oxford.

— Je ne le savais pas, dit Belle. En revanche, on nous rebat sans arrêt les oreilles avec une petit bibliothèque financée par Parkin, à l'université du Texas. Il s'est débrouillé pour qu'elle devienne aussi connue que la Widener de Harvard.

— Que doit faire Florentina, à votre avis ? demanda Edward.

— Pourquoi le professeur Ferpozzi ne donnerait-il pas sa propre conférence de presse ? C'est un homme très connu. Après ça, tout le monde saura que Florentina dépense son argent pour les autres.

Dès le lendemain, Edward envoya des comptes rendus sur la Fondation à tous les magazines spécialisés et organisa une conférence de presse. Tous les journaux diffusèrent des articles sur la question, sauf le *People* qui publia sur sa couverture une photo de Florentina avec Albert Schmidt, le fameux boursier qui était entré dans une université anglaise. Albert était fils d'immigrés allemands. Ses grands-parents avaient quitté l'Europe après s'être évadés d'un camp de travail.

Aussitôt, le jeune homme fut interviewé dans le journal

du matin de la C.B.S. et devint bientôt presque plus célèbre que Florentina elle-même.

Sur le chemin du retour vers Washington, en fin de semaine, Florentina apprit que le gouverneur du Colorado, qui n'avait jamais été spécialement un allié ou un ami, l'avait soutenue au cours d'un séminaire sur l'énergie.

Le point de vue de Mme Kane sur l'industrie et la protection de l'environnement, avait-il dit, offrait aux riches Etats de l'Ouest les meilleures espérances pour le futur.

La journée s'acheva sur un triomphe : les agences de presse communiquèrent dans le monde entier le premier rapport important du département à l'Aide sociale, depuis l'entrée en vigueur de la loi Kane. Pour la première fois depuis la révision du système de secours le nombre des bénéficiaires radiés dans l'année excédait celui des inscrits dans la même année.

Le financement de la campagne de Florentina avait toujours posé des problèmes. Ses plus fervents supporters partaient du principe qu'elle était capable d'en assumer toutes les dépenses. Parkin, qui avait l'appui des magnats du pétrole, n'avait jamais affronté le même problème. Or, pendant les derniers jours de la campagne, les contributions affluèrent dans les caisses de Florentina, accompagnées de télégrammes de soutien et de bons vœux.

Des journalistes à Londres, à Paris, à Bonn et à Tokyo avaient commencé à expliquer à leurs lecteurs que si l'Amérique souhaitait un Président de stature internationale, il n'y avait aucune comparaison entre Florentina Kane et l'éleveur de bétail texan.

Florentina était enchantée de ces revues de presse. Edward avait beau objecter que ni ces lecteurs étrangers, ni ces articles ne pouvaient actionner les rouages de la machine électorale américaine, il sentait, lui aussi, qu'ils devançaient Parkin. Il n'en demeurait pas moins que plus de quatre cents délégués sur les trois mille trente et un qui constituaient les grands électeurs du parti restaient indécis. Les pontes de la politique estimaient que deux cents d'entre eux voteraient pour le vice-président et cent pour Florentina.

Ce scrutin promettait d'être le plus serré depuis la campagne de Reagan contre Ford.

Après la Californie, Florentina rentra à Washington, avec une nouvelle valise pleine de linge sale. Il fallait maintenant séduire ces quatre cents délégués hésitants. Pendant les quatre semaines qui suivirent, elle eut l'occasion de parler à trois cent quatre-vingt-huit d'entre eux personnellement, trois ou quatre fois avec certains. Les femmes déléguées se montraient moins coopératives, alors que, visiblement, elles étaient ravies de l'intérêt qu'on leur montrait et tout en sachant que dans un mois plus personne ne ferait appel à elles.

Edward installa un ordinateur dans la suite occupée par Florentina à la Convention. La machine était reliée à tous les quartiers généraux du parti et possédait des informations sur les quatre cent douze délégués non engagés, avec un historique de leur vie depuis leur naissance jusqu'à leur arrivée à Detroit.

Quand ils arrivèrent à la Convention, Edward était prêt à mettre son dernier plan à exécution.

Pendant cinq jours, la semaine suivante, Florentina s'arrangea pour se trouver toujours à proximité des caméras de télévision. La convention du parti républicain se déroulait au Cow Palace, à San Francisco, et donnait lieu à d'interminables marchandages, car aucun des candidats n'avait excité l'imagination des électeurs pendant les primaires. Le choix de Russel Warner par les républicains ne surprit pas Florentina. Celui-ci n'avait cessé de faire campagne depuis qu'il était devenu gouverneur de l'Ohio. La presse tenait Warner pour un bon gouverneur, sans plus, et cela rappela à Florentina que le plus difficile serait de battre Parkin. Après, il serait facile de vaincre le porte-drapeau républicain. Une nouvelle fois, c'était dans son propre parti qu'elle rencontrait l'opposition la plus farouche.

Le week-end précédant la Convention, Florentina et Edward rejoignirent la famille Kane à Cape Cod. Bien qu'épuisée, elle réussit encore à gagner sa partie de golf contre Edward qui, il est vrai, avait l'air encore plus fatigué qu'elle.

Florentina et Edward iraient à Detroit par avion, le lundi matin. Ils avaient réservé le Baron de la ville. L'hôtel entier avait été réquisitionné pour abriter le personnel de Florentina, ses supporters et cent vingt-quatre délégués indépendants.

Avant de se retirer dans sa chambre le dimanche soir, Florentina souhaita bonne nuit à Edward et aux hommes et femmes des services secrets qu'elle considérait, à présent, comme sa famille adoptive.

Elle savait que les quatre prochains jours allaient être les plus importants de toute sa carrière politique.

## 34

Dans l'avion, un journaliste du *Baltimore Sun* demanda à Florentina depuis quand elle avait commencé à réfléchir à son discours d'acceptation et elle répondit : « Depuis l'âge de onze ans. »

Durant le vol entre New York et Detroit, elle avait lu et relu son discours, déjà écrit, pour le cas où elle aurait obtenu l'investiture de son parti dès le premier scrutin. Edward prédisait qu'il était impossible d'obtenir la victoire au premier tour, mais elle voulut se préparer à cette éventualité.

Ses conseillers pensaient que le résultat ne pourrait être annoncé qu'après le deuxième, voire le troisième tour, car entre-temps, le sénateur Bradley aurait libéré ses cent quatre-vingt-neuf délégués.

Une semaine auparavant, elle avait établi une courte liste d'éventuels vice-présidents. Il y avait quatre noms. Bill Bradley venait en tête, mais elle pensait aussi à Sam Nunn, Gary Hart et David Pryor.

L'atterrissage sortit Florentina de ses pensées. A travers le hublot, elle aperçut une foule compacte et surchauffée qui l'attendait. Combien d'entre eux seraient là le lendemain, à l'arrivée de Pete Parkin ? Elle jeta un dernier coup d'œil à sa coiffure, dans son miroir de poche. Quelques fils d'argent se mêlaient à ses cheveux bruns mais elle n'avait rien voulu faire pour les cacher.

Elle sourit en pensant à Pete Parkin, dont la chevelure avait gardé la même couleur depuis trente ans. Florentina portait un simple tailleur en lin et avait pour toute parure une petite broche en diamants en forme d'âne.

Elle détacha sa ceinture de sécurité et se leva, esquivant de la tête le porte-bagages. En s'avançant dans la travée, tout le monde dans l'avion se mit à applaudir. Elle comprit soudain que si elle perdait la nomination, ce serait la dernière fois qu'elle les voyait tous réunis. Florentina serra la main à tous les journalistes, dont certains la suivaient depuis cinq mois. Un membre de l'équipage ouvrit la porte de la cabine. Florentina sortit sur la passerelle, qui étincelait au soleil de juillet. Un immense cri perça dans la foule :

— Elle est là !

Elle descendit les marches et se dirigea vers les banderoles qui s'agitaient, car le contact direct avec les foules l'avait toujours électrisée. Sur la piste, elle fut à nouveau entourée par ses gardes du corps qui redoutaient des éléments incontrôlables. Florentina avait parfois pensé qu'elle aurait pu être assassinée chez elle, mais jamais au milieu d'une foule.

Elle serra des mains tendues et salua plusieurs personnes, avant qu'Edward ne l'entraîne vers la file de voitures qui attendaient sur la piste.

Un cortège de dix petites Ford flambant neuves indiquait que Detroit avait résolu la crise de l'énergie. Si Pete Parkin commettait l'erreur de traverser cette ville en Mercedes, elle serait élue avant même le premier vote de l'Alabama. Les hommes des services secrets montèrent dans les deux premières voitures et elle prit place dans la troisième sur la banquette arrière, Edward s'installant à côté du chauffeur. Le médecin particulier de Florentina s'engouffra dans la quatrième et les autres assistants s'entassèrent dans les six autres « bolides de poche », comme on avait surnommé la nouvelle Ford. Un car occupé par les représentants de la presse fermait le cortège, flanqué de motards.

La voiture démarra et se mit à rouler au pas pour permettre à Florentina de saluer la foule. A la sortie de l'aéroport seulement, le cortège put s'engager sur l'autoroute à une allure normale, vers Detroit. Pendant vingt minutes, Florentina put se détendre, jusqu'au centre ville. Le cortège débou-

484

cha sur l'avenue Woodward, tourna vers la rivière et se remit au pas, alors que de nouvelles grappes d'admirateurs, entassés sur les trottoirs, essayaient d'apercevoir le sénateur Kane. Le comité d'organisation de Florentina avait distribué cent mille plans indiquant l'itinéraire précis de son parcours et ses supporters l'acclamèrent tout le long du chemin vers le Baron.

Les hommes des services secrets l'avaient suppliée de changer d'itinéraire, mais elle n'avait rien voulu entendre.

Plusieurs équipes de télévision et des douzaines de photographes l'attendaient à son arrivée au Baron de Detroit. Toute la région avait été illuminée par des guirlandes. Dans le hall de l'hôtel, ses gardes du corps réussirent à l'entraîner rapidement vers le vingt-quatrième étage, réservé à son usage personnel.

Elle passa en revue la suite Georges-Novak, s'assurant que rien ne manquait, car cette chambre serait sa prison pendant les quatre jours suivant. Elle la quitterait soit pour recevoir l'investiture du parti démocrate, soit pour signifier son soutien à Pete Parkin. Un standard téléphonique avait été installé dans le séjour, de sorte qu'elle puisse entrer en contact avec les quatre cent douze délégués indépendants. Cette nuit-là, elle parla avec trente-huit d'entre eux avant le dîner, et passa le lendemain, jusqu'à deux heures de l'après-midi, à examiner le cas de tous ceux qui, d'après l'équipe, ne s'étaient pas encore décidés. Le lendemain, la presse locale regorgeait de photos de son arrivée, mais elle savait que Pete Parkin allait recevoir le même accueil enthousiaste. Au moins, le Président avait décidé de rester neutre et la presse avait déjà salué cette décision comme une victoire morale pour Florentina.

Elle laissa son journal, car la télévision retransmettait le déroulement de la Convention, pendant cette première matinée. Elle garda un œil sur les trois chaînes pendant le déjeuner, pour le cas où une nouvelle pousserait la presse à lui demander une réaction immédiate.

Dans la journée, trente et un délégués non engagés lui rendirent visite au vingt-quatrième étage. A mesure que l'après-midi s'avançait, ils se firent servir du café, du thé glacé ou chaud et des cocktails. Florentina ne but que du thé glacé, sans quoi elle aurait été ivre à onze heures du soir.

Elle regarda en silence l'arrivée de Pete Parkin, par l'avion personnel du vice-président, *Air Force II*, à l'aéroport de Detroit. Un de ses assistants l'informa que la foule présente pour l'accueillir était moins dense que celle de la veille. Un autre assistant affirma le contraire. Elle nota mentalement le nom de celui qui avait prétendu que la foule accueillant Parkin était plus nombreuse, décidée, à l'avenir, à considérer plus attentivement son point de vue.

Le sceau de la vice-présidence étincelant au soleil, Pete Parkin fit un bref discours sur un podium érigé pour l'occasion sur la piste. Il se déclara enchanté de se trouver dans cette ville que l'on pouvait appeler à juste titre la capitale mondiale de la voiture.

— Je le sais, ajouta-t-il, j'ai eu des Ford toute ma vie. Florentina sourit...

Après deux jours de « prison », Florentina commença à se plaindre d'être enfermée dans une cage à poules. Le mardi matin, les gardes du corps l'emmenèrent dans une voiture de location se promener le long du fleuve, où elle respira un peu d'air pur et put admirer l'horizon bas de Windsor, sur la rive canadienne.

A peine eut-elle mis un pied à terre pour faire quelques pas qu'elle fut entourée d'admirateurs. A son retour, Edward avait de bonnes nouvelles : cinq délégués indépendants avaient décidé de voter pour elle au premier tour de scrutin. Il estimait qu'il fallait encore 73 voix pour atteindre le nombre magique de 1 666.

Sur le petit écran, elle suivit le programme de la Convention. Une femme noire, surveillante d'école dans le Delaware, énuméra les qualités de Florentina et aussitôt que le nom de celle-ci fut prononcé, les pancartes bleues affichant « Kane Président » remplirent la salle. Mais durant le discours suivant, des pancartes rouges réclamant « Parkin à la présidence » se dressèrent en nombre égal. Florentina se mit à arpenter la pièce jusqu'à 1 h 30, heure à laquelle elle reçut quarante-trois nouveaux délégués et parla à cinquante-huit autres au téléphone.

Le deuxième jour de la Convention devait être consacré aux questions de politique, de finance, d'aide sociale, de défense. Après quoi le sénateur Pryor prononcerait un discours très attendu. Chaque fois que les délégués prenaient la parole, c'était pour déclarer que peu importait lequel des deux grands candidats serait choisi, pourvu qu'il l'emporte sur les républicains en novembre. La plupart des délégués discutaient entre eux dans la salle, oubliant les hommes et les femmes qui se succédaient à la tribune.

Florentina abandonna le débat sur l'Aide sociale, pour aller boire un verre avec deux délégués du Nevada, toujours indécis. Elle savait qu'ensuite, ils iraient voir Parkin, et que celui-ci leur promettrait une nouvelle autoroute, un hôpital, une université et tout ce qu'ils voudraient. « Au moins, demain soir, se dit-elle, ils seront bien obligés de donner leur préférence à l'un des deux. » Elle demanda à Edward de placer un portemanteau au milieu de la salle de séjour.

— Pourquoi ? demanda-t-il.

— Pour que les délégués puissent retourner leur veste !

Toute la journée, il y eut une affluence de rapports sur les faits et gestes de Parkin, sensiblement les mêmes que ceux de Florentina. Il avait élu domicile au Westin Hotel. Aucun des deux candidats ne devant se rendre à la Convention, leur routine quotidienne continuait : délégués, coups de fil, communiqués de presse, rencontres avec des officiels, et au bout du compte, des nuits sans sommeil.

Le mercredi matin, à six heures, Florentina était debout et habillée. Elle se fit conduire à l'arène Joe Louis, le lieu de la Convention, et on lui indiqua l'endroit par lequel elle devrait passer pour prononcer son discours d'acceptation si elle était choisie pour représenter le parti. Elle sortit sur l'estrade, devant la gerbe des micros, et regarda les vingt et un mille sièges vides. Des panneaux sur des tiges hautes et minces dans les travées proclamaient le nom de chaque Etat, de l'Alabama au Wyoming. Elle repéra l'emplacement de la délégation de l'Illinois, pour la saluer en entrant.

Un photographe audacieux, qui avait passé la nuit sous un siège de la Convention, commença à prendre des clichés. Les agents des services secrets le conduisirent rapidement hors du bâtiment. Florentina laissa errer son regard sur le plafond, souriant aux deux cent mille ballons rouges, bleus et blancs, qui attendaient pour dégringoler sur le vainqueur. Elle avait lu quelque part que cinquante étudiants les avaient gonflés avec des pompes de bicyclette pendant une semaine entière.

— Prête pour un essai, madame Kane ? fit une voix impersonnelle venue de nulle part.

— Chers concitoyens, me voici au plus grand moment de ma vie...

— Parfait, madame le sénateur. Vous parlez d'une voix haute et claire, lança le preneur de son en s'avançant dans les travées.

Pete Parkin allait subir le même test à 7 heures.

Florentina retourna à son hôtel, où elle prit le petit déjeuner avec ses plus proches collaborateurs. Ils étaient tous nerveux et riaient les uns avec les blagues des autres, mais se taisaient dès qu'elle ouvrait la bouche. Ils regardèrent à la télévision Parkin faire son jogging habituel devant les caméras et ils éclatèrent de rire quand un cameraman en blouson dépassa trois fois au pas de course un vice-président de plus en plus essoufflé, pour le prendre en photo.

Le scrutin commencerait à 9 heures du soir. Edward avait installé cinquante lignes téléphoniques pour être directement lié à chaque président de délégation, pour le cas où quelque chose d'inattendu surgirait. Florentina était assise à une table, devant deux postes de téléphone. En appuyant sur un bouton, elle pouvait se brancher sur toutes les lignes. Quand la salle commença à se remplir. Edward déclara que tout était prêt et qu'il fallait utiliser le peu de temps qui restait à contacter le plus grand nombre de délégués possible. A 17 h 30, Florentina calcula que depuis trois jours, elle avait déjà parlé avec trois cents délégués.

Vers sept heures du soir, l'arène Joe Louis était quasi pleine. L'appel nominatif des Etats commencerait seulement dans une heure, mais personne ne voulait rater un seul instant la suite des événements.

A 19 h 30, les officiels commencèrent à s'installer sur leurs sièges et Florentina se rappela le temps où, simple volontaire, elle avait rencontré John Kennedy. Chacun avait été sommé d'arriver à une certaine heure, les plus haut placés arrivant en dernier. Quarante ans plus tard, elle espérait arriver en dernier.

Le plus chaleureux accueil de la soirée fut réservé au sénateur Bradley, qui déclara son intention de prendre la parole devant la Convention, si le premier scrutin aboutissait à une impasse.

A 19 h 45, Marty Lynch, le président de la Chambre des Représentants, se leva et essaya de rappeler la Convention à l'ordre, mais sa voix se perdit dans le tumulte des klaxons et des sifflets, les coups de clairons et de tambours, et les cris de « Kane » ou de « Parkin », chaque groupe de supporters s'efforçant de couvrir l'autre. De sa place, Florentina regardait la scène sans aucun signe d'émotion. Quand il y eut un semblant de silence, le président présenta Mme Bess Gardner, une personne censée enregistrer les votes. Chacun dans la salle savait que les résultats apparaîtraient au fur et à mesure sur l'écran géant, avant même que Mme Gardner puisse les confirmer.

A vingt heures, le président sortit son marteau. Certains le virent taper sur sa table, mais personne ne l'entendit et pendant vingt minutes le vacarme continua.

Vers 20 h 20, on put entendre Marty Lynch demander au maire de Chicago de nommer le sénateur Kane. Il se passa encore dix minutes avant que le maire puisse prononcer son discours d'introduction. Florentina écouta avec la même attention le sénateur Brooks nommer Pete Parkin. L'accueil réservé par les délégués aux deux discours aurait couvert le bruit d'un orchestre symphonique. Des nominations en faveur de Bradley et de quelques autres se succédèrent rapidement, comme prévu.

A 9 heures, le président appela l'Etat de l'Alabama à voter. Florentina fixait l'écran, tel le prisonnier face à ses

489

juges, qui essaie de deviner le verdict avant même d'avoir entendu les témoignages.

En nage, le chef de la délégation de l'Alabama saisit son micro et hurla :

— Le grand Etat de l'Alabama, le cœur du Sud, donne vingt-huit voix au vice-président Parkin et dix-sept au sénateur Kane.

Tout le monde savait depuis le 11 mars comment l'Alabama allait voter, mais cela n'empêcha pas les supporters de Parkin d'agiter frénétiquement leurs pancartes et il fallut attendre dix minutes avant que le président puisse appeler l'Alaska.

— L'Alaska, quarante-neuvième Etat de la fédération, donne sept voix au sénateur Kane, futur président des Etats-Unis, trois à Pete Parkin et une au sénateur Bradley.

A leur tour, les partisans de Florentina hurlèrent de joie. Pendant une demi-heure, Parkin continua à mener la bataille, jusqu'au moment où la Californie accorda deux cent quatorze voix à Florentina et quatre-vingt-douze à Parkin.

— Dieu bénisse Belle, murmura Florentina.

Ensuite, le vice-président reprit la tête, grâce au vote de la Floride, de la Géorgie et de l'Idaho. Quand vint le tour de l'Etat de l'Illinois, la Convention était presque arrêtée.

Mme Kalamich, qui avait accueilli Florentina lors de sa première nuit à Chicago, vingt ans auparavant, avait été promue à la vice-présidence de la délégation de l'Illinois. Ce fut elle qui annonça le vote :

— Monsieur le président, c'est le plus grand jour de ma vie... (Florentina ne put s'empêcher de sourire), car j'ai l'honneur de vous annoncer que le grand Etat de l'Illinois est fier de décerner toutes ses voix, au nombre de cent soixante-dix-neuf, à sa fille bien-aimée, qui deviendra la première femme président des Etats-Unis, le sénateur Florentina Kane !

Fous de joie, les supporters de Kane se mirent à faire du chahut alors que Florentina reprenait pour la deuxième fois la tête du scrutin. Mais elle savait que son adversaire produirait le même effet quand le Texas déclarerait, à son tour, son allégeance. En effet, après le verdict de son Etat natal, Parkin la devançait par mille quatre cent quarante voix contre mille trois cent soixante et onze.

Bill Bradley avait obtenu quatre-vingt-dix-sept voix, signe qu'il n'y aurait pas de vainqueur après le premier tour de scrutin.

Les faits étaient confirmés sur l'écran géant, à mesure que le président continuait l'appel des Etats, avec l'Utah, le Vermont et la Virginie et il était 22 h 47 quand les résultats du premier tour furent annoncés : mille cinq cent vingt-deux voix pour le sénateur Florentina Kane, mille quatre cent quatre-vingts pour le vice-président Parkin, quatre-vingt-dix-neuf pour le sénateur Bradley et cent quarante divers.

Le président annonça aux délégués que le sénateur Bradley allait prendre la parole et il s'écoula encore onze minutes avant qu'on puisse l'entendre. Florentina avait conversé avec lui tous les jours au téléphone, mais avait volontairement évité de lui demander de se joindre à elle comme vice-président, une telle proposition pouvant apparaître comme une tentative de corruption, même si elle le croyait sincèrement digne de lui succéder.

Ralph Brooks passait pour le favori de Parkin, mais Florentina se demanda si ce dernier n'avait pas déjà donné à Bradley une chance de le rejoindre.

Enfin, le sénateur du New Jersey parvint à s'adresser à la Convention :

— Chers collègues démocrates, commença-t-il, je tiens tout d'abord à vous remercier pour le soutien que vous m'avez apporté pendant cette période électorale. Mais le moment est venu de me retirer, en demandant à mes délégués de voter selon leur conscience.

Le silence était presque total dans la salle. Bradley parla encore quelques minutes, brossant un portrait de la personnalité qui, selon lui, devrait accéder au pouvoir, sans prendre ouvertement parti pour l'un ou l'autre candidat. Il termina par ces mots : « Je prie pour que votre choix soit juste », avant de retourner à sa place sous un tonnerre d'applaudissements.

Pendant tout ce temps, les collaborateurs de Florentina se rongeaient les ongles. Elle resta apparemment calme et seul Edward remarqua son poing serré. Il se replongea dans la partie soulignée à l'encre verte, où il n'y avait que les noms des délégués de Bradley. Il ne pouvait pas tenter grand-chose, car tous étaient restés dans l'arène, sinon d'appeler le chef de la délégation de chaque Etat. Les deux postes de téléphone devant Florentina ne cessèrent de sonner. Il semblait que la division régnait parmi les délégués de Bradley. Certains envisageaient même de continuer à voter pour lui, au cas où le scrutin aboutirait à une nouvelle impasse.

Le deuxième tour commença à 11 h 20 du soir. L'Alabama, l'Alaska et l'Arizona ne modifièrent pas leur vote. L'appel se poursuivit d'Etat en Etat jusqu'au Wyoming, dont la délégation vota à minuit vingt-trois. A l'issue du second tour, la Convention n'avait toujours pas décidé, bien qu'un important changement se fût opéré, donnant à Parkin une légère avance, mille six cent vingt-quatre voix, contre mille six cent quatre. Quatre-vingt-dix-huit délégués étaient restés fidèles à Bradley.

A minuit et demi, le président suspendit la séance.

— Assez pour aujourd'hui. Nous recommencerons demain soir à sept heures.

— Pourquoi pas demain matin à la première heure ? demanda un jeune assistant de Florentina, alors qu'il quittait l'arène.

— Comme le patron l'a indiqué, répondit Janet, les élections se font pour la télé. Dix heures du matin n'est pas une bonne heure.

— La télé sera-t-elle responsable de notre choix ?

Tous deux éclatèrent de rire. L'infatigable assistant répéta le même commentaire vingt-quatre heures plus tard, mais ne fit rire personne.

Ereintés, les délégués se retirèrent dans leurs hôtels. Chacun savait qu'après le troisième tour de scrutin, la plupart des Etats libéraient leurs délégués de leur engagement initial, les autorisant à voter comme bon leur semblait.

Edward et l'équipe ne savaient où donner de la tête mais

ils pointèrent sur leur liste le nom de chaque délégué, espérant trouver un plan pour chaque Etat dès 8 heures le lendemain matin.

Florentina dormit très mal. A 6 heures du matin, elle réapparut en robe de chambre dans la salle de séjour de sa suite, où elle trouva Edward toujours penché sur sa liste.

— J'ai besoin de toi à 8 heures, dit-il sans lever les yeux.

— Bonjour, dit-elle en l'embrassant sur le front.

— Bonjour.

Elle se raidit et s'écria :

— Que va-t-il se passer à 8 heures ?

— Nous causerons, répondit-il, avec trente délégués de Bradley et quelques indépendants, toute la journée. Je voudrais que tu parles avec deux cent cinquante au moins jusqu'à 5 heures de l'après-midi. On a programmé six téléphones pour chaque minute, de sorte qu'il n'y ait jamais plus de deux personnes qui attendent pour te parler.

— 8 heures, n'est-ce pas un peu tôt ?

— Non ! Mais je ne dérangerai pas les délégués de la côte Ouest avant midi.

Florentina retourna dans sa chambre, pensive. Edward avait investi énormément dans sa campagne et elle se souvint de Richard qui lui avait dit combien elle avait de la chance d'avoir deux hommes qui l'adoraient.

A 8 heures, elle se mit au travail, un grand verre de jus d'orange à son côté. A mesure que la matinée s'avançait, l'optimisme gagnait les membres de l'équipe, de plus en plus persuadés que, dès le premier appel, leur candidat serait vainqueur. Peu à peu, l'optimisme se transforma en un sentiment de victoire.

A 10 h 40, Bill Bradley appela. Si ses délégués provoquaient une nouvelle impasse, dit-il, il leur demanderait de soutenir Florentina. Elle le remercia.

A 11 h 35, Edward passa l'écouteur à Florentina. Cette fois-ci, il ne s'agissait pas d'un admirateur.

— Parkin à l'appareil. On devrait se voir. Puis-je venir tout de suite ?

Elle aurait voulu répondre « Je suis trop occupée », mais elle dit « Oui ».

— J'arrive !

— Que peut-il vouloir ? murmura Edward en remettant l'écouteur à sa place.

— Aucune idée, mais je sens qu'on va le savoir.

Pete Parkin arriva par le monte-charge, avec deux gardes du corps et son attaché de presse. Après un échange de plaisanteries qui sonnait faux — les deux candidats ne s'étaient pas adressé la parole depuis les six derniers mois — et une fois le café servi, ils restèrent seuls, assis dans des fauteuils confortables, face à face. Ils auraient pu parler de la pluie et du beau temps, mais il s'agissait de savoir lequel des deux allait diriger le monde occidental.

Le Texan n'y alla pas par quatre chemins.

— Je suis venu vous proposer un arrangement, Florentina !

— Je vous écoute.

— Retirez-vous en ma faveur et je vous offre la vice-présidence.

— Vous devez être...

— Ecoutez-moi bien, coupa Parkin en levant sa grosse patte comme un agent de la circulation. Si vous acceptez mon offre, je ne pourrai servir que pendant un mandat... En ce cas, vous bénéficierez en 1996 du soutien total de la Maison-Blanche. Vous avez cinq ans de moins que moi, et il n'y a aucune raison pour que vous ne soyez pas élue.

Pendant la demi-heure précédente, Florentina avait essayé d'imaginer des tas de raisons pour lesquelles son adversaire voulait la voir. Elle n'avait pas songé à celle-là.

— Si vous refusez mon offre et que je gagne ce soir, poursuivit Parkin, j'offrirai le numéro deux à Ralph Brooks, qui m'a déjà confirmé son acceptation.

— Je vous rappellerai à deux heures de l'après-midi, fut la seule réponse de Florentina.

Parkin repartit avec son escorte et Florentina discuta de son offre avec Edward et Janet. Tous deux pensaient qu'elle était allée trop loin pour faire machine arrière.

— Nul ne sait quelle sera la situation dans quatre ans, argumenta Edward, tu pourrais très bien te trouver à la place de Humphrey essayant de se remettre de Johnson. En tout cas, on a besoin d'une bonne impasse ce soir, après quoi les délégués de Bradley nous accorderont une confortable victoire au quatrième tour de scrutin.

— Pete Parkin le sait très bien, ajouta Janet.

Sans émotion apparente, Florentina écouta les conseils de ses amis, puis leur demanda de la laisser seule. Dans l'après-midi, elle appela Parkin et déclina poliment son offre, expliquant qu'elle faisait confiance au scrutin du soir. Il ne répondit pas.

A 14 heures, la presse eut vent de la rencontre secrète entre Parkin et Florentina, et la suite 2400 du Baron fut assaillie de coups de fil de journalistes curieux.

Edward obligea Florentina à se concentrer sur ses contacts avec les délégués. Après chaque conversation, elle était de plus en plus sûre que Parkin avait agi par désespoir.

— Il a joué sa dernière carte, lança Janet, en jubilant.

A 18 heures, les occupants de la suite 2400 étaient à nouveau postés devant la télévision : il ne restait plus beaucoup de discours à prononcer. Tous les délégués étaient installés dans la salle. Edward était toujours en contact téléphonique avec les chefs de délégation. Dès le début de la soirée, l'impression d'avoir gagné du terrain fut confirmée. Florentina commença à se détendre et à reprendre confiance.

C'est alors que la bombe explosa.

Edward venait de lui servir une autre tasse de thé glacé quand le sigle de la N.B.C. apparut sur l'écran, annonçant un bulletin d'information spécial. Un quart d'heure seulement avant le début du scrutin, Dan Rather annonça à une audience médusée qu'il était sur le point d'interviewer le vice-président au sujet de sa rencontre secrète avec le sénateur Kane.

La caméra capta le visage épanoui du gros Texan. A l'horreur de Florentina, la scène était reproduite sur l'écran géant de la Convention. Elle se souvint que le comité d'organisation avait décidé de permettre la retransmission de toute information pouvant éclairer les délégués, pour éviter ce qui s'était produit entre Ford et Reagan à la Convention de 1980.

Pour la première fois depuis quatre jours, un silence unanime régnait sur l'assemblée. La caméra revint sur l'interviewer.

— Monsieur le vice-président, nous avons appris que vous avez rencontré le sénateur Kane aujourd'hui. Peut-on savoir pourquoi vous avez pris cette initiative ?

— Certainement, Dan ! Avant tout, je m'intéresse à l'unité de mon parti et je ne rêve que d'une seule chose, Dan, donner une raclée aux républicains.

Florentina et tout son personnel en étaient médusés. Impuissante, elle regarda les membres de la Convention pendus aux lèvres de Parkin.

— Que s'est-il passé pendant cette rencontre, monsieur le vice-président ?

— J'ai proposé à Mme Kane de devenir mon vice-président et de former avec moi une équipe démocrate imbattable.

— Comment a-t-elle réagi ?

— Elle a voulu réfléchir à ma proposition. Vous voyez, Dan, tous les deux ensemble, nous sommes capables de terrasser les républicains.

— Demandez-lui quelle a été ma réponse définitive, cria Florentina, en vain.

Les caméras montraient maintenant la Convention, qui se préparait à voter. Edward appela la chaîne nationale et réclama un droit de réponse pour Florentina. Dan Rather accepta immédiatement de l'interviewer, mais déjà elle savait qu'il était trop tard, car une fois le vote commencé, le règlement n'autorisait plus, sur l'écran, que les résultats du scrutin. Visiblement, ce règlement était à refaire pour la Convention suivante. Florence ne put s'empêcher de penser au point de vue de miss Tredgold sur la télévision :

« On prend trop de décisions hâtives que l'on regrette par la suite. »

496

Le président de la Convention appela la délégation de l'Alabama à voter. Le pays des camélias donna deux votes supplémentaires à Parkin. Quand Florentina perdit un délégué de l'Alaska et deux de l'Arizona, elle ne put qu'espérer un nouveau ballottage, qui lui permettrait de donner sa version des faits, avant le scrutin suivant.

Elle se vit perdre un mandat par-ci et deux par-là. L'Illinois tint bon et elle recommença à espérer un renversement de la situation. Pendant ce temps, Edward et l'équipe n'avaient cessé de travailler par téléphone.

Puis le deuxième choc survint.

Un coup de fil d'un des assistants avertit Edward que les partisans de Parkin faisaient courir le bruit, à la Convention, que Florentina avait accepté son offre. Il était pratiquement impossible de prouver la participation de Parkin à la rumeur, ni de la contrecarrer. A mesure que les Etats votaient, Edward se battait pour maintenir l'équilibre, mais quand vint le tour de la Virginie Occidentale, Parkin n'avait plus besoin que de vingt-cinq délégués pour obtenir la majorité. La Virginie lui en donna vingt et un et il ne lui en manquait plus que quatre, par l'avant-dernier Etat, le Wisconsin. Florentina attendait avec confiance le vote du Wyoming, sachant que les trois délégués de cet Etat lui resteraient fidèles.

— Le grand Etat du Wisconsin, conscient de ses responsabilités ce soir... (une nouvelle fois, la salle était silencieuse), et croyant à l'unité du parti par-dessus toute considération personnelle, donne ses onze voix au prochain président des Etats-Unis, Pete Parkin !

Les délégués se remirent à chahuter. Dans la suite n° 2400, le résultat fut accueilli dans un silence consterné.

Florentina avait été battue grâce à un subterfuge brillant et mesquin. Si elle démentait maintenant les dires de Parkin, elle risquait d'offrir la Maison-Blanche aux républicains et du coup, elle deviendrait le bouc émissaire de son parti.

Une demi-heure plus tard, Pete Parkin fit son apparition dans l'arène Joe Louis, au milieu des acclamations et des accents de fanfares. Il salua les délégués pendant dix bonnes minutes et quand enfin il réussit à imposer le silence, ce fut pour déclarer :

— J'espère me tenir ici même demain soir, au côté de la plus grande dame de toute l'Amérique et constituer aux yeux de la nation une équipe qui donnera à ces chameaux de républicains la plus grande raclée de leur vie.

Par des hurlements, les délégués exprimèrent leur approbation. Dans l'heure qui suivit, le personnel de Florentina se retira, la laissant seule avec Edward.

— Dois-je accepter ? demanda-t-elle.

— Tu n'as pas le choix. Si tu t'y refuses et que les démocrates perdent les élections, le blâme rejaillira sur toi.

— Et si je dis la vérité ?

— Tu risques d'être mal comprise. On te traitera de mauvais perdant, alors que ton adversaire t'a tendu le rameau d'olivier. N'oublie pas qu'il y a dix ans, Ford avait prédit qu'aucune femme ne pourrait devenir président avant d'avoir fait ses preuves en tant que vice-président.

— C'est peut-être vrai, mais si Richard Nixon était encore de ce monde, il aurait aussitôt appelé Parkin pour le féliciter, répondit-elle amèrement. Sa combine était bien supérieure à toutes celles entreprises par Nixon contre Muskie ou Humphrey. Maintenant je vais me coucher, soupira-t-elle, je prendrai une décision avant demain matin.

A 8 h 30, Parkin envoya un émissaire pour demander si Florentina avait pris une décision. Elle répondit qu'elle souhaitait le rencontrer en privé. Il arriva avec trois équipes de télévision et plusieurs reporters de la presse écrite. Une fois seuls, elle fit un effort surhumain pour ne pas perdre son sang-froid et demanda simplement si Parkin pouvait confirmer son intention d'accomplir un seul mandat.

— Oui, répondit-il en la regardant droit dans les yeux.

— Et vous me soutiendrez aux prochaines présidentielles ?

— Je vous en donne ma parole.

— En ce cas, j'accepte de me présenter comme vice-président.

Parkin s'en fut et Edward observa :

— Nous savons exactement ce que vaut sa parole.

Tard dans la soirée, en entrant dans la Convention, Florentina fut acclamée par une foule déchaînée. Pete Parkin lui saisit la main pour la tenir très haut en signe de victoire, et les délégués exprimèrent unanimement leur satisfaction. Seul Ralph Brooks paraissait sombre.

Le discours de Florentina en tant que candidat à la vice-présidence aurait pu être meilleur, mais il fut accueilli avec chaleur. Le plus grand triomphe de la soirée fut réservé à Pete Parkin, quand il prit la parole. Après tout, les délégués le tenaient maintenant pour un héros, un homme qui avait su réunifier le parti.

Florentina prit l'avion pour Boston. Le lendemain matin, elle se retira à Cape Cod, après une écœurante conférence de presse avec le candidat démocrate, qui ne cessa de l'appeler « la grande petite bonne femme de l'Illinois ».

Avant de se séparer devant les journalistes, Parkin l'embrassa sur la joue. Florentina se sentit alors comme la prostituée qui, après avoir accepté l'argent du client, découvre qu'il est trop tard pour changer d'avis, avant d'aller au lit.

# 35

La campagne ne devait pas commencer avant la Fête du Travail. Florentina en profita pour retourner à Washington où elle retrouva ses devoirs de sénateur. Elle trouva même le temps de visiter Chicago.

Tous les jours, elle parlait avec Parkin au téléphone. Ce dernier se montrait amical à l'excès et complaisant envers toutes ses revendications. Ils se donnèrent rendez-vous dans le bureau de Parkin, à la Maison-Blanche, pour discuter les détails de la campagne.

Le 2 septembre, accompagnée d'Edward et de Janet, Florentina pénétra dans l'aile occidentale de la Maison-Blanche et fut accueillie par Ralph Brooks, qui était resté le fidèle lieutenant du candidat. Elle était déterminée à éviter toute friction avec lui, à si peu de temps des élections, et sachant surtout qu'il avait convoité la vice-présidence. Le sénateur Brooks conduisit Florentina et ses amis de la réception au bureau de Pete Parkin. C'était la première fois qu'elle entrait dans le bureau du vice-président, qu'elle occuperait peut-être dans quelques semaines, et elle fut agréablement surprise par la décoration chaleureuse, et les murs jaunes aux moulures ivoirines.

Des gerbes de fleurs fraîches égayaient le bureau en acajou et des huiles de Remington ornaient les cloisons. Le soleil de la fin d'été inondait la pièce, à travers les grandes fenêtres donnant en plein sud.

Pete Parkin quitta précipitamment son bureau et accueillit Florentina avec une effusion excessive. Ensuite, tout le monde prit place autour d'une table, au milieu de la pièce.

— Je crois que vous connaissez tous Ralph, fit Parkin, avec un petit rire gêné. Il a mis au point un programme d'offensive que vous trouverez sans aucun doute remarquable.

Brooks déplia une carte des Etats-Unis sur la table.

— Tout d'abord, commença-t-il, il ne faut jamais oublier que, pour accéder au pouvoir, nous avons besoin de deux cent soixante-dix voix de grands électeurs. Certes, gagner par le vote populaire peut sembler plus important, plus satisfaisant, néanmoins, ce sont les grands électeurs qui continuent à élire le Président. Ici, vous voyez en noir les Etats dans lesquels nos chances sont maigres. En blanc, ceux qui votent traditionnellement démocrate et, en rouge, les principaux Etats dont le grand corps électoral peut déplacer ses votes, qui sont au nombre de cent soixante et onze.

« A mon avis, tant Pete que Florentina doivent visiter ces Etats rouges au moins une fois. Pete devrait du reste aller dans le Sud, et Florentina dans le Nord. Seule la Californie, en raison de ses quarante-cinq voix de grands électeurs, mérite des visites régulières des deux à la fois.

« Nous avons soixante-deux jours avant les élections. Chaque minute doit être utilisée à conquérir des Etats dans lesquels nous avons une chance réelle de l'emporter. Les discours doivent être prononcés uniquement dans ces régions limitrophes, que nous avons récupérées lors du raz de marée démocrate de 1964.

« En ce qui concerne nos propres Etats, laissés en blanc, il faut les visiter au moins une fois, pour ne pas être accusés de les considérer comme acquis. L'Ohio ne nous laisse aucun espoir, étant l'Etat d'origine de Russel Warner, mais il n'y a pas de raison de laisser la Floride aux républicains, sous prétexte que le coéquipier de Warner a été le plus ancien sénateur de cette circonscription.

« Nous allons maintenant mettre au point un programme au jour le jour pour tous les deux, en commençant par lundi prochain, ajouta-t-il en donnant au candidat et à Florentina des feuillets séparés, et je pense que vous devez rester en contact au moins deux fois par jour, à huit heures du matin et à onze heures du soir. »

Florentina fut impressionnée par le travail de Ralph Brooks et commença à comprendre pourquoi Parkin était resté lié à cet homme.

Dans l'heure qui suivit, Brooks répondit à toutes les questions qu'on lui posa sur le programme et toute l'équipe arriva à un accord sur la stratégie à suivre. A midi trente, le vice-président et Florentina se rendirent au portique nord pour s'entretenir avec la presse.

Ralph Brooks semblait avoir des statistiques sur tout.

— La presse, dit-il, est divisée comme tout le monde. Cent cinquante journaux, avec vingt-deux millions de lecteurs, soutiennent déjà les démocrates. Cent quarante-deux, avec vingt et un millions sept cent mille lecteurs, favorisent les républicains.

Il annonça pouvoir fournir, si nécessaire, de plus amples informations sur n'importe quel journal des Etats-Unis.

La pelouse du square Lafayette était envahie par des promeneurs et des pique-niqueurs. Une fois élue, Florentina ne pourrait plus visiter les parcs et les monuments de Washington sans ses gardes du corps.

Parkin la raccompagna au bureau du vice-président, où les employés philippins étaient en train de déjeuner, sur la table de réunion.

Florentina sortit de cette rencontre avec un meilleur sentiment quant au travail à accomplir. En présence de Ralph Brooks, Parkin avait fait allusion à deux reprises à leurs accords à propos de 1996, mais elle n'était pas prête à lui faire totalement confiance avant longtemps.

Le 7 septembre, elle se rendit à Chicago pour commencer la campagne électorale. La presse fut plus difficile à émouvoir que lors de ses campagnes précédentes. Le programme de Brooks se déroulait sans encombres et Florentina parcourut l'Illinois, le Massachusetts et le New Hampshire. Il n'y eut aucune surprise, sauf à New York, où une foule de journalistes la guettaient, à l'aéroport d'Albany. Ils voulaient connaître son point de vue sur les déclarations de Pete Parkin, à propos des Chicanos mexicains. Elle avoua ne pas être au courant et apprit que le candidat démocrate avait prétendu ne jamais avoir eu de problèmes avec les Chicanos de son ranch, qu'il considérait comme ses propres enfants. Et pourtant, tous les défenseurs de droit civil s'étaient soulevés à travers tout le pays.

— Je suis sûre que M. Parkin a été mal compris, ou alors, cette déclaration est hors de son contexte, fut tout ce qu'elle put répondre.

Russel Warner, le candidat républicain, s'éleva contre ce terme de « malentendu ». Pour lui Pete Parkin avait réagi comme un raciste. Florentina démentit ces déclarations, tout en subodorant qu'elles étaient fondées.

Florentina et Parkin firent un écart au programme pour se rendre à l'enterrement de Ralph Abernathy, l'un des principaux leaders noirs, plutôt que de visiter l'Alabama. Brooks décrivit à un de ses assistants cette mort comme opportune et Florentina, ayant eu vent de ces paroles, l'injuria devant les journalistes.

Elle reprit ses voyages en Pennsylvanie, en Virginie Orientale et Occidentale, puis en Californie où Edward alla la rejoindre. Belle et Claude les invitèrent dans un restaurant de Chinatown. Ils avaient retenu une table dans un coin isolé où on ne pouvait ni les voir ni, surtout, les entendre. Ce répit dura quelques heures seulement et Florentina dut partir pour Los Angeles.

La presse commençait à manifester un certain agacement devant les petites querelles opposant Warner et Parkin. Les deux candidats se disputaient comme des chiffonniers à tout propos, évitant les questions de fond. Quand ils se rencontrèrent à l'occasion d'un débat télévisé, l'opinion fut unanime et tous les deux furent considérés comme perdants. De l'avis de tous, la seule personne qui possédait une stature de président était Florentina Kane. Plusieurs journalistes déplorèrent le fait qu'elle ait pu laisser entendre qu'elle acceptait de se présenter comme la coéquipière de Parkin.

— J'écrirai la vérité dans mes mémoires, dit-elle à Edward, seulement d'ici là tout le monde s'en fichera.

— C'est exact, répliqua Edward. Combien d'Américains, crois-tu, pourraient citer le nom du vice-président de Truman ?

Le lendemain, elle rejoignit Parkin à Los Angeles pour une apparition en commun. Elle le rencontra à l'aéroport. Il descendit de son *Air Force II* brandissant le *Democrate Irréductible*, le seul journal qui avait titré : « Parkin, vainqueur du débat. »

Florentina admirait la façon de Parkin de faire prendre aux autres des vessies pour des lanternes. La Californie constituait leur dernière étape, avant le retour dans leur Etat respectif. Ensemble, ils participèrent à un meeting final, au stade olympique. Plusieurs vedettes les entouraient, dont la moitié s'occupaient de leur propre publicité gratuite — peu importait le candidat. Avec Dustin Hoffman, Al Pacino et Jane Fonda, Florentina signa des centaines d'autographes. Elle ne sut quoi répondre à une jeune fille qui, étonnée, demanda :

— Mais dans quel film avez-vous joué ?

Le lendemain matin, Florentina prit l'avion pour Chicago et Parkin retourna au Texas. A l'aéroport de la « Cité des Vents », une foule de plus de trente mille personnes, la plus nombreuse de toute la campagne électorale, attendait Florentina pour l'acclamer.

Le matin de l'élection, elle alla voter à l'école élémentaire de la neuvième circonscription, en présence de l'habituelle équipe de reporters de la télévision et de la presse écrite. Elle sourit, tout en se disant que tous ces gens l'oublieraient en une semaine si les démocrates étaient battus. Elle passa toute la journée à faire le tour des comités, des bureaux de vote et des studios de la télévision, et revint au Baron de Chicago seulement après la fermeture du scrutin.

Florentina s'accorda son premier véritable bain chaud depuis cinq mois et changea de vêtements, sans tenir compte des personnes qui viendraient la voir dans la soirée. Elle reçut la visite de William, de Joanna, d'Annabelle et du petit

Richard qui, à six ans, avait été autorisé à regarder à la télévision les résultats des élections. Edward arriva vers 22 h 30 et, pour la première fois de sa vie, il surprit Florentina sans chaussures, les pieds sur la table.

— Miss Tredgold n'aurait pas approuvé, dit-il.

— Miss Tredgold n'a jamais été obligée de mener une campagne électorale pendant sept mois sans répit, répliqua-t-elle.

La chambre se remplit d'amis et de proches, qui se pressèrent autour de la table chargée de victuailles et de boissons.

Florentina s'assit devant la télévision pour regarder les résultats de la côte Est. Pour le moment, les démocrates avaient remporté le New Hampshire et les républicains le Massachusetts, mais il y avait encore une longue nuit à passer.

Il avait fait beau dans tout le pays, pendant toute la journée, et Florentina en était ravie. Elle se souvenait toujours d'une phrase de Theodore White disant que l'Amérique votait républicain jusqu'à cinq heures de l'après-midi. A partir de cette heure-là, seuls les gens qui revenaient de leur travail décidaient de s'arrêter ou non aux urnes. Si eux le voulaient seulement, le pays aurait un gouvernement démocrate. Ce jour-là, la participation après 5 heures de l'après-midi semblait massive, mais serait-ce suffisant ?

Vers minuit, les démocrates avaient gagné l'Illinois et le Texas, mais avaient perdu l'Ohio et la Pennsylvanie. A la fin de l'enregistrement des votes de la Californie, trois heures après New York, l'Amérique n'avait toujours pas élu son Président.

Des sondages sauvages, menés devant les bureaux de dépouillement, prouvèrent seulement que le plus grand Etat de l'Amérique ne voulait ni du candidat démocrate ni du candidat républicain.

Dans la suite Georges-Novak, au Baron de Chicago, les personnes présentes mangèrent, burent, certaines même s'assoupirent. Seule Florentina resta éveillée, devant le poste de télévision, jusqu'à 2 h 33 du matin, heure à laquelle la chaîne nationale annonça le résultat tant attendu :

Les démocrates avaient obtenu la majorité en Californie par 50,20 % contre 49,80 % pour les républicains. Une marge de trois cent trente-deux mille voix accordait la victoire à Parkin.

Florentina décrocha le téléphone.

— Tu appelles le nouveau Président pour le féliciter ? demanda Edward.

— Non, j'appelle Belle, pour la remercier de l'avoir fait élire.

## 36

Florentina passa quelques jours à Cape Cod, dans un repos total. Par habitude, elle se réveillait à 6 heures du matin et tout ce qu'elle avait à faire était d'attendre les journaux. A sa grande joie, Edward vint la voir le vendredi, l'appelant affectueusement V.P., un nouveau titre auquel elle ne s'habituait pas.

Pete Parkin avait déjà convoqué la presse dans son ranch du Texas et avait déclaré qu'il ne présenterait pas son cabinet avant le Nouvel An.

Florentina retourna à Washington le 14 novembre pour assister à titre provisoire à la session du Congrès et pour préparer le déménagement de son bureau à la Maison-Blanche.

Son temps était totalement absorbé entre le Sénat et l'Illinois, mais elle trouva tout de même bizarre de parler au Président nouvellement élu seulement deux ou trois fois au téléphone. Le Congrès remit ses travaux pour deux semaines et elle retourna à Cape Cod pour passer Noël en famille. Richard, son petit-fils, l'appelait « Mamie Président ».

— Pas encore, répondit-elle.

Le Président arriva à Washington le 9 janvier, avec la liste de son cabinet. Florentina n'avait pas été consultée sur les engagements du Président, mais on ne s'attendait pas à de grandes surprises.

En effet, Charles Selover, un homme que toute personne sensée aurait choisi, fut nommé à la Défense. Paul Rowe gardait son poste de directeur de la C.I.A. Pierre Levale devenait procureur général et Michael Brewer conseiller à la Sécurité nationale. Florentina ne broncha pas jusqu'à la nomination du secrétaire d'Etat. Suffoquée, elle entendit Parkin déclarer :

— Chicago peut s'enorgueillir à juste titre d'avoir fourni aussi bien le vice-président que le secrétaire d'Etat.

Le jour de l'Inauguration, les affaires de Florentina au Baron étaient déjà empaquetées, en attendant d'être expédiées à la résidence officielle du vice-président, à l'Observatory Circle. Cette vaste demeure victorienne était démesurément grande pour une seule personne.

A l'occasion de l'Inauguration, la famille de Florentina prit place un rang derrière la femme et les filles de Parkin. Florentina s'assit à côté du président et Ralph Brooks s'empressa de s'installer juste derrière lui.

Lorsqu'elle s'avança pour prononcer le serment officiel de sa fonction, elle pensa que si Richard avait été là, il lui aurait dit qu'elle s'approchait décidément de plus en plus du micro. Elle jeta un coup d'œil en biais vers Parkin. Pas de doute, Richard aurait continué à voter pour les républicains, conclut-elle.

Le président de la Cour suprême esquissa un sourire, alors qu'elle répétait, après lui, le serment traditionnel du vice-président.

— Je jure solennellement de soutenir et de défendre la Constitution des Etats-Unis, contre tout ennemi, extérieur et intérieur.

— Je jure solennellement de soutenir et de défendre la Constitution des Etats-Unis, contre tout ennemi extérieur ou intérieur, répéta-t-elle.

Sa voix était claire et assurée, peut-être parce qu'elle avait appris le serment par cœur. Annabelle adressa un clin d'œil à sa mère, alors que celle-ci regagnait sa place au milieu d'une explosion d'applaudissements.

Le magistrat fit ensuite jurer Parkin et Florentina écouta avec la plus grande attention le discours d'Inauguration du chef de l'exécutif américain, sur lequel elle n'avait pas été consultée.

Une fois de plus, il la mentionna en l'appelant « la plus grande petite bonne femme du pays ».

Après la cérémonie de l'Inauguration, Parkin, Brooks et Florentina rejoignirent les responsables politiques du Congrès. Les collègues de Florentina lui réservèrent un chaleureux accueil quand elle prit place sur l'estrade. Après le déjeuner, ils montèrent dans les voitures qui attendaient, et débouchèrent sur Pennsylvania Avenue, pour la parade inaugurale traditionnelle.

Peu après, assise sur une estrade couverte, elle regarda défiler une houle de fanfares et de bannières de toutes les tailles, représentant chaque Etat. Elle se leva et applaudit quand les fermiers de l'Illinois la saluèrent et, après avoir pris la parole à tous les bals inauguraux, elle se retira dans la vaste demeure des vice-présidents des Etats-Unis, pour sa première nuit. A chaque étage qu'elle montait, elle se sentait un peu plus seule.

Le lendemain matin, le Président convoqua son cabinet pour la première fois et, cette fois, Ralph Brooks s'assit à la droite du chef de l'Etat. Visiblement, tous les membres du cabinet étaient exténués par les sept bals de la nuit précédente. Florentina prit place à l'autre extrémité de la table ovale. Elle était entourée d'hommes avec lesquels elle avait été rarement d'accord dans le passé, et avait conscience qu'elle devrait se battre contre eux pendant quatre ans, avant de former son propre cabinet.

Elle se demanda combien d'entre eux avaient eu connaissance de son marché avec Parkin.

Aussitôt installée dans ses bureaux de la Maison-Blanche, Florentina nomma Janet chef de son bureau personnel. Plusieurs postes laissés vacants par les assistants de Parkin furent comblés par le personnel de Florentina, la bonne vieille équipe du temps des campagnes et du Sénat. Quant aux employés dont elle hérita, elle n'eut guère le temps d'apprécier leurs qualités, car l'un après l'autre ils disparaissaient, le Président leur offrant des postes dans l'exécutif.

En trois mois, Parkin avait presque vidé le bureau de Florentina de ses collaborateurs les plus compétents et parfois les plus proches. Elle s'efforça de maîtriser sa colère quand il offrit à Janet le poste de sous-secrétaire au ministère de la Santé et des Relations humaines.

Janet n'hésita pas un seul instant. De sa plus belle plume, elle répondit au Président qu'elle était flattée de cette confiance, mais qu'elle ne pouvait considérer un autre travail dans le gouvernement que celui de servir le vice-président.

— Vous allez bien attendre quatre ans, vous, expliqua-t-elle, alors pourquoi pas moi ?

Florentina savait déjà que la vie de vice-président était, pour reprendre le mot de John Nance Garner, « aussi tranquille qu'un lac ». Elle n'en fut pas moins étonnée du peu de travail qu'elle avait, par rapport à son séjour au Congrès. En tant que sénateur, elle recevait un courrier beaucoup plus important. Les gens n'écrivaient qu'au Président ou à leur député. Tout le monde semblait travailler à l'affaiblissement du vice-président. Florentina aimait présider au Sénat, sur des débats importants, surtout parce que, grâce à cela, elle restait en contact avec des collègues qui pourraient l'aider à nouveau, dans quatre ans. Mais elle prit conscience des rumeurs qui circulaient aussi bien à la Chambre des Représentants qu'au Sénat. Beaucoup de sénateurs l'utilisaient pour envoyer des messages au Président. Mais le temps passant, jour après jour, semaine après semaine, elle commença à se demander qui transmettrait son message personnel au Président, car celui-ci n'avait daigné la consulter sur aucune question importante.

Pendant sa première année de vice-président, Florentina effectua des visites de politesse au Brésil et au Japon, représenta le gouvernement aux obsèques de Willy Brandt à Berlin et d'Edward Heath à Londres, se rendit sur les lieux de trois catastrophes naturelles et s'occupa de tant de petites besognes qu'elle se sentit capable d'écrire son propre guide sur le fonctionnement du gouvernement.

La première année s'écoula lentement, la seconde encore plus. Le seul grand moment pour elle fut le couronnement de Charles III d'Angleterre à l'abbaye de Westminster Abbey, après l'abdication d'Elisabeth II en 1994, quand Florentina représenta une nouvelle fois son gouvernement.

Florentina passait des heures à discuter de la conjoncture mondiale et à se demander quelle pouvait être la position du président à l'égard des mouvements des troupes russes aux frontières du Pakistan. Elle glanait presque toutes ses informations dans le *Washington Post* et se mit à envier les activités de Ralph Brooks, le nouveau secrétaire d'Etat.

Tout en restant bien informée sur tout ce qui se passait dans le monde, elle s'ennuya mortellement, pour la deuxième fois de sa vie. Et elle attendait 1996 avec la crainte que ses années de vice-présidence n'apportent pas de résultats positifs.

L'*Air Force II* atterrit à l'aéroport Andrews. Florentina retourna à son travail et passa le reste de la semaine à étudier les rapports du Département d'Etat et de la C.I.A. qui, pendant son absence à l'étranger, s'étaient amoncelés sur son bureau.

Elle y resta le week-end, malgré les informations de C.B.S., selon lesquelles le dollar souffrait de la crise internationale. Les Russes avaient amassé de nouvelles troupes à la frontière pakistanaise, mais dans sa conférence de presse hebdomadaire, le Président minimisa cet incident.

— Les Russes, déclara-t-il aux journalistes, n'ont aucun intérêt à violer les frontières d'un pays ayant conclu des traités avec les Etats-Unis.

La semaine suivante, la panique diminua et le dollar se stabilisa.

— C'est une stabilisation factice provoquée par les Russes, confia Florentina à Janet. Les agents de change internationaux rapportent que la Banque de Moscou vend des lingots d'or et c'est exactement ce qu'elle avait fait avant que les Soviétiques n'envahissent l'Afghanistan. Je souhaite que les banquiers ne fassent pas l'histoire.

Quelques hommes politiques et plusieurs journalistes contactèrent Florentina, mais elle ne put qu'apaiser leurs craintes, tout en suivant les événements depuis la coulisse. Elle pensait demander une entrevue au Président, mais dès le vendredi soir, la plupart des Américains s'apprêtaient à passer un week-end tranquille, convaincus que le danger immédiat était passé.

Dans la soirée du vendredi, Florentina resta dans son bureau de l'aile ouest, épluchant les rapports qui arrivaient des ambassades et des agences de presse du continent asiatique. Plus elle lisait, moins elle partageait la décontraction du Président. Sachant qu'elle ne pouvait pas faire grand-chose, elle classa soigneusement tous les papiers dans un dossier rouge et se prépara à rentrer. Un coup d'œil à sa montre lui apprit qu'il était 6 h 30.

Edward était arrivé de New York. Elle avait rendez-vous avec lui le soir, pour dîner. Elle sourit à l'idée qu'elle classait elle-même ses papiers, quand Janet fit irruption dans le bureau :

— Un rapport des services de renseignements indique que les Russes ont procédé à une mobilisation générale, souffla-t-elle.

— Où est le Président ? fut la première réaction de Florentina.

— Je n'en sais rien. Je l'ai vu quitter la Maison-Blanche en hélicoptère, il y a trois heures.

Florentina rouvrit son dossier et examina à nouveau les télégrammes. Janet resta debout, devant le bureau.

— Qui pourrait savoir où il est allé ?

— Vous pouvez être sûre que Ralph Brooks doit être au courant, dit Janet.

— Appelez-moi le secrétaire d'Etat.

Janet partit dans son bureau. Florentina étudia les rapports. Elle parcourut rapidement les points mis en évidence par l'ambassadeur des Etats-Unis à Islamabad, avant de relire les affirmations du général Pierre Dixon, chef de l'état-major. Les Russes, annonçaient tous ces documents, avaient envoyé dix divisions sur la frontière afghano-pakistanaise et les effectifs arrivaient de plus en plus nombreux depuis quelques jours. En outre, la moitié de la flotte russe du Pacifique se dirigeait vers Karachi, alors que deux flottilles manœuvraient au large de l'océan Indien. Le général Dixon avait alors placé ses services en alerte maximale et avait rapidement reçu la confirmation que cinquante MIG-25 et SU-7 s'étaient posés sur l'aérodrome militaire de Kaboul à 18 heures, heure locale. Florentina regarda sa montre : il était 19 h 9.

— Où est-il passé, ce connard ? dit-elle tout haut.

Le téléphone sonna.

— Je vous passe le secrétaire d'Etat, dit Janet.

Florentina attendit plusieurs secondes.

— Que puis-je pour vous ? demanda Ralph Brooks, d'un ton agacé.

— Où est le Président ? demanda-t-elle pour la troisième fois.

— En ce moment, il se trouve dans son avion, répondit Brooks rapidement.

— Cessez de mentir, Ralph ! Je ne vous crois pas. Dites-moi plutôt où est le Président.

— Il est en route pour la Californie.

— Les Soviets mobilisent. Comment se fait-il que le Président n'ait pas été prévenu ?

— Nous l'avons informé mais son avion a dû s'arrêter pour faire le plein de carburant.

— Vous savez bien que son *Air Force I* n'a pas besoin de refaire le plein après une si courte distance.

— Il ne se trouve pas à bord d'*Air Force I*.

— Pourquoi, bon sang ?

Il n'y eut aucune réponse.

— Je vous conseille de parler franchement, Ralph, ne serait-ce que pour sauver votre peau.

Après une pause, Brooks reprit :

— Il allait rendre visite à un ami en Californie, quand la nouvelle a été connue.

— Je ne le crois pas, répliqua Florentina. Pour qui se prend-il ? Pour un Président français ?

— J'ai la situation en main, déclara Brooks, ignorant son commentaire. Son avion va atterrir dans le Colorado d'ici quelques minutes. Le Président sera immédiatement transféré dans un F 15 de l'US Air Force et sera de retour à Washington dans deux heures.

— Mais quel type d'avion a-t-il pris ? demanda-t-elle.

— Un 737 privé, appartenant à Marvin Snyder de la Blade Oil.

— Est-ce que le Président peut entrer en contact avec les services de sécurité, à partir de cet avion ? demanda Florentina.

Aucune réponse.

— Vous m'entendez ? hurla-t-elle.

— Oui, répondit Ralph. En vérité, ce type d'avion ne possède pas une sécurité totale.

— Vous voulez dire que n'importe quelle radio amateur peut se brancher sur une conversation entre le Président et le chef de l'état-major ?

— Oui, admit Ralph.

— Je vous verrai à la Situation Room, dit Florentina avant de raccrocher brutalement.

Elle sortit de son bureau presque en courant. Deux officiers des services secrets la suivirent, étonnés, alors qu'elle dégringolait l'étroit escalier, dépassant les petits portraits d'anciens Présidents. Washington avait l'air de la regarder, du haut de son cadre, alors qu'elle se hâtait dans le large couloir qui menait à la Situation Room.

Le garde avait déjà ouvert la porte qui conduisait aux bureaux du secrétariat. Florentina traversa une pièce pleine de télex vrombissants et de machines à écrire assourdissantes. Un autre agent de sécurité ouvrit pour elle la porte en chêne de la Situation Room.

Ses gardes du corps restèrent dehors, alors qu'elle pénétrait dans la pièce. Ralph Brooks, installé dans le fauteuil présidentiel, donnait des ordres à un groupe de militaires. Autour d'une énorme table, qui occupait à elle seule presque tout l'espace, quatre des neuf sièges étaient déjà pris. A la droite de Brooks avait pris place le secrétaire à la Défense, Charles Selover, puis le patron de la C.I.A., Paul Rowe. En face d'eux se tenaient le général Dixon, chef de l'état-major, et Michael Brewer, de la Sécurité du Territoire. Tout au bout de la pièce, la porte donnant accès aux communications était grande ouverte.

Ralph se tourna pour regarder la nouvelle arrivante. Le bouton de son col était défait ; jamais auparavant Florentina ne l'avait vu en manches de chemise.

— Pas de panique ! dit-il, nous avons la situation en mains. Les Russes ne feront rien avant le retour du Président.

— Je pense, au contraire, qu'ils vont profiter de son absence inexplicable pour faire ce qu'ils ont projeté.

— Ce n'est pas votre problème, Florentina ! Le Président m'a laissé pleins pouvoirs.

— Si, justement, c'est *mon* problème ! affirma-t-elle avec fermeté, en refusant de s'asseoir. En l'absence du Président, c'est à moi qu'incombe la responsabilité pour les problèmes militaires.

— Ecoutez-moi, Florentina ! J'ai pris la direction de l'affaire et je refuse votre intervention.

Toutes les conversations cessèrent, alors que Ralph Brooks fixait Florentina d'un air menaçant. Elle saisit le premier téléphone qui lui tomba sous la main.

— Je voudrais le procureur général sur l'écran, s'il vous plaît.

Quelques secondes plus tard, le visage de Pierre Levale apparaissait sur l'une des six télévisions encastrées dans le panneau en chêne.

— Bonsoir, Pierre, ici Florentina Kane. Nous sommes en état d'alerte et, pour des raisons que je ne veux pas aborder, le Président n'est pas ici. Pouvez-vous expliquer clairement au secrétaire d'Etat qui est la personne responsable de l'exécutif dans une telle situation ?

Tous, dans la pièce, fixèrent le visage inquiet sur l'écran.

Les rides sur le visage de Pierre Levale n'avaient jamais paru aussi prononcées. Tout le monde savait qu'il avait été choisi par Parkin, mais déjà par le passé, il avait su prouver qu'il était plus respectueux de la loi que du Président.

— La Constitution n'est pas toujours claire en cette matière, commença-t-il, surtout après la confrontation entre Haig et Bush qui a suivi l'attentat contre Reagan. A mon avis, en l'absence du Président, le vice-président est investi de tous les pouvoirs et c'est ainsi que je me prononcerais devant le Sénat.

— Merci, Pierre ! dit Florentina en fixant toujours l'écran. Pouvez-vous coucher cela par écrit et envoyer immédiatement une copie sur le bureau du Président ?

Le procureur général disparut de l'écran.

— Maintenant que l'affaire est réglée, Ralph, vous pouvez m'informer.

Brooks quitta à contrecœur le fauteuil du Président. Un officier ouvrit un minuscule caisson sous l'interrupteur, près de la porte. Il appuya sur un bouton et le rideau beige, tendu derrière le fauteuil du Président, se retira de côté. Un grand écran descendit du plafond, montrant la carte du monde, constellée de petits points lumineux de couleurs différentes. Charles Selover, le secrétaire à la Défense, se leva.

— Ces lumières indiquent les positions des forces ennemies, expliqua-t-il, tandis que Florentina se tournait pour regarder la carte. Les rouges correspondant aux sous-marins, les verts à l'aviation et les bleus aux divisions ennemies.

— Même un imbécile pourrait vous dire, en regardant cette carte, ce que les Russes ont en tête, dit Florentina, en contemplant le groupement de lumières rouges dans l'océan Indien, les vertes sur Kaboul et les bleues alignées sur la frontière afghano-pakistanaise.

Paul Rowe confirma ses craintes. Les Russes amassaient des forces armées à la frontière pakistanaise depuis quelques jours et d'après un message codé d'un agent de la C.I.A. implanté derrière les lignes, ils avaient l'intention de franchir la frontière du Pakistan à 10 heures (heure de Washington).

Ce disant, il tendit à Florentina un paquet de messages codés et répondit à toutes ses questions au fur et à mesure.

— Le Président pense, dit Ralph d'un ton pointu, lorsque Florentina eut fini de lire le dernier message, que le Pakistan ne sera pas une nouvelle Pologne. A son avis, les Russes n'oseront jamais dépasser la frontière afghane.

— Eh bien, nous allons voir s'il a vu juste, répondit-elle.

— Le Président, reprit Brooks, a eu des contacts avec Moscou pendant toute la semaine, ainsi qu'avec le Premier ministre britannique, le Président français et le chancelier allemand. Tous semblent être d'accord avec lui.

— Mais depuis, la situation a radicalement changé, contra sèchement Florentina. Je vais moi-même m'entretenir avec le Président soviétique.

Une fois de plus, Brooks hésita.

— Immédiatement ! ajouta-t-elle.

Le secrétaire d'Etat saisit le téléphone. Tous attendirent en silence que le circuit soit branché. Florentina n'avait jamais parlé au Président Romanov auparavant. Son cœur battait à se rompre. Elle savait que tout ce qu'elle dirait serait enregistré, afin de révéler sa moindre réaction involontaire, de même que pour le leader soviétique. Elle avait toujours entendu dire que ce procédé avait permis aux Russes de traiter cavalièrement Jimmy Carter.

Quelques minutes plus tard, la voix de Romanov vint sur la ligne.

— Bonsoir, madame Kane, dit-il ignorant son titre, d'une voix aussi claire que s'il s'était trouvé dans la pièce voisine.

S'il parlait moins bien l'anglais que son prédécesseur, Youri Andropov, le Président Romanov parvenait fort bien à se faire comprendre.

— Puis-je demander où est le Président Parkin ? ajouta-t-il.

Florentina sentit sa bouche se dessécher. Le Président russe continua, avant qu'elle ait pu répondre :

— En Californie, avec sa maîtresse, sans aucun doute.

Le fait que le Président soviétique en savait plus qu'elle sur les faits et gestes de Parkin ne surprit pas Florentina. A présent, la raison pour laquelle les Russes avaient choisi le vendredi à 22 heures pour franchir la frontière pakistanaise sautait aux yeux.

— Vous avez raison, répondit-elle. Et comme il sera absent pendant encore au moins deux heures, vous devrez traiter avec moi. Je voudrais qu'il soit clair qu'en son absence toutes les responsabilités présidentielles m'incombent.

Son front était inondé de sueur, mais elle n'osa l'essuyer.

— Je vois, fit l'ancien responsable de Leningrad. Pourquoi m'appelez-vous ?

— Ne soyez pas naïf, monsieur le Président ! Je voudrais que vous compreniez que si un seul de vos soldats foule le sol pakistanais, l'Amérique ripostera immédiatement.

— Ce sera très héroïque de votre part, madame Kane !

— Visiblement, vous n'entendez rien au système politique américain, monsieur le Président. Il n'exige nullement un quelconque héroïsme. En tant que vice-président, je suis la seule personne aux Etats-Unis qui n'a rien à perdre et tout à gagner.

Cette fois, le silence s'abattit à l'autre bout de la ligne. La confiance de Florentina augmenta. Son interlocuteur lui avait donné la chance de continuer, avant qu'il ne puisse répondre.

— Si votre flotte ne repart pas vers le sud, dit-elle, si vos MIG 15 et vos SU-7 ne retournent pas à Moscou et si vos dix divisions n'évacuent pas sur-le-champ la frontière du Pakistan, je n'hésiterai pas une seconde à vous attaquer sur mer, sur terre et dans les airs. Avez-vous compris ?

La communication s'interrompit.

Florentina regarda autour d'elle. A présent, la pièce était remplie de militaires. Jusqu'alors, ces derniers avaient seulement joué à des jeux ou procédé à des manœuvres. Maintenant, ils attendaient, tout comme Florentina, de voir si leur entraînement, leur expérience et leur savoir allaient leur servir.

Ralph Brooks, qui était au téléphone, annonça que l'avion du Président avait atterri dans le Colorado et que Pete Parkin désirait parler à Florentina. Elle prit l'écouteur rouge du poste de sécurité qui se trouvait à son côté.

— Florentina ? C'est vous ? fit la voix de Parkin, avec un accent texan très prononcé.

— Oui, monsieur le Président.

— Ecoutez-moi ma petite dame. Ralph vient de m'informer de ce qui se passe. Je rentre immédiatement et je serai à la Maison-Blanche dans deux heures environ. Alors ne faites pas de bêtises et débrouillez-vous pour que la presse ignore mon absence.

— Oui, monsieur le Président.

Parkin raccrocha.

— Général Dixon, dit-elle, sans daigner regarder Brooks.

— Oui, madame, fit le général à quatre étoiles, qui jusqu'alors n'avait pas ouvert la bouche.

— En combien de temps pouvons-nous mobiliser une force opérationnelle et l'envoyer sur le terrain ?

— En une heure, je peux faire décoller dix escadrilles de F 111 de nos bases en Europe et les diriger contre les cibles militaires en U.R.S.S. La flotte de la Méditerranée est presque toujours au contact des Russes, mais nous pouvons la déplacer plus près de l'océan Indien.

— En combien de temps arrivera-t-elle à destination ?

— Entre deux et quatre jours, madame.

— Alors donnez l'ordre, général, et faites en sorte qu'elle n'en mette que deux.

Florentina ne dut pas attendre longtemps pour voir apparaître un nouveau rapport sur l'écran, celui qu'elle redoutait le plus. La flotte russe se dirigeait inexorablement vers Karachi et un nombre croissant de divisions s'amassait à Salabad et à Asadabadon, le long de la frontière afghane.

— Appelez-moi le Président du Pakistan, dit-elle.

Peu après, la communication fut établie.

— Où est le Président Parkin ? fut sa première question.

« Pas vous aussi ! » aurait-elle voulu dire, mais elle répondit :

— Il revient de Camp David. Il sera avec nous incessamment.

Elle l'informa ensuite des dispositions qu'elle avait prises et exprima clairement son total engagement.

— Que Dieu bénisse le brave homme ! s'écria Murbaze Bhutto.

— Ne raccrochez pas. Nous vous tiendrons au courant si la situation change, dit Florentina, ignorant le compliment.

— Dois-je rappeler le Président Romanov ? demanda Ralph Brooks.

— Non. Appelez plutôt le Premier ministre britannique, le Président français et le chancelier allemand.

Elle regarda sa montre : il était 19 h 35. Vingt minutes plus tard, elle s'était entretenue avec les trois chefs d'Etat. Les Britanniques étaient d'accord avec son plan. Plus sceptiques, les Français acceptaient de coopérer. Les Allemands s'y refusaient catégoriquement.

Selon le rapport suivant, les avions russes se préparaient à décoller de l'aéroport militaire de Kaboul. Immédiatement, Florentina demanda au général Dixon de placer les forces américaines en état d'alerte. Brooks pencha le buste en avant, pour protester, mais tous les autres avaient déjà mis leur carrière entre les mains d'une femme. Plusieurs d'entre eux, en l'observant, constatèrent qu'elle ne montrait aucune émotion apparente.

Le général revint dans la salle des réunions.

— Madame le vice-président, annonça-t-il, les F 111 sont prêts à partir, la VIe Flotte avance à toute vitesse vers l'océan Indien et une brigade de parachutistes est prête à sauter au-dessus de la frontière pakistanaise dans les six heures.

— Bien ! dit-elle calmement.

Les télex continuaient à transcrire le même message : les Russes avançaient sur tous les fronts.

Brooks s'approcha de Florentina :

— Il faut trouver rapidement un compromis avec l'U.R.S.S. ; sinon, demain matin, le Président aura l'air d'un imbécile.

— Pourquoi ? demanda-t-elle.

— Parce que vous serez bien obligée de battre en retraite.

Sans répondre à Brooks, Florentina fit pivoter sa chaise vers le général Dixon, qui annonça :

522

— Dans une heure, nos avions auront pénétré dans l'espace aérien de l'Union soviétique.

Le téléphone se mit à sonner. Ralph Brooks décrocha. Le général Dixon repartit vers la salle des Opérations.

— L'avion du Président va atterrir d'un instant à l'autre à la base aérienne d'Andrews, dit-il. Il sera ici dans vingt minutes. Parlez aux Russes et dites-leur d'attendre jusqu'à ce que le Président soit là.

— Non, répliqua-t-elle. Si les Russes ne rebroussent pas chemin maintenant, vous pouvez être sûr qu'ils diront au monde entier où se trouvait le président des Etats-Unis alors qu'ils franchissaient la frontière du Pakistan. En tout cas, je suis persuadée qu'ils seront forcés de mettre un terme à cette opération.

— Vous êtes complètement folle ! cria le secrétaire d'Etat en se levant.

— Je n'ai jamais été plus saine d'esprit, rétorqua-t-elle.

— Vous imaginez que le peuple américain vous remerciera d'avoir impliqué l'Amérique dans une guerre au Pakistan ?

— Il ne s'agit pas seulement du Pakistan, rétorqua Florentina. Après le Pakistan ce sera l'Inde, puis l'Allemagne fédérale, puis la France, la Grande-Bretagne et finalement le Canada. Vous serez encore en train de chercher des excuses pour éviter un conflit, pendant que les Russes défileront sur la Constitution Avenue.

— Puisque vous persistez dans cette attitude, je m'en lave les mains, répondit Brooks.

— Et sans doute, l'histoire vous jugera de la même façon que la dernière personne qui a accompli ce geste ignoble.

— Je dirai au Président que vous m'avez supplanté et que vous avez contrecarré mes ordres, hurla-t-il.

Florentina regarda cet homme séduisant dont le visage était devenu écarlate.

— Ralph ! Evitez de mouiller votre pantalon dans la Situation Room !

Brooks se rua hors de la pièce.

— Vingt-sept minutes ont passé, mais il n'y a aucun signe d'amélioration, murmura le général Dixon à l'oreille de Florentina. Le dernier message indique que les chasseurs russes viennent de décoller et qu'ils seront dans l'espace aérien du Pakistan d'ici trente-quatre minutes.

Un peu plus tard, le général annonça :

— Vingt-trois minutes, madame.

— Comment vous sentez-vous, général ? demanda Florentina en s'efforçant de paraître décontractée.

— Mieux que le jour où je suis entré dans Berlin, avec le grade de lieutenant, madame !

Florentina demanda à un major de surveiller les trois chaînes nationales de télévision. Elle commençait à réaliser ce que Kennedy avait dû ressentir lors de la crise de Cuba. Le major s'exécuta. La C.B.S. diffusait un dessin animé, la N.B.C. un match de basket-ball et l'A.B.C. un vieux film avec Ronald Reagan. Elle en revint à son propre petit écran, mais il n'y avait eu aucun changement.

Il ne restait plus qu'à prier. Elle avala un fond de café et lui trouva un goût amer. Elle déposa la tasse sur la table, au moment précis où le Président Parkin, suivi de Brooks, faisait irruption dans la pièce. Le Président portait une chemise ouverte, une veste de sport et un pantalon à carreaux.

— Que se passe-t-il, nom de Dieu ? furent ses premiers mots.

Florentina quitta le siège présidentiel. Le général Dixon réapparut.

— Plus que vingt minutes, madame le vice-président.

— Mettez-moi au courant, Florentina, dit Parkin tout en réintégrant son siège.

Elle prit place à son côté et fit un rapport complet sur ses initiatives.

— Vous êtes folle ! s'écria-t-il, pourquoi n'avez-vous pas écouté Ralph ? Jamais il ne nous aurait mis dans un pareil pétrin.

— Je crois savoir ce que le secrétaire d'Etat aurait fait dans les mêmes circonstances, répondit-elle froidement.

— Général Dixon, dit Parkin, en tournant le dos à Florentina, quelles sont les positions exactes de vos forces ?

Le général en informa le Président, alors que les points

lumineux indiquant la dernière position des Russes clignotaient sur l'écran.

— Dans une heure, les F 111 lâcheront leurs bombes sur le territoire ennemi.

Le poing du Président s'abattit sur la table :

— Appelez-moi le Président du Pakistan.

— Il attend sur la ligne, dit Florentina calmement.

Le Président saisit le téléphone, se pencha sur la table et commença à parler sur un ton confidentiel.

— Navré, mon vieux, mais je n'ai d'autre choix que d'arrêter les décisions du vice-président. Elle n'avait pas réalisé la gravité de son acte. Maintenant, n'allez pas croire que je vous laisse tomber. Soyez-en sûr, nous allons négocier un retrait pacifique de l'armée russe de votre territoire, à la première occasion.

— Pour l'amour du ciel, vous ne pouvez pas nous abandonner, maintenant, dit Bhutto.

— Je dois agir pour le bien de tous, répondit Parkin.

— Comme vous avez fait pour l'Afghanistan.

Ignorant ce commentaire, Parkin raccrocha.

— Général ?

— Oui, monsieur ?

Le général Dixon fit un pas en avant.

— Combien de temps avons-nous ?

Dixon consulta une petite montre à affichage digital, suspendue par le plafond, devant lui.

— Onze minutes et quatre-vingts secondes, dit-il.

— Maintenant écoutez-moi attentivement. Le vice-président a pris trop de responsabilités en mon absence. Je dois immédiatement trouver le moyen de nous sortir de ce merdier sans trop de casse. Comprenez-vous, général ?

— Comme vous voudrez, monsieur le Président, mais, en l'occurrence, j'étais d'accord avec le vice-président.

— Il existe des considérations plus générales qui dépassent les militaires. Ainsi, je voudrais...

Un cri retentit à l'autre bout de la salle, poussé par un général, interrompant le Président.

— Que se passe-t-il ? hurla Parkin.

— La flotte russe a changé de cap et se dirige vers le sud, répondit l'homme en brandissant un télégramme.

Le Président resta sans voix et le colonel poursuivit :

— Les MIG et les SU-7 se dirigent à présent au nord-ouest, vers Moscou.

Des acclamations jaillirent dans toute la pièce, alors que les télex confirmaient le premier message.

— Mon général, dit Parkin en se tournant vers Dixon, nous avons gagné. Quel triomphe pour l'Amérique et pour vous ! Il s'interrompit avant de poursuivre : je suis fier d'avoir conduit mon pays à travers cette passe périlleuse.

Personne n'osa rire et Brooks se dépêcha d'ajouter :

— Félicitations, monsieur le Président.

Les acclamations recommencèrent. Plusieurs personnes allèrent féliciter Florentina.

— Mon général, rappelez vos soldats. Ils ont fait un travail fantastique, et vous aussi. Félicitations !

— Je vous remercie, monsieur le Président, fit Dixon, mais tous ces éloges devraient s'adresser à...

— Cela s'arrose, Ralph ! coupa le Président. Vous vous souviendrez tous de cette journée, jusqu'à la fin de votre existence. Le jour où l'Amérique a prouvé au monde entier qu'elle ne se laisserait pas faire.

Florentina se tenait dans un coin, comme si elle n'avait rien eu à faire dans cette pièce. Le Président continua à l'ignorer. Quelques minutes plus tard, elle quitta la salle des réunions, passa à son bureau et enferma le dossier rouge dans un tiroir, avant de rentrer à son domicile. Pas étonnant que Richard n'ait jamais voté démocrate.

— Un monsieur vous attend depuis 7 heures et demie, annonça le maître d'hôtel, dès que Florentina fut de retour dans sa résidence de l'Observatory Circle.

— Mon Dieu ! dit-elle tout haut, et elle entra en trombe dans le salon.

Edward somnolait sur le sofa, près de la cheminée. Elle déposa un baiser sur son front. Il se réveilla en sursaut.

— Ah, ma chérie ! J'imagine que tu as sauvé le monde de la destruction, pour être si en retard.

— Tu ne crois pas si bien dire, répondit-elle en arpentant la pièce.

Elle raconta tout à Edward. Jamais il ne l'avait vue aussi furieuse.

— Un seul mot peut s'appliquer à Parkin, observa Edward, il est conséquent.

— Il ne le sera plus demain.

— Que veux-tu dire ?

— Je vais tenir une conférence de presse dès demain matin et je raconterai tout ce qui s'est passé. J'en ai assez de son comportement irresponsable et sournois, j'en suis écœurée. La plupart des personnes présentes dans la Situation Room pourront confirmer mes dires.

— Elles seraient à la fois imprudentes et irresponsables.

— Pourquoi ? demanda-t-elle, étonnée.

— Parce que le président des Etats-Unis apparaîtra comme un pauvre type. Tu seras la triomphatrice du moment, mais peu à peu, on te méprisera.

— Mais...

— Il n'y a pas de « mais ». Je te conseille de ravaler ton orgueil et de rappeler simplement à Parkin vos accords au sujet de son mandat présidentiel.

— Et de le laisser tranquille ?

— Et de laisser l'Amérique tranquille, répondit Edward, avec fermeté.

Florentina continua à arpenter la pièce pendant quelques instants.

— J'ai été bornée, tu as raison, conclut-elle enfin, merci.

— J'aurais probablement pensé comme toi, si j'avais vécu ton expérience.

Florentina se mit à rire :

— Allons dîner, dit-elle en cessant de faire les cent pas, tu dois être affamé.

— Non, non, fit Edward, tout en consultant sa montre, mais vous pouvez vous vanter d'être, chère V.P., la première fille qui m'a laissé poireauter pendant trois heures et demie.

Le lendemain à la première heure, le Président appela Florentina.

— Vous avez fait du bon boulot hier, Florentina. J'ai beaucoup apprécié la façon dont vous avez dirigé l'opération.

— Vous l'avez à peine montré hier, monsieur le Président, répondit-elle refoulant avec difficulté sa colère.

— Je vais m'adresser à la nation aujourd'hui, reprit-il, ignorant la réponse de Florentina, et bien qu'il ne soit pas encore temps de dire aux Américains que je ne me représenterai pas aux nouvelles élections présidentielles, le moment venu, je rappellerai à tous votre loyauté.

— Merci, monsieur le Président, fut tout ce qu'elle put dire.

Le Président s'adressa à la nation le même soir, sur les trois chaînes nationales, à 20 heures. Hormis une vague allusion à Florentina, il laissa croire que c'était lui qui avait eu le contrôle de la situation, et avait contraint les Russes à faire marche arrière.

Un ou deux journaux annoncèrent discrètement que le vice-président avait participé aux négociations avec les Russes mais, comme Florentina gardait le silence, la version de Parkin fut acceptée telle quelle.

Deux jours plus tard, Florentina fut envoyée à Paris, pour assister aux obsèques de Valéry Giscard d'Estaing. Quand elle retourna à Washington, les Américains ne parlaient plus que du championnat de base-ball, et le Président Parkin était un héros national.

Les premières primaires devant avoir lieu huit mois plus tard, Florentina dit à Edward qu'il était peut-être temps de commencer à préparer la campagne de 1996. Dans ce but, elle prononça des discours à travers toute l'Amérique et, dans le courant de l'année, elle s'adressa aux électeurs de trente-trois Etats. Partout où elle allait, le public semblait considérer comme une chose acquise le fait que Florentina serait le prochain président des Etats-Unis. Ses rapports avec Pete Parkin étaient restés cordiaux, mais elle dut lui rappeler que le temps approchait où il devrait annoncer qu'il se retirerait après son premier mandat, de sorte qu'elle puisse lancer sa campagne officiellement.

Un lundi de juillet, en rentrant à Washington d'un déplacement dans le Nebraska, Florentina trouva un mot du Président annonçant qu'il avait l'intention d'éclaircir publiquement sa position au sujet des élections le mercredi suivant.

Edward avait déjà ébauché un plan pour la campagne de 1996, de sorte que, aussitôt le communiqué présidentiel annoncé, l'équipe Kane puisse se lancer dans la course.

— L'emploi du temps est parfait, cher V.P., dit-il, nous avons quatorze mois devant nous, avant l'ouverture officielle de la campagne, et tu n'auras plus besoin de déclarer que tu es candidate avant octobre.

Ce même mercredi, Florentina s'enferma dans son bureau, en attendant que le Président fasse sa déclaration. Les trois chaînes nationales retransmettraient son communiqué, mais déjà, la rumeur courait qu'à soixante-cinq ans, Parkin ne voudrait pas demander le renouvellement de son mandat.

Florentina attendit impatiemment le communiqué. La caméra glissa sur la façade de la Maison-Blanche et fit un travelling vers le Bureau ovale, où le président Parkin était assis, derrière sa table de travail.

— Chers concitoyens, commença-t-il, j'ai toujours tenu à vous tenir au courant de mes projets. Je refuse que l'on se livre à des spéculations sur mon avenir professionnel, que l'on se demande si oui ou non je me représenterai aux élections, dans quatorze mois... (Florentina sourit.) Et je profite de l'occasion pour éclaircir mes intentions, afin de terminer mon mandat sans me mêler à des querelles de parti.

Florentina soupira d'aise, quand Parkin avança le buste, adoptant la position que la presse avait surnommée « sa pose sincère », avant de poursuivre :

— Le travail du Président se trouve ici, dans le Bureau ovale, et il consiste à servir la population. C'est justement pour mieux la servir que je veux vous annoncer que, si j'étais candidat aux prochaines élections, je laisserai la propagande électorale à mes adversaires républicains, tandis que je continuerai à défendre vos intérêts à la Maison-Blanche. J'espère que vous m'accorderez le privilège de vous servir pendant quatre ans encore. Que Dieu vous bénisse tous.

Florentina resta sans voix pendant un moment. Enfin, elle saisit le téléphone et appela le Bureau ovale. Une voix de femme répondit.

— Je voudrais voir le Président. Dites-lui que j'arrive tout de suite.

Elle raccrocha brutalement et quitta son bureau, pour se diriger vers le Bureau ovale. La secrétaire de Parkin l'attendait à la porte.

— Le Président est en conférence. Il sera libre d'un instant à l'autre.

Florentina fit les cent pas dans le couloir pendant trois quarts d'heure, avant d'être enfin reçue.

Avant même que la porte se referme derrière elle, Florentina explosa :

— Pete Parkin, vous êtes un menteur et un tricheur !

— Un instant. Florentina. Pour le bien du pays...

— Pour le bien de Pete Parkin, qui trahit toujours sa parole. Que Dieu vienne en aide à ce pays ! En tout cas, je n'ai aucune envie de me présenter comme votre vice-président cette fois.

— Et vous m'en voyez navré, fit Parkin en se rasseyant et en griffonnant quelque chose sur son carnet. J'accepte votre décision avec regret, même si elle n'apporte aucun changement à mes projets.

— Que voulez-vous dire ?

— Je n'avais pas l'intention de vous demander de faire équipe avec moi une deuxième fois. En fait, vous me facilitez la vie en abandonnant de vous-même. Le parti comprendra très bien pourquoi je dois choisir quelqu'un d'autre comme vice-président.

— Vous allez perdre, si je me présente contre vous.

— Non, Florentina. Nous perdrons peut-être tous les deux devant les républicains et ceux-ci pourraient même obtenir la majorité au Sénat et à la Chambre. Et cela ne fera pas de vous la petite bonne femme la plus populaire du pays.

— Vous n'aurez pas mon appui à Chicago. Aucun Président n'a jamais pu gagner les élections sans l'Illinois, et mes électeurs ne vous pardonneront jamais de m'avoir évincée.

— Pas si je remplace un sénateur de cet Etat par un autre.

Florentina blêmit :

— Vous n'oseriez pas...

— Pourquoi pas ? Ralph Brooks est un choix assez populaire, vous allez le découvrir assez vite. Et les citoyens de l'Illinois aussi, quand j'annoncerai que je le considère comme mon successeur naturel, dans cinq ans.

Florentina sortit sans un mot.

Elle devait être la seule personne qui ait jamais claqué la porte du Bureau ovale.

## 37

Le samedi suivant, sur le terrain de golf de Cape Cod, Florentina conta les détails de son entrevue avec Parkin à Edward. Celui-ci ne parut pas très surpris.

— Il ne vaut peut-être pas grand-chose comme chef d'Etat, mais il est plus machiavélique que Nixon et Johnson réunis.

— J'aurais dû t'écouter, à Detroit, quand tu m'avais avertie que ça se passerait mal.

— Souviens-toi de ce que ton père disait à propos d'Henry Osborne. Un salaud est toujours un salaud.

Il y avait une légère brise et Florentina jeta en l'air quelques brindilles, pour juger de la direction du vent. Satisfaite, elle sortit une balle de son sac, la posa à ses pieds et frappa fort. A son grand étonnement, le vent fit dévier la balle légèrement vers la droite, vers les broussailles.

— Vous n'aviez pas assez tenu compte du vent, n'est-ce pas, V.P. ? jubila Edward. Aujourd'hui, c'est le jour où je vais enfin te battre au golf.

Il envoya d'un coup sec sa balle au milieu du fairway, mais vingt mètres moins loin que celle de Florentina.

— Les choses vont mal, mais pas à ce point, dit-elle en souriant, avant de terminer le trou en deux coups.

— Comme au bon vieux temps, dit Edward, alors qu'ils s'avançaient vers le départ du deuxième trou. Puis il interrogea Florentina sur ses projets.

— Parkin a raison. Si je provoque un scandale, il profitera seulement aux républicains. Alors, j'ai décidé d'envisager mon avenir avec réalisme.

— C'est-à-dire ?

— Je vais terminer ces quatorze mois de vice-présidence et je retournerai au groupe Baron. Grâce à mes voyages à travers le monde j'ai une vision claire de la situation de la société et je crois que j'ai une ou deux petites idées qui risquent de nous propulser loin devant n'importe lequel de nos concurrents.

— Alors, nous avons quelques années intéressantes devant nous, fit Edward en souriant, tout en rejoignant Florentina sur le green. Il essaya de se concentrer sur son jeu tandis qu'elle poursuivait :

— Je voudrais, également, devenir membre du conseil d'administration de la Lester. Richard avait toujours voulu que je voie le fonctionnement d'une banque de l'intérieur. Et il prétendait toujours que ses directeurs étaient mieux payés que le président des Etats-Unis.

— Tu devras consulter William à ce sujet, pas moi.

— Pourquoi ?

— Il prend ses fonctions de P.-D.G. le 1er janvier prochain. Il en connaît déjà plus sur la banque que je n'en saurai jamais. Il a le même don que Richard pour la haute finance. Je demeurerai simple directeur général quelques années encore, mais je suis déjà convaincu que la banque est dans de bonnes mains.

— Mais n'est-il pas un peu trop jeune pour une telle responsabilité ?

— Il a l'âge que tu avais quand tu es devenue président du groupe Baron...

— Alors, nous aurons enfin un président dans la famille, dit Florentina en manquant un putt de moins d'un mètre.

— Un trou partout, V.P., dit Edward en prenant note sur sa carte. (Puis il contempla le parcours du troisième trou, qui s'étirait devant lui :) Bon, je sais maintenant de quelle façon tu occuperas la moitié de ton temps. As-tu des projets pour l'autre moitié ?

— Oui, répondit Florentina. La Fondation Remagen n'est plus vraiment dirigée depuis la mort du professeur Ferpozzi. J'ai l'intention de m'en occuper moi-même. Sais-tu à combien s'élèvent les fonds de la société actuellement ?

— Non, mais je peux l'apprendre sur un simple coup de fil, dit-il, s'efforçant de se concentrer sur son swing.

— Tu peux économiser ton temps. Vingt-neuf millions de dollars, rapportant un revenu de quatre millions par an. Edward, il est temps de construire la première université Remagen, offrant des bourses à des jeunes, enfants d'immigrants de la première génération.

— Entendu, et n'oublie pas, V.P., des enfants doués, quel que soit leur milieu social, dit Edward en plaçant sa balle sur un tee.

— Tu parles de plus en plus comme Richard, dit-elle en riant.

Edward frappa la balle.

— J'aurais aimé être aussi fort que lui au golf, soupirat-il en suivant la trajectoire de la balle, qui alla buter contre un arbre.

Florentina ne parut pas le remarquer. Elle joua à son tour, envoyant fermement sa balle au milieu du fairway, puis chaque joueur suivit une direction différente. Ils se rencontrèrent à nouveau sur le parcours, et Florentina continua à parler de la nouvelle université, de son architecture, du nombre d'étudiants qui pourraient s'y inscrire et même de la nomination du doyen.

Elle perdit au troisième et au quatrième trou, se concentra sur son jeu, mais rencontra encore quelques difficultés pour parvenir tout de même à égaliser au neuvième trou.

— Je serais ravie d'offrir tes cent dollars au parti républicain, aujourd'hui, dit-elle. Rien ne me ferait plus plaisir que de voir Parkin et Brooks mordre la poussière.

Elle soupira en voyant sa balle retomber trop près, au départ du dixième trou.

— Je suis encore loin d'être battu, s'écria Edward.

Elle ignora son commentaire.

— Que d'années j'ai perdues à faire de la politique, poursuivit-elle.

— Je ne suis pas d'accord, répondit Edward tout en balançant négligemment son club. Six ans à la Chambre, huit au Sénat et, pour finir, tu es devenue la première femme vice-président. Et je pense que l'histoire rétablira ton rôle dans l'affaire de l'invasion du Pakistan, avec beaucoup plus de précision que Parkin ne peut l'imaginer. Même si tu n'es pas arrivée à tes fins, tu as rendu la tâche moins difficile à la prochaine femme qui voudra parvenir au sommet. Aussi drôle que cela puisse paraître, je suis convaincu que si tu étais le candidat démocrate aux prochaines élections, tu l'emporterais facilement.

— Les sondages d'opinion sont certainement d'accord avec toi.

Elle s'efforça de se concentrer, mais « sliça » complètement son coup.

— Zut ! dit-elle en voyant sa balle disparaître dans le bois.

— Tu n'es pas au mieux de ta forme, aujourd'hui, V.P., remarqua Edward.

Il réussit à l'emporter aux dixième et onzième trou, mais fut battu aux douzième et treizième, après des putts trop nerveux.

— Nous devrions faire construire un Baron à Moscou, déclara Florentina, quand ils arrivèrent au quatorzième trou. C'était l'ultime ambition de mon père. Je t'ai déjà dit que le ministre du Tourisme, Mickhaïl Zokovlov, essaie depuis longtemps de m'intéresser à la question ? Je dois me rendre à Moscou dans un mois, pour cet effrayant voyage culturel, et ce sera une bonne occasion pour discuter plus en détails avec lui. Dieu merci, ils ont le Bolchoï, le caviar et le borchtch. Ils n'ont jamais essayé de mettre un beau jeune homme dans mon lit.

— Pas tant qu'ils sont au courant de notre marché au sujet du golf, dit Edward avec un rire étouffé.

Ils se partagèrent le quatorzième et le quinzième trou et Edward gagna le seizième.

— Nous allons bientôt découvrir comment tu te comportes sous la pression, commenta Florentina.

Edward fut battu au dix-septième trou, après avoir raté un putt de quelques dizaines de centimètres. A présent, la partie allait se jouer sur le dix-huitième et dernier trou. Florentina commença par un bon drive, mais, grâce à un rebond favorable sur une petite butte, la balle d'Edward atterrit à un mètre à peine de celle de Florentina. Son second coup le plaça à moins de vingt mètres du green et il réprima difficilement un sourire, alors qu'ils se rendaient vers le milieu du fairway.

— Tu n'as pas encore fini de souffrir, Edward !

Et sur ces mots, Florentina envoya sa balle dans un bunker.

Edward éclata de rire.

— Inutile de te rappeler combien je manie bien le sand wedge et le putter, mon petit vieux, avertit Florentina et, joignant le geste à la parole, elle fit voler sa balle hors du bunker, celle-ci échouant à un mètre cinquante du trou.

Edward envoya la sienne à deux mètres.

— C'est peut-être ta dernière chance, observa-t-elle.

Edward saisit fermement son putter, frappa la balle et la regarda rouler jusqu'au bord du trou, puis disparaître à l'intérieur. Il jeta son club en l'air et se mit à applaudir.

— Tu n'as pas encore gagné, commenta Florentina, mais tu n'as jamais été aussi près.

Elle se redressa, tout en examinant soigneusement le green entre la balle et le trou. Si elle réussissait son putt elle ferait match nul et l'honneur serait sauf.

— Ne te laisse pas distraire par les hélicoptères, dit Edward.

— La seule chose qui me perturbe, c'est toi, Edward. Attention, tu n'as pas encore gagné. Puisque tout mon avenir dépend de ce coup, crois-moi je ne le raterai pas. En fait, ajouta-t-elle en reculant, je préfère attendre que ces engins se soient éloignés.

Florentina leva le regard vers le ciel et attendit que les quatre hélicoptères passent. Leur vrombissement s'amplifiait de plus en plus.

— Mais où diable vont-ils ? demanda Edward, inquiet.

— Aucune idée, mais je sens que nous ne tarderons pas à le découvrir.

Sa jupe voltigea autour de ses jambes, tandis que le premier hélicoptère atterrissait à quelques mètres du green, non loin du dix-huitième trou. Avant même que le rotor ne s'arrête, un colonel sauta à terre et s'élança vers Florentina.

Un deuxième officier émergea et attendit près de l'hélicoptère, une petite serviette noire à la main. Florentina et Edward contemplèrent le colonel, qui salua.

— Madame le Président, dit-il, le Président est mort.

Le poing de Florentina se referma étroitement, tandis que des agents des services secrets entouraient le dix-huitième trou du parcours. Elle jeta un regard vers la petite valise noire, qui contenait la clé de la force nucléaire et qui serait, dorénavant, sous sa seule responsabilité. Elle espérait que jamais elle n'aurait à tirer sur le levier. C'était la deuxième fois de sa vie qu'elle avait conscience de prendre de réelles responsabilités.

— Comment cela s'est-il passé ? demanda-t-elle calmement.

Le colonel reprit sur un ton saccadé :

— Le Président est rentré de son jogging habituel et s'est retiré dans ses appartements, pour prendre une douche et se changer. Vingt minutes plus tard, certains d'entre nous se sont inquiétés et m'ont envoyé voir si tout allait bien. Il était déjà trop tard. Le médecin a diagnostiqué un infarctus. L'année dernière, il a subi deux attaques cardiaques moins importantes et, dans les deux cas, nous avons pu le cacher à la presse.

— Combien de personnes sont au courant de sa mort ?

— Trois de ses collaborateurs personnels, son médecin, Mme Parkin et le procureur général que j'ai informé aussitôt. Sur ses instructions, j'ai été chargé de vous trouver et de veiller à ce que vous prêtiez serment au plus vite. Ensuite, j'ai ordre de vous accompagner à la Maison-Blanche, où le procureur général vous attend pour annoncer au pays la mort du Président. Il espère que vous approuverez ces arrangements.

— Merci, colonel. Nous ferions mieux de rentrer tout de suite chez moi.

Accompagné par Edward, le colonel, l'officier avec la boîte noire et quatre agents des services secrets, Florentina monta à bord de l'hélicoptère. Tandis que l'appareil prenait de l'altitude, elle regarda vers le dix-huitième trou, où sa balle, minuscule point blanc, était restée à un mètre cinquante du trou. Quelques minutes plus tard, l'hélicoptère se posait sur le gazon de sa résidence de Cape Cod, alors que les trois autres appareils continuaient de survoler la maison.

Florentina conduisit les hommes dans le séjour, où le petit Richard jouait avec l'archevêque O'Reilly, venu de Chicago pour le week-end.

— Grand-mère, pourquoi des hélicoptères survolent la maison ? demanda Richard.

Florentina expliqua à son petit-fils ce qui venait de se passer. William et Joanna se levèrent de leurs sièges, ne sachant trop quoi dire.

— Que faisons-nous à présent, colonel ?

— Nous avons besoin d'une Bible, et du serment officiel.

Florentina alla vers sa table d'étude, dans un coin de la pièce, ouvrit le tiroir du dessus et sortit la Bible de miss Tredgold. Il était moins facile de trouver une copie du serment présidentiel. Edward suggéra qu'il pourrait se trouver dans *Comment devenir Président* de Theodore White. Il se souvenait avoir aperçu ce livre dans la bibliothèque. Il avait raison.

Le colonel appela le procureur général au téléphone et vérifia tous les termes du serment. Ensuite, le procureur parla à l'archevêque O'Reilly, lui expliquant comment procéder.

Dans la salle de séjour de sa maison de Cape Cod, Florentina Kane se mit bien droite, à côté de sa famille, le colonel Max Perkins et Edward Winchester faisant office de témoins. Elle prit la Bible dans sa main droite et répéta les mots après l'archevêque O'Reilly.

— Moi, Florentina Kane, jure solennellement que j'exécuterai fidèlement la fonction de président des Etats-Unis et de toute ma capacité, préserverai, protégerai et défendrai la Constitution des Etats-Unis, avec l'aide de Dieu.

Ainsi, Florentina Kane devint le quarante-troisième président des Etats-Unis.

William fut le premier à féliciter sa mère, et tous les autres l'imitèrent aussitôt.

— Il est temps de partir pour Washington, madame le Président, suggéra le colonel quelques minutes plus tard.

— Bien sûr.

Florentina se tourna vers le vieux prêtre de la famille :

— Merci, monseigneur, dit-elle.

L'archevêque ne répondit pas. Pour la première fois de sa vie, le petit Irlandais était à court de mots.

— J'aurai besoin de vous pour une autre cérémonie, dans un proche avenir, continua-t-elle.

— Laquelle, ma chère ?

— Dès que nous aurons un week-end de libre, Edward et moi nous nous marierons.

Le visage d'Edward s'illumina de joie et de surprise, plus encore que lorsque Florentina était devenue Président.

— Les règles du golf sont formelles, reprit-elle : je viens de me rappeler que si on ne termine pas un trou en cours de partie, la victoire revient automatiquement à l'adversaire.

Edward la prit dans ses bras et elle murmura :

— Mon chéri, j'aurai besoin de ta sagesse, de ta force et, par-dessus tout, de ton amour.

— Tu les as depuis près de quarante ans, V.P. Je veux dire...

Tous éclatèrent de rire.

— Il faut partir maintenant, madame le Président, pressa le colonel.

Elle acquiesça. Le téléphone sonna et Edward décrocha.

— Ralph Brooks, annonça-t-il. Il prétend que c'est urgent.

— Excuse-moi auprès du secrétaire d'Etat, Edward, et dis-lui que je suis occupée. (Edward ouvrit la bouche pour passer le message lorsqu'elle ajouta :) Et demande-lui d'être assez gentil pour aller m'attendre à la Maison-Blanche.

Edward sourit, tandis que le quarante-troisième président des Etats-Unis se dirigeait vers la porte. Le colonel qui l'accompagnait appuya sur le bouton de son poste émetteur-récepteur et annonça à voix basse :

— La Baronne rentre au Palais. Le contrat est signé.

## TABLE

Numéro d'éditeur : 8896
Numéro d'impression :
Dépôt légal : Février 1984